U0450604

《合肥通史》编纂委员会

主　　任：凌　云
副 主 任：韩　冰　钟俊杰　林存安　吴春梅
委　　员（以姓氏笔画为序）：
　　　　　王家贵　王道才　吴利林　汪秀坤　李尚才
　　　　　罗　平　查　凯　洪家友　夏毓平　黄群英
　　　　　谢　军

《合肥通史》编纂委员会办公室

主　　任：夏毓平
副 主 任：夏元荣　许昭堂
成　　员：王东征　贾　猛　李平原

《合肥通史》学术指导委员会

顾　　问：卜宪群　黄传新　朱士群

主　　任：陆勤毅

委　　员（以姓氏笔画为序）：

　　　　　王道才　宁业高　朱万曙　朱玉龙　汤奇学

　　　　　张　生　苏士珩　沈世培　施立业　翁　飞

　　　　　戴　健

人物卷

方英 ◎ 主编

合肥通史

《合肥通史》编纂委员会 编

全国百佳图书出版单位
时代出版传媒股份有限公司
安徽人民出版社

图书在版编目(CIP)数据

合肥通史　人物卷/方英主编.—合肥:安徽人民出版社,2016.8
ISBN 978-7-212-09196-5

Ⅰ.①合… Ⅱ.①方… Ⅲ.①合肥市—地方史　②历史人物—列传—合肥市　Ⅳ.①K295.41　②K820.854.1

中国版本图书馆 CIP 数据核字(2016)第 167331 号

合肥通史　人物卷
HEFEI TONGSHI　RENWUJUAN

《合肥通史》编纂委员会　编

方　英　主编

出 版 人:徐　敏	
选题策划:刘　哲　丁怀超	责任印制:董　亮
责任编辑:刘　哲　卢昌杰　熊圣琼	装帧设计:程　慧

出版发行:时代出版传媒股份有限公司 http://www.press-mart.com
　　　　　安徽人民出版社 http://www.anpeople.com
地　　址:合肥市政务文化新区翡翠路 1118 号出版传媒广场八楼　邮编:230071
电　　话:0551-63533258　0551-63533292(传真)
制　　版:合肥市中旭制版有限责任公司
印　　刷:安徽新华印刷股份有限公司

开本:710mm×1010mm　1/16　印张:40.5　字数:550 千
版次:2017 年 5 月第 1 版　2017 年 5 月第 1 次印刷

ISBN 978-7-212-09196-5　　定价:210.00 元

版权所有,侵权必究
发现印装质量问题 请联系:(0551)63533291

凡 例

一、本书收录远古至2011年合肥地区重要历史人物,客籍人物和2011年在世人物不予收录。

二、本书收录人物籍贯以合肥市现行行政区划版图(包括合肥市及下辖肥东、肥西、长丰、庐江、巢湖4县1市)为准;籍贯有争议,其中一说为合肥籍的,收入本书,正文中予以说明;祖籍不在合肥,先辈迁居此地后出生者,收入本书;祖籍合肥,迁居外地超过三代的酌择有特殊影响者收入本书。

三、本书收录人物标准以有无事迹和影响为定。清代以前的合肥籍人物,正史有传者一般予以收录。近现代人物,主要依据《辛亥以来人物传记资料索引》《安徽省志·人物志》《辞海》等权威辞书及相关著作收录;新中国成立后合肥籍人物包括有代表性的革命烈士、1955年与1962年授衔少将以上的军事将领、20世纪50年代即已出名或为地方剧种带头人的艺术家、新中国成立初期的教授、学部委员或院士、副省级以上的政府官员等。史志所载后妃、烈女、忠义、孝友等事迹平平或荒诞离奇者,文学创作人物,概不收录。上古神话传说人物,结合今日研究现状酌情收录。

四、本书依收录人物事迹详略、影响大小设传记和附表两个部分,传前表后。入传人物字数分为三类:一类万字左右,二类三千至六千字,三类千字左右。几个人的主要事迹表现于同一重大事件或某一重要时段中者、家族成员、历史上已形成既定称谓者,采用合传形式。附表分列姓名(字号)、生卒年、籍贯、主要事迹、参考资料5项。为便于了解合肥地区历史时期不同时间段重要人物分布情况,已入传人物亦列入附表，各项介绍从简。

五、传记与附表中的人物编排以历史时期为序。同历史时期者以出生先后为序。生卒不详者据其生平事迹推定，列入相应历史时期和位置。无生年而有卒年者比照酌处。生年相同而无法进一步区分者，按卒年先后排列。

六、传记先叙生卒年、字号、籍贯（出生地），然后概举学历、仕历、事功及主要著作，琐闻轶事，择优酌举，其子孙有事迹而不足立传者，附姓名于传尾。

七、传记中古代人物籍贯一般注到县，括注该县今地时加一"治"字，以表明为治所所在地；晚清以后人物的籍贯或出生地则视情况尽量详细。

八、对所写人物以叙事为主，事迹单一者按时间先后叙述，事迹较为复杂、活动和建树较多的则归类叙述，以事带人。力求详略得当、主次分清；观点寓于史实材料之中，因事论人，不妄加政治性评论。

九、传记中所叙事实，力求翔实可靠。遇史料歧义、史实不明及见解不一的情况，允许作者保留自己的意见，并在注释里反映各种有异议的材料或观点。

十、行文以白话文为主，文字力求简练准确，生动活泼；引文注明出处（页下注），尽量少引，避免大段摘引。其他如时间表述、空间表述、书目引用等遵循"《合肥通史》学术规范"。

绪　论

　　合肥地区位于长江、淮河之间,水网稠密,丘陵绵延,气候温润,物产丰富,历史悠久,人文荟萃,是中华古老文明的发祥地之一。

　　历史上,合肥地区曾是百货骈集、商贾喧阗的繁华之地,物阜民丰、执国命脉的财富之区;每当社会动荡、王朝鼎革之际,这里又是群雄逐鹿、兵家必争的战略要冲。由于政治、经济、自然地理诸因素的影响,在这片山水灵秀的土地上,上自先秦下迄现代,名人辈出,涌现出大批政治家、军事家、科学家、文学家,以及在历史上曾有重大影响、值得研究的人物。

　　他们中间有的叱咤风云,顺应历史潮流,站在时代前列,如赤壁之战大败曹军由此奠定三分天下基础的东汉末年名将周瑜;经略江淮开启唐宋之交政治整合和经济文化中心南移先河的吴国奠基人杨行密;"三造共和"的北洋皖系首领段祺瑞;"置身民主,功在国家"的爱国将领冯玉祥;中共隐蔽战线的卓越领导者和组织者"传奇将军"李克农;热爱和平并为此一生奔波的"和平将军"张治中等。

　　有的舍生取义,为挽救国家和民族危亡而英勇献身,如一生经历中法战争、甲午战争、庚子之役最后战死沙场的淮军名将聂士成;蒙难不改初衷的革命志士万福华;热血洒共和的"辛亥合肥三上将"吴旸谷、倪映典、范鸿仙等。

　　有的锐意兴革,致力于国家富强和民族复兴,如晚清重臣、洋务运动领袖李鸿章;"溯其功业,足与台湾不朽"的台湾首任巡抚刘铭传;在遗折中主张兴学堂、设议院,呼吁"采西人之体,以行其用"的两广总督张树声等。

有的励精图治,重农宣教、关心民瘼、清正廉洁、奉公守法,无愧官吏之楷模,如位列《汉书·循吏传》之首的西汉教育家文翁;"治行第一"的汉代大司农朱邑;北宋清官名臣包拯等。

有的以杰出的科学技术成果和思想文艺作品造福于民,嘉惠后世,如博览多闻、兼通术艺的天文学家、数学家王蕃;中国放射化学的奠基人郑大章;医学微生物学、免疫学专家叶天星;矿床学家、岩石学家徐克勤;当代安徽文坛旗帜性人物鲁彦周等。

揆诸史实,不难发现,历史时期合肥地区的人物成长和分布有以下三个显著特征。

(一)时间分布不均衡。这种不均衡有两层意思:一是早期人物月明星稀而特点鲜明,明清以后人才鼎盛、大批涌现;二是有几个时间段人才集中涌现,如唐末五代、元末明初、清末民初。这种不均衡性在本书传记与附表的人物分布中有着直观的体现。此一特点与该地区的社会经济发展轨迹大体吻合。

早期的合肥因靠近都会型城市寿春,得天时、地利之便,在西汉初年即成为江淮地区的水陆转运中心,商业发达。但整个合肥地区开发较晚,始于西汉中期。到东汉初年,这里依然落后,庐江郡(治舒县)的农民尚不知用牛耕田,九江郡(治寿春)荒野甚多,而合肥亦因寿春衰落,由合肥至寿春一线沟通江淮的南北交通线渐被海运交通线所替代,转运贸易大受影响,失去"输会"地位。此后,在各朝政府的重视及科技文化相对先进的淮北地区的辐射和带动下,地区经济得到较快发展,至唐时"天下以江淮为国命"[①],"当今赋出于天下,江南居十九"[②]。但汉末至南宋中间经三国两晋南北朝、五代十国辽宋夏金等几个大的分裂时期,合肥地区多次成为南北战争的战场,甚至割据势力、对峙政权的边区,战乱不断,经济发展、人民生活、人才成长均大受影响。唐宋以后,随着经济重心南移,合肥地区经济、政治

---

① 杜牧:《上宰相求杭州启》,董诰等编:《全唐文》卷753,上海古籍出版社1990年版,第3459页。

② 韩愈:《送陆歙州诗序》,《韩愈集》卷19,内蒙古大学出版社2000年版。

地位与教育水平得到提升,加上大量人口移居,人才不断涌现,在数量、类型上都远超前期。

(二)政治军事人物偏多,思想文化人才偏少。合肥地区诞生众多军事、政治人物,古代如秦末谋士范增、汉末名将周瑜、五代十国时期吴国奠基人杨行密、明朝开国名将张德胜,并称"庐阳三贤"的宋代包拯、元代余阙、明代周玺,号称"一里三公"的包孝肃公(包拯)、蔡文毅公(蔡悉)和李文忠公(李鸿章)等。晚清以后则更多,《皖志便览》曾云"自咸同以来,强将劲兵多萃于合肥一县"①,有淮系要员张树声、刘铭传、刘秉璋、潘鼎新,淮军名将吴长庆、聂士成,北洋海军提督丁汝昌,北洋皖系首领段祺瑞,"辛亥合肥三上将"吴旸谷、倪映典、范鸿仙,"巢湖三上将"冯玉祥、张治中、李克农,抗日名将孙立人,等等。

相比于军事政治方面文臣宿将、济济多士,合肥地区思想文化人才却偏少,举其大端,如开宋代古文运动之先声、《唐文粹》的选编者姚铉,五经皆有撰述、尤工诗文的余阙,明代理学名臣蔡悉,并列"江左三大家"的诗人龚鼎孳,"庐州三怪"(徐子苓、王尚辰、朱景昭)等,可谓寥若晨星,知名者较为少见。直至晚清,桐城人方昌翰为王尚辰的诗作序时,尚认为:"庐阳据江淮形胜,哲人代兴。咸同以来,豪杰乘运而蔚起,崇勋鸿烈,铭勒旂常。然独至稽古绩学之儒、瑰异畸行之士、以文章气节自树立者,乃千百中未易一二觏焉。"②梁启超在论及近代学风的地理分布时,亦云"皖北名都推合肥与桐城。合肥近代多显宦,学界无杰出之士"③。这种局面一直到近代乃至新中国成立以后才有所改观。

(三)人物群现象常见。这里的人物群包含两种情况,一是指以地缘、血缘、业缘为纽带构建起来的人才群或军政集团;二是指世家

---

① 李应珏:《皖志便览》卷1《庐州府序》,《中国地方志丛书·安徽卷》第14册,台湾成文出版社1966年版,第56页。
② 金天翮:《皖志列传稿》卷6《徐子苓朱景昭王尚辰传》,台湾成文出版社1936年版本,第541页。
③ 梁启超:《近代学风之地理分布》,《清华学报》第1卷第1期,第23页。

大族，明清以后较多，如光绪《续修庐州府志》记云"肥多大姓"[①]。军政集团主要有唐末五代以杨行密为首的庐州人才群、元末明初淮西军功集团、晚清淮系集团、清末民初北洋皖系集团。杨行密起事之初，部下将领有"三十六英雄"，他们多来自庐州所辖合肥、慎县、庐江三县，其中刘威、陶雅、台濛、王绾、田頵、王茂章等20余人在《九国志》《十国春秋》中有传。元末明初，合肥、巢县两地不少将领随朱元璋南征北战，成为明朝开国功臣，是淮西（右）军功集团的重要组成部分。张德胜、俞通海、俞通源、俞通渊、廖永忠、赵庸、杨璟、吴复、金朝兴、叶升、汪兴祖、濮英、濮玙等或生前封侯，或死后赠公，南京鸡鸣山下功臣庙中留有蔡国公张德胜、虢国公俞通海、黔国公吴复等人的肖像。晚清同光之际，据不完全统计，在以李鸿章为首领的淮系集团中，籍隶合肥、庐江、巢县三地，出任文职知府（含直隶州知州）、道员以上者120余人，武职记名总兵以上者数以百计，所以当时合肥有一句土话："会说合肥话，就把洋刀挎。"民国初年，段祺瑞曾六次主政，把持政局，声势显赫，其门下聚集了一大批合肥人。如段芝贵、龚心湛、张广建、孔繁锦、郑士琦、吴炳湘、吴中英、吴纫礼、罗开榜、吴新田、贾德耀、龚积炳、刘文明、唐蕙庭、宋邦翰、张义纯等，他们都是北洋皖系重要成员，活跃于民初政界、军界、实业界。

世家大族主要有庐江郡舒县周氏家族、合肥"龚张李段"家族、庐江刘氏家族等。如庐江郡舒县周氏为江淮间名族著姓，显赫一时：周荣、周兴、周景、周忠，四世官宦，累至高位，周景、周忠父子两代太尉；周忠兄周崇官至甘陵王相，从弟周异官至洛阳令，子周晖亦曾任洛阳令；周异从弟周尚被袁术任为丹阳太守，子周瑜为东汉末年著名将领，拜偏将军领南郡太守；周瑜长子周循为东吴驸马、骑都尉，次子周胤官至兴业都尉，封都乡侯，侄周峻官至偏将军。再如合肥龚氏，明代已显，清康熙年间龚鼎孳官至刑部、兵部、礼部尚书，且诗文俱佳，与钱谦益、吴伟业并称"江左三大家"；光绪年间龚照瑗官至四川布政

---

① 光绪《续修庐州府志》卷58《世族表》，光绪十一年刻本。

使、驻英法意比等国公使,子龚心铭、龚心钊均中进士;民国年间,龚心湛曾以财政总长代理国务总理。龚家在几百年间人才辈出,在政治、文学、外交、水利、医学等领域皆有建树,堪称名门望族。

历史上的合肥地区人才成长与分布之所以呈现出上述特征,究其原因,除与地区经济社会发展历程有关之外,还与该地区的地理位置、民性民风、社会结构、文化教育、人口迁徙等因素有关。

合肥地区北临淮河,南倚长江,位居南北要冲,境内军事重镇庐州"雄制中权,据巢湖濡须之险,堂奥宏固,实当江淮都会之区,据此则可挹江南之财,制淮上任侠之命"①,号称"淮右襟喉,江南唇齿"②。正因为该地区战略地位极为重要,历来为兵家必争之地,故南征北伐史书不绝。举凡春秋时期吴楚争霸、汉末曹操孙权相争、魏晋南北朝时期南北混战、唐末五代江淮割据、宋金对峙、清末太平天国西征,这里都是各统治集团往来角逐的战场。张辽威震逍遥津、宋金柘皋之战、张献忠攻打铁庐州、太平天国三河大捷等有名战役均发生在此地。长期战争不断、动乱不止,对区域风俗形成产生了重要影响。"荆楚僄勇轻悍,好作乱"③,"扬士多轻侠狡桀"④,"淮徐民风刚劲"⑤,"滨淮郡邑,当南北之交,风气慓急,其俗好侠轻死,挟刃报仇,承平时已然"⑥,安徽"唯庐、凤、颍三府习俗强悍,勇于战争"⑦,早期的史籍记载与近世时人著述都指出这一带民风刚劲、人性躁劲、俗尚劲悍。

与此同时,传统社会里,合肥地区植根于小农经济基础上的宗法势力强盛,宗族组织发达。据《合肥风俗记》记载:"四乡之民,多聚族而居,故宗法极重。每族各设一祠堂,族大者多至四五处,祠内供历代祖先牌位。每届清明、冬至二节,族人群赴祠中祭祀。或族中有重

---

① 陈澹然:《江表忠略》卷17《安庐列传》,上海图书馆藏本。
② 顾祖禹:《读史方舆纪要》卷26《南直八·庐州府》,中华书局2005年版。
③ 司马迁:《史记》卷118《淮南衡山列传第五十八》,中华书局1959年版。
④ 陈寿:《三国志》卷14《魏书十四程郭董刘蒋刘传》,中华书局1959年版。
⑤ 《(清)文宗实录》卷326,咸丰十年七月乙卯。
⑥ 王定安:《湘军记》卷7,岳麓书社1983年版,第87页。
⑦ 王茂荫:《王侍郎奏议》卷2,黄山书社1991年版,第32页。

大事件发生,亦于祠中开会决之。祠有田房等不动产,每岁有族中年高有德者管理之,其所得之利息,则存放以谋合族之公益。"①

是故,天下无事,则秀者治诗书,朴者服农贾;一旦有变,这些以血缘关系为纽带的大宗小族,在聚族而居的村落、圩寨里往往组建起自己的武装。典型者如元末巢湖水军、晚清庐州团练,他们或应召从戎,效命疆场;或各拥部曲,保据州土。正如余阙在《合肥修城记》中所言:"余生长合淝,知其俗之美与夫所不从乱而可与守者有三焉:其民质直而无二心,其俗勤生而无外慕之好,其材强悍而无孱弱可乘之气。当王师之取江南,所至诸郡望风降附,独合淝终始为其主守。"而数百年后,太平军兴,为捍卫桑梓,庐州境内尤其是合肥西乡一带民团林立,方圆百里之内互为声援,义声威望冠江淮南北,太平军噤舌相戒"勿犯三山"(三山,即合肥西乡周公山、大潜山、紫蓬山,分别驻有张树声、刘铭传、周盛波部以宗族子弟为主要力量的团练武装),更是明证。

所谓乱世出英雄。在残酷的斗争中,一些人脱颖而出,或成为雄霸一方的割据政权首领,或成为新王朝开创者的得力助手,或凭借军功跻身社会上层,而在他们周围,往往都聚集了一批通过地缘、血缘、业缘联合起来的旨趣与经历相近的人才群和家族群。由此观之,特殊的自然、人文地理环境及社会生态,与该地区军事政治人才、人才群辈出关系甚巨。

需要指出的是,与中原或江南地区动辄绵延数代乃至数十代的家族相比,合肥地区的世家大族持续保持兴盛的时间较短,三五代而已。明人黄道日曾记叙,万历辛卯春,余读书城西大蜀山寺……盖庐为南北之冲,世平易聚,世乱易散,户口以此不甚蕃,而郡城空阔则为江北之冠。然田薄而易多,族小而易寡。故衣冠而家温者,城中什居八九,往称富足,为荐绅先生所艳,二十余年以来,今且瘵乏殆尽矣②。究其原因,一是历史时期频繁的战乱妨碍了社会财富的积累,不利于

---

① 胡朴安:《中华全国风俗志》,中州古籍出版社1990年版,第3—5页。
② 尹焕:乾隆《庐州卫志》卷6《山水城池议》,乾隆十二年刻本。

世家大族持续兴盛;二是该地区的著名家族类型较为单一,主要是功勋家族,鲜有以学术独领风骚,或以实业称雄商界者。与那些以"一世其官,二世其科,三世其学"为基本特征的著姓大族相比,文化、家学传承的缺失,使得合肥地区一些著名家族的发展缺乏后劲,难以长期保持其望族地位。

再者,合肥地区乃著名的鱼米之乡,地势上承接东西、贯通南北,交通上水陆通畅、舟车便利,这有利于人口的迁徙,而人口的频繁流动则带来了多种文化的交融。早期这里是淮夷的一部分,后有楚人迁居江淮,汉晋之际则成为中原大族避难首选之地,元明时期江右大量移民卜居于此。根据族谱资料的不完全统计,合肥地区近半数的先民来自江西,像龚(鼎孳)、张(树声)、李(鸿章)、段(祺瑞)"四大姓",以及其他几个大姓,如周、刘、王、吴、蒯、洪、倪、黄、费等,他们的祖籍地皆在江西鄱阳湖周边。

外地移民的迁入,不仅增加了合肥地区人口数量,他们带来的各种先进的生产技术与思想文化,也直接推动了本地区的文明进程。在此过程中,淮夷文化、合肥文化与中原文化、吴楚文化碰撞融合,为地区人才成长提供了良好的文化因子,也铸就了地区民众质朴豪放、粗中有细、轻侠仗义、忠勇果敢、开放包容、敢为人先的文化品格与精神特质。例如,受发祥于淮北地区的先秦道家思想和汉代黄老道家思想的影响,在汉代,籍贯在合肥地区的爱民好官"循吏"较多。《汉书·循吏传》传主共6人,合肥地区就占了2人,即文翁、朱邑。后继者尚有何易于(《新唐书》卷197《循吏·何易于传》)、蒯德模(《清史稿》卷479《循吏四·蒯德模》)等。

另一方面,随着合肥地区的经济开发,其文化教育事业亦不断进步,尊儒术、兴学校为历代地方官所关注。建安五年(200),刘馥任扬州刺史,镇守合肥,他到任后的一件大事就是重建学校,招收学生。此后,在封建政府的重视下,合肥地区的官学(包括府学、县学、社学、义学)、私学(家塾、书室等)、书院教育均有较快发展。

据文献记载,合肥县在元代就建有三贤书院;明代,合肥县境内创建或重修书院3所（景贤、孝肃、正学书院），庐江县境内6所（毛公、水濂、杨林、大观、崇文书院，莲溪书室），巢县境内未见有书院分布；清代，庐州府于郡城（治合肥）东南建庐阳书院，合肥县新建2所书院（斗文、肥西书院），庐江县新建3所书院（潜川、崇正、莲溪书院），巢县新建4所书院（巢湖、凤仪、东山、牛山书院）。明清时期合肥地区的书院在数量、分布密度上居全省中等水平，其数量、种类与分布范围均超过了以往各代。作为官学教育的补充，这些书院承担着教育乡里子弟、聚徒讲学、切磋学问、祭祀乡贤等功能，对于区域学术繁荣、文化发展、人才培养起到了积极的推动作用。据统计，明清两代仅合肥县籍生员考取文进士的分别是60名、68名（清代列歙县、桐城、休宁之后，居全省第4位），远高于各州县进士平均数。在"学优登仕，摄职从政"的制度背景下，取得功名的人多，就意味着从政为官的人多。

稍感遗憾的是，明清两代合肥地区书院教育虽较发达，但官学化现象日趋严重，在教育目标上多以应科举、登仕途为目的，缺少名家大儒的登坛教授，讲学、结社之风气，学术流派之间的争辩切磋远不如徽州、桐城等地兴盛，这或许是明清时期合肥地区人才勃兴但思想文化人才偏少的一个重要原因。

清末民初，在中西文化交流日益密切的时代背景下，随着新式学堂的建立、新的学科体系的引进、出国留学考察机会的增多，合肥地区的人才成长速度加快，在数量尤其是类型上远超前代。

新中国成立后，合肥作为省会城市，具有承东启西、贯通南北的重要区位优势，是全省政治、经济、文化、信息、金融和商贸中心，全国重要的科研教育基地和综合交通枢纽。得天时、地利、人和之便，区域人才的培育、成长与聚集已不可同日而语。

总的来说，历史时期合肥地区的人才成长与该区域的社会经济发展轨迹密切相关，但并不完全同步；受区域自然地理、人文环境、社会生态等因素影响，其人才分布呈现出上述三个明显特征。

目　录

凡　例 /001

绪　论 /001

第一章　远古至南北朝 /001

有巢氏 /003
范　增 /004
文　翁 /006
朱　邑 /008
周荣　周兴 /009
周　景 /011
左　慈 /013
周　瑜 /015
凌　统 /023
王　蕃 /025
任　忠 /027

第二章　隋唐五代宋元 /029

樊子盖 /031
陈　稜 /034

任　瑰　/036
何易于　/037
杨行密　/039
李　遇　/050
王茂章　/051
台　濛　/052
秦　裴　/053
王　绾　/055
陶　雅　/056
刘　威　/057
田　頵　/058
张　崇　/061
钟泰章　/062
杨渥　杨隆演　杨濛　杨溥　/063
伍　乔　/067
马亮　马仲甫　/068
姚　铉　/070
包　拯　/072
杨察　杨寘　/078
王之道　王蔺　/080
刘　虎　/081
刘师勇　/083
潘　纯　/084
余　阙　/085

第三章　明清　/090

俞廷玉　俞通海　俞通源　俞通渊　/091

郭　奎　/096

廖永安　廖永忠　/097

张德胜　/101

左君弼　/102

金朝兴　/104

吴　复　/105

杨　璟　/107

汪兴祖　/109

濮英　濮玙　/111

马　云　/112

赵　庸　/113

叶　升　/115

徐忠　徐锜　/116

郑　亨　/117

郭　亮　/120

陈瑄　陈豫　陈锐　陈熊　陈圭　陈王谟　/121

史　昭　/127

陈　怀　/128

周　玺　/130

蔡　悉　/131

龚鼎孳　/133

李天馥　/140

李文安　/142

徐子苓　朱景昭　王尚辰　/144

蒯德模　/147

吴毓芬　吴毓兰　/150

李瀚章　/154

李鸿章　/162

吴赞诚 /180
张树声　张树珊　/184
李鹤章 /190
刘秉璋 /193
刘盛藻 /199
袁宏谟 /202
潘鼎新 /203
郑国魁　郑国俊　/210
郑国榜 /213
吴长庆　吴保初　/215
周盛波　周盛传　/221
张遇春 /228
毕乃尔 /230
丁寿昌 /232
潘鼎立 /234
李　胜　/236
唐殿魁　唐定奎　/238
吴秉权 /243
王芝生 /245
李昭庆 /247
卫汝贵 /250
刘铭传 /252
丁汝昌 /270
叶志超 /282
刘盛休 /286
聂士成 /289
李经方 /296
蒯光典 /300

第四章　现当代　/305

张士珩　/307

李经羲　/309

雷震春　/312

张广建　/313

万福华　/315

段祺瑞　/317

唐启尧　/327

段芝贵　/329

龚心湛　/332

罗开榜　/337

龚积炳　/338

郑士琦　/340

吴炳湘　/342

吴纫礼　/343

王揖唐　/345

吴中英　吴光杰　/351

贾德耀　/354

范鸿仙　吴旸谷　倪映典　/356

龚镇洲　/363

冯玉祥　/365

吴炎世　吴弱男　吴亚男　/378

吴忠信　/380

蔡晓舟　/385

金维系　/387

吴新田　/389

余亚农 /391
叶守坤 /393
许习庸 /395
王亚樵 /397
张冀牖 /403
张治中 /405
刘文典 /421
刘和鼎 /428
张义纯 /430
杨亮功 /432
崔筱斋 /436
张孝华 /438
杨武之 /439
李慰农 /440
童汉章 /442
郑抱真 /444
卫立煌 /446
周新民 /457
余心清 /459
张本禹 /461
李克农 /462
翟宗文 /475
孙立人 /477
罗　刚 /483
周培智 /484
蔡炳炎 /485
孙仲德 /487
胡允恭 /489

郭寄峤 /491
金容甫 /493
郑大章 /495
刘　敏 /496
柯武东 /498
杨新吾 /499
宛敏灏 /501
陈季丹 /502
徐克勤 /504
童雪鸿 /505
张如屏 /508
魏建猷 /510
高　植 /511
吴忠性 /512
葛介屏 /514
郑为元 /516
龚　澎 /518
陈其五 /521
董寅初 /522
吴孟复 /524
唐德刚 /525
亚　明 /529
鲁彦周 /533
周本濂 /536
王唯农 /537
蔡永祥 /538

第五章　合肥地区人物小传及资料来源表　/541

参考文献　/617

后　记　/625

总后记　/626

第一章

远古至南北朝

有巢氏[①]

有巢氏，传说人物，构木为巢而居的创始者、巢居文明的开拓者。

远古时代，洪水泛滥，野火燎原，禽兽啮人，人类的生活遇到许多困难，没有房屋，只能露宿原野。那时候人很少而野兽很多，露宿在原野上很容易受到野兽的侵害而丢掉性命。后来，有人想出一个办法，用木头筑巢于树上，居住在里面，可以躲避野兽的侵袭。这个人就是有巢氏。远古有巢氏传说，文献记载初见于《庄子·盗跖》："且吾闻之，古者禽兽多而人少，于是民皆巢居以避之。昼拾橡栗，暮栖木上，故命之曰有巢氏之民。"比庄子生活时代晚一些的韩非（战国末期人）也讲到有巢氏，《韩非子·五蠹》载："上古之世，人民少而禽兽众，人民不胜禽兽虫蛇。有圣人作，构木为巢以避群害，而民悦之，使王天下，号曰有巢氏。"

秦汉以后关于有巢氏的记载比较多见，但相关记载矛盾、重复、前后不一的情况很常见。只不过有巢氏的传说已历史化，或为首创巢居这一生活方式的历史人物的尊称，如《春秋命历序》等；或视之为与共工氏、女娲氏、燧人氏等一样的上古氏族之一，但排列顺序不尽一致，如班固《汉书·古今人表》《唐会要》《太平御览》等；或视为首创巢居这个人（或群体、氏族）所生息的历史时代的总称，如郑樵的《通志·三皇纪》云："厥初，先民穴居野处，圣人教之结巢，以避虫豸之害，而食草木之实，故号'有巢氏'，亦曰'大巢氏'，亦谓之始君，言君臣之道于是乎始也。"根据现代考古学有关人类早期用火、洞穴居住

[①] 参见郭庆藩：《庄子集释》，《诸子集成》，1986年上海书店影印本；王先慎：《韩非子集解》，《诸子集成》，1986年上海书店影印本；李昉：《太平御览》，上海古籍出版社2008年版；郑樵：《通志》，中华书局1986年版；郭因主编：《中国地域文化通览（安徽卷）》，中华书局2013年版；陈立柱：《有巢氏传说综合研究》，《史学月刊》2015年第2期。

的研究结果,有关有巢氏的描述当是距今两三万年以前的情形,属于旧石器时代,不仅无文献记载,传说也很难以企及,相关描述应是庄子等人从社会发展史的角度对于人类远古生活情形的一种合理推想或者构建的产物。近代以来,学人更多的是从民俗学、文化学、人类学的角度来看待有巢氏。

关于有巢氏的活动地点,西汉纬书《遁甲开山图》、南宋罗泌《路史》等著作说法不一。最早将构木为巢的有巢氏与江淮地区联系起来的,可能是宋代史学家郑樵,他在《通志·氏族略二》中说:"巢氏,有巢氏之后,尧时有巢父,夏商有巢国,其地在庐江,子孙以国为氏。"宋元以后尤其是明清时期,巢湖流域关于有巢氏的传说、记载、碑刻等逐渐增多。新近出版的《中国地域文化通览(安徽卷)》也认为,到了"20世纪80年代以后,随着巢湖流域'和县猿人'遗址、'银山智人'遗址和凌家滩遗址的相继发现,一些学者结合古籍记载研究认为,安徽巢湖流域便是有巢氏的起源地。到夏王朝建立后,有巢氏的后裔仍然生活在这里。南巢氏就是有巢氏的后裔"。

有巢氏虽属后人想象称述,但其代表的巢居时期,与人类历史文化的演进阶段相符合,从原始的山洞居住发展到构木为巢、建造房屋,是人类进步的一个标志。如今,巢湖市政府依照传统习俗,每年定期举办有巢氏文化节,以纪念这位代表巢居时期的人文始祖。

范 增[①]

范增(前277—前204),居巢(治今巢湖市)人,秦末农民战争中项羽的主要谋士,被项羽尊为"亚父"。

秦末农民起义爆发后,秦二世二年(前208),范增投靠项羽的叔

---

① 参见司马迁:《史记》卷7《项羽本纪》,中华书局1959年版。

父项梁。薛邑会议上，范增劝项梁"立楚之后"，他说："陈胜失败理所当然。秦灭了六国，楚国最没罪过。自从楚怀王到秦国一去不返之后，楚人同情、怀念楚王至今，因此楚南公说：'楚虽三户，亡秦必楚。'陈胜最先起事，不立楚国后人为王，而自立为王，他的势力不会长久。如今您在江东起事，楚国有那么多将士如众蜂飞起，争着归附您，是因为您家世世代代为楚国将领，能够重新拥立楚国之后。"项梁认为他的话有道理，就从民间寻找到楚怀王的嫡孙熊心，时熊心正以牧羊为生，项梁便拥立他为楚怀王，以顺从民众的愿望，从此势力日渐壮大。

薛邑会议后，项梁在东阿（治今山东阳谷县东北）大破秦将章邯，在雍丘（治今河南杞县）斩杀秦三川郡郡守李由，后因轻敌，在定陶被章邯打败，战死。范增此后全力辅佐项羽，为其所倚重。公元前207年，章邯与王离、涉间等围攻巨鹿（治今河北省平乡县西南）。楚怀王命宋义、项羽往救，范增为末将。项羽率楚军"破釜沉舟"，大败秦军。公元前206年，范增随项羽入关中，劝其消灭刘邦势力，他说："沛公住在山东的时候，贪图财货，宠爱美女。现在进了关，财物什么都不取，美女也没亲近一个，看这势头他的志气可不小啊。我让人观望他那边的云气，都呈现为龙虎之状，五色斑斓，这是天子的瑞气呀。希望您赶快进攻，不要错失良机！"但他的建议未被采纳。鸿门宴上，范增多次给项羽递眼色，又好几次举起身上佩戴的玉玦向他示意，项羽只是沉默，没有反应。范增起身出去，叫来项庄，对他说："大王为人心肠太软，你进去上前献酒祝寿，然后请求舞剑，趁机刺击沛公，把他杀死。不然的话，你们这班人都将成为人家的俘虏。"因项伯从中干扰以及项羽的优柔寡断，放走了刘邦。刘邦走后，托张良献玉斗一对给范增，范增接过玉斗，扔在地上，拔出剑来将其击碎了，叹息："竖子不足与谋。夺项王天下者，必沛公也，吾属今为之虏矣。"①

公元前204年，项羽封范增为历阳侯，置历阳侯国（治今安徽和

---

① 《史记》卷7《项羽本纪》。

县历阳镇)。正值楚汉战争,刘邦处于不利形势,粮道被夺,心中恐慌,请求讲和,条件是把荥阳以西的地盘划归刘邦。项羽打算接受这个条件。范增说:"汉军现在容易对付,如果现在把他们放走,以后您一定会后悔的!"项羽和范增立即率军包围了荥阳。刘邦被围,就采用陈平的计策离间项羽和范增的关系。项羽的使者来了,刘邦让人准备了特别丰盛的酒筵,端过来刚要进献,一见使者便装作惊愕的样子说道:"我们以为是亚父的使者,没想到却是项王的使者。"便命人将酒筵撤去,拿来粗劣的饭食给项羽使者吃。使者回去向项王报告,项羽竟真的怀疑范增和汉王有私情,"稍夺之权"。范增非常气愤,说:"天下事大定矣,君王自为之。愿赐骸骨归卒伍。"①项羽答应了他的请求。范增启程还没走到彭城,背疽发作身亡。范增死后两年,项羽便被刘邦击败,自刎于乌江。

刘邦总结项羽失败的教训时说:"项羽有一范增而不能用,此其所以为我擒也。"②苏轼在《范增论》中评价道:"增,高帝之所畏也;增不去,项羽不亡。亦人杰也哉!"

文 翁③

文翁(生卒年不详),名党,字仲翁,以"文翁"行世,庐江舒县(治今庐江县西南,一说舒城)人。"少好学,通《春秋》"④,担任郡县小吏时被考察提拔。

汉文帝末年,文翁担任蜀郡守,他为人仁爱,喜欢用教化的方法

---

① 《史记》卷7《项羽本纪》。
② 《史记》卷8《高祖本纪》。
③ 参见班固:《汉书》卷89《循吏传》、卷28《地理志》,中华书局点校本1962年版;常璩撰:《华阳国志》卷3《蜀志》,世界书局1979年版。
④ 《汉书》卷89《循吏传》。

进行治理。当时的蜀地偏僻落后,文化很不发达,《汉书》中说"蜀地辟陋有蛮夷风",文翁针对这种情况,决定从教育入手,希望改变落后状况。他选拔出张叔等十多个聪敏有才华的郡县小吏,亲自诫勉,派遣到京城,或就学于太学,或专门学习律令。文翁节约开支,购买刀、布及蜀地各种特产,委托计吏(州郡掌簿籍并负责上报的官员)送给太学中的博士以充作学费。几年后,这些蜀郡学生学成归来,文翁委以重任,有的官至郡守、刺史。

文翁又在成都街市中修建学官(公立学校),招徕县郊的年轻人学习,免除他们的徭役,成绩优异的补郡县吏,成绩稍差的为孝悌力田(主管德行教化的乡官)。文翁还经常选出学官中的一些青少年在自己身边视事,每次到各县巡查时,更是从中选一些通晓经书、品行端正的一起去。让他们出入府门,宣达指令,一则借以提高他们的办事能力,二则为百姓树立榜样。结果县邑吏民见而以之为荣,都想成为学官弟子,以至到了富人要出钱来求取的地步。

文翁的措施使蜀地的民风得到很大的改观,蜀地到京城求学的人数已可以和齐鲁地区相比了。此后,四川文风大盛,"及司马相如游宦京师诸侯,以文辞显于世。乡党慕循其迹。后有王褒、严遵、扬雄之徒,文章冠天下。由文翁倡其教"①。到汉武帝时,武帝命令全国郡县都设立学官。中国地方政府设立学校从文翁开始,可以说文翁是中国地方教育事业的开创者,居功厥伟。

文翁在蜀地还兴修水利。"庐江文翁为蜀守,穿湔江口,灌溉繁田千七百顷。"②由于文翁注重兴修水利,发展农业,蜀郡出现了"世平道治,民物阜康"的局面。

文翁在蜀郡病逝后,吏民为他建立祠堂,世代接受蜀人敬奉。在文翁原籍地的乡贤祠(移建易名忠义祠)里,文翁也以首立学官地位获得崇祀。班固在《汉书》中评论说,文翁"谨身率先,居以廉平,不至

---

① 《汉书》卷28《地理志》。
② 《华阳国志》卷3《蜀志》。

于严,而民从化","至今巴蜀好文雅,文翁之化也"。他把文翁列为循吏之首,可见其对文翁的重视。

朱　邑①

朱邑(？—前61),字仲卿,庐江舒县(治今庐江县西南,一说舒城)人。年轻时曾担任舒县桐乡的啬夫,"啬夫职听讼,收赋税",是乡里重要的职位。

朱邑办事公平,廉洁自律,仁爱待人,深得当地吏民的爱戴,因此被提拔为太守卒史。汉昭帝时,举贤良被擢授为大司农丞。宣帝时,升任北海(治今山东昌乐县东南)太守。数年后,朱邑以"治行第一"入朝任九卿之一的大司农(掌管全国租税、钱谷、盐铁和财政收支),可谓朝廷重臣。朱邑"为人淳厚,笃于故旧,然性公正,不可交以私。天子器之,朝廷敬焉"②。成为全国官吏的模范。

朱邑秉性公正,轻易不举荐人。当时胶东(侯国,治今山东即墨西北)相张敞写信给他说:"当朝贤君学习远古时代的圣君,不拘一格招纳贤才,这的确是忠臣为国尽心尽力的时候。但我远守政务繁忙的大郡国,被规矩所束缚,胸襟亦被紧紧束缚,当然不会有什么雄才伟论。即使有,到哪里施展呢?您德行清明,掌管着国家的农业,就好像灾荒之年吃糟糠都是甜的,丰年的时候美食佳肴吃不掉而遗弃一样。为什么呢?有和没有情况是不同的。过去陈平虽然有才干,但也需要魏倩的推荐才被提拔重用;韩信虽然是奇才,也依靠萧何的推荐才被信任。考察过去各个朝代的英俊之才,如果一定非得像伊尹、吕望那样才被推荐,而这样的人其实不用您推荐也会崭露头

---

① 参见《汉书》卷89《循吏传》。
② 《汉书》卷89《循吏传》。

角的。"

张敞认为国家正处用人之际,希望朱邑利用自己大司农的身份,多举荐一些贤才,不必一定要达到伊尹、吕望之材才去保举。朱邑感慨其言,以后举荐贤才甚多。

朱邑虽身居高位,但生活节俭,常将自己的俸禄和获得的赏赐用来给族人和乡亲们,而自己则家无余财。朱邑病重弥留之际,嘱咐他的儿子:"我原来做桐乡的官吏,那里的百姓爱戴我。我死后一定要埋葬在桐乡。后代子孙祭祀我,也比不上桐乡的百姓。"神爵元年(前61)朱邑去世,他的儿子把他埋在桐乡的城西,百姓果然"共为邑起冢立祠,岁时祠祭,至今不绝"。宣帝下诏称赞朱邑说:"大司农邑,廉洁守节,退食自公,亡强外之交,束脩之馈,可谓淑人君子,遭离凶灾,朕甚闵之。其赐邑子黄金百斤,以奉其祭祀。"①

班固在《汉书》中有言,朱邑"所居民富,所去见思,生有荣号,死见奉祀,此廪廪庶几德让君子之遗风矣。"

周荣　周兴②

周荣(生卒年不详),字平孙,庐江舒县(治今庐江县西,一说舒城)人。

周荣在汉章帝时举明经科,被征辟(两汉政府选任官吏的一种方式)到司徒袁安之府为吏。袁安曾数次和周荣讨论政事,非常器重他。时窦太后摄政,把大批窦氏家族子弟和亲朋故友,任为朝官或地方官,形成了外戚专权的局面。尤其是窦太后的弟弟执金吾窦景放纵部下胡作非为,这些人甚至白天公然拦路抢劫,侮辱妇女。商人为

---

① 《汉书》卷89《循吏传》。
② 参见司马光:《资治通鉴》卷47"永元三年"条、卷48"永元四年"条,中华书局1982年版;《后汉书》卷45《周荣传》;《后汉书》卷45《周兴传》;《后汉书》之《志第二·律历中》。

之不敢出门贸易,如同躲避盗寇。窦景还擅自征发边疆各郡骑兵部队的精锐,为己所用,而无人敢举报。袁安弹劾窦景擅自征发边疆人民,惊扰、欺骗官吏百姓,边郡太守不等调兵符信到来,却奉行窦景的檄书,应当处死示众。他还上书说,司隶校尉、河南尹阿谀攀附地位尊贵的外戚,而不举报弹劾窦景等人,应该免官治罪。大将军窦宪独断专行,强行立北匈奴单于,袁安以为这样会失信于南匈奴,不宜扶持北匈奴,上奏据理力争。这些奏议多出自周荣之手。窦宪门客徐龆十分嫉恨周荣,威胁道:"你是袁公心腹之谋士,竟如此排斥窦氏,窦氏的壮士、刺客布满全城,你可要仔细防备!"周荣毫不畏惧说:"荣,江淮孤生,得备宰士,纵为窦氏所害,诚所甘心!"①

为此,周荣告诉妻儿,如果猝然碰上飞来之祸,不要急于殡殓,希望以区区腐身使朝廷觉悟。窦氏失败后,周荣由此名声大显,从郾令擢升为尚书令。"为尚书令,在纳言,管机密,尽心奉职,夙夜不息"②,后出为颍川太守。在任上,周荣触犯了法令,应当下狱。和帝想起周荣的忠节,仅降职为共县县令,过了一年多又提升为山阳太守。周荣在所任职的郡县,俱被民众所称赞。后因年老多病,请求"致仕",最终卒于家中。朝廷特赐钱20万,并任周荣儿子周兴为郎中。

周兴(生卒年不详),周荣之子。少时就颇有声名。

安帝永宁年间(120—121),尚书陈忠上疏推荐周兴,盛赞周兴之才能:"孝友之行,著于闺门,清厉之志,闻于州里;蕴椟古今,博物多闻,《三坟》之篇,《五典》③之策,无所不览。"周兴写出的文章,很值得观赏。尚书之职乃秉承皇帝的命令,是皇帝之喉舌。陈忠又说朝中诸郎多为文俗之吏,很少有雅才,每次起草诏文,专断自制,言辞常常鄙俗固陋。周兴抱奇怀能,现在却和平庸之人在一起,无法施展才

---

① 《资治通鉴》卷48,永元四年正月。
② 班固:《东观汉记》卷16传11"周荣"条。
③ 伏羲、神农、黄帝之书曰《三坟》,少昊、颛顼、高辛、唐、虞之书曰《五典》。

华,太可惜了。安帝深以为然,遂下诏拜周兴为尚书郎。

除了文采斐然之外,周兴还是精通天文历法的能吏。《后汉书·律历志》记载,安帝延光二年(123),有一场关于历法的激烈辩论,有人从图谶和灾异等迷信观念出发,非难当时行用的较科学的东汉《四分历》,提出应改用合于图谶的《甲寅元历》,或重新采用最初的《太初历》。张衡和周兴两位尚书郎,对上述两种意见提出了批驳和诘难,使对方无言以对,或者所答失误,从而阻止了采用旧历法。

张衡、周兴两人在讨论中还研究了多年的天文观测记录,把它们和各种历法的理论推算进行比较鉴别,认为《九道法》最精密,建议采用。的确,《九道法》的回归年长度和朔望月长度数值比《太初历》和东汉《四分历》都精密。

周　景[①]

周景(？—168),字仲飨,周兴之子。"少以廉能见称,以明学察孝廉"[②],汉桓帝时征辟到大将军梁冀府为吏,稍后迁为豫州刺史、河内(治今河南焦作)太守。

周景"好贤爱士",不遗余力选拔人才,荐举贤能,唯恐有所缺失。他做豫州刺史时,向朝廷举荐了许多人才,征辟汝南陈蕃为别驾,颍川李膺、荀绲、杜密,沛国朱寓为从事,这些人皆天下英俊之士,后均为朝廷重臣。周景做尚书令时举荐过杨秉,做太尉时又辟举过陈翔为侍御史。每年岁举完毕之后,周景都邀请他所荐之人进入后堂,与他们欢宴,如此三四次以后,才将他们送往京城。还在他们离开时,

---

[①] 参见《后汉书》卷45《周兴传》;《资治通鉴》卷54"延熹六年"条;《后汉书》卷51《桥玄传》;《三国志》卷54《吴书·周瑜传》;《后汉书》卷45《周忠传》。

[②] 《三国志》卷54《吴书·周瑜传》注引谢承《后汉书》。

赠送十分齐全的物品。周景还对他们的父子兄弟同样十分照顾，常说："那些人既然已经被荐举入朝，我怎能不对他们的亲人多加照顾呢！"在周景之前，司徒韩演曾经担任河内太守，也担负着荐举官吏的重任。韩演立志不徇私情，每当那些被荐举之人将赴京城时，韩演只是与他们进行一次例行的告别，恩泽亦不会施及他们的家人。韩演这样解释他的举动："我只要荐举地方的贤才就可以了，怎么能够使国家的恩惠偏积在一门呢！"当时的人们将周景、韩演两人的做法相互对照，进行评议。

后来，周景被征入朝，担任将作大匠（职掌宫室、宗庙、陵寝等的土木营建）。桓帝延熹二年（159），专横跋扈的大将军梁冀被诛。周景因为曾经在梁冀府中为官，也被免除官职，并被禁锢。朝廷考虑到周景向来忠厚正直，不久就释放了他，复任为尚书令。

一次，京城洛阳有一批人盗掘了顺帝的陵墓，并且将陪葬的御用之物拿到市场上出售。管理市场的人奋力追捕，未能将盗墓者抓住。其后很长时间没破案。桓帝异常恼怒，把这件案子交到周景的手上。周景接手以后，命人将此前负责案件的司隶校尉左雄召至尚书台，询问案件进展。左雄伏在地上，回答不出。周景大怒，命虎贲左骏抓住左雄的头，使劲撞击地面。顷刻间，鲜血覆面。周景限左雄三天破案，三天以后，左雄果然擒获了盗墓者。桓帝因此厚赏周景，同僚也对周景钦佩不已。其后，周景又相继担任太仆、卫尉。延熹六年（163），周景代替刘宠为司空。时宦官专权之祸日炽，控制朝政，任用亲近，使得奸佞之人充斥官府，政治极端腐败。周景甫一上任，就与太尉杨秉上奏桓帝，弹劾朝廷中的奸佞之臣。结果自将军、地方牧守以下有50多位官员被免除了职务，还牵连到宦官中常侍侯览、东武阳侯具瑗，他们俱被罢黜。朝中正直官员拍手称快。

两年后，因地震，周景被免去官职。延熹九年（166）九月，周景又代替陈蕃为太尉。灵帝建宁元年（168），周景去世。因为他曾经参与策划迎立汉灵帝，有殊功，被追封为安阳乡侯。

慧眼识曹操的桥玄，最初显名亦与周景相关。桥玄年轻时曾任县功曹,当时豫州刺史周景视察梁国,桥玄拜见周景,陈述陈国相羊昌的罪恶,请求担任陈国从事,追查羊昌的罪恶行径。周景很欣赏桥玄的气概,委署他去调查。桥玄到任后,将羊昌宾客全部收押,彻查羊昌罪行。羊昌平素受大将军梁冀厚待,梁冀为此火速发檄文给周景救他,但桥玄退回檄文而不开封,同时加紧追查。最后羊昌被判用槛车押回朝廷,桥玄因此而闻名。

周景长子周崇嗣,官至甘陵相,次子周忠。

周忠(生卒年不详),字嘉谋。周景次子。少以父荫入仕途,累官至大司农、光禄大夫,曾与朱俊共同打败董卓部将李傕于曹阳。献帝初平三年(192)周忠为太尉,录尚书事。次年,以灾异免去官职。建安元年(196),周忠担任卫尉,跟随献帝从长安东归洛阳。

周忠之子周晖,曾为洛阳令,后去官归乡。周晖好宾客,雄踞于江淮间,出入从车达百余乘,可见其家族之盛。董卓之乱后,周晖听说京师不太平,便前往京师看望周忠。董卓听说之后,忌惮周晖的势力,便派兵将周晖兄弟在路上劫杀。

左　慈[①]

左慈(生卒年不详),字元放,庐江郡(治今庐江西南)人。东汉末年著名方士,原始道教创始人之一。

左慈自年轻时即善幻术,有声誉。据说,有一次左慈在司空曹操那里作客,曹操从容地对众宾客说道:"今日盛会,山珍园蔬略有准备,只缺少吴淞江的鲈鱼。"左慈在下面回答道:"这可以办到。"于是他找一个铜盘装水,用竹竿鱼饵向盘中垂钓,很快就钓出一条鲈鱼。曹操鼓掌大笑,在座的都很惊奇。曹操说:"一条鱼不够大家吃,还可

---

① 参见《后汉书》卷82下《方术列传》第七十二下。

多钓几条吗？"左慈于是换了鱼饵再钓，很快又钓出好几条，俱三尺有余，新鲜活泼。

曹操命人当场做熟，让大家都尝到鲜鱼。曹操又说道："鱼已经到手，可惜没有蜀中生姜。"左慈说："这也可办到。"曹操怕他在附近找到生姜，便说："我前次派人到蜀地买锦缎，请通知他，多买两匹。"话刚说完，姜就买回，并且得到使者回信。后来，使者回来，盘问他买锦缎的情形和时间早晚，说得一点不差。

据说又一次曹操出游近郊，士大夫跟随者百余人，左慈就拿着酒一升，干肉一斤，亲手给大家斟酒，百官无一不是酒醉饭饱。曹操很觉奇怪，令人探究缘故，检查那些酒馆，发现酒和干肉都不见了。曹操很不高兴，于是借故将左慈关起来，想杀掉他，左慈就逃入墙壁里面，不知其所在。有人发现他在市场上，又派人去抓，可是市人都变得与左慈模样相同，不知谁是左慈。后来有人碰见左慈在阳城山头，又派人去追，左慈逃进羊群里。曹操知道无法找到左慈，于是派人到羊群中告诉左慈道："我不再杀你了，只是测试一下你的本领罢了。"忽然有一头老公羊弯着前面两条腿，像人一般站着说道："遽如许。"于是追者争相跑进羊群，可是几百头羊都变成老公羊，都弯着前腿站起来，口中说着"遽如许"，追者就不知道该抓哪一只老公羊了。后左慈不知所终。

东晋葛洪《抱朴子·金丹篇》载，左慈为方士葛玄之师，授《太清丹经》3卷，《九鼎丹经》《金液丹经》各1卷，左慈亦为葛氏道教的始祖。

周　瑜[①]

周瑜（175—210），字公瑾，庐江舒县（治今庐江县西，一说舒城）人。生于东汉末年一个世代仕宦之家，堂祖父周景、堂叔周忠，皆位至三公，为东汉太尉。父亲周异，曾任洛阳令。

周瑜青少年时期便与孙策交往亲密。孙策字伯符，吴郡富春（治今浙江富阳县）人，其父孙坚早年曾任下邳县丞，后随中郎将朱儁征讨黄巾军。及关东州郡讨伐董卓，孙坚亦起兵响应，屡建奇功。孙坚死后，其部曲和军队由长侄孙贲率领，孙贲依附于袁术，后随袁术退到寿春。孙坚随朱儁征讨黄巾军时，即曾"留家寿春"。当时孙策虽年仅十余岁，但他为名将之子，又善交游，在江淮间很有声誉。周瑜与孙策同龄，亦"英达夙成"，彼此惺惺相惜，故周瑜特意自舒县到寿春拜访孙策，二人一见如故，"便推结分好，义同断金"[②]。周瑜劝孙策徙居舒县，孙策欣然同意。周瑜将自家的道南大宅让给孙策居住，"升堂拜母，有无互通"[③]，从此二人结下深厚友谊。

兴平元年（194），年近20岁的孙策为了图谋发展，到寿春向袁术索求父亲的旧部。袁术对孙策心存戒备，紧紧控制着这支军队，不肯交还，经孙策苦苦哀求，才将孙坚余部千余人移交给孙策。此后孙策虽然为袁术攻克了庐江郡，但袁术对其仍不信任，而以故吏刘勋为太守，孙策很失望。当时朝廷任命的扬州刺史刘繇因为袁术占领了淮南，不敢赴州治寿春，遂南渡屯驻曲阿（治今江苏丹阳）。刘繇逼迫袁术所属丹阳郡太守吴景（孙策舅父）和丹阳都尉孙贲退屯历阳（治今

---

① 参见陈寿：《三国志》，中华书局点校本1982年版；司马光：《资治通鉴》，中华书局1982年版；卢弼：《三国志集解》，中华书局1982年版。
② 《三国志》卷46《吴书·孙破虏讨逆传》注引《江表传》。
③ 《三国志》卷54《吴书·周瑜传》。

安徽和县)。刘繇又遣樊能屯横江津(今和县东南)、张英屯当利口(今和县东),以拒吴景、孙贲。吴景等在历阳一年多时间,无所作为。兴平二年(195),孙策向袁术请求助吴景等开拓江东。袁术认为当时刘繇占据着曲阿,王朗占据着会稽,孙策难有作为,所以同意了他的请求。从此,孙策开始独立发展,并得了周瑜的鼎力支援。

丹阳郡失守后,袁术任命周瑜的叔叔周尚为丹阳太守,周瑜亦随其叔叔前往丹阳。当孙策南下到达历阳后,即致书周瑜,周瑜立即率领一支丹阳郡兵,并筹集粮草、船只等军需物资,支援孙策,如雪中送炭,增强了孙策军队的战斗力,孙策高兴地说:"吾得卿,谐也。"[①]在周瑜的大力协助下,孙策一举攻克了刘繇占领的沿江要寨横江和当利。渡江后,又很快攻占了刘繇的军事要地牛渚营。接着,周瑜又随孙策乘胜东进,陆续攻占了刘繇部将占据的秣陵、湖孰、江乘和刘繇的大本营曲阿。刘繇见大势已去,遂溯江西上,逃往豫章(治今江西南昌)。孙策在江东有了立足之地,部众已发展到几万人,便对周瑜说:"我用这支队伍攻取吴、会两郡,平定山越,已经足够了。你还是回军镇守丹阳。"于是孙策遣周瑜还镇丹阳郡。不久,袁术派自己的堂弟袁胤替代周尚为丹阳太守,但他见周瑜很有才干,欲任其为将。周瑜分析袁术最终不会有什么大的作为,故只求为居巢(治今巢湖市)长,意在伺机东渡。

建安三年(198),周瑜带着鲁肃及部曲自居巢南下渡江投奔孙策。孙策闻周瑜归来,亲自迎接,并任他为建威中郎将,调拨给他士兵2000人,战马50匹。孙策还赐给周瑜鼓吹乐队,为他建筑馆舍,赏赐之厚,无人能与之相比。孙策还在发布的命令中说:"周公瑾英俊异才,与孤有总角之好,骨肉之分。如前在丹阳,发众及船、粮以济大事,论德酬功,此未足以报者也。"[②]孙策念念不忘他在渡江之初周瑜的支援,由此可知周瑜的支援对孙策开拓江东的重要作用。

---

① 《三国志》卷54《吴书·周瑜传》及注引《江表传》。
② 《三国志》卷54《吴书·周瑜传》注引《江表传》。

这时周瑜年24岁,年轻有为,风流倜傥,吴中人皆亲切地称之为"周郎"。孙策认为周瑜"恩信著于庐江",于是派他出镇牛渚,兼领春谷(治今繁昌县西北)长,防御袁术的侵犯。孙策则乘机平定了占据丹阳西部六县山越宗帅和刘繇的残余势力。建安四年(199)十一月,孙策率军进攻刘表部下江夏太守黄祖,以周瑜为中护军、领江夏太守,行至石城(治今池州市西南),乘庐江太守刘勋率军攻掠上缭之机,遂分兵进驻彭泽,切断刘勋北归之路,自己则与周瑜等率领2万军队一举攻克了庐江郡治所皖县(治今潜山县),获袁术和刘勋妻子及部曲3万余人,徙民众于吴郡(治今江苏苏州),以李术为庐江太守,驻守皖城。又得皖城桥公二女,皆姿色出众,孙策纳大桥,周瑜纳小桥。这对英雄美女的天成婚配,成了人们津津乐道的佳话。攻克皖城后,周瑜又随孙策向豫章郡进军,在流圻大破刘勋与黄祖的联军,豫章太守华歆迎降。孙策又分豫章之地置庐陵郡,以宗室孙贲为豫章太守,孙辅为庐陵太守,留周瑜领兵镇巴丘(治今湖南岳阳西南),以备荆州刘表的袭击。建安五年(200)四月,孙策遇刺身亡。时孙氏已占据了江东的丹阳、吴郡、会稽、豫章、庐陵等5郡和庐江郡南部地区。在江东站稳了脚跟,并初步形成了与曹操南北对峙的局面。

孙策去世,年仅19岁的孙权继位,政治局面非常严峻。周瑜得知孙策死讯,急忙领兵赴丧。留在吴主孙权身边,以中护军身份与长史张昭一同掌管军政大事。建安七年(202),曹操为了控制东吴,下令孙权送子为质。东吴诸大臣张昭、秦松皆犹豫不决。孙权带着周瑜到其母亲吴夫人处商量对策。

周瑜坚决反对送人质,他给孙权分析利害说:"当年楚君刚被封到荆山之侧时,地方不够百里。他的后辈既贤且能,扩张土地,开拓疆宇,在郢都建立根基,占据荆扬之地,直到南海。子孙代代相传,延续数百年。现在将军您继承父兄的余威旧业,统御六郡,兵精粮足,战士们士气旺盛。而且,铸山为铜,煮海为盐,人心安定,士风强劲,可以说所向无敌,为什么要送质于人呢?人质一到曹操手中,我们就不得不与曹操相呼应,也就必然受制于曹氏。那时,我们所能得到的最大的利益,也不过就是一方侯印、十数仆从、几辆车、几匹马罢了,哪能跟我们自己创建功业称孤道寡,相提并论呢?为今之计,最好是不送人质,先静观曹操的动向和变化。如果曹操能遵行道义,整饬天下,那时我们再归附也不晚;如果曹操骄纵,图谋生乱,那么必玩火自焚,将军您只要静待天命即可,为何要送质于人呢?"

胡三省在《资治通鉴音注》中指出,"所谓相时而动也。然瑜之言不悖于大义,鲁肃、吕蒙辈不能及也",称赞周瑜有谋略,有决断,顾大局,讲大义。孙权及其母亲都认为周瑜的意见很有道理,于是采纳了周瑜的意见。吴夫人还深情地对孙权说:"公瑾的话有道理,他比你哥哥只小一个月,我一向把他当作儿子对待,你要把他当成兄长才是。"这是一个重大的政治决策,对东吴政权后来的独立发展有重要意义。

建安十一年(206),周瑜督率绥远将军孙瑜讨伐麻、保两屯,斩其首领,俘掳万余人,然后又迅速退驻官亭守边。建安十二年(207),刘表所置江夏太守黄祖遣部将邓龙袭击柴桑,周瑜率兵反击,生擒邓龙。建安十三年(208)春,孙权西攻黄祖,以周瑜为前部大督,攻下江夏,斩杀黄祖,掳其男女数万人,大获全胜。正当东吴不断向荆州扩张之际,曹操也在策划进攻荆州。曹操基本统一北方后,第一个战略目标便是荆州。建安十三年(208)九月,曹操率领大军进攻荆州。这时荆州牧刘表已经病死,其继承者刘琮举州降曹。十月,依附于刘表的刘备辗转退到夏口,已经占领江陵的曹操打算顺江东下一举吞灭东吴。

曹操下战书给孙权说:"近者奉辞伐罪,旌麾南指,刘琮束手。今治水军八十万众,方与将军会猎于吴。"①战书至东吴,谋臣将士无不惊恐万分。孙权召集部下,征询对策。大家都议论说:"曹操乃豺虎之人,他借着汉丞相的名义,挟天子以征天下,动辄说是朝廷旨意,如今要抗拒他,事情更为不利。况且将军您所处的形势,能够抵御曹操

---

① 《资治通鉴》卷65,建安十三年十月。

的,就是长江天险。现在曹操占有荆州全部,加上刘表原先训练好的水军,大船战舰,多至数千,并兼有步兵,水陆两路一起进发,所谓长江天险,已成为曹操与我方共有的了。而在实力上敌众我寡,力量极为悬殊,不可相提并论。故此,最好的计策不如迎降。"唯有鲁肃等少数人主张抵抗曹军,但鲁肃自知自己资望不高,尚不足以决策这样的军国大事,所以劝孙权迅速召回驻守鄱阳的周瑜共商国是。

周瑜坚决主张抵抗曹军,他对孙权说:"曹操名为汉相,实为汉贼。孙将军您雄才大略,继承父兄基业,已占有江东辽阔的地域,兵精粮足,人才济济,正应驰骋天下,为汉朝铲除奸贼。何况曹操自来送死,怎么能不战而降呢?即使北方已经安定,曹操没有后顾之忧,能够旷日持久地和我们争夺疆土,但是否能够和我们在水面上较量呢?事实是现在北方的局势并没有得到稳定,加之马超、韩遂在函谷关以西,成为曹操后方之患。并且曹军擅长陆战,现在却来同我们较量水战,这是舍长取短。目前天气寒冷,马缺草料,中原士兵不习惯南方水土,必然会生疾病。

这些都是用兵之大忌,曹操全然不顾,一意孤行,现在正是我们擒获曹操的大好时机。我请求您拨给精兵三万人,进驻夏口,保证打败曹军。"孙权激动地说:"曹操企图废除汉室自立为帝,蓄谋已久,只是顾忌袁术、袁绍、吕布、刘表与我而已。如今他们几位都被歼灭,只有我一人独存,我与其势不两立。你所说的应当对他进行抗击,与我的想法完全一致,这是老天把你送来助我啊!"孙权为了表示抗曹的决心,拔出利剑砍断了面前几案,说:"诸将吏敢复有言迎操者,与此案同。"[1]

周瑜为了彻底消除孙权的思想顾虑,接着又单独进谒。他向孙权建言说:"曹操虽扬言有水陆军队八十万人,其实他率领的中原士兵只不过十五六万,经过长途跋涉,已经疲惫不堪。其新近招降的荆州士卒不过七八万人,这些人又心存疑虑。因此,曹军数量虽多,战

---

[1] 《三国志》卷54《吴书·周瑜传》注引《江表传》。

斗力并不强，我们只要有精兵五万就完全可以战胜他，请您不必忧虑。"孙权听了，大受感动，拍着周瑜的背说："公瑾之言，大合我心！张昭等人，顾惜家人妻小，只为自身考虑，真让我失望。只有你与鲁肃的看法跟我一致，这是老天让你们二人来辅助我的！五万人一时难以调集。但我已选好三万人马，船只粮草和各种战具也已准备妥当，你和鲁肃、程普马上就可以带兵出发。我会继续调发兵马粮草，做你的后援。你能击败曹军当然好，假如遇到挫折，就回来找我，我将与曹操决一死战！"于是孙权任命周瑜、程普为左右督，率领三万精兵，与刘备会师，共同抗击曹军。孙刘联军在赤壁（今湖北赤壁市西北长江南岸）遭遇曹军，联军获胜，曹军退到长江北岸的乌林附近，孙刘联军驻扎在南岸，与曹军隔江对峙。

曹军初到南方，水土不服，疾病流传，再加上北方人不习惯水上生活，晕船现象严重。为了减轻风浪颠簸，曹操下令用铁索把战船连接起来，铺上木板，宛如平地。周瑜的部将黄盖说："如今敌众我寡，难以与之进行持久战。然而观察曹军战船首尾相接，可以用火攻。"于是周瑜调拨几十艘大船，船内装满柴草，浇上油脂，外面罩上帷幕，插上牙旗，先让黄盖写信给曹操，欺骗说要前来投降，又预备一些轻便快捷的小船，分别系在大船的尾后。交战之日东南风急，黄盖带领数十艘战船，乘风向曹营进发。曹军以为黄盖真来投降，毫不防备，只是指点观看。船队行到距离曹军水寨二里有余，黄盖下令各船同时点火。当时风势威猛，大火蔓延到曹军营寨。片刻之间，烟火冲天，曹军人马被烧死及溺水而亡者不计其数，于是全军败退，退守南郡。刘备与周瑜等又合力追击。曹操留下曹仁等驻守江陵城，自己退还北方。

赤壁之战后，周瑜与程普领军挺进南郡，隔江与曹仁对垒。兵未交锋，周瑜即派甘宁前去袭击夷陵。曹仁派出一支部队前去围攻甘宁。甘宁向周瑜告急。周瑜采用吕蒙的计策，留下凌统镇守后方，自己与吕蒙往上游解救甘宁。甘宁之围被解后，周瑜军队便渡江扎在北岸，约定日期与曹仁军队大战。周瑜亲自骑马掠阵，被流矢射中右胁,伤势严重,退兵回营。后来曹仁听说周瑜卧病在床,便率兵上阵出战。周瑜奋身而起,巡视各营,激励将士,曹仁只好撤军。

建安十四年(209)十二月,周瑜攻占江陵,孙权任命周瑜为偏将军,兼任南郡太守。以下隽、汉昌、刘阳、州陵作为他的奉邑,屯据江陵。刘备以左将军身份兼任荆州牧,治所设在公安。刘备前往京口拜谒孙权,周瑜上奏说:"刘备枭雄,且有关羽、张飞熊虎般的猛将,他一定不会长久屈身为他人所用。依我愚见,现在最好的计策是把刘备迁置到吴郡,为他修建最豪华的宫室,多给他一些美女和珍奇玩物,让他享受声色之娱,再把关羽、张飞二人分开,安置在不同的地方,派遣像我这样的人挟制他们,让他们与我们一道作战,大事即可定。如割让土地,让这三个人聚在一起,又都安放在边界疆场,如同蛟龙一旦得到云雨,终非池中所容纳得了!"孙权考虑到曹操势大,应该广泛招揽英雄人物才能与之抗衡;而刘备又绝非可以一时制服之人,所以没有采纳周瑜的建议。

时刘璋任益州牧,张鲁不断侵扰。周瑜对孙权说:"如今曹操刚刚遭受挫败,正在忧虑内部生变,不能和您交兵作战。我恳请和奋威将军孙瑜一同进攻蜀地,占领蜀地而后吞并张鲁,留下孙瑜固守那里,以便同马超结援呼应。我再回来和将军您占据襄阳,进击曹操,攻取北方就有希望了。"周瑜这一计划,勾画出北上以争天下的宏伟蓝图,非常有战略眼光,堪称"周氏隆中对"。孙权当即表示同意。因此,陈寿评价"周瑜建独断之明,出众人之表,实奇才也"①。周瑜想赶回江陵,做出征的准备工作。然而半途染病,死于巴丘(今湖南岳阳。一说死于庐陵巴丘,今峡江县巴邱镇),年仅36岁。孙权身着素服举行哀悼,当周瑜灵柩运还吴郡时,孙权又往芜湖迎接,举办丧事的所有费用,全部由公家支出。后来又颁布谕令:已故将军周瑜、程普,家中所有人丁,各级官吏都不得过问。对其家庭的照顾亦十分周全。

周瑜待人谦恭有礼。当初周瑜与孙策交友时,孙策的母亲让孙

---

① 《三国志集解》卷9《周瑜传》。

权以尊奉兄长之礼对待周瑜。那时孙权的地位还是个将军,诸将及宾客对他只行一般的礼节,唯有周瑜最先对他执臣子礼节。周瑜性情开朗,宽宏大量,很得人心,曾与程普一度不相和睦。程普是一名战功卓著的老将,早年随孙坚攻城略地,多次受伤,后又随孙策南征北战,救过孙坚的命。孙策死后,又为孙权四处征战。年龄大、资格老,被尊称为"程公"。程普多次凌侮周瑜。周瑜却始终折节下之,从不跟他计较。程普后来敬重佩服周瑜,曾对人说:"与周公瑾交,若饮醇醪,不觉自醉。"①

周瑜善于识人荐贤、爱惜人才。周瑜推荐鲁肃,认为鲁肃才能堪辅佐时局,孙权应当广泛地物色和他类似的人,来完成雄功伟业。荐举甘宁,"周瑜、吕蒙共荐达之,权礼异,同于旧臣"②。即使在临终前,周瑜仍上疏孙权:"鲁肃智略足任,乞以代瑜。"

周瑜精于音律,即使在饮酒三爵之后,弹奏者有什么差错,他也能听得出来。每当这时,他必会回头一顾,所以当时有人编出谣谚:"曲有误,周郎顾。"

对周瑜的才能,曹操、刘备、孙权都非常清楚。曹操曾派蒋干游说,想让周瑜为自己所用。周瑜对蒋干说:"丈夫处世,遇知己之主,外托君臣之义,内结骨肉之恩,言行计从,祸福共之,假使苏张更生,郦叟复出,犹抚其背而折其辞,岂足下幼生所能移乎?"蒋干回见曹操称周瑜"雅量高致,非言辞所间"③。天下之士,因此愈加佩服周瑜。刘备也曾私下挑拨周瑜和孙权的关系。一次,孙权、张昭等人为刘备送行,张昭等人先离开了,孙权和刘备谈话。刘备叹息说:"公瑾文武筹略,万人之英。只是他器量太大,恐非久居人下者!"不过,不论别人怎样评论,孙权心中有数,他说"公瑾有王佐之资","孤非周公瑾,

---

① 《三国志》卷54《吴书·周瑜传》注引《江表传》。
② 《资治通鉴》卷65,建安十三年正月。
③ 《三国志》卷54《吴书·周瑜传》注引《江表传》。

不帝矣"①。诸葛瑾、步骘以为:"虽周之方叔,汉之信、布,诚无以尚也。"②

周瑜生有两儿一女。女儿许配太子孙登;长子周循为东吴驸马,被任命为骑都尉,有周瑜的气质风度,惜英年早逝;次子周胤继初任兴业都尉,黄龙元年(229)封都乡侯,后因罪被贬居庐陵郡。

凌 统③

凌统(189—217,一说189—237),字公绩,原籍吴郡馀杭(治今浙江余杭),后迁居巢县,凌操之子。凌操轻侠有胆气,孙策初起,每从征战,常冲锋先登。守永平长,平治山越,迁破贼校尉。及孙权统军,从讨江夏,破其前锋,轻舟独进,中流矢死,时凌统年仅15岁。

孙权以凌操死于国事,拜凌统为别部司马,行破贼都尉,代统其父生前的兵士。一次和军督陈勤进攻麻屯,由于陈勤酒后赏罚失措,傲慢无理,辱骂凌统,甚至及其父凌操。凌统忍无可忍,遂斩陈勤。攻城时,凌统说:"非死无以谢罪。"身先士卒,攻破城池,大破敌军。回去后,凌统将自己绑缚起来送到军正那里。孙权为他的果敢坚毅所感动,释放了他,让他以功赎罪。

建安十三年(208),孙权再次征江夏,凌统为前锋,与健卒数十人共乘一条船,从远离大部队几十里的水路,进入右江,斩杀黄祖部将张硕,俘获敌船及船工。回来报告孙权,孙权率领大军日夜兼程,水陆并进。

当时吕蒙打败敌人水军,而凌统先夺得江夏,大获全胜,升任承

---

① 《三国志》卷54《吴书·周瑜传》注引《江表传》。
② 《三国志》卷54《吴书·周瑜传》。
③ 参见《三国志》卷55《吴书·凌统传》。

烈都尉。后与周瑜等在乌林击破曹操，继而攻打曹仁，迁校尉。建安十九年（214），又破皖城，拜荡寇中郎将，遥领沛相。建安二十年（215），凌统与吕蒙等夺取长沙、零陵、桂阳三郡后，从益阳返师前往合肥，为右部督。当时孙权攻合肥不下，开始撤军，前头部队已经开拔，魏将张辽等突然杀到逍遥津之北。孙权派人去追前头部队，但已走远，来不及相救。形势急迫，凌统率领亲兵300人冲入敌军重围，护孙权突围。敌军已毁坏河桥，桥面上仅有两块木板，孙权策马疾奔过桥，凌统回身再战，手下人全部战死，自身亦遭受重创，但还杀死数十敌兵，估计孙权已经逃脱，始还。但桥断路绝，凌统跳河披甲潜水而行。孙权上船后，见到凌统还活着，十分惊喜。凌统却痛心自己的亲兵无一人生还，悲不自禁。孙权用衣袖为凌统拭泪，说："公绩，亡者已矣，苟使卿在，何患无人？"于是任命他为偏将军，加倍补充本部兵卒。

凌统"虽在军旅，亲贤接士，轻财重义，有国士之风"①。当时有人向孙权推荐凌统同郡人盛暹，认为盛暹人格高尚，节操比凌统还好。孙权说只要他能像凌统那样就足够了。后来盛暹被召夜里赶来，当时凌统已经睡下，听说后，披着衣服出来，亲切地拉着盛暹的手一同进屋。

史书对他这种爱善不忌行为大加赞赏。凌统考虑到山中人还有不少强壮剽悍者，可用恩威并施的方法来诱降他们，孙权便命他东进，又命所属各城府官员，凡是凌统的要求，都要先满足然后再报告。凌统得到精兵万余人，路过本县城，拜见长吏故旧，恭敬尽礼。事情完毕将要启程，不幸因病卒，时年29岁。"权闻之，拊床起坐，哀不能自止，数日减膳，言及流涕"②，令张承为凌统作祭文和铭文。凌统的两个儿子凌烈、凌封，俱年幼。孙权将他们带到宫内抚养，待他们与待自己的几个儿子一样爱护，每有宾客进见，便招呼他俩给客人示

---

① 《三国志》卷55《吴书·凌统传》。
② 《三国志》卷55《吴书·凌统传》。

之,说:"此吾虎子也。"及至八九岁时,孙权让葛光教他俩读书,十日让他们练习一次骑马。

孙权追录凌统功绩,封凌烈为亭侯,归还他父亲生前的队伍。后来凌烈犯罪被免,又让凌封袭爵带兵。

王 蕃[①]

王蕃(228—266),字永元,庐江郡(治今庐江县西南)人,三国时期吴国天文学家、数学家。

王蕃博览多闻,兼通历法、六艺。初为尚书郎,后因看不惯宫廷内的争权夺利、士大夫之间的明争暗斗,愤而辞官。太平三年(258),孙休即位后,对王蕃的人品与才识十分欣赏,决定起用他,王蕃与贺邵、薛莹、虞汜俱为散骑中常侍,皆加驸马都尉。出使蜀国,蜀人对他赞誉有加。回到吴国以后,孙休即委以夏口监军。

吴主孙皓即位初,王蕃复入为常侍,与万彧同官。万彧与孙皓有旧,羞辱王蕃,说王蕃自我轻贱。又中书丞陈声,为孙皓宠臣,多次在孙皓面前谮毁王蕃。王蕃是高风亮节之人,不能低声下气看人脸色行事,加上在朝目睹孙皓荒淫无度,刚愎自用,屠戮成性,无故滥杀忠臣良将,常借机苦谏规劝,当庭直对孙皓,违忤孙皓意旨,逐渐引起孙皓的不满。

甘露二年(266),丁忠出使晋国回国,孙皓大摆宴席会集群臣,王蕃饮酒大醉倒地,孙皓怀疑王蕃不敬而不高兴,让人把他抬到外面去。很快王蕃请求回来,酒尚未全醒,他一向有威严气势,此时举止自若。孙皓大怒,喝令将王蕃斩杀于大殿下。卫将军滕牧、征西将军

---

① 参见《三国志》卷65《吴书·王蕃传》;房玄龄:《晋书》卷11《天文志》,中华书局1974年版;魏徵:《隋书》卷16《律历志》,中华书局1972年版。

留平为他求情,孙皓不允。王蕃被杀后,丞相陆凯上奏说:"常侍王蕃,内修美德,外明事理,知晓天道,了解万物,正直忠心,是社稷的重臣、吴国的龙逢啊!以前他奉事景皇帝(孙休谥号),进谏献策于左右,景皇帝钦佩赞赏他的卓越超群。而陛下恼恨他说话刺耳,厌恶他直言对答,将他斩首于殿堂,抛尸于野外,令国内人民伤心,有识之士悲悼。"

王蕃死时年仅39岁,孙皓将他的家属流放到广州。王蕃的两个弟弟王著、王延,都是杰出才士。郭马起兵叛乱时,他们不肯为郭马所任用,被杀害。

王蕃通晓天文、数学,撰有《浑天图记》《浑天象注》。他曾根据浑天说和长期的天象观察,精心制作浑天仪,以三分之长为一度,周长一丈零九寸六分,介于古浑仪和张衡制作的浑仪之间,在浑仪上,周天为365.25度,立黄道与赤道交角为24度,这与现代天文历算结果已十分接近。浑仪可以标明天球与日月星辰的运行,从而说明春分、夏至、秋分、冬至等节气,以及何时昼长夜短,何时昼短夜长,何时昼夜相当。

王蕃认为日距离其下临之地为8万里,以此为股,以15000里为勾,应用已知的勾股求弦法,测出日距阳城(今河南登封)为81394里30步5尺3寸6分,再以阳城为中心,以阳城与日距离为半径,算出周天长度。他采用的圆周率为3.1555……与刘徽的"徽率"(3.1416)、南朝祖冲之的"祖率"(3.1415926至3.1415927之间)很相近,为中国天文学的数学做出了可贵的贡献。《隋书·律历志》把王蕃和刘歆、张衡、刘徽、皮延宗等并列为新率的创始人。

任 忠[1]

任忠（生卒年不详），字奉诚，乳名蛮奴，侨置汝阴（治今合肥）人。西汉御史大夫、广阿侯任敖之后。任敖第十一代孙谏（一作颙），晋安东将军，始居合肥。

任忠少时家中贫寒，出身卑微，乡里人看不起他。长大后多谋善变，膂力过人，尤善骑射，乡里少年都归附他。梁鄱阳王萧范当时任合州刺史，闻其名声，招引至帐下。梁武帝太清二年（548），南豫州牧侯景在寿阳（今安徽寿县）起兵叛梁，任忠率乡里数百人，随晋熙太守梅伯龙讨伐侯景大将王贵显于寿阳，屡战屡胜。当时有土豪胡通聚众强取豪夺，萧范命任忠与主帅梅思立联军讨平之。后随萧范长子萧嗣率军救援梁都建康，值京城陷落，于是留守晋熙。侯景之乱平定，任忠被任命为荡寇将军。

太平二年（557），大将陈霸先废梁敬帝萧方智，自立为帝。梁将王琳拥立萧庄为帝，年号天启，命任忠为巴陵太守。陈文帝天嘉元年（560），王琳失败，任忠归附陈朝，任明毅将军、安湘太守，从侯瑱征讨巴、湘，累迁至豫宁太守、衡阳内史。废帝光大元年（567），湘州刺史华皎起兵反陈，任忠曾参与谋划。华皎乱平后，宣帝因为任忠在华皎起兵之前密告朝廷，便赦而不治罪。太建初，任忠随车骑将军章昭达讨伐欧阳纥于广州，因功授任直阁将军，迁武毅将军、庐陵内史，秩满，入京任右军将军。

太建五年（573），宣帝北伐。任忠率兵取西道进发，击退北齐历阳王高景安于大岘，接着北进至东关，攻下东西二城。又进军蕲、谯，

---

[1] 参见姚思廉：《陈书》卷31《任忠传》，中华书局1973年版；《资治通鉴》卷177"开皇九年"条；《隋书》卷52《韩擒虎传》；林宝：《元和姓纂》，中华书局1994年版。

下之。间道袭击合肥,驻军外城,接着攻下霍州。因功授员外散骑常侍,封安复县侯,食邑 500 户。吕梁之役兵败,班师回朝。不久诏令任忠都督寿阳、新蔡、霍州沿淮诸军,晋号宁远将军,进宦霍州刺史,后入京任左卫将军。太建十一年(578),加北讨前军事,晋号平北将军。太建十二年(579)迁使持节、散骑常侍、都督南豫州诸军事、平南将军、南豫州刺史,食邑增加到 1500 户,随后率步骑兵赴历阳。北周遣王延贵率军援助,任忠大破之,活捉王延贵。陈后主嗣位后,晋号镇南将军,赐给鼓吹一部。入朝任领军将军,加侍中,改封梁信郡公,食邑 3000 户。后为吴兴内史。

北周静帝大定元年(581),杨坚取代北周建立隋朝,决心统一江南。开皇八年(588),隋文帝杨坚命晋王杨广统兵攻打陈朝。开皇九年(589),隋兵渡江。任忠从吴兴入援京师,驻军朱雀门。后主召萧摩诃以下之臣于宫内商议,任忠坚称敌我双方力量悬殊,来犯之人贵在速战,主守一方贵在持重。应增兵坚守宫城,遣水军取道南豫州及京口,断绝敌军粮道。待春天水涨,上游众军必沿江东下驰援,此乃良计。众议不合,陈后主便决定出兵作战,任忠叩头苦请勿战,未果。败后,任忠迅速入宫见后主,述说败状,启奏道:"陛下惟一出路是准备舟船,赴上游军中,臣誓死护卫。"后主按照他说的办,敕令任忠出外布置安排。任忠辞曰:"臣处理完,立即奉迎。"后主令宫人整装后等待任忠,久望不至。隋将韩擒虎自新林进军,任忠便率数骑去石子岗投降,接着引韩擒虎军至南掖门。遇陈军抵抗,任忠说:"老夫尚降,诸君何事!"①众军皆散,台城陷落。

同年任忠入长安,隋授他为开府仪同三司。卒时 77 岁。任忠之子幼武,官至仪同三司。唐初定郡望,合肥任氏为七望之一。

---

① 《隋书》卷 52《韩擒虎传》。

第二章

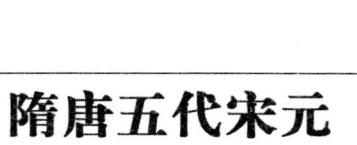

隋唐五代宋元

樊子盖①

樊子盖（545—616），字华宗，庐江（治今庐江县）人，东汉寿张侯樊弘之后。晋有樊僧远，始居庐江。僧远裔孙道则，梁越州刺史；子儒，侯景之乱逃奔北齐，即子盖父，官至仁州刺史。樊子盖仕齐，历任东汝、北陈二郡太守，员外散骑常侍，爵富阳侯。周武帝平定齐国，授樊子盖仪同三司、鄢州刺史。隋文帝受禅，子盖以仪同之职兼领乡兵，后又任枞阳太守。平定南陈之战，与行军总管杜彦渡江至南陵，大破陈军营寨，"获船六百余艘"②，以功加授上开府，改封上蔡县伯，历任辰、嵩、齐三州刺史，转任循州总管，文帝允许他遇事不待上奏，自行裁断处置。开皇十八年（598），入朝奉献岭南地图，文帝赏赐他良马财物，增领四州，令回归任职之处，派遣光禄少卿柳謇之至灞上为子盖饯行。

隋炀帝即位，樊子盖转任凉州刺史，授银青光禄大夫、武威太守，以善于理政闻名。大业三年（607），樊子盖入朝，炀帝特别褒扬他，加授金紫光禄大夫。大业五年（609），炀帝车驾西巡，将要进入吐谷浑。樊子盖因为那里多有瘴气，奉献青木香，用以防御雾气和露水。炀帝回来后，对樊子盖说："人们都说你清廉，真是这样吗？"樊子盖说："臣怎么敢称清廉，只是小心谨慎不敢受贿而已。"炀帝于是赏赐给他美食一百多斛，并下诏书："金紫光禄大夫、武威太守樊子盖，执操清洁，处涅不渝，立身雅正，临人以简。威惠兼举，宽猛相资，故能畏而爱之，不严斯治。实字人之盛绩，有国之良臣，宜加褒显，以弘奖励。"③

---

① 参见李延寿：《北史》卷76《樊子盖传》，中华书局1974年版；《隋书》卷63《樊子盖传》、卷4《帝纪第四》。
② 《隋书》卷55《杜彦传》。
③ 《隋书》卷63《樊子盖传》。

加授右光禄大夫,仍任武威太守。樊子盖说:"希望能够侍奉陛下。"炀帝说:"你侍奉朕只是侍奉一人罢了,把西方委托给你,则是一人可敌万人,你应该明白朕这番心意。"

大业六年(610),炀帝在陇川宫避暑,又说想要巡幸河西。樊子盖恳请炀帝巡幸武威郡。炀帝知道后,下诏慰问劝勉樊子盖。这一年,樊子盖入江都行宫觐见炀帝,炀帝说:"富贵之后却不回乡,正如穿着华丽的衣服夜间行走,谁人知晓!"于是敕令庐江郡设置3000人大会,赏赐米和麦6000石,让樊子盖拜谒祖坟,宴请家乡父老,以示荣耀。回京后樊子盖任民部尚书。这时,处罗可汗和高昌王来通好,炀帝又任樊子盖检校武威太守,接应两藩王。

大业八年(612),隋炀帝发兵辽东,征讨高句丽,樊子盖兼领左武卫将军,出兵长岑道。后因在宫中担任警戒任务没有成行。加授左光禄大夫。同年,炀帝回到东都洛阳,命樊子盖为涿郡留守。大业九年(613),炀帝又征辽东,命樊子盖为东都留守。适逢杨玄感叛乱,兵临城下,樊子盖派遣河南赞务裴弘策迎击,被杨玄感打败,8000人只有10余名骑兵逃回,樊子盖遂将裴弘策斩首示众。国子祭酒杨汪稍不恭,子盖又要杀他。杨汪拜求,"顿首流血,久乃释免。于是三军莫不战栗,将吏无敢仰视"①。杨玄感每次用尽精锐攻打东都,樊子盖都是从容布防,叛军屡遭挫败,久不能打下东都。来护儿等救兵到,杨玄感解围而去。此役樊子盖诛杀叛军数万人。

后樊子盖任检校河南内史。炀帝车驾到高阳,樊子盖至炀帝行在所,炀帝慰劳他,拿他和萧何、寇恂相比,加授光禄大夫,封爵建安侯,仍旧担任民部尚书,赐他缣帛3000匹,女乐50人。樊子盖推让不受,隋炀帝不允,对樊子盖说:"朕派遣越王留守东都,是用来显示皇家枝干坚如磐石,国家大事,最终委托给你,应该特别持重,有500甲士保护,才能出门,注重防身,若有图谋不轨之人,就可诛杀之。凡事可以施行的,就不要上奏了。现在特为你造一枚玉麟符,以取代铜

---

① 《北史》卷76《樊子盖传》。

兽符。"炀帝又指着越王和代王说:"如今我就把这两个孙子委托给你和卫文升了。你应该选择德行高洁、品格端正的人教导他们。"炀帝又赏赐给樊子盖良田和宅第。

大业十年(614),炀帝车驾回东都洛阳,对樊子盖说:"杨玄感造反,是神明故意用来显示你的赤胆忠心。"当日晋封樊子盖爵位为济公,"言其功济天下",但只是给他设立名号,而无此郡国,并赐缣帛3000匹,奴婢20口。后来,樊子盖和苏威、宇文述一起在积翠池陪炀帝宴饮,炀帝亲自用金杯给樊子盖斟酒,并赏赐金杯和绮罗百匹。

大业十一年(615),樊子盖跟从炀帝车驾到雁门,八月十三日,被突厥兵围困。炀帝想挑精锐骑兵突出重围,樊子盖劝道:"陛下是万乘之主,岂能轻忽? 一朝狼狈,追悔不及。不如守城以挫其锐气,四面援兵,可立而待,陛下有什么可担心的,以至要亲自突围呢?"樊子盖奏请"暂停辽东之役,以慰众望"①,建议炀帝亲自出去安抚,厚加赏赐,人心自奋,突厥不足为忧。炀帝听从樊子盖的建议。八月二十四日,隋炀帝诏令天下各郡招募士兵,各地郡守、县令各自率部赶来救难。九月十五日,援兵赶到,突厥解除对雁门的包围,撤兵离去。纳言苏威追论赏赐太重,应加以斟酌。樊子盖执意奏请不应失信。炀帝说:"你想收买人心吗?"樊子盖默然不敢对答。

十月,樊子盖跟从炀帝回东都洛阳。这时,绛郡叛将敬盘陀、柴保昌等人拥兵数万,汾、晋两地之民深受其苦。炀帝诏令樊子盖率兵征讨。当时人力物产富实,樊子盖不分善恶,把汾水以北的村落全部烧毁。百姓十分惊恐,相继沦为盗贼。对那些自首的人,不论老少,一概活埋。樊子盖拥有数万兵马,一年多仍然不能破贼,诏令征回京师。樊子盖又领兵进攻宜阳叛军,因病停止,卒于京都府第。炀帝很是悲伤,问黄门侍郎裴矩:"樊子盖临终时有什么话?"裴矩答道:"子盖病重时,深恨雁门被围之耻。"炀帝听说后甚为感慨,命百官前去吊唁,赐缣帛300匹,米500斛,追赠开府仪同三司,谥景。安葬时,送

---

① 《隋书》卷63《樊子盖传》。

葬有万余人。武威郡的百姓官员听说樊子盖的死讯，无不叹息悲痛，立碑颂扬其德行。

樊子盖统领军队谨慎稳重，不曾有过败绩，为官明察，属下莫敢欺。但是他又严酷少恩，过于滥杀。史臣称："子盖雅有干局，质性严敏，见义而勇，临机能断，保全都邑，勤亦懋哉！"①

子盖子文器，唐代时任袁州刺史。文器子季节，庐江太守。子盖孙思孝（父佚名），亳州刺史，二子忱、琛。忱，神龙中累官户部尚书；子禀，万年丞。琛，蜀州刺史。唐初定郡望，樊氏为庐江三望之一。

陈　稜②

陈稜（？—619），字长威，庐江襄安（治今巢湖市）人，祖父硕，以捕鱼为生，父岘，骁勇善战，曾为南陈章大宝部曲。

至德三年（585），章大宝发动叛乱，陈岘因向朝廷告发，授谯州刺史。隋灭陈后，陈岘归家为民。开皇十年（590年）十一月，会稽（治今浙江绍兴）人高智慧、婺州（治今浙江金华）人汪文进在江南举兵反隋，"庐江豪杰亦举兵相应，以（陈）岘旧将，共推为主"。陈岘想拒绝，陈稜说："众乱既作，拒之祸且及己。不如伪从，别为后计。"③陈岘同意了。此时隋柱国李彻领军至当涂，陈岘派陈稜暗中见李彻，"请为内应"。李彻将此事上奏，隋文帝"遂拜岘上大将军、宣州刺史，封谯国公，邑一千户"，并令李彻接应他们。但因李彻接应未至，计谋外泄，陈岘被杀，陈稜幸免于难。文帝因陈岘之故，"拜（陈稜）开府，寻领乡兵"④。隋炀帝即位后，授陈稜骠骑将军。

---

① 《隋书》卷63《樊子盖传》。
② 参见《隋书》卷64《陈稜传》、卷81《流求国》；《资治通鉴》卷187"武德二年"条。
③ 《隋书》卷64《陈稜传》。
④ 《隋书》卷64《陈稜传》。

大业三年（607），陈稜任虎贲郎将。大业六年（610），奉炀帝命与朝请大夫张镇周发兵万余人，自义安（治今广东潮州）泛海，出征流求。陈稜率水师在大海上航行一个多月后抵达流求（今台湾）。流求人开始见到隋朝舰船，以为是商旅来和他们做贸易的，陈稜率军顺利登岸。陈稜军中有不少是从南方招募的士兵，有人懂流求语。陈稜派其招抚，流求人不从。陈稜命张镇周为先锋进攻，流求国王欢斯渴剌兜遣兵抵抗，被张镇周击败。陈稜率主力进至低没檀洞，流求小王欢斯老模率军出战，被陈稜击败并斩杀欢斯老模。陈稜随后分兵五路围攻流求都邑。流求国王欢斯渴剌兜亲自出战，又被隋军击败。隋军随即攻入流求国国都，并乘胜追击至琉球军栅，"稜尽锐击之，从辰至未，苦斗不息"，欢斯渴剌兜军疲难敌，退入栅堑。陈稜军乘胜围攻，大破之，"斩渴剌兜，获其子岛槌，虏男女数千而归"。隋炀帝大喜，加右光禄大夫。三国吴黄龙二年（230）就曾经略夷洲，这次隋朝进军流求，是大陆政治势力第二次到达台湾。《隋书》中不仅记述隋使及其军队与流求交涉和交战过程，而且提供了有关流求及大陆与流求关系的其他重要史料。如称陈稜军"自义安泛海，击流求国，月余而至"。其间舰队"至高华屿，又东行二日至龟鼊屿，又一日便至琉球"①。这是历史上有关台湾地理位置、大陆通向台湾航路及里程最早而又比较具体的文字记录。

大业八年（612），隋军第一次远征高丽。陈稜以武贲郎将加官左光禄大夫。次年，隋发动第二次征高丽战争，陈稜出任东莱（治今山东掖县）留守。杨玄感乘机作乱，陈稜率众万余人攻下黎阳（治今河南浚县），斩杨玄感所署刺史元务本。不久，陈稜奉命到江南营造战舰。到达彭城时，农民起义军首领孟让率军十万士兵"据都梁宫（今江苏盱眙境内），阻淮为固"。陈稜率兵从淮河下游暗中渡河，到达江都，率兵进攻，一举打败孟让。以功进位光禄大夫，赐爵信安侯。

大业十二年（616年），炀帝巡游江都。时农民起义军李子通占据

---

① 《隋书》卷81《流求国》。

海陵，左才相攻占淮北，杜伏威屯兵六合，各有兵马数万人。"帝遣稜率宿卫兵击之，往往克捷"，拜右御卫将军。后陈稜渡江，击败宣城义军。大业十四年（618），炀帝被杀于江都，宇文化及率军北上，命陈稜驻守江都。陈稜进入江都后，为炀帝发丧，部众皆缟素，改葬炀帝于吴公台下，"衰杖送丧，恸感行路，论者义之"①。唐武德二年（619年）四月，陈稜以江都之地降唐，唐高祖李渊以陈稜为扬州总管。八月，江都被李子通攻下，陈稜投奔杜伏威，"伏威忌之"，将陈稜杀害。

陈稜孙崇业，唐御史大夫，生琨。琨子熊。熊子审，明州刺史，贞观二十三年（655）配流崖州。唐初定郡望，陈氏被定为庐江十三望之一。

任　瑰②

任瑰（？—629），字玮，庐州合肥（治今合肥）人，父七宝曾为陈定远太守。少年丧父，由伯父任忠抚养。任忠很宠爱他，情逾己子，经常说："我的子侄虽多，但俱平庸之辈，以后光大门户，就靠任瑰了。"

任瑰19岁担任担任灵溪令，旋升衡州（治今湖南衡山）司马，受到都督王勇的重用。隋灭陈，任瑰劝王勇据岭南立陈氏子孙为帝，后来王勇降隋，任瑰罢官返乡。隋文帝仁寿年间，任瑰曾任韩城尉，不久又罢归乡里。大业十一年（615），李渊巡察汾、晋之时，任瑰拜见李渊，承制为河东县户曹。李渊赴晋阳前，将李建成托付于任瑰。李渊起兵时，任瑰拜见李渊，提出早日渡河以取关中的建议。任瑰的一番言论正中李渊下怀，于是李渊授任瑰银青光禄大夫，并派遣陈演寿、史大奈率6000骑兵趋梁山渡河，以任瑰和薛献为招慰大使，并告诉

---

① 《隋书》卷64《陈稜传》。
② 参见《旧唐书》卷59《任瑰传》；《新唐书》卷90《任瑰传》；韩婉撰：《御史台记》，商务印书馆1915年版。

陈演寿凡事要多和任瑰商议。不久,孙华、白玄度等率兵来降,并备舟于河,大军遂得以顺利过河。任瑰说降韩城县守将,与诸将进击饮马泉,被授予左光禄大夫,留守永丰仓。

义宁二年(618年),李渊称帝,任瑰改任谷州刺史。王世充多次率兵攻打新安,都被任瑰击败。任瑰因功封管国公。李世民率军讨伐王世充,任瑰主运粮饷。关东初定,任瑰持符节任河南道安抚大使。王世充之弟徐州行台尚书令王世辩,率部下归降任瑰。任瑰到宋州时,适逢叛军徐圆朗占据兖州起兵反唐,曹、戴等州也一起响应。副使柳浚劝任瑰退保汴州,任瑰笑着说:"柳公何怯也!老将居边甚久,自当有计,非公所知。"①不久,徐圆朗又攻陷楚丘,率兵围攻任瑰所在的虞城。任瑰命崔枢、张公谨拒敌,崔枢率兵出击,大败敌军。事后,任瑰升至徐州总管。武德七年(624),辅公祏之乱平定,任瑰任邢州都督。

任瑰在选用官吏时,喜欢用亲戚故旧,为世人所诟。其妻刘氏凶悍善妒,为世人所讥。武德九年(626),李世民发动玄武门之变,太子李建成被诛。因弟任璨为李建成的典膳监,任瑰也受牵连被贬为通州都督。贞观三年(629)卒。

何易于②

何易于(生卒年不详),庐江人,为官清正廉洁、勤政爱民。唐文宗太和年间(827—835),任益昌(治今四川广元市南)县令,刚上任不久,有一天,利州刺史崔朴趁着春光明媚,带了许多宾客,饮酒唱歌,泛舟东下。到益昌县附近,寻民夫拉纤。何易于就把朝板插在腰带

---

① 《旧唐书》卷59《任瑰传》。
② 参见《新唐书》卷197《循吏·何易于传》;孙樵:《书何易于》,《孙可之文集》,北京图书馆出版社2003年版。

里,去江边挽舟拉纤。刺史看到这个情况很吃惊,问他为什么。何易于说:"现在正是春天,百姓不是忙于春耕,就是在喂养春蚕,一点点时间都不能损失。易于是您主管下的县令,现在无事,可以充役。"崔朴甚是羞惭,和宾客跳出船,上岸骑马回去了。

益昌县境内山多茶盛,百姓依山种茶,聊济穷困。而朝廷诏令重征茶税,还要地方官吏如实申报,不得隐瞒偷漏。何易于看了诏令,愤愤地说:"不征茶税,百姓都没法活命,何况要加重税赋去祸害百姓呢!"命县吏将诏书铲掉。县吏惶恐地说:"天子诏何敢拒?吏坐死,公得免窜(流放)邪?"①何易于从容地答道:"我怎么能因为爱惜自己一人而损害一县的百姓呢?再说我也不会让罪名牵连到你们。"说罢,将诏令焚毁。州里的观察使知道了这事的经过,素知何易于是个清正廉洁、一心为民的贤吏,没有把他焚诏抗税这件事奏报朝廷。

当时县里有百姓死后,儿子年幼、家业破败,无力办丧葬事的,何易于就拿出自己的俸禄,派县吏代为操办。百姓来缴租税,其中有头发花白、弯腰偻背拄拐杖的老人,何易于一定请他坐下,给以吃食,询问政事方面的得失。百姓有争讼,何易于都亲自和他们谈话,给他们分清是非曲直。犯了罪的,小罪就劝导,大罪就杖责,当场释放回去,不把他们交给狱吏。治益昌三年,牢狱里没有一个罪犯,而百姓也无劳役之苦。何易于调任绵州(治今四川绵阳)罗江县令后,治理与在益昌一样。名相裴休时任绵州刺史,曾到罗江视察公务,发现何易于随从不过三个,廉洁俭约可见一斑。

武宗会昌五年(845),中书舍人孙樵出差路过益昌。有百姓详细告诉孙樵何易于怎样治理政务,并且说:"皇上设立考绩制度来勉励官吏,可是何易于仅为中上,这是为何?"孙樵问:"何易于催缴赋税做得怎样?"回答说:"向上级申请宽放期限,不去严厉勒逼百姓,不让他们低价卖出粮食布帛。"问:"他催服劳役做得怎样?"答:"县里开支费用不够,就把自己的官俸拿出来贴补,宽待贫苦百姓。"问:"有权贵路

---

① 《新唐书》卷197《何易于传》。

过,他怎样招待?"答:"供应车马,给具证明,其他什么也没有。"问:"捕捉盗贼怎样?"答:"全县没有盗贼。"

一番问答后,孙樵说:"我在京城,每年听到给事中考核州县官吏,说:'某人治理某县,考绩得某级,授予某官。'问那些官员的政绩,就说:'某人催缴赋税有成绩,比限期提早完成;某人监督劳役有功劳,能为官府节省开支费;某人所管县是交通要道,往来路过官员都说他接待得好;某人一年能抓到多少盗贼。'县令的考绩,就是这样子。"益昌县的百姓听了不说话,笑而离开。

孙樵在《书何易于》中说,何易于虽然生时不得志,以后必将流传千古。果然,《新唐书》将他列入循吏。

杨行密①

杨行密(852—905),庐州合肥(治今合肥)人,字化源,初名行愍,唐光启二年(886)高骈命其改名行密。杨行密幼年丧父,家境贫困,但生得体格魁梧,多力善走,可"力举三百斤,日行三百里"②。

咸通十二年(871),杨行密为生计所迫,参加当地"乡盗"团伙被抓获,庐州刺史郑棨看其相貌不凡,便将他释放。后杨行密应募为州兵,戍朔方(治今宁夏灵武),因功升队长。中和二年(882)秋,戍边期满还,但庐州都将嫉妒他,又让他去戍边。杨行密非常气愤,路过都将的住处,都将假意殷勤,问他还需要什么,杨行密大声说:"还少你的人头!"当即斩下都将头颅,遂乘势起兵,自称八营都知兵马使。庐

---

① 参见司马光:《资治通鉴》;欧阳修:《新五代史》,中华书局1974年版;路振:《九国志》,四库馆臣辑,守山阁丛书本;吴任臣:《十国春秋》,中华书局1980年版;《新唐书》卷211《杨行密传》;曾敏行:《独醒杂志》,上海古籍出版社;《宋元笔记小说大观》,上海古籍出版社2001年版;陈彭年:《江南别录》,《景印文渊阁四库全书》,台湾商务印书馆;吴处厚:《青箱杂记》,中华书局1974年版。

② 《旧五代史》卷134《僭伪列传一》。

州刺史郎幼复交出兵符印信，上书淮南节度使高骈，以杨行密代其职权，"行密遂据庐州"。次年三月，唐廷即拜行密庐州刺史。①

杨行密从卒伍遽至封疆大吏，掌管合肥、慎、庐江、巢、舒城五县军政大权，事情千头万绪。从现存文献看，这期间他主要做了几件事：一是命田頵为八营主将，招募和训练士兵，创建军队。张训、李神福、陶雅、徐温等许多人，都是这个时间投奔杨行密的。二是命陶雅为左冲山营将，负责恢复社会秩序，肃清境内。陶雅很快平定了秦定、过修己等"乡盗"团伙。三是延揽人才，请王潜等人为幕僚。

中和四年（884），舒州（治今安徽潜山）境内爆发陈儒起义，高骈从子、舒州刺史高濛向杨行密请求救援。杨行密估计靠他的兵力难以营救，便和部将李神福谋划对策，李神福自请不动刀枪就可赶走陈儒。李神福带上许多刺有"庐州"字样的旗帜，从偏僻的小路进入舒州。李神福命舒州军队举着从庐州带来的旗帜出城，对着地形比画，就像布置大的作战阵容。陈儒见状，甚惧，趁夜逃走。不久，地方土豪吴迥、李本再次攻打舒州，高濛不能守，弃城逃跑。杨行密派遣陶雅、张训等人率军攻打吴迥、李本，将他们擒获斩杀。陶雅南下舒州之时，蔡州军阀秦宗权觊觎淮南，趁杨行密主力南下舒州之际，派遣其弟秦宗衡进攻庐州。杨行密又派田頵将之击退。寿州刺史张翱对杨行密势力的发展深感不安。光启二年（886），"张翱遣其将魏虔将万人来寇庐州，庐州刺史杨行密遣其将田頵、李神福、张训拒之，败虔于褚城"②。褚城之战，不仅使庐州转危为安，也使杨行密成为江淮地区举足轻重的力量。从此他以庐州为根据地，拓土开疆，向淮河以南等地扩展势力。

就在杨行密势力逐渐壮大的时候，扬州发生兵变。淮南节度使高骈晚年昏聩，宠信方士吕用之，猜忌领兵将领，导致部下离心离德。左骁雄军使俞公楚、右骁雄军使姚归礼尤其憎恶吕用之所为，暗中寻

---

① 《新五代史》卷61《吴世家》。
② 《资治通鉴》卷256，光启二年十二月。

找机会,想伺机除掉这个祸害。一天夜里,吕用之与他的党羽在娼楼饮酒作乐,姚、俞暗中派人焚烧娼楼,杀掉多个与吕用之相貌衣着相似之人,吕用之却易服逃脱。第二天追究此事,抓获几个嫌犯,都是骁雄军的兵卒。吕用之不断向高骈讲俞公楚和姚归礼坏话。不久,高骈命俞公楚和姚归礼二人督率三千骁雄军,到慎县镇压农民起义,吕用之欺骗杨行密,说俞公楚、姚归礼要攻打庐州。杨行密信以为真,出兵掩杀,俞公楚、姚归礼二人没有防备,全军覆没。吕用之向高骈告发俞公楚、姚归礼谋反叛乱,已被杨行密平定。高骈不知这是吕用之的阴谋,竟重赏杨行密。

光启三年(887),高骈部将左厢都知兵马使毕师铎联合高邮镇遏使张神剑、淮宁军使郑汉章赶走吕用之,囚禁高骈。吕用之假借高骈名义命杨行密赴援。谋士袁袭劝告杨行密:"高骈昏庸糊涂,吕用之奸诈邪恶,毕师铎叛逆作乱,这三个人相斗,求救我们,这是天意把淮南授给你,你应当马上赴之。"杨行密于是率庐州兵加上向和州刺史孙端借来的客兵,合起来万余人衷兵而东。又遣使游说高骈旧部刘金、贾令威、高霸等,劝他们协助自己,对付毕师铎。五月,到达天长。高邮镇遏使张神剑、海陵镇遏使高霸、曲溪屯将刘金、盱眙人贾令威都率领所部人马归属杨行密。杨行密的军队达到 17000 人,张神剑运送高邮的粮食供给军需。

此时,宣歙观察使秦彦应毕师铎之约,带领宣歙军队 3 万余人,乘坐竹筏沿着长江浩浩荡荡东进。五月二十三日,进入广陵城,自称暂时管理淮南节度使事务,任毕师铎为行军司马,补授池州刺史赵锽为宣歙观察使。二十五日,杨行密率领各路军队自天长抵达扬州城下,屯兵蜀岗,扎八大营寨以围之。秦彦登高远望,吓得脸都变了颜色,命紧闭城门,加强防守。六月,秦稠、毕师铎"以劲卒八千出战,大败,稠死之,士奔溺死者十八"[①]。此后城内缺粮,"樵采路绝,宣州军

---

① 《新唐书》卷 224《高骈传》。

始食人"①。八月二十六日,秦彦又令毕师铎、郑汉章率兵12000人列阵于城西,绵延数里,军势颇盛。杨行密下令将钱财粮秣堆放到一个空寨里,让老弱残兵看守,精兵则埋伏于营寨旁边,自率千余人马向敌阵冲去。交战不久,杨行密佯败而走。扬州军追击,及入营寨,便争先恐后抢夺财物。这时伏兵四起,扬州军大乱,杨行密挥军猛攻,扬州军几乎被全歼。毕师铎、郑汉章单骑逃回城中。十月,杨行密围城近半年。秦彦、毕师铎率部与杨行密大小战斗数十次,想挽回危局,但屡遭挫败。因守孤城,军民断粮,草木均被吃光,饿死人数过半。面对困境,秦、毕二人毫无办法,怀疑是高骈通过巫术诅咒他们,九月四日,命部将刘匡时(一作陈赏)将高骈杀死。杨行密闻之,率士卒缟素向城大哭三日。十月二十九日夜,风雨大作,吕用之部将张审威领兵三百,于凌晨埋伏在城西壕中,趁守城兵换班时,偷偷登城,打开城门,引军入城。秦彦与毕师铎仓皇出逃,杨行密遂率诸军入扬州城。

远在蔡州的秦宗权得知杨行密陷扬州后,趁杨氏立足未稳之际,便急急忙忙地派遣胞弟秦宗衡为首,孙儒为副,率张佶、刘建锋等一批悍将及精兵万余,东下与杨行密争扬州。十一月,抵达扬州城西郊,杨行密没来得及搬入城内的辎重,都被蔡州军缴获。秦彦、毕师铎也应秦宗衡之召带领人马返回,与蔡军合围广陵。恰在此时,秦宗权闻朱温南征,遣使召秦宗衡部回师。孙儒料定秦宗权势不能长久,称疾不行,火拼主帅秦宗衡。秦宗衡麾下安仁义向杨行密投降。安仁义本来是李克用的骁将,杨行密求才心切,把全部骑兵都交给他指挥,位衔高居田頵之上。

袁袭对杨行密说:"扬州城内的饥荒已相当严重,孙儒又来进攻,老百姓一定更加困苦,不如避开这里。"杨行密打算退至海陵(治今江苏泰州),袁袭又认为海陵难以防守,而庐州为旧治,城池完好,仓库充实,可做以后图谋的基地。杨行密听从了他的建议,决定撤出广

---

① 《资治通鉴》卷257,光启三年六月戊午。

陵,杀掉向背无常、左右卖主的高霸、余绕山等,又杀掉罪恶多端的吕用之、张守一等,肃清了内部;遣和州将领延陵宗带领所部 2000 人马返回和州,还兵于孙端;派蔡俦带领一千人马和几千辆辎重回庐州以备后用。文德元年(888)四月,杨行密放弃扬州,退回庐州。

  杨行密回到庐州后,欲以轻兵袭洪州,向江西方向发展,而袁袭主张剑指宣州赵锽。袁袭说:"钟传定江西多年,兵强粮足,不易得手,而赵锽怙乱残暴,众心不附,不如备厚礼遣辩士游说和州的孙端和上元的张雄,请他们从采石渡江,侵扰宣州属县,我军自铜官过江,东西合击,一定能打败赵锽。"杨行密听取了袁袭的建议,渡江攻打赵锽,两军战于曷山,大败赵军。杨行密于是围攻宣州。赵锽弟赵乾之从池州率军来救援宣州,杨行密部将陶雅邀击于九华山,赵乾之惨败奔逃江西。杨行密以陶雅为池州制置使。龙纪元年(889)六月,赵锽弃城逃走,被田頵追擒于水阳镇。杨行密入宣州,大将徐温打开州粮仓,赈济百姓与饥民。赵锽部将周本、李简、李德诚降行密,他们后来在杨氏创业过程中发挥了重要作用。杨行密将攻陷宣州的情况表奏朝廷,朝廷即以杨行密为宣歙观察使。大战之后,宣州属县盗贼出没,杨行密遣李神福引兵破之,社会秩序渐趋正常。

  十一月,田頵挖凿地道攻取常州,以兵三万屯之,以为经略江南的据点。十二月,孙儒从广陵率军渡过长江,击败田頵,占据常州,随后又取钱氏润州。朱温应杨行密之请,派大将庞师古率军从颍上(治今安徽凤台)直趋淮南,声援杨行密。孙儒闻讯,急返广陵。昭宗大顺元年(890)春,庞师古军与孙儒战于陵亭,庞师古兵败引军还。杨行密利用孙儒军回救的有利机会,遣其将马敬言率军五千,乘虚袭据润州。安仁义、刘威、田頵败孙儒部将刘建锋于武进,复取常州。至这年十二月,杨行密先所取常、润、苏三州,复转为孙儒所有。大顺二年(891)正月,孙儒尽举淮、蔡之师济江,自润州转战而南,杨行密城戍皆望风奔溃。四月,孙、杨大军对阵黄池,杨军大败。五月梅雨,大雨不断,淹没孙儒军营,孙儒遂撤回扬州。杨行密派李神福尾随过江,攻下和州、滁州。

大顺二年七月，朱温与杨行密相约共同攻孙儒。孙儒恃其兵强，想先灭掉杨行密，然后再抗击朱温。他传檄诸藩镇，历数杨行密、朱温罪行，说："俟平宣、汴，当引兵入朝，除君侧之恶。"[①]于是，孙儒把扬州城的房屋全部放火焚烧，驱赶所有少壮男人和妇女渡过长江，斩杀年老体弱的人当作粮食。杨行密部将张训、李德诚潜入扬州城，扑灭余火，获得粮谷几十万斛用来赈济饥民。泗州刺史张谏曾借给几万斛粮食给杨行密军队，张训奉杨行密命令如数还给张谏，张谏因此很感激杨行密。胡三省《资治通鉴音注》说："扬州之民仇孙儒而德杨行密，使孙儒不死于宣州，扬州之民亦必归杨行密矣。"

八月，孙儒大军自苏州进屯宣州属邑广德，行密引兵接战，陷入重围。李简率士卒百余挺身力战，自外破栅引行密出。十二月，孙儒焚掠苏、常后，收缩战线，集中兵力，进逼宣州，旌旗辎重排起来百余里，号称盛兵50万。杨行密写信求救于两浙钱氏、洪州钟传、抚州危全讽。为了对付共同的敌人，他们皆以兵粮资行密。

景福元年（892）正月，杨行密召集诸将研究下一步方略。行密欲退守铜官（治今安徽铜陵）。刘威、李神福劝他说："孙儒调动全部军队从远处前来，速战速决对他有利。我们应当占据险要的地方，坚壁清野，不时派出轻骑抄掠他们的给养。孙儒前进却没有交战的机会，长期围城又缺少钱粮，我们擒获孙儒可以说是马到成功的事！"

戴友规也劝杨行密："孙儒与我们争夺扬州相持了五个年头，彼此胜负大体相当。现在孙儒调集全部军队要把我们置于死地，我们若是望风而走放弃城池，那就正中了孙儒的计谋。淮南士民跟随您渡江以及从孙儒的军营中前来投降的人相当多，您应当派遣将领护送这些人先回淮南，帮助他们恢复生业。孙儒军队的士兵听说淮南一带人民安居，生活稳定，都会产生回归故里的念头，孙儒的军心既然动摇，怎么会不失败呢！"

杨行密兼采二策，派李神福为宣池都游奕使，张训、李德诚护送

---

① 《资治通鉴》卷258，大顺二年七月。

淮南军民回故乡，兼收复被孙儒攻占的淮南州县。二月，军过常州，张训兵不血刃下常州，别将又取润州，孙儒在苏南的地盘全部转为杨行密所有，遂形成对孙儒的反包围，由战略防御转为战略反攻。

四月，张训、李德诚取楚州（治今江苏淮安）。五月，杨行密破孙儒广德大营，张训屯安吉，断其粮道。孙儒军中粮食吃尽，又遇到瘟疫，孙儒派遣刘建锋、马殷分别带领军队到附近各县抢掠。六月，杨行密听说孙儒军中正闹瘟疫，便派出军队攻打孙儒，正赶上大雨滂沱，天昏地暗，孙儒军队大败。安仁义攻破孙儒50多个营寨，田頵生擒孙儒，孙儒的人马大多向杨行密投降，只有刘建锋、马殷等率残部7000人逃脱。杨行密从中精选5000人，着黑衣黑甲，号称"黑云都"。"黑云都"勇猛善战，四邻都畏之如虎。杨行密率众取常、润路返扬州，他向朝廷上表请田頵守宣州，安仁义守润州。八月，朝廷以杨行密为淮南节度使、同平章事，以田頵知宣州留后，安仁义为润州刺史。

经过六七年的战乱，江淮一带疮痍满目，哀鸿遍野，士民转徙几尽，杨行密面临削平群雄和恢复经济两大任务。他采纳掌书记高勖的建议，选贤守令治理地方，招抚流散，轻徭薄赋，鼓励商业，又躬行节俭，"未及数年，公私富庶，几复承平之旧"①。杨行密征服的第一个目标便是他的桑梓旧地庐州。景福二年（893）七月，李神福攻下庐州，叛将蔡俦兵败自杀。之前，杨行密袭赵锽，留俦守庐州，孙儒来攻，俦举州降孙儒，并挖掘行密祖坟，以向孙儒表示忠心无二。攻下庐州后，杨行密部将纷纷要求掘蔡俦祖坟，以为报复。行密不许，说："我明知其错，为什么还要效法他的错误做法呢！"八月，歙州归款。十月，舒州刺史倪章弃城而逃。乾宁元年（894），黄、泗两州附行密。

乾宁三年（896）四月，钱镠、钟传、杜洪畏惧杨行密的强大，向朱温求援。朱温遣朱友恭将兵万人渡淮，让他便宜行事。五月，杨行密掳苏州刺史成及，说降蕲州，攻取光州。乾宁四年（897）二月，兖、郓、河东将朱瑾、史俨、李承嗣等战败投奔行密。唐昭宗诏令以杨行密为

---

① 《资治通鉴》卷259，景福元年八月。

江南诸道行营都统,发兵讨杜洪。

当杨行密打败孙儒,兼有宣歙、淮南之时,朱温也在北方打败强敌蔡州秦宗权、徐州时溥,控制了河南、淮北地区。双方利益的冲突特别是对淮南的争夺,造成矛盾的激化,最终爆发了影响唐末历史进程的清口之战。双方冲突的导火线,是泗州刺史张谏投靠杨行密。泗州位于淮河北岸,原为徐州巡属,时溥灭亡后,泗州成为朱温地盘。大顺二年(891),张谏以军粮匮乏求援,杨行密命扬州守将张训运粮救济,张谏因而心存感激。乾宁元年(894),朱温派到泗州的使者傲慢无礼,张谏不堪忍受,索性投降了杨行密。张谏的背叛是朱温所不能容忍的,隐伏已久的矛盾公开化了。年底,朱温下令扣留杨行密派来的贸易使者,并且扣押茶叶万余斤,双方关系破裂。乾宁二年(895)正月,杨行密向朝廷进呈表章,历数朱温的罪恶,请求会同易定、兖州、郓州、河东的军队一同讨伐朱温,随后派兵夺取濠州、涟水等地。而朱温则派朱友恭攻取黄州。

乾宁四年(897)秋,朱温平定兖(泰宁军治所)、郓(天平军治所)两镇,"甲兵益盛,乃大举击杨行密"①。遣庞师古率徐、宿、宋、滑等州军队7万人在清口安设营垒,准备进军扬州;葛从周率兖、郓、曹、濮等州军3万径赴安丰,朱温自率一路人马驻扎宿州,节制诸军。汴军大举南进,"淮南震动"②,淮河南岸的寿州、楚州相继遣使求援。楚州位于清口对岸、江淮运河入淮之处。若汴军主力庞师古据有楚州,便可沿运河南行直抵扬州城下。杨行密接受李承嗣建议,先打庞师古。杨行密与朱瑾领军三万集中于楚州,先锋张训从涟水带领人马与他们会击。庞师古在清口安营扎寨,有人向庞师古建议说:"这个营地低洼如同池塘,不能长久停留。"庞师古拒不听从。他倚仗人马众多而轻视敌手,在驻地常常下棋取乐。朱瑾堵塞淮水上游,打算灌淹庞师古的营地,有人把这一消息告诉庞师古,庞师古却认为他是在蛊惑

---

① 《资治通鉴》卷261,乾宁四年九月。
② 《九国志》卷1《吴臣》。

众心,竟斩杀之。

十一月,朱瑾与部将侯瓒率轻骑5000偷渡淮水,打着汴军旗帜,直捣汴军中军大帐。张训越过栅栏冲入营帐。庞师古的士兵仓皇迎战,淮水又决口滚滚而来,汴军顿时惊慌失措,乱成一团。杨行密亲率大军渡过淮水,与朱瑾等两面夹击庞师古,汴州军队大败,阵斩庞师古及其将士一万余人,汴军剩下的人马溃散奔逃。葛从周在寿州西北安营扎寨,寿州团练使朱延寿攻破他的营寨,葛从周被迫退到濠州固守,听说庞师古战败,便逃奔返回。杨行密、朱瑾、朱延寿乘胜追击,一直追到淠水。葛从周的人马刚至河中央,淮南军队发起进攻,葛从周部人马几乎全部被射杀或溺死,其本人逃脱免于一死。"是日杀伤溺死殆尽,还者不满千人,唯牛存节一军先渡获免。比至颍州,大雪寒冬,死者十五六。"①朱温闻两路大军溃败,亦仓惶从宿州撤回开封。史言:"自古丧师之甚,无如此也。"杨行密遗书朱温:"庞师古、葛从周非敌也,公宜自来淮上决战。"②清口之战,朱温吞并淮南的计划破灭,同时由于河东等镇的进攻和牵制,在两淮沿线不得不采取守势。杨行密在淮南的地位稳定下来,形成了南北对峙的局面,这种局面直到周世宗柴荣时才被打破。

光化元年(898)十二月,淮南与两浙交换战俘。光化二年(899)七月,海州戍将陈汉宾以其州叛附于杨行密。光化三年,朝廷加杨行密检校太尉,兼侍中。天复元年(901),杨行密遣李神福将兵攻杭州,擒其将顾全武以归。天复二年(902)三月,昭宗"遣江淮宣谕使李俨拜行密东面诸道行营都统、检校太师、中书令,封吴王"③。六月,升州刺史冯宏铎被田頵打败,准备逃入海中,后被行密招附。十月,李俨至扬州,行密始建制敕院,每有封拜,辄以告俨,陈制书于玄元皇帝像前,再拜,然后行下。天复三年(903)五月,大破援杜洪之荆南军于洞庭君山,获战舰200余只,荆南节度使成汭赴水死。六月,援淄青之

---

① 《旧唐书》卷20《昭宗纪》。
② 《资治通鉴》卷261,乾宁四年十一月。
③ 《新五代史》卷61《吴世家第一》。

王茂章,阵斩朱温爱子朱友宁,传首淮南。

八月,宣州田頵、润州安仁义、寿州朱延寿连横叛杨行密。行密命攻杜洪的李神福自鄂州回师讨田頵,命王茂章、李德诚围安仁义。杨行密伴装眼疾,故意错乱所见,对朱夫人(朱延寿姐)说:"我不幸失明,难以继续理政,儿辈又皆年幼无知,准备把军政大权交给三舅(指延寿)。"朱夫人不知是计,把这些假象偷偷派人告诉朱延寿,朱延寿也被迷惑住了,所以迟迟未举兵。九月上旬,杨行密召朱延寿到广陵议事,延寿至,行密迎至内堂门口,忽然睁开眼睛说:"数年不见,今日果相会也。"说着,埋伏在旁的卫士一拥而上,将朱延寿杀掉。九月十日,李神福部与田頵部将王坛、汪建所率水军战于吉阳矶,十一日又战皖口,皆败之。田頵闻败报,自率水军迎战。李神福临江坚壁不战,而派人请杨行密速发步骑断田頵归路。行密遣台濛将兵讨之。十二月九日,陷宣城,杀田頵。"及頵首至广陵,行密视之泣下,赦其母殷氏,行密与诸子皆以子孙礼事之。"故胡三省《资治通鉴音注》说:"行密虽以法裁部曲,而有思于故旧。"

天祐元年(904)正月,朱温胁迫唐昭宗及长安士民迁都洛阳,行密耻愤而病。八月,朱氏弑昭宗,行密以不能存唐病情加重。天祐二年(905)正月,王茂章拔润州,斩安仁义。二月,大将刘存攻下鄂州,执杜洪及朱温所遣援将送广陵斩之。鄂州在唐代号称雄藩大镇、南北东西要冲,控扼长江中游广大地区,杨行密据之,进可取襄、汉、江陵和湖湘,退可保境,对江淮地区安全和向外拓展至关重要。同时,既得鄂州,洪州及所属江、饶等支郡便陷入三面包围之中,杨氏遂可进图江西。遗憾的是,杨行密经略未竟,即于这年十一月二十六病逝,进军江西的担子,便落在了他的继承者身上。

杨行密遗令谷葛为衣,桐瓦为棺,夜葬山谷。谥武忠。武义初,改谥孝武,庙号太祖。乾贞元年,追尊为武皇帝,陵曰兴陵。行密夫人曰史氏、曰朱氏、曰王氏。育有六女,一嫁勋臣刘存之子(见《浔阳长公主墓志铭》);一嫁李神福之子(见《通鉴》及《骑省集》);一嫁吴越王钱镠之子(见《通鉴》及《吴越备史》);一嫁刘金之子(见陆游《南唐书》);一嫁李遇之子(见《通鉴》);一嫁信州刺史蒋延徽(见《通鉴》)。六子,依次为渥、隆演(一名渭)、濛、溥、浔、溆。自隆演起,祭则弘农,政归东海,至南唐保大十四年(956),后周南征,世宗下诏安抚杨氏子孙,南唐人尽杀其男六十余口,杨氏遂绝。

  杨行密在全国大分裂下实现江淮二十余州的统一,在全国大混乱中开辟出一片和平安宁的生产生活环境。他制止部下穷兵浪战,及时将战略重点从武力拓疆转变到保境息民、恢复经济,并采取了一系列进步政策和措施,在很短的时间内就达到了"公私富庶,几复承平之旧"。特别是他肇基的吴、南唐,横亘于西起武昌东至海州之间,阻止了北方的战乱波及淮河以南,南方诸国内部得以稳定,发展经济,昌明文教。至南北统一,南方的经济文化发展水平已明显超过北方的黄河流域,我国数千年来南方落后于北方的旧格局发生历史性逆转。从这个角度讲,杨行密不仅是造福江淮一方的英雄,而且是对我国经济文化重心南移有重要影响的人物。贡献之大,除曹操、朱元璋外,安徽历史上罕有能与之伦比者。

  对于他的人品、才能,更是一片赞誉。《新唐书》卷一八八《杨行密传》说他"宽易,善遇下,能得士死力","仁恕善御众,治身节俭,无大过失,可谓贤矣"。《旧五代史》卷一三四《僭伪列传》说:"行密既并孙儒,乃招合遗散,与民休息,政事宽简,百姓便之。"《新五代史》赞其:"宽仁雅信,能得士心。"《资治通鉴》卷二五九《唐纪》说:"行密驰射武技,皆非所长,而宽简有智略,善抚御将士,与同甘苦,推心待物,无所猜忌","淮南被兵六年,士民转徙几尽。行密初至,赐予将吏,帛不过数尺,钱不过数百,而能以勤俭足用,非公宴,未尝举乐。招抚流散,轻徭薄敛,未及数年,公私富庶,几复承平之旧。"李贽《史纲评要》则直呼其为"好人"。王夫之《读通鉴论》卷二七赞其能"酌天地之心,顺民物之欲";同书卷二八又讲他"有长人之心","知安民固本,任将录贤,非(李)存勖之仅以斩将搴旗为能者也。故天祐以后,天下无君,必欲与之,淮南而已";卷三〇又说:"予民以小康,可不谓贤哉?"史书上对杨行密交口称赞,无一句微词。

杨行密死后，上自将吏，下至黎民，无不畏其明，怀其惠，感其德，以致身死之日，国人皆为之流涕。① 为表尊敬，自发地为其避讳，呼杏为甜梅。徐知诰篡吴立国唐，下令不再为杨行密讳，仍呼为杏，不少老年人都伤心流泪。② 到了北宋哲宗元祐二年（1087），时去杨行密辞世已经百八十余年，而民间犹谓蜜为蜂糖，滁州人仍名荇溪曰菱溪，③ 受民之爱戴，深且远矣。

自行密肇基维扬，至天祚三年（937）杨溥去位，历二世四主，垂五十年。当此之时，天下大乱，篡弑相寻，徐温父子，区区诈力，徘徊三主，而不敢轻取其位者，欧阳修认为原因就在于杨行密恩威尚在人间。④

李　遇⑤

李遇（？—912），庐州合肥（治今合肥）人。始事杨行密，为其帐下伍长。唐光启年间，曾在慎县抵御后梁军，单骑挺槊，奋勇当先，率先破敌，迁马军副指挥使。

从征秦彦、毕师铎、赵锽、孙儒皆有功，迁淮南马步诸军都尉，累至常州刺史。天复三年（903），润州刺史安仁义叛，夜袭毗陵。李遇率军背城迎战，大败之，从此安仁义不敢东顾。天祐年间，王茂章投奔吴越，李遇被任命为淮南行军司马、宣州团练使。在任七年，境内安定。徐温自牙将秉政，李遇心不平，曾说："徐温是什么人？我还没见过他的面，这么快就当国了。"徐温听说后很生气。馆驿使徐玠出使吴越，徐温令他过宣州，召李遇入朝觐见新君杨隆演。李遇犹豫未

---

① 《独醒杂志》卷1。
② 《江南别录》卷1。
③ 《青箱杂记》卷2。
④ 《新五代史》卷61《吴世家》。
⑤ 参见《九国志》卷1《李遇传》；《十国春秋》卷5《李遇传》。

决,徐玠说:"你不这样做,恐有人说你要反。"李遇愤然说:"杀侍中(杨渥)者非反耶!"及徐玠回来报告徐温,徐温因触着隐情,顿时动怒,便令淮南节度副使王坛,出为宣州制置使,即加李遇抗命不朝的罪状,遣都指挥使柴再用以兵护送王坛替代李遇。李遇不从命,柴再用攻城月余不克。

徐温使典客何荛劝谕李遇:"你如果想谋反,可以斩我让大家知道,如果本来无反心,为什么不随我一起出去呢?"李遇自认为没有反心,于是随何荛出城,温使斩遇①,并夷其族。

王茂章②

王茂章(?—913),庐州合肥(治今合肥)人。少从杨行密起兵淮南,骁勇刚悍,临阵身先士卒。田頵、安仁义、朱延寿联合反叛杨行密,其被命为润州行营招讨使,击安仁义。天复二年(902)初,陷润州,执安仁义父子送广陵斩之,行密即以王茂章为润州团练使。天复三年(903)四月,率兵七千人援救青州王师范,阵斩朱全忠爱子朱友宁。九月,代杨渥为宣州观察使。杨渥离镇时,欲取其帷幕及亲兵以行,茂章惜不与,渥怒。及袭位,遣李简将兵讨之。王茂章不能守,率众投奔吴越王钱镠,钱镠命其为镇东节度副使,更名景仁。迁行军司马,荐之于朝,朝廷以王景仁领宁国节度使,同平章事。

开平二年(908)八月,钱镠遣其奉表诣大梁,陈取淮南之策。久之,未有以用,使参宰相班,奉朝请而已。开平四年(910),朱全忠以王景仁为北面招讨使,因偏裨不用命,大败于柏乡。乾化三年(913年)十月,后梁以王景仁为淮南招讨使,将兵万余攻庐、寿两州,军过

---

① 《资治通鉴》卷268"乾化二年"条。
② 参见《旧五代史》卷23《梁书·王景仁传》;《新五代史》卷23《王景仁传》;《十国春秋》卷7《王茂章传》。

独山,山有杨行密祠堂,王景仁再拜,号泣而去。战于霍邱,大败。回京,病疽卒,赠太尉。

台　濛[①]

台濛(855—904),字顶云,庐州合肥(治今合肥)人。早年为金牛镇将,杨行密据合肥,台濛来归。从征秦彦、毕师铎、赵锽,皆破敌有功。

大顺二年(891)正月,孙儒举淮、蔡之兵渡江,诸将屡屡败退,城戍皆望风奔溃。孙儒前锋部将李从立长驱直入,进至宣城东郊的宛溪。杨行密未及守备,众心危惧。台濛奉命以士卒五百与之隔溪而屯。至夜,让士卒往来大呼。李从立误以为敌大军至,急引去。及孙儒栅陵阳,台濛修复五堰,作轻舟馈粮,故杨行密军无饥色。景福元年(892),孙儒,台濛以功迁楚州刺史。乾宁元年(894),张谏举泗州来附,以台濛为泗州防御使。二年(895),袭苏州,以牵制钱镠对董昌用兵。三年(896),破苏州,任刺史。光化元年(898)九月,吴越围苏州经年,城中粮尽,台濛拔众归。光化二年(899),授海州刺史,因在任贪残,为郡民所诉,又为田頵所谮,降为涟水制置使。

天复三年(903),田頵在宣州发动叛乱。杨行密历数诸将,无能敌田頵者,乃对台濛说:"非公不行。"台濛说:"田頵不守富贵,自取灭亡。台濛今仗大王威武,以顺剪逆,往必擒頵,愿王无虑。"田頵听说台濛将要到达,亲自统帅步、骑兵迎战。刺探军情的人说台濛的营寨狭小,仅能容纳2000人。田頵由此轻视台濛,不再召集属县的军队。台濛进入田頵的地界后,把军队分为数部分轮番前进,军中有人笑他

---

① 参见《九国志》卷1《台濛传》;《十国春秋》卷5《台濛传》;《新唐书》卷212《田頵传》;《资治通鉴》卷264"天复三年"条。

怯懦，台濛说："田頵是久经战阵的老将，足智多谋，不能不防。"十月，两军在广德相遇，台濛先把杨行密的书信遍赐田頵的各位将领，诸将都下马叩拜领受。台濛趁田頵将士士气受到挫折，发兵攻击，田頵败走。又战于黄池，两军甫交，台濛假装败走，田頵率兵追赶，遇到台濛先前所设埋伏，大败而逃，回宣州闭城防守，台濛乘势率军包围宣州。田頵急召驻芜湖的军队，不得入。王坛、汪建及当涂、广德皆降。数日后，田頵率领敢死队数百人出战，台濛假装退走示弱。田頵的军队越过护城河战斗，台濛反击。田頵欲逃回城，桥陷落马，被斩首。"頵众大溃，遂克宣州"，"是役也，濛以弱制强，以退为进，深得兵家虚实之秘"①。

杨行密承制保授台濛为检校太保、宣州观察使，天祐元年（904）卒于治所。

秦　裴②

秦裴（856—914），庐州慎县（治今肥东县）人。少骁勇，颇好猎，常云天上黄鹰，地下黄金，余不足贵也。

杨行密起兵合肥，秦裴投其帐下，大顺元年（890），授检校左散骑常侍。杨行密第二次入广陵，以秦裴知扬子县，一天，虎入县廊，秦裴杀之以献，杨行密褒赏他。秦裴说："这是大家一起干的，非我一人之功。"杨行密赞叹说："勇敢而能谦让，将来肯定会大富大贵。"后任高邮、无锡令，俱以才能著称。光化元年（898）三月，从周本救苏州，战事不利，诸将败走，秦裴以3000人攻破昆山镇而戍之。吴越钱镠派顾全武攻之，秦裴以弱兵执旗帜，壮兵握弓弩，每发一箭必能洞穿重

---

① 《十国春秋》卷5《台濛传》。
② 参见《九国志》卷1《秦裴传》；《十国春秋》卷6《秦裴传》；《资治通鉴》卷265"天祐三年"条。

铠,数次击退敌军。九月,粮尽力竭,城破被擒,剩下士卒不满百人。钱镠责怪他坚守不降,对曰:"力屈而降,非心降也。裴义不敢负杨公。"① 天复二年(902)四月,钱、杨再次弭兵,秦裴回到广陵。钱镠感而释之。天复三年(903),从李神福攻鄂州,与杨戎以数千之众破成汭于洞庭君山。又从攻田頵军于吉阳矶,因功授诸军都尉。从刘存破夏口,任升州刺史。

天祐三年(906),秦裴任西南行营都招讨使,率兵击镇南留后钟匡时。秦裴至蓼洲,众将领请依江水设立营寨,秦裴没有听从。钟匡时遣骁将刘楚据之。诸将因此抱怨秦裴,秦裴说:"钟匡时的勇将只有刘楚一人,如果他率众守城,我们就不能迅速攻克。我这是故意让出要害之地,引他出来。"七月,秦裴攻破营寨,俘获刘楚,进围洪州。九月,擒洪州刺史钟匡时。诸将皆服其智。秦裴号令严肃,兵士无敢杀戮,士庶纷纷来军求其戚属,裴出府帛赎还之,洪人感悦。因功授洪州制置使。

弘农王杨渥有心腹将领指挥使朱思勍、范思从、陈璠、张颢、徐温密谋作乱,使三将随秦裴击江西。天祐四年(907),徐温派别将陈祐前去杀掉他们。陈祐间道兼程前进,到达洪州后,穿着平民衣服,怀揣短兵器直接进入秦裴帐中。秦裴大惊,陈祐告诉他缘故,于是召朱思勍等饮酒,陈祐述说朱思勍等人的罪状,把他们逮捕斩杀。六月,张颢用事,怕裴为变,急召其归广陵。秦裴行至湖口,遇鄂帅刘存击湖南战殁,途中改授鄂岳观察使。天祐六年(909),入觐新主杨隆演,因求归故乡省亲。回到家乡,以百姓礼拜谒慎县宰,见里中故老必拜,坐以少长为序。

天祐九年(912),加武昌军节度使。在治七年,积军储20万缗,开青山大冶,公家仰足。天祐十一年(914),遇疾求归,行至溢中卒。

---

① 《十国春秋》卷6《秦裴传》。

王绾[①]

王绾(856—927),庐州庐江(治今庐江县)人。光启中,始隶杨行密,从破赵锽,下苏、濠等州有战功,署行营诸军都尉,兼涟水防遏使。

光化二年(899)七月,朱温海州戍将陈汉宾杀刺史牛从义请降杨行密,淮海游奕使张训与王绾率兵2000直趋海州,遂据其城,王绾以功授检校尚书左仆射。九月,青州王师范因沂州、密州发生叛乱,向杨行密请求派军队救援。十月,杨行密派遣海州刺史台濛、副使王绾率军援助,攻占密州城,归还王师范。

将攻沂州,先派人前去侦察,回来的人说:"城内偃旗息鼓,毫无动静。"王绾说:"沂州城内一定有所准备,而救援的军队又很近。"诸将却说:"密州都已攻下了,沂州还能怎么样!"王绾不能阻止,便在树林中设下伏军,以观战事发展,并做好接应准备。不出所料,沂州未能攻克,沂州的援兵也已赶到。沂州城内的军队乘机追击,危急关头,王绾指挥伏兵出击,将沂州人马打败,得以全军归。未几,代台濛为海州刺史。天复三年(903),改任涟州制置使。吴武义元年(919),授定南大将军,知虔州防御使。顺义元年(921),授百胜军节度使。召归,乾贞元年(927)卒。

弟王舆(871—944),少与兄王绾俱事杨行密,官至镇海节度留后、金吾卫大将军。南唐代吴,曾任浙西节度使,加同平章事。

子王崇文(?—961),字光福。为人厚重儒雅,博综经史。徐温招为婿,出为歙、吉两州刺史,有政绩。迁百胜军节度使。南唐平闽,调为永安军节度使。不久,移镇庐州。保大十二年(954),入为神武

---

① 参见《九国志》卷1《王绾传》;《十国春秋》卷7《王绾传》;《十国春秋》卷22《王崇文传》;《资治通鉴》卷261"光化二年"条。

侍御统军,复出镇鄂州。后主时,加中书令。未拜而卒。

王绾子王传拯,初为吴黑云右厢都指挥使,率军戍海州。后归后唐,历曹、濮、贝、宁、虢等州刺史,有政绩。后晋时任武州刺史。

陶 雅[①]

陶雅(857—913),字国华,庐州合肥(治今合肥)人。本为儒家子弟,仪形魁伟,眉目清秀。唐乾符年间投笔从戎,"会西番入寇,朝廷征四方兵,防秋灵夏"。陶雅与杨行密、田頵偕往。还补庐州衡山营指挥使。杨行密兵变后,陶雅荡平"乡盗"秦定、过修己等,迁八营主将。

光启初年,破桐城吴迥,在柳子山击败李本,乘胜攻取舒州,因功迁舒州刺史。文德年初,邀击池州刺史赵乾之于九华,杨行密遂以陶雅为池州制置使,后改团练使。陶雅治池州宽厚待民,有惠政。

景福二年(893),杨行密遣田頵率宣州兵2万攻歙州,歙州刺史裴枢据城固守,久攻不下。歙州人说如果让陶雅来做刺史,即愿意归款投诚。杨行密即以陶雅为歙州刺史。陶雅礼待裴枢,并派兵护送至京师。田頵以宣州叛,陶雅助台濛攻之。天祐二年(905)正月,两浙兵围睦州,刺史陈询求救于淮南,杨行密以陶雅为西南面招讨使,率兵救之。先是土豪汪武,盗据婺源,建顺义军以自保。婺源为歙州属邑,汪武恃兵强地险,未尝谒雅,又暗通田頵,杨行密迁其为滁州刺史,不就。陶雅援陈询,路过婺源,汪武引弟侄十余人就路迎谒,陶雅乘机擒杀之。至睦州,擒两浙将钱镒、王球以归。四月,会衢、睦兵攻吴越之婺州。八月,拔婺州,执刺史沈夏以归,杨行密即以陶雅为歙、衢、婺、睦观察使,江南都招讨使。

---

① 参见《九国志》卷1《陶雅传》;《十国春秋》卷5《陶雅传》;《资治通鉴》卷265"天祐二年"条。

天祐三年(906)初,宣州观察使王茂章奔浙江,陶雅恐王茂章断其归路,遂班师回歙州,睦、婺、衢三州复归钱氏所有。天祐六年(909),杨隆演经略江西,七月,周本败危全讽于象牙潭,陶雅命其子陶敬昭、将军徐章乘机袭饶、信,信州刺史危仔倡奔两浙,饶州刺史唐宝弃城逃。天祐八年(911),陶雅移镇武昌,利黟川殷阜,上书请仍治歙州,遂遥领武昌军节度使,加同平章事,知歙州团练观察等使。天祐十年(913)八月,陶雅卒于治所,谥惠,赠太师、楚郡公。

陶雅性沉静,好读书,手不释卷,虽临阵敌,常褒衣博带。自幼年戏弄,未尝有椎刀伤手。及为大将,每矢石交飞,终莫能中。援睦州陈询时,一天夜里,军营中受惊,许多士卒越过营垒逃走,裨将韩球进帐报告,陶雅安睡不理,下令:"明早有军士不在营者,俱斩。"军士互相转告,未顷而定。人皆服其有应变之略。陶雅接宾客有礼,事父母以孝闻,非公宴不举乐,疏财重士,人以此归之,治歙州20余年,民感其化,生男女或以陶为字。

陶雅有四子,长子陶敬昭。第四子陶敬宣。陶敬宣(899—950),字文褒,以门荫起家太子校书,迁王府长史。丁父忧,释服除都官郎中,赐紫金鱼袋,改大理少卿,俄迁江都府少尹,三载有成,授大理卿,仍兼尹事。徐知诰为相时,判左右军事。徐知诰篡吴,建立南唐,拜为工部尚书,中宗嗣位,加金紫光禄大夫、检校太保。南唐对闽用兵,以陶敬宣判洪州军府事。后陶敬宣移宛陵,兼遥领棣州刺史,后任泰州刺史,保大八年(950)卒于位。

刘 威[①]

刘威(857—914),庐州慎县(治今肥东县)人。"少为小吏,豪爽

---

① 参见《九国志》卷1《刘威传》;《十国春秋》卷5《刘威传》。

有志节"①,随杨行密起兵,因平秦彦、毕师铎有功,表领窦州刺史。

大顺初,刘威与安仁义败孙儒军于武进,复取常州。景福初,杨行密欲退保铜官,刘威建议:"孙儒破釜沉舟而来,一旦粮草不济,就会人心涣散。主公不可出战,要坚壁抵御,必可取胜。"杨行密采用了刘威建议,击破孙儒。孙儒被俘,死前曾对刘威说:"听说是您出此策而打败我,假若我有像您这样的将领,怎么可能会失败?"景福二年(893)七月,平蔡侍后,杨行密调刘威为庐州刺史,不久迁为观察使。"是时四郊多垒,井邑萧然,威内抚百姓,外御寇兵,庐州以宁"②。天复三年(903),庐州置德胜军,以刘威为节度使。

及杨行密承制封拜,刘威迁淮南节度副使、行军司马、东南行营副都统,不久,加使相。天祐四年(907)徙洪州,授镇南节度使。天祐六年(909),抚州刺史危全讽为了收复被杨渥所夺的钟传故地,自称镇南节度使,率抚、信、虔、吉四州十余万之兵攻打洪州。当时州兵很少,官民俱骇,但刘威毫无惧色,一方面告急于广陵,另一方面整日与僚属奏乐宴饮。危全讽不知虚实,屯兵象牙潭,逡巡不敢轻进。为后来周本击败危全讽赢得了时间。杨行密病重期间,询以嗣事,节度判官周隐举荐刘威为淮南节度使,执掌大权,因见忌于权臣徐温。

后刘威用幕客黄讷计,挺身入朝。徐温疑虑解除,复令还镇。天祐十一年(914),刘威卒于治所。子刘景崇,曾任袁州刺史,后叛吴。

田 頵③

田頵(858—903),字德臣,庐州合肥(治今合肥)人。博览书传,

---

① 《九国志》卷1《刘威传》。
② 《十国春秋》卷5《刘威传》。
③ 参见《资治通鉴》;《新唐书》卷212《田頵传》;《九国志》卷3《田頵传》;《十国春秋》卷13《田頵传》。

容止儒雅,雄果有大志。少与杨行密约为兄弟,同成塞上。军回,俱迁八营主将。中和二年(882)冬,杨行密发动庐州兵变,頵首为辅翼。

光启二年(886),寿州将魏虔率军来犯,杨行密命田頵、李神福、张训率众往,大败虔众于褚城。从破秦彦、毕师铎,功称最。文德元年(888),田頵围赵锽于宣州;次年,赵锽粮尽,又内讧,乘舟出东溪,欲奔广陵投孙儒。頵奉命追击,时暴雨如注,河水上涨,赵锽以为追兵不会逼近,于是解甲休息,不料田頵乘轻舟赶到,执锽于水阳镇,授马步军都虞侯、检校尚书右仆射。龙纪元年(889)十一月,攻常州,掘地道而入,掳钱镠部将杜稜。

大顺元年(890),田頵屯兵浙右,惧孙儒兵盛,焚毁大营,分散行动。二年(891)春,退屯黄池、广德,与孙儒军垒寨相望,屡战屡北。十月,率敢死士千人夜袭孙儒部将张景思、沈粲营寨,破之,擒粲以归。十二月,杨行密怒,夺其兵权,戴友规劝杨行密:"强敌匝垒,不用田頵,恐非长策。"杨行密遽复起用之。景福元年(892)六月,尽破孙儒营寨,临阵擒孙儒,杨行密表奏田頵为宁国军节度使,累迁检校太保、同中书门下平章事。乾宁二年(895)十月,与安仁义奉命攻杭州,以救董昌。三年(896)四月,败吴越兵于黄天荡,进围苏州。五月,常熟镇使陆郢以苏州城降,掳刺史成及。乾宁四年(897)四月,钱镠部将顾全武大破淮南兵,田頵取湖州路奔还,众死者千余人。光化二年(899)四月,田頵命麾下康儒等援婺州王坛,康儒败两浙兵于龙丘,擒其将王球。三年(900)初,康儒移师攻睦州,钱镠遣弟钱铢拒之。八月,粮尽,取清溪路回。

田頵热衷于攻城略地。不甘久居宣州一地,欲攻取升州,乃以厚利募上元船工造战舰。工人说:"冯(宏铎)公造船都是从远方购进的坚硬木材,故堪久耐用,本地木性不禁水,过不了许久就会腐烂掉。"田頵说:"你们尽管造就是了,反正我只用一次,不必经久。"冯宏铎闻听田頵欲图己,决定先发制人。天复二年(902)六月,发兵南下,声言袭洪州,实击宣州,杨行密劝止,不听。田頵率舟师迎击于葛山,冯宏铎大败,举州附杨行密,行密以李神福为升州刺史。田頵兴师动众,毫无所获，怨念日深。赴广陵庆贺杨行密新得升州，淮南属吏纷纷向他索要贿赂，甚至连狱卒也向他求财物不已。田頵怒，对左右说："这些小吏也知道我要下狱了吗！"他向杨行密求以池、歙为属州，也没有得到同意，及还，田頵指着广陵城的南门说："我不会再入此门了。"八月，钱镠部将徐绾、许再思发动叛乱，召田頵助其攻杭州，形势危急。钱镠遣顾全武赴广陵求救于杨行密，杨行密也怕田頵得杭州，为患会更深，答应其请，命田頵解杭州之围返宣州。田頵抗命不行，杨行密使人谓之曰："再不回来，我将使人代镇宣州了。"田頵向钱镠征犒军钱20万缗而归。其志再次受到挫折，恨益深，因移书杨行密说："侯王守方以奉天子，譬百川不朝于海，虽狂奔澶漫，终为涸土，不若顺流无穷也。况东南扬为大，刀布金玉积如阜，愿公上恒赋，頵请悉储峙，单车以从。"①幕客杨夔知田頵不足以抗杨行密，著《溺赋》讽谏之，田頵不听，招兵买马，叛志遂决。

李神福对杨行密说："頵必反，宜早图之。"②杨行密说："頵有大功，而反状未明，杀之，诸将不为用。"③天复三年（903）秋，田頵与润州安仁义同举兵反。初，頵与其将康儒议多不合，杨行密因授康儒庐州刺史以离间之，頵果然疑儒，杀康儒。田頵闻杨行密召李神福自鄂州回师，乃以兵袭升州，劫李神福妻、子为人质。李神福自鄂州东下，田頵遣使谓之曰："公见机，与公分地而王；不然，妻子无遗。"李神福回答他说："吾以卒伍事吴王，今为上将，义不以妻子易其志。頵有老母，不顾而反，三纲且不知，乌足与言乎！"④斩使者而进，麾下士卒皆为之感励。田頵遣其将王坛、汪建率水军迎战，先败于吉阳矶，继败于皖口。田頵闻王、汪败，自率水军迎战。李神福屯兵皖口，临水为寨，拒不出战，而暗派使者赴广陵，请杨行密速发兵骑断其归路。杨行密遣台濛将兵应之。

---

① 《新唐书》卷212《田頵传》。
② 《资治通鉴》卷264"天复三年"条。
③ 《新唐书》卷212《田頵传》。
④ 《资治通鉴》卷264"天复三年"条。

田頵委水师于王坛、汪建,自率兵自广德迎战台濛。田頵听探子说台濛营寨偏小,才容 2000 人,颇不介意,更不召王、汪大军及各县驻军,结果为台濛击败。又战于黄池,复败,遂奔回宣城。台濛围之,这时田頵才意识到问题的严重性,急召芜湖驻军还,不得入。王坛、汪建及当涂、广德皆降。杨行密又调集围润州安仁义的王茂章引兵助攻宣城。应杨行密之请,钱镠部钱镒亦兵临宣城下,重重包围。十二月,田頵率死士出战,不胜,欲退还城内,桥陷坠马,被帐下小校许渥、王绶斩杀。首级传至广陵,杨行密视之泣下,赦其母殷氏,与诸子晨昏定省,以子、孙礼视之。

张　崇[①]

张崇(861—932),庐州慎县(治今肥东县)人。少隶军籍,光启中始补戎职。从杨行密破赵锽、孙儒皆有功,自偏裨升为列校。

乾宁二年(895),袭苏州,被俘。杨行密欲让其妻改嫁,妻婉言拒绝,说:"崇忠孝,必不肯背叛您,请稍待时日。"不久,张崇果然逃回。杨行密用为都尉,迁苏州防遏使。浙人攻苏州,张崇从台濛败浙兵于小白。天复中,从王茂章讨安仁义。天祐二年(905)正月,陷润州,执安仁义父子。三年(906),授检校司徒、常州刺史,以修城功,转检校太保。天祐四年(907),迁庐州刺史兼本州团练使。十一年(914),加检校太傅。十二年(915),修庐州城毕,加都团练、观察、处置等使。新筑庐州罗城周 26 里 170 步;城壕宽 60 至 70 丈,深 8 丈;城墙高 3 丈,用砖砌成;每砖长 1 尺 3 寸,宽 6 寸,建砖窑 55 座;建罗城门 13 所,弩楼 44 座;城内桥梁 11 座。工程浩大,历时近十年竣工。新筑罗城在抵御后梁侵扰和后周大军围攻时发挥了重要作用。天祐十三

[①] 参见《九国志》卷 1《张崇传》;《十国春秋》卷 9《张崇传》。

年(916),光州王言叛乱,张崇率军平之,授平南军节度使。吴武义元年(919),加安西大将军,攻安州还,迁德胜军节度使,加中书令。大和三年(931),赐爵清河王。次年,卒于官。

张崇居官贪残不法,士庶苦之。他曾经入觐扬州,百姓以为其要调离庐州,奔走相庆曰:"渠伊(此人)不复来矣!"张崇返回,听说此事,计口征收"渠伊钱"。第二年,再次入觐,百姓不敢再说,"惟捋髭相庆",张崇闻知后,又征收"捋髭钱"。[1] 张崇尤好使酒杀人,他平日最看重掌书记刁镕,经常对左右人说:"我醉的时候,切不可让刁镕出来。"一天,大醉,三次召刁镕,刁镕至,张崇竟杀之。次日,召刁镕,左右人说:"已杀矣。"张崇大悔。一天家人乘其大醉,把他的武器搬到后土庙,遣女巫告诉他,神不喜欢好杀的人,自此始改悔。

张崇佞佛信鬼,斋僧20万,诸处布施加上燃灯造幡,每年费5万贯。张崇"历藩镇二十年,掠下以奉上,每岁一入觐,输贡络绎,国中执事者无不受赂,故任其肆虐凌下,保全禄位,终身恣横耳"[2]。

钟泰章[3]

钟泰章(?—925),字宪明,庐州合肥(治今合肥)人。少不拘细行,雄果有四方志。中和二年(882)从杨行密于合肥,东征西讨,皆克获有功。

天复三年(903),杨行密承制迁补官吏,授左监门卫将军。徐温欲杀张颢,物色合适人选。严可求说:"非钟左卫不可。"徐温乃派亲信翟虔密谕钟泰章,钟泰章非常高兴,遂选壮士30人,椎牛歃血为

---

[1] 《十国春秋》卷9《张崇传》。
[2] 《九国志》卷1《张崇传》。
[3] 参见《十国春秋》卷10《钟泰章传》;《资治通鉴》卷266"开平元年"条、卷272"同光元年"条。

誓。温犹疑其怯,夜半往止之曰:"仆母老,惧事不成,欲徐图之如何?"泰章勃然曰:"言已出口,岂可已之。"①天祐五年(908)五月,与姚克赡等杀张颢于牙堂,并诛其亲近。迁检校尚书左仆射、左牙副指挥使。八月,从周本攻吴越,战事不利,钟泰章以200人殿后,于菰蒲间插满旗帜,敌疑有伏,始退去。这次钟泰章功大奖少,但他自己不曾说。过了一年,因为喝醉了与众将争论言及此事。有人禀报徐温,认为钟泰章怨恨,请诛之。徐温说:"这是我的过错。"于是,擢钟泰章为滁州刺史,迁寿州团练使。顺义三年(923),有人告钟泰章侵市官马,徐知诰以吴王之命,遣滁州刺史王稔以巡霍邱为名往代之,钟泰章归,中途改授饶州刺史。徐温召至金陵,使陈彦谦诘问他,三诘,皆不答。或问泰章何不自辩,钟泰章说:"吾在扬州,十万军中号称壮士。寿州去淮数里,步骑不下五千,苟有他志,岂王稔单骑能代之乎!我义不负国,虽黜为县令亦行,况刺史乎!何为自辩以彰朝廷之失!"②徐知诰欲加以治罪,徐温说:"昔日形势危急,若无钟泰章,岂有今日富贵?"为徐温所拒绝,加同中书门下平章事,在郡两年,顺义五年(925)卒于治所。徐温又以钟泰章次女嫁与徐知诰长子李景通(李璟),是为南唐元宗光穆皇后。

杨渥 杨隆演 杨濛 杨溥[③]

杨渥(886—908),字承天。杨行密长子。曾任牙内诸军使、宣州

---

① 《十国春秋》卷10《钟泰章传》。
② 《十国春秋》卷10《钟泰章传》。
③ 参见《资治通鉴》卷265"天祐二年"条、卷266"开平元年"条;《新五代史》卷61《杨渥传》;《十国春秋》卷2《烈祖家家》;《资治通鉴》卷266"开平二年"条、卷270"贞明四年"条、卷271"贞明六年"条;《新五代史》卷61《杨隆演传》;《十国春秋》卷2《高祖世家》;《十国春秋》卷4《杨濛传》。《资治通鉴》卷270至卷281;《新五代史》卷61《杨溥传》;《十国春秋》卷3《睿帝本纪》。

观察使。杨行密临终时命判官周隐做牒符召回杨渥欲传以位,周隐认为杨渥喜好击球饮酒,不务正业,建议杨行密以庐州刺史刘威代主军政,杨行密未许。右牙指挥使徐温与严可求入问疾,杨行密将周隐的建议告之,徐温劝杨行密使牒符召回杨渥。杨渥至广陵,拜淮南留后。天祐二年(905),杨行密卒,杨渥嗣位,淮南将佐恭请宣谕使李俨承制授杨渥为淮南节度使、东南诸道行营都统,兼侍中、弘农郡王。

杨渥喜好游玩作乐,居丧燃十围之烛以击球,一烛费钱数万。又常单骑出游,左右莫知所之。天祐三年(906),西南行营都招讨使秦裴攻取江西,杨渥自兼镇南军节度使,愈发骄侈,杀死周隐,其亲信又不断欺压元勋旧臣。左牙指挥使张颢与徐温屡劝,杨渥不听,怒斥:"汝谓我不才,何不杀我自为之?"①张、徐二人惧,始谋作乱。杨渥为修建球场,将扬州牙城中的亲军悉数迁出,张颢、徐温因此无所忌惮。他们让杨渥从宣州带来的指挥使朱思勍、范思从、陈璠助秦裴击江西,又诬陷三将谋反,派别将陈祐前去秦裴帐中处死三人。杨渥欲杀张、徐,天祐四年(907),二人抢先发动兵变,露刃入宫,击杀杨渥亲信数十人,号曰"兵谏",二人遂控制军政。杨渥大权尽失。

天祐五年(908)五月,张颢、徐温遣亲信纪祥、陈晖、黎璠、孙殷等人弑杨渥。死后谥威王(弘农威王)。杨隆演登南吴国王位时,改谥景王(南吴景王),庙号烈祖;杨溥登南吴帝位时,再改谥景皇帝。

杨隆演(897—920),字鸿源,初名瀛,又名渭。杨行密次子。天祐五年(908),弘农王杨渥为张颢、徐温所杀。

起初,徐温、张颢弑杨渥时,相约划分吴地向梁称臣,等到杨渥已死,张颢想违约自立。徐温忧虑不已,询问门客严可求意见。严可求说:"张颢刚愎自用,难成大事,此事易对付。"次日,张颢在府中排列剑戟,召将领们议事,自大将朱瑾以下都留下卫士然后入内。张颢问诸将谁应当继立,无人敢答。连问三遍后,严可求上前秘密禀告说:

---

① 《十国春秋》卷2《烈祖世家》。

"现在四境多事,非你不可,但不宜行动过快。目前外有刘威、陶雅、李简、李遇,都是先王旧人,你虽自立,不知道这些人能否服从你。不如辅立幼主,时间久了,等待他们心服,然后可自立。"张颢不能对。严可求于是出来,书写一个告谕放在袖内,率诸将领入内祝贺,将领们不知干什么。等到拿出告谕宣读,是杨渥之母、太夫人史氏的告谕,说到杨氏创业艰难,但即位的吴王死去,杨隆演按次序应当立,谕告诸将领不要背负杨氏。言辞激动,闻者感动。张颢气色沮丧,终不能有所作为。诸将遂奉杨隆演为淮南留后、东面诸道行营都统。

张颢由此与徐温有嫌隙,欲先下手。徐温在严可求的谋划下,暗中派钟泰章挑选壮士30人,在衙堂中击杀张颢,乘机将弑杨渥之罪推给张颢。杨隆演以徐温为左、右牙都指挥使,徐温由此专权。天祐九年(912)九月,徐温率文武官员劝杨隆演进位太师、中书令、吴王。天祐十六年(919),徐温进奉玉册、宝绶尊杨隆演即吴国国王位,改元武义,建宗庙社稷,置百官如天子之制。南吴自是断绝与唐朝的法统关系。徐温受封为大丞相、都督中外诸军事、东海郡王。其养子徐知诰为左仆射、参知政事。

杨隆演个性稳重恭顺,对于徐温父子专权不会显露出不平之色,因此徐温也很放心。徐温长子徐知训骄横恣肆,常侮弄杨隆演。在看戏时一时兴起要杨隆演和他一起演戏,自己演参军,让杨隆演扮作他的仆从。又与杨隆演泛舟于河,杨隆演比他先登岸,他就用弹子打杨隆演。一次在禅智寺赏花喝酒时,徐知训借酒意谩骂杨隆演,其悖慢之状竟让杨隆演惊泣。徐知训所为其父徐温不知道。副都统朱瑾设计杀死徐知训,提首级入宫见杨隆演,杨隆演不但没有振作,反而连称与自己无关,朱瑾最终被徐温部下逼死,徐温养子徐知诰代徐知训执掌杨吴国政。

杨隆演少年即位,政权却掌握在徐氏手中。称王建国,也非其本意,为此常常郁郁不乐,酗饮解闷,慢慢就卧床生病。杨隆演病重时召徐温入宫,试探其意曰:"蜀先主谓武侯'嗣子不才,君宜自取。'"徐温正色称:"吾果有意取之,当在诛张颢之初,岂至今日!使杨氏无男,有女亦当立之。敢妄言者斩!"①武义二年(920年)五月,杨隆演去世,谥宣王。杨溥称帝后,改谥杨隆演为宣皇帝,庙号高祖。

杨濛(? —937),字志龙。杨行密第三子。天祐年间,领庐州团练使。兄杨隆演袭位,封庐江公。对徐温专权不满,曾叹曰:"我国家竟为他人所有乎!"徐温闻而恶之。

武义元年(919),杨濛出为楚州团练使,次年徙舒州。杨隆演去世,徐温忌之,越次立杨溥。杨溥称帝后,杨濛晋爵常山王,次年改临川王,累加昭武节度使,兼中书令。徐知诰阴谋篡吴,遣人诬告杨濛藏匿不法之徒,擅造兵器,天祚元年(935)降杨濛为历阳公,囚于和州,由守卫军使王宏率200士兵监管。天祚三年(937),知国家将亡,杨濛寻机杀死王宏逃走。王宏子王勒来攻,杨濛射杀之。后投奔杨行密旧部庐州德胜节度使周本,为周本次子周宏祚所执,杀于采石。南唐升元元年(937),追封为临川王。

杨溥(901—938),杨行密第四子。初封丹阳郡公,武义二年(920),杨隆演死后,其弟庐江公杨濛按次序应当即位,但徐氏专政,不想立杨濛为君,乃立杨溥为吴国王。七月,改升州大都督府为金陵府,拜徐温为金陵尹。次年二月,改元顺义。十一月,拜徐温为太师,严可求为右仆射。顺义六年(926),追封大丞相徐温四代祖考,在金陵立庙。左仆射徐知诰为侍中,右仆射严可求为同平章事。

顺义七年(927),徐温率吴国文武大臣上表劝进杨溥即皇帝位,杨溥没同意,后徐温病死。十一月初三,杨溥驾临文明殿即皇帝位,国号吴,定都扬州,改元乾贞,追尊杨行密为武皇帝,杨渥为景皇帝,杨隆演为宣皇帝。以徐知诰为太尉兼侍中。乾贞三年(929),杨溥加尊号为睿圣文明孝皇帝,大赦境内,改元大和。大和七年(935),再改元天祚。天祚元年(935),杨溥加中书令徐知诰为尚父、太师、大丞

---

① 《资治通鉴》卷271"贞明六年"条。

相、天下兵马大元帅,封齐王。徐知诰置百官,以金陵府为西都,广陵为东都。天祚三年(937)正月,徐知诰建齐国,立宗庙、社稷,改金陵府为江宁府,子城称宫城,厅堂曰殿,册王妃为王后,世子为王太子,太妃为王太后。置左右丞相、百官如天子之制。十月,杨溥禅位于徐知诰,南吴亡。南吴于杨隆演及杨溥在位时,军政大权皆操于徐温、徐知诰父子手中,之所以即国王位、帝位,只是为徐氏父子篡位称帝做准备而已。

退位后,杨溥被徐知诰上尊号为高尚思玄弘古让皇帝,安置于江都宫殿居住,其宗庙、正朔、乘舆、服御、均从吴国旧制,宫殿名称则从道教仙经中取名。杨溥在宫中多穿羽衣,习辟谷之术。南唐升元二年(938),徐知诰(改名李昪)改润州牙城为丹杨宫,迁杨溥于其中,以严兵守护之。当年十一月,有使者来丹杨宫,杨溥方颂佛经于楼上,使者趋前,杨溥以香炉掷之,俄而去世。李昪停止朝会27日,追谥杨溥为睿皇帝。

伍 乔①

伍乔(生卒年不详),庐州庐江(治今庐江县)人。自幼勤奋好学,"以淮人无出其右者"②,遂渡江,入庐山国学,研读六经,尤善《周易》。

南唐保大十三年(955),伍乔在僧人资助下赴金陵应试,得中进士。根据南唐科考惯例,主考官要宴请初试入闱者,且要现场赋诗作文。一开始,按初试成绩,第一名宋贞观坐首席,第二名张洎、第三名伍乔依次而坐。酒过数巡,伍乔呈上自己的新作《画八卦赋》和《霁后望钟山诗》,主考官阅罢,叹为杰作,并邀伍乔坐首席,宋贞观、张洎次

---

① 参见吴任臣:《十国春秋》卷31《南唐·伍乔传》;马令:《南唐书》卷15《伍乔传》,中华书局1985年版。

② 《十国春秋》卷31《伍乔传》。

之。不久，复试出榜，伍乔名列第一。中主李璟赞其文字清丽精炼，逻辑结构严谨，实为难得的好文章，便降旨将其文刻于碑石，立于国学门外，"以为永式"①。

伍乔历宣州幕府、歙州通判，失意之余写《寄翰林学士张洎》诗一首，试图请张洎向朝廷进言，让他回京城任职。张洎向皇上进言，荐举伍乔。交泰二年（959），朝廷诏伍乔进京，官封考功员外郎，卒于任上。一说南唐灭亡后，伍乔不愿出仕，归隐于九华山。《全唐诗》卷744收录其诗二十一首和两句残诗。伍乔工诗，长于七律。从内容上看，这些诗多是送别寄赠、羁旅题咏之作。陆游在《南唐书·伍乔传》中评说："伍乔……力于学，诗调寒苦，每有瘦童羸马之叹。"

马亮　马仲甫②

马亮（959—1031），字叔明，庐州合肥（治今合肥）人。父马泽曾任西头供奉官，马亮是其第三子。马亮少时即喜读文史之书，北宋太平兴国五年（980年）中进士，初为大理评事、芜湖知县，后升任殿中丞、常州通判。有人丢失官钱，抄没家产也不足以赔偿，受牵连而被拘押的达到数百人。马亮上任后把他们放走，放宽偿还期限，不过一个月，所欠如数偿还。马亮历知濮、潭、升、江、广等州，皆以敏于政事、关心民疾而著称，官居从正四品下的右谏议大夫，而后任工部侍郎、正三品工部尚书，仁宗天圣年间以太子少保致仕。死后赠尚书右仆射，谥忠肃。

马亮为政宽仁，任官福州路纠察刑狱，复查冤狱，拯救数十人。任西川转运副使时，正值王均之乱刚刚平定，主将邀功，继续对王均

---

① 《十国春秋》卷31《伍乔传》。
② 参见脱脱：《宋史》卷298《马亮传》；晏殊：《马忠肃公亮墓志铭》，《名臣碑传琬琰集》卷1；《宋史》卷331《马仲甫传》。

胁从大加诛戮。马亮通过求情、甄别，不但保全了1000多人的性命，而且使人人自危的紧张局面得到缓和，避免了动乱再起。各州盐井因年久干涸，但官府仍督责完成税收，每州被捕常数百人。马亮将被抓的人全部释放，奏请朝廷废除盐井，又免去所辖境内过去拖欠官府的财物200多万。任知潭州期间，属县有兵痞剽掠百姓，几位百姓合谋将兵痞杀死，其触犯刑法应被判处死刑，马亮认为他们是为民除害，说："为民去害，反处死罪，这不是立法的本意。免其死罪。"马亮移任升州途中，在江州住宿，正逢岁旱民饥，湖湘漕米几十船刚运到。马亮发文给守将，拨米救济贫民，并且上奏朝廷，希望停止官籴，让百姓运粮相互救济。知广州期间，宜州陈进叛乱刚平定，而跟从陈进反叛的澄海兵家属200多人，按法律应没入官府为奴，马亮皆不追究。盐户拖欠官赋，把妻兄抵押给富户，马亮将他们全部放回。

但对蛮横的地方豪强，他毫不手软。马亮任饶州知州时，有豪强白氏，因手中握有胥吏们的把柄而敢于胡作非为，虽犯杀人罪被拘捕，遇赦免死，出狱后仍骄横如故，鱼肉乡里，为祸一方。马亮到任便派人调查白氏罪证，迅速将其诛杀，使得境内人人畏服。

兴利方面，饶州有铸钱监，工匠多而铜锡等原料供应不足，马亮申请分去一半工匠另在池州设监，每年增铸缗钱10万。广州海船长久不来饶州贸易，马亮遣使去招，第二年，到来的海船比当初还多一倍，珍宝货物大量聚集，朝廷为此赐宴慰劳他。任杭州知州时，马亮主持修筑了钱塘江大堤。

马亮知人。吕夷简年轻时，跟随父亲吕蒙亨到福州任县令，马亮觉得他很优秀，就把女儿嫁给他。妻子刘氏生气地说："嫁女当与县令儿邪？"马亮说："非尔所知也。"[①]田况、宋庠和弟弟宋祁幼年时，马亮皆厚待他们，说："这些人以后肯定会成为显贵。"后来这些人果然均位至卿相，成为名臣。马亮家族可以说是北宋合肥第一家族，可考为官的有十几位之多。

---

① 《宋史》卷298《马亮传》。

马仲甫（生卒年不详），字子山。马亮之子。仁宗天圣五年（1027）进士，授登封知县，到任后率百姓修整道路，便利交通，百姓刻石颂扬。

改通判赵州，迁知合州，入朝为度支判官。任夔州路转运使时，免除了因饥荒而盗取官粮的百姓死罪。任淮南路转运使时，属下的扬州、真州人地关系紧张，地少人多，但历来转运使常就近在当地征购粮食，导致米价居高不下。稍偏远一些的通、泰等州，产粮大量盈余，却几乎无客商购买。马仲甫得知情况后，改以通、泰为官府主要的粮食征购区，此举既降下了扬、真等州米价，也惠利了通、泰等州百姓。他建议修治洪泽渠60里，大大便利了漕运。拜天章阁待制，知瀛洲、秦州。熙宁初，先后调知亳、许、扬等州，所到之处，兴利除弊，时称能吏。

后马仲甫迁知通进银台司，复知扬州，告老求退，命提举崇禧观，卒。马仲甫的宽厚之风与治理之才，深有其父马亮之风。子马瑊，曾任提点淮东刑狱、两浙提刑。

姚铉[①]

姚铉（968—1020），字宝之，庐州合肥（治今合肥）人。北宋太平兴国八年（983）中进士甲科，授大理评事，出为湘乡县知县，历简、宣、升三州通判。淳化五年（994）入朝为直史馆。

一次侍宴皇宫，姚铉因所赋《赏花钓鱼诗》文辞优美而得到太宗嘉赏。第二天，太宗还命使者赴其家赏赐白金。至道元年（995），升为太常丞，出为京西路转运使，历右正言、右司谏、河东路转运使。咸

---

① 参见《宋史》卷441《姚铉传》；柯维骐：《宋史新编》，台湾文海出版社1974年版。

平三年(1000),暴雨成灾,洪水冲决郓州王陵河堤,漫向东南巨野,流入淮河、泗水,城内积水淹毁房屋。姚铉出知郓州,将州城迁移至汶阳乡之高处平地临时办公,组织抗洪救灾。是年春,姚铉奉诏筑新城,即今郓城。姚铉及时处理政务、认真务实的作风受到当地百姓称颂。后加起居舍人、京东转运使,徙两浙路。杭州知州薛映与姚铉不协,事多矛盾。薛映密奏姚铉过错数条,结果朝廷颁诏,削去姚铉官职,除其功名,贬为岭南连州文学。大中祥符五年(1012),朝廷赦其罪,调任岳州,又徙舒州,俄授本州团练副使,天禧四年(1020)病故。

姚铉多年任地方官,对当时的弊政看得比较清楚,因而积极主张革新,认为地方官应"强明莅事,惠爱及民""立教条,除烦扰"。姚铉为人隽雅豪爽,颇有气度。所至以抄书为务,善笔札,藏书很多,还有不少异本,在被贬连州潦倒落魄的岁月里,喜爱读书的他仍不忘雇佣挑夫将全部藏书担着随行。姚铉著有文集20卷。又用10年时间,编集唐文章百卷,曰《文粹》(今称《唐文粹》)。《文粹》成书于大中祥符四年(1011),是一部宗旨鲜明、取录严格的选本。其序言自称此选本"止以古雅为命,不以雕篆为工,故侈言蔓辞率皆不取"。《文粹》崇尚古雅,标榜韩、柳文章,遴选作品取舍得宜,唐代诗文英粹大多荟萃其中,为萧统《文选》以后又一大型诗文总集,并一直为后人所推崇。直到今天,它仍是研究唐代文学的人们的常用乃至必备书。《四库全书总目提要》评价这本书:"盖诗文俪偶,皆莫盛于唐,盛极而衰,流为俗体,亦莫杂于唐。铉欲力挽其末流,故其体例如是。于欧、梅未出以前,毅然矫五代之弊,与穆修、柳开相应者,实自铉始。"

姚铉去世后,其子姚嗣复将他的书籍上献,皇帝下诏收藏于内府,并授姚嗣复为永城主簿。姚铉幼子姚称,俊颖美秀,颇善属辞,惜于10岁夭折,姚铉纪其事为《聪悟录》,人多传之。

包　拯①

　　包拯(999—1062),字希仁,庐州合肥(治今合肥)人。父包令仪为北宋太平兴国八年(983)进士,历任惠安县知县、虞部员外郎、应天府(治今河南商丘)留守。包拯幼年勤奋好学,"挺然若成人,不为戏狎,长弥勖厉操守"②。仁宗天圣五年(1027),登进士第,"除大理评事,出知建昌县。以父母皆老,辞不就。得监和州税,父母又不欲行,拯即解官归养"③。考中进士可以说是其人生中一个重要的节点。而包拯却为了孝养父母辞官归养。"后数年,亲继亡,拯庐墓终丧,犹徘徊不忍去"。守丧期间包拯身心憔悴,节衣缩食一直坚持了三年。"里中父老数来劝勉,久之,赴调"。④

　　景祐四年(1037),包拯出任天长知县。到任不久,就有一个农夫来告状,说自家牛的舌头被人给割掉了,请求包大人捉拿凶手,为他申冤。包拯对农夫说:"牛被割了舌头,也活不长了,你先把牛杀了,卖牛肉赚回几个钱吧。"农夫听了,不解其意,在宋代私自宰杀耕牛是违法的行为。但既然是县太爷的吩咐,只好照办了。过不多久,便有人跑到县衙告状,说是有人私自屠宰耕牛。包拯立即升堂,喝问:"大胆歹徒,为什么割了人家牛舌又来告人私宰耕牛?快快从实招来!"那人一听,非常惊恐,以为事泄,只好招认了与牛主有积怨而先害其牛又害其人的罪行。一件很棘手的"无头案",被包拯轻而易举地断决了。天长县是包拯从政的第一站,善于断案的美名从这里开始名

---

① 参见脱脱:《宋史》卷316《包拯传》,中华书局1977年版;李焘:《宋史要籍汇编续资治通鉴长编》,上海古籍出版社1986年版;《包拯集校注》,杨国宜校注,黄山书社1999年版;孔繁敏:《包拯年谱》,黄山书社1986年版。
② 《包拯集校注》附录一《宋故枢密副使孝肃包公墓志铭》。
③ 《宋史》卷316《包拯传》。
④ 《宋史》卷316《包拯传》。

扬天下。康定元年（1040），包拯徙知端州，端州本地产砚，每年要向朝廷进贡一定数额的石砚。历来郡守常用进贡的名义，向百姓多敛取数十倍，以馈赠权贵。包拯严令按进贡的定额征收，而且他任职期满卸任时，不持一砚归。整个北宋时期，只有余靖和他做到了这一点。

庆历三年（1043），包拯由端州入朝，任监察御史里行，后迁监察御史。此时的北宋距开国已达半个多世纪，阶级矛盾和民族矛盾均发展到比较尖锐的程度。特别是当时土地兼并加剧，赋税徭役繁重，官僚军事机构庞大、腐败，危机四伏，矛盾重重。北宋御史的地位不算高，却掌握言路。在御史任上，包拯写下许多奏议，不满因循守旧的现实，要求进行改革，并积极推动庆历新政。针对新政中的一些不当做法，包拯亦提出自己的不同意见。如范仲淹提出科举考试不再实行弥封誊录制，代之以荐举制，而包拯却上疏认为，荐举制存在种种弊端，行弥封之法，则稍协尽公之道。

包拯任御史期间，论述较多的还有西北边防问题。仁宗时期，居住在西北的党项政权西夏王朝强大起来，连年向宋发动军事侵扰。辽这时也乘衅而起，形成掎角之势。庆历四年（1044）十月，宋夏议和，宋每年送给西夏银7.2万两、绢15.3匹、茶叶3万斤。包拯并不反对与夏议和，但鉴于历史经验，他指出"岁赂戎狄非御戎之策"，强调积极加强武备。庆历五年（1045）八月，包拯以贺辽正旦使身份出使辽。辽为戏弄宋臣，竟制造半夜闹鬼，惊吓宋使。包拯指责辽京城不宁，盗贼出没，有损辽形象。包拯即将返回前，辽使蓄意挑衅，问包拯："你们在雄州城新近开辟了便门，是打算引诱我们的叛人，用来刺探我们的边防情报吗？"包拯回答说："你们在涿州不是也开了便门，刺探边情为什么一定要用开便门的办法呢？"辽使无言以对。包拯返回京师后，又向仁宗皇帝奏上《论契丹事宜》《论边将》等疏，指出河北一带地势平坦，无险可守；沿边地区卒骄将惰，粮匮器朽，朝廷应该尽早选拔将帅，精练士卒，广储粮食，以应付辽国可能的入侵。

庆历六年（1046年）春，包拯自辽国返回京师，擢三司户部判官，后历任京东、陕西路转运使,又徙河北路转运使,未行,擢三司户部副使,前后约四年时间。在这段时期内,他体察下情、关心民瘼,努力去除各项弊端,大多收到比较显著的效果。秦陇斜谷务所的造船木材,一概向百姓征收索取;又七个州交纳河桥竹索的赋税,一般有几十万,包拯都奏请加以废除。契丹在邻近边塞地区集结军队,边境州郡渐加戒备,朝廷命令包拯去河北调发军粮。当时河北驻军牧马,在漳河西岸占用良田一万五千余顷,他建议将牧马监的土地佃给农民耕种,只收赋税。朝廷听从了他的意见。

食盐是人们日常生活的必需品,盐法对于国计民生关系重大。宋代解州(今山西运城西南)盛产池盐,称为"解盐",年产七八万斤。庆历二年(1042)以来,实行官府专卖的"禁榷法",由官府差遣服役的士兵和百姓用牛车遣运到各地,再由各地官府设场出售。贪官污吏乘机从中渔利。这样,服役的士兵和百姓备受搬运之苦,而国家收入也受到损失。庆历八年(1048),陕西路提点刑狱兼制置解盐使范祥,针对这些弊端,提出了由商人自由买卖的"通商法",即允许商人在边郡缴纳现钱,购买盐券,凭盐券到解州提取解盐,然后自行搬运,自行销售。这样,既免除了士兵、百姓的搬运之苦,又活跃了解盐的流通,增加了国家的收入。但由于堵塞了豪商猾吏的发财之路,自然遭到一些人的反对。

皇祐元年(1049),包拯作为户部副使奉命赴陕西,与转运司解盐司共同议定盐法。包拯曾任陕西路转运使,深知榷盐法之害,这次实地考察之后,更确认通商法"于国有利,于民无害",遂接连三次上疏,极力支持范祥提出的通商盐法,并请求任命范祥为陕西转运副使,以便通商新盐法的推行。解盐问题,由于包拯极力支持改革,解盐的生产与销售,由原来官方垄断,改革为允许商人参与买卖。这一改革,不仅解除了百姓为政府搬运官盐之苦,而且同样有利于食盐的流通。沈括称赞这种"通商法","行之几十年,至今以为利"。

皇祐二年(1050),包拯任天章阁待制,知谏院。宋代谏院和御史台合称"台谏",均为朝廷言事官。包拯任此职二年,数次上书言事。

他对唐朝直言敢谏的魏徵极其推崇，觉得魏徵所说的许多话，对宋朝亦有现实意义，特地选录魏徵的三篇疏文，希望仁宗作为座右铭，时时观看，此举深为仁宗所赞同。而包拯在直言敢谏上，也颇似魏徵。包拯主张依法治国。他认为国家所制定的法律制度，不可随意更改，避免以致失信于民。他反对皇帝凭个人的好恶，奖惩臣下，他说："凡是由皇帝直接下令赦罪的，都是依靠后宫或者宦官的门路求得人情，这必定妨碍公事，败坏朝廷，实在要不得。"仁宗觉得他说得很在理，表示对此要严加禁止，示信天下。

包拯上谏不畏权势。张尧佐是仁宗宠幸的张贵妃的伯父，无功却当上了三司使。在北宋前期，三司是主管全国财政经济工作的最高机关，其重要性可想而知。张尧佐不仅大肆贪赃，还玩忽职守，致使国库空虚，万民饥馑。包拯多次上疏，弹劾张尧佐，但由于仁宗皇帝的庇护，张尧佐都得以开脱。后仁宗虽碍于包拯的坚决反对以及群臣的愤慨，解除了张尧佐的三司使之职，但同时又任命张尧佐为宣徽南院使、淮康军节度使、景灵宫使、群牧制置使四个要职。包拯不顾仁宗的窘迫与恼怒，又连续四次上疏弹劾，并直言仁宗的过错，迫使张尧佐不得不辞去宣徽南院使等职务。

淮南按察转运使张可久，在任职期间，与部下兴贩私盐一万多斤，案发后，大理寺拟议按照当时查获的数量价值定罪。包拯认为不可，因张可久的私盐此时已大部分卖掉，如按大理寺的拟议处置，势必议罪从轻。私盐是国家禁榷物，且宋朝法律严禁官吏经商，张可久身为国家高级官员，本身又负有按察之责，竟敢"巧图财利，冒犯禁宪"，必须予以严惩。包拯要求宋仁宗对此人从重论处，把张可久发送到边地编管起来。

不仅如此，包拯通过此案的查处，还建议有司，此后若官吏再犯有类似之罪过，应一律按其实际参与贩卖的全部禁榷物数量定罪。湖南转运使王逵，任职期间蠹政害民、滥杀无辜、冒功邀赏，当地百姓对其恨之入骨，"刻木作王逵之形，日夕笞挞"。就是这样一个祸国殃民的酷吏，因有张尧佐在朝廷作后台，竟又被授予江南西路转运使之职,而且在新的任所,变本加厉地勒索百姓,逼得人们逃入山林,聚众反抗。包拯对此义愤填膺,一连七次上书弹劾王逵,指出任用王逵是"一人之幸,一路之不幸也",终使朝廷罢免了王逵。

皇祐四年(1052)春,包拯出任河北都转运使。自庆历以来,包拯多次论及河北屯兵众而军食寡的问题,可是问题一直没有得到有效解决。这次他又一次建议朝廷:"沿边及近里州军兵马,除各留防守外……诸军即分屯于河南兖、郓、齐、濮、曹、济等诸州。"诸处富实,粮储易筹,"遇有警急,即日起发,不旬日可到",不会误事。他还上疏说,"议者若以戍兵不可全减,即有往年义勇强壮十八万余人以充其数","三时务农,一时教战"。这样,"驻泊就粮士兵一月之费,可充乡兵一岁之用,计其费则甚寡,校其利则至博"①。同年八月,调知瀛洲,各州用官府的钱做买卖,年累计亏负十多万,包拯都上奏加以除去。不久因丧子乞便郡,知扬州,后调任庐州。知庐州时,包拯有个堂舅横行霸道,胡作非为,包拯根据朝廷法令,重重打了其一顿板子,并带枷示众。至和二年(1055),包拯因担保推荐的官员失职获罪,贬官授兵部员外郎、知池州。嘉靖《池州府志》卷6记载,包公守池州,"辨浮江尸,与瘗僧冤,时称神明"。尽管未叙详情,但从反响推断这也是一件了不起的成功案例。

嘉祐元年(1056),包拯经翰林学士欧阳修、殿中侍御史里行吴中复和宰相文彦博荐举,徙知江宁府。同年十二月,擢权知开封府,迁右司郎中。"拯立朝刚毅,贵戚宦官为之敛手,闻者皆惮之"②。旧时制度规定,凡是告状不得直接到官署庭下。包拯打开官府正门,告状的人能够直接到他面前陈述是非曲直,使"吏民不敢欺",官民"无复隔阂"。一次惠民河水暴涨,京城遭受洪水威胁。经调查,包拯发现泄洪不畅是因权贵在河畔垒地筑台,修建亭园楼榭,使河道淤塞所致。包拯不顾权贵们的反对,命令将河畔的建筑物全部拆除。当时

---

① 《包拯集校注》卷4《请那移河北兵马事》。
② 《宋史》卷316《包拯传》。

有人手执地契前来辩解，包拯亲自检验，上奏弹劾弄虚作假的人。

包拯还亲自处理一些诉讼事件，昭雪冤狱，号为明察。《宋故枢密副使孝肃包公墓志铭》中记载了一起"匿金案"。有两人一起喝酒，甲能饮，乙不能饮。甲将身上的几两金子交于乙，以防喝多遗失。甲酒醒后向乙索回金子，乙却矢口否认，于是状告到包拯那里。由于没有证人，乙拒不承认。包拯想了一个办法，将乙扣押在堂，再派公差去乙家中，称乙已承认金子藏于家中，快将金子交出带回衙门。乙的家人信以为真，交出了金子。在赃物面前，"匿金者大惊，乃伏。"京师百姓称赞说："关节不到，有阎罗包老。"①

嘉祐三年(1058)六月，包拯迁谏议大夫、权御史中丞。在任上他请求仁宗为宗庙万世考虑，早日预立太子；又请裁减内传名额，减少不必要的开支，减少官吏休假日期等数事，均被采纳。嘉祐四年(1059)春，三司使张方平坐买豪民房产，包拯上奏弹劾，朝廷罢免了张方平而以宋祁取代，包拯又弹劾宋祁，朝廷罢宋祁而包拯以枢密直学士权三司使。欧阳修言包拯有"逐其人而代其位"之嫌，请仁宗"别选材臣为三司使，而处拯他职，置之京师，使拯得避嫌疑之迹，以解天下之惑，而全拯之名节"②。包拯闻奏，因家居避命，久之乃出。早在任地方守臣和台谏官时，包拯即多次请求朝廷减免捐税，宽恤百姓，权三司使后，他进一步贯彻自己的主张，凡是横征暴敛，多被废除。以往朝廷所用物品，皆由地方无偿进贡，这给老百姓增加了额外负担，包拯特置场和市，通过市场交易满足所需，民得免其扰。

嘉祐六年(1061)四月，包拯迁三司使，继改枢密副使，掌管国家军政，后迁礼部侍郎，包拯推辞不受。嘉祐七年(1062)五月，包拯正在处理公事，突然发病，退朝回家。仁宗很关心包拯病情，遣使赐良药，但包拯病势沉重而卒。仁宗为他停止视朝一天，赠礼部尚书，谥孝肃。

---

① 《宋史》卷316《包拯传》。
② 《欧阳文忠公文集》卷112《论包拯除三司使上书》。

包拯有两个儿子,长子包繶英年早逝,其妻崔氏一直守节,至死未再嫁人。次子包绶(幼名包綖)。包拯以正直敢言、不畏强权、廉洁奉公闻名于世,晚年立下家训曰:"后世子孙仕宦,有犯赃者,不得放归本家,死不得葬大茔中。不从吾志,非吾子若孙也。"①有人认为,此家训堪称古今第一家训。

包拯的行为对包氏家族产生了重大影响,其品质形成一种"孝肃之风"。包绶墓志铭中说:"孝肃以清白劲正光于青史,公可谓能克家者。孝肃之风,至于公而益炽也。"包公之孙包永年墓志铭中说:"公天资谨畏……而孝肃公之遗风余烈犹在也。"包拯留有《包孝肃公奏议》15卷传世。包拯是深受民间大众推崇的官员典范,在后世被广为称颂,其事迹被后人改编为小说、戏剧,包公清官形象及"包青天"的故事家喻户晓,历久不衰。

杨察 杨寘②

杨察(1011—1056),字隐甫,庐州合肥(治今合肥)人。先在太原,父杨居简,官庐州,遂家合肥。杨察早年丧父,母亲颇知书,对他悉心教育。

北宋景祐元年(1034),杨察中进士甲科,授将作监丞,出为宿州通判,历颍、寿两州知州。入朝,为开封府推官,判三司盐铁、度支勾院,又出为江南东路转运使。在江南时,他曾因年少而为部下胥吏所轻视,但不久就凭执法如山的风格而使众人畏服。庆历二年(1042),杨察被召入朝,任右正言、知制诰,权判礼部贡院,负责科举考试。有人上书请废除科考实行的糊名制度(糊名法,即不让阅卷者得知考生

---

① 《宋史》卷316《包拯传》。
② 参见《宋史》卷295《杨察传》、卷443《杨寘传》;曾巩撰:《隆平集》卷14,《宋史资料萃编》,台湾文海出版社1968年版;《续资治通鉴长编》卷136。

信息,自宋真宗时开始推行),这一提议虽有照顾各地区不同水平考生群体的用意,但将使得舞弊之风复起,杨察据理力争,终于保住了糊名法,维护了科考的公正性。

之后,杨察又历任权知开封府、权御史中丞。在御史台,他直言进谏,无所回避,然亦因清正刚直而得罪了很多人,包括宰相陈执中。庆历八年(1048),杨察因过降职,出任信、扬、益等州知州,后因所任之处颇有政绩而再度入朝,任权知开封府、翰林学士、权三司使,病卒于三司使任上。赠礼部尚书,谥宣懿。

杨察美风仪,敏于为文,尤勤于政事,替皇帝起草诏书,下笔时漫不经心,但稿成之后皆雅致有体,甚为当世所推崇。有文集 20 卷传世,然已散佚。《全宋文》卷 988、卷 989 收录杨察文 5 篇。

杨寘(1014—1044),字审贤。杨察弟。少有隽才,19 岁以第一名考入太学。

庆历二年(1042),举进士,试国子监、礼部,皆第一。"既试崇政殿,帝临轩启封,见名,喜形于色,谓辅臣曰:'杨寘也。'遂擢第一,公卿相贺为得人。"[①]授将作监丞。庆历四年(1044),擢颍州通判,未赴任,以母丧回家守制,病羸而卒,时人伤之。杨寘解试(明清为乡试)、省试(明清为会试)、殿试皆第一,即连中"三元"。中国封建社会文科连中三元者仅 14 人,安徽有 2 人(另一位是明代贵池人黄观)。

---

① 《宋史》卷 443《杨寘传》。

王之道　王蔺[①]

王之道(1093—1169),字彦猷,号相山居士,无为军庐江县(治今庐江县)人。北宋宣和六年(1124),王之道与兄王之义、弟王之深同登进士第,因对策极言联金伐辽之非,抑置下列。

靖康元年(1126),调和州历阳县丞,迁乌江县令。他在历阳和乌江抑制豪强,兴修水利,不生事、不扰民,虽然当时政局不稳,烽火时起,两地百姓却因之安居如故。建炎三年(1129),金兵南侵,陷无为军,守将李知己弃城南逃。王之道适因奉养双亲,辞官归里,率乡人退保胡避山,据险固守。他以兵法将守山的民众部署得井然有序,进退得法。当时江淮一带"盗贼"蜂起,十室九空,哀鸿遍野,独有退保胡避山的乡人安然无恙。绍兴二年(1132),王之道因功授左宣义郎、承奉郎、镇抚司参谋官等职。

淮南西路为金兵南下的必经之地,而守将怯懦无能,动辄弃之。王之道多次上书朝廷,指出淮上的重要性,敦请朝廷遴选精兵良将,增强寿春、庐州等地的守备。另外他和当时其他的主战大臣一样,建议建都建康,而非临安,外示敌以进取之心,内聚臣民同仇敌忾之气。

绍兴六年(1136),王之道任开州知州,绍兴八年(1138)移滁州通判。时宋金议和,王之道上书吏部尚书魏矼和谏议大夫曾统,申言不可屈膝事金。又上书朝廷,言敌有五败,宋廷有五胜之理。因上疏反对和议,忤秦桧而遭谪贬,遇赦未能成行,遂无心仕途,退居相山(今巢湖市巢山)近20年。秦桧死后,被起用知信阳军,累官至提举湖北

---

① 参见陆心源:《宋史翼》卷10《王之道传》,中华书局1990年版;《相山集》卷30,附尤袤:《故太师王公神道碑》,《文渊阁四库全书》;《宋史》卷386《王蔺传》;陈骙:《南宋馆阁录》卷7,中华书局1998年版。

常平茶盐、湖南转运判官,以朝奉大夫致仕。

王之道慷慨有气节,善文,词尤出名,著有《相山集》《相山居士词》。

王蔺(?—1201),字谦仲,号轩山。王之道之子。乾道五年(1169)进士,初任信州上饶主簿,历鄂州教授、四川宣抚司干办公事、除武学谕。宋孝宗前往武学视察,王蔺因气质不凡而为宋孝宗所属意,被擢为枢密院编修官。

王蔺上书直言敢谏,尤得皇帝赏识,谕辅臣曰:"王蔺敢言,宜加奖擢。"改宗正丞、监察御史、起居舍人、礼部侍郎。所举荐的潘时、郑矫、林大中等8人,皆获重用。擢礼部尚书,进拜参知政事。孝宗称其"磊磊落落,惟卿一人"[①]。光宗即位,迁知枢密院事兼参政,拜枢密使,骨鲠之风未有少许变化,应诏上疏,条列八事以闻,尽言无隐,为御史中丞何澹弹劾罢职。后起任成都府路、荆湖北路、荆湖南路安抚使。宁宗即位,命其改任湖南。后以嫉恶太甚而遭同僚忌之,遭劾罢归故里。嘉定(1208—1224)以来,王蔺子孙不敢求仕、请谥,至端平元年(1234)始加谥为献肃。王蔺善诗词,著作有《轩山集》10卷、《轩山奏议》2卷。

刘 虎[②]

刘虎(1201—1253),字伯林,庐州梁县(治今肥东县)人。父辈以上五世同堂,出身农家,喜爱武艺,善于带兵,后投军。淮西安抚使赵善湘见其身材魁梧,招其至帐下听调。

---

① 《宋史》卷386《王蔺传》。
② 参见张铉:《至正金陵新志》卷14《刘虎传》,南京出版社1991年版。

南宋嘉定十五年（1222），金军犯安丰，刘虎率军援救，与金兵连战于贾鸡山、陈村漕口，斩600首级，献所获萧、张两统军以及千户穆昆等13人。宝庆二年（1226），败红袄军于山阳（治今江苏淮安），从戍扬州。宝庆三年（1227），与金兵战于盱眙、楚州、海州、涟水军等地，获得大小捷37次，亲手射杀金兵统军没拐曳，以功升进勇副尉、靖安水军正将。

绍定四年（1331），刘虎收复盐城、淮安等地，斩金兵万户李松。自三月至九月围攻泗州，捷无虚日，杀扬州总领庞万户，擒万户刘山儿等30人，守将被迫投降。行赏战功刘虎居第一，擢镇江副都统制，负责边境事宜，仍总辖淮阴水陆军马。

端平元年（1234），刘虎受淮东制置使赵葵之遣，进驻海州、涟水军。当年，宋军北上经略河南，刘虎进知应天府（今河南商丘），节制水陆军马，屯驻要冲以牵制蒙古军。第二年，迁许浦水军都统制。淳祐元年（1241），刘虎戍守真州，总制在城军马。淳祐二年（1242），加带御器械，领兵镇濠州，时蒙古军水陆并进侵宋，蒙古汉军兵马都元帅察罕带兵攻濠州，刘虎在五河与蒙古军大战。他带领军中勇士乘风施放火枪、火箭、火蒺藜，烧毁敌军营寨，大败蒙古军。但在战斗中，刘虎腹部不幸中箭，昏厥过去。苏醒以后，他仍然指授诸将方略，最后活捉蒙古军将领10人。以功擢和州防御使，改镇江都统治兼知淮安。

淳祐三年（1243），察罕率军围寿春。刘虎率军援救，与宣抚使吕文德合力再次击败察罕，遂解寿春之围。宋理宗命赐刘虎金带金线袍，擢利州观察使。明年，封合肥郡侯。淳祐七年（1247），枢密督视赵葵辟刘虎为谘议官，令其防守江面。淳祐八年（1248），知和州，刘虎修葺城池，减轻役夫劳动强度。境内大旱，他以屯田所聚粮食赈灾，又开放湖泽，听任百姓渔樵。

后以疾请辞，命提举建康府崇禧观。淳祐十年（1250），权知安庆府事，屡败蒙古入境抄掠之军。宝祐元年（1253），刘虎知泰州。以箭疮发作，引疾归金陵而卒。刘虎兄刘海、从弟刘师勇、刘师雄、刘师贤皆以擅长骑射,为一时名将。

刘师勇[①]

刘师勇(？—1278),庐州(治今合肥)人。曾以战功任环卫官,受贾似道节制。

南宋德祐元年(1275年),贾似道兵败丁家洲(今安徽铜陵北),欲逃奔入海,刘师勇建议入扬州,以图恢复。五月初七,时任都统制的刘师勇在姚訔、陈炤的协助下,收复常州,姚訔被任为常州知州。八月十二日,刘师勇与殿前都指挥使张彦收复吕城(今江苏丹阳东南),以张彦守吕城。刘师勇领和州(治今安徽和县)防御使,助姚訔守常州。后吕城失守,张彦被俘,常州形势吃紧。

元军命张彦于城下劝降,刘师勇以大义相责,张彦惭愧退去。元军又派范文虎来劝降,刘师勇发箭射之。常州被围困数月,援兵断绝,城陷。刘师勇带兵突围,且战且行。其弟所骑战马堕入壕沟,跃不能出。刘师勇举手与他诀别而去。知州姚訔、通判陈炤、都统王安节以及淮军数千人皆战死。当时有妇人伏匿在尸堆之下,见有淮兵6人背靠着背杀敌近百人最终力竭战死。

刘师勇突出重围,护送宋恭帝的两个弟弟益王赵昰与广王赵昺流亡海上。他痛感复国无望,忧愤纵酒,于鼓山(今广东省台山市赤溪镇一带)堕海而死,被百姓收殓葬于海边。此后,当地村民每逢出海,必到刘师勇墓拜祭,祈求平安。此风一直延续至今。

[①] 参见《宋史》卷451《刘师勇传》;《宋季忠义录》卷3《刘师勇传》;《至正金陵新志》卷14。

潘　纯[1]

潘纯（1292—?），字子素，庐州路庐江县（治今庐江县）人。年少即有才华，擅诗赋，"博学通古今"[2]。

壮年时游学京师，文学之士争相宴请。每遇聚会宴饮缺席，众人为之不欢。明代蒋一葵的《尧山堂外纪》记录了关于潘纯一个幽默辛辣的故事：

嘉兴林叔大（镛）掾江浙行省时，贪墨鄙吝，然颇交接名流，以沽美誉。其于达官显宦，则宰羔杀豕，品馔甚盛；若士夫君子，不过素汤饼而已。一日，延黄大痴作画，多士毕集，而此品复出，扪腹阔步，讥谑交作，叔大赧甚，不敢仰视。遂揖潘子素求题其画，子素即书一绝句云："阿翁作画如说法，信手拈来种种佳。好水好山涂抹尽，阿婆脸上不曾搽。"大痴笑谓曰："'好水好山'，言达官显宦也；'阿婆脸不搽'，言素面也。"言未已，子素复加一句云："诸佛菩萨摩诃萨。"俱不解其意，子素曰："此谢语，即僧家忏悔也。"哄堂大笑而散。叔大数日羞出见客。

潘纯后因撰写《辊卦》，言辞讥讽朝政而得罪权贵，被迫挈老小流寓江南，与杭州士子以诗歌相唱和。潘纯诗作清新精致，有温（温庭筠）李（李煜）之风，尤以《岳王墓》《钱塘怀古》最为有名，其中有"江左长城真自坏，邺中明镜为谁歌，空余满地苌弘血，芳草年深碧更多"，

---

[1] 参见蒋一葵：《尧山堂外纪》卷76，齐鲁书社1997年版；顾瑛：《草堂雅集》卷8，中华书局2008年版。

[2] 顾瑛：《草堂雅集》卷8，中华书局2008年版。

常为人们吟诵。

潘纯著有《子素集》。《元诗选》谓其"喜为今乐府","歌诗秀丽清郁"。至正(1341—1368)中叶,御史大夫纳麟行台于绍兴,潘纯辟为掾史,行至萧山县卒。一说为纳麟之子安安所害。葬于杭州西湖岳飞墓侧。

余　阙[①]

余阙(1303—1358),生于庐州(治今合肥),字廷心,一字天心,自号青阳先生。先世为唐兀人,世居河西武威(今属甘肃),其父沙剌藏卜任职庐州,后世遂为合肥人。

余阙早年丧父,家道中落,课授生徒以奉养母亲,尝读书于庐州城东南青阳山。与儒学大师吴澄弟子庐州人张恒交往,学问日进。元统元年(1333)会试第二,进士右榜一甲第二名(榜眼),授同知泗州事。不久入朝任翰林应奉,转任刑部主事,因与本部主官不合,一度弃官回家。至正三年(1343),诏修宋、辽、金三史,余阙被征召入朝,授翰林院修撰,与危素等人负责《宋史》列传部分。至正五年(1345),改监察御史,历湖广行省左右司郎中、浙东道廉访司佥事。

至正十二年(1352),红巾军起,天下震动,余阙临危受命,任淮西宣慰副使、佥都元帅府事,分兵驻守安庆。时南北音讯隔绝,兵食俱乏。余阙上任仅10天,反元义军就来进攻,被击退。为解决困境,他召集官吏和诸将商议屯田与战守之计,决定在周围建立堡寨,选精兵御敌于城外,屯田于辖区之内。所属潜山县8社,土地肥沃,均用来屯田。第二年春夏大饥荒,余阙将自己的俸禄用来买米施粥,赈济灾

---

① 参见《元史》卷143《余阙传》;《新元史》卷218《余阙传》;《明太祖实录》卷26"吴元年十月"条;宋濂:《宋文宪公全集》卷40《余左丞传》。

民,又安置了数万百姓。他请求中书省拨钞3万锭,赈济灾民。至正十四年(1354)秋,反元义军占据石荡湖,余阙出兵讨平,命百姓于该湖中捕鱼而交纳鱼租。

至正十五年(1355)夏,安庆遇大雨,江水上涨,水浸屯田,禾苗半没,城下水声如吼。余阙率众加固堤防,确保秋季丰收,得粮3万斛。军有余力,民有收成,余阙乃令兵士疏浚安庆城的护城壕沟,增高低洼的地势。在外围又环以三道深沟,引长江水注入,四周植木为栅栏,城上筑起飞楼,使安庆城更加坚固。

时有广西苗军5万,随元帅阿思兰沿江而下至庐州,军纪败坏。余阙发布文书,谴责阿思兰。苗军所到之处,有横行不法者,余阙即命部下收杀之。苗军慑于余阙凛然不可犯之威,稍加收敛。至正十六年(1356),天完红巾军赵普胜攻安庆,余阙与之苦战三日,使其无功自遁。继而又与赵普胜相持20余日,迫使赵军撤围而退。

余阙前后扼守安庆7年,历经大小数十战。当时淮东、淮西尽由红巾军占据,唯安庆为完城。朝廷先后升其为都元帅、淮南行省参知政事、淮南行省左丞并赐二品服。余阙更加振奋,誓以死报国,立旌忠祠,召集将士于祠下,说:"男子生为韦孝宽,死为张巡,不可为不义屈。"众将士听之,无不慷慨激昂。

安庆以小孤山为屏障,余阙命胡伯颜统水军戍守。至正十七年(1357)十月,陈友谅自上游直捣小孤山,胡伯颜抗击四天四夜,败。陈友谅军直趋安庆,追至山口镇,十一月三日至安庆城下,攻打两月不下。至正十八年(1358)正月,陈友谅集诸部大举进攻。陈友谅、赵普胜、祝寇分别主攻西、东、南门,初七中午,西门危急,余阙徒步提戈,率军往救,战于清水塘,身负重创十余处。红巾军从城外蜂拥进城,将其重围之。城中四处火起,余阙见大势已去,遂自刎,沉于清水塘中。其妻耶卜氏、子德生、女福童闻余阙死,亦投井自尽。

陈友谅赞赏余阙忠烈义勇,将其厚葬于安庆城西门外。元廷赠余阙虑诚守正清忠谅节元勋、荣禄大夫、淮南江北等处行中书省平章政事(从一品)、上柱国,追封豳国公,谥忠宣。

余阙在元末农民战争时期,宦绩卓著,功烈最著,以数千残兵守安庆7年之久,捍卫蒙元残破之江山,最终死于安庆,为元王朝"死节""殉难"臣子的代表。《元史·余阙传》称,"自兵兴以来,死节之臣阙与褚不华为第一云"。明太祖称其为"忠臣义士",并"令有司建祠肖像,岁时祀之"①。宋濂称赞其舍生取义、身殁名存的行为:"阙其人豪也哉! 独守孤城逾六年,小大二百余战,战必胜。其所用者,不过民间兵数千,初非有十万熊虎之师,直激之以忠义,故甘心效死而不可夺也。"②

余阙为政严明,能与部下同甘苦,有古代良将风烈。他精通儒学,留意经术,曾为"五经"作注。他的篆隶古雅,文章气魄浑厚,诗歌有江左鲍照、谢朓之韵,于元人中别为一格。他于军旅之暇,读书不辍,有《青阳先生文集》传世。

---

① 《明太祖实录》卷26,吴元年十月。
② 宋濂:《宋文宪公全集》卷40《余左丞传》。

第三章

明 清

俞廷玉　俞通海　俞通源　俞通渊[①]

俞廷玉（？—1358），巢县（今巢湖市）人。朱元璋麾下将领。本名秀一，其先本蒙古钦察部国主后裔，姓玉里伯牙吾氏。父不花铁木耳，为蒙古军万户府元帅，知枢密院事，敕封武平郡王。

后至元元年（1335）七月，元顺帝大兴燕铁木儿宗党之狱，俞廷玉携家人避祸徙居江淮行省安丰路安丰县（治今安徽寿县）。后至元四年（1338），再徙庐州路巢县为民。元朝末年，江淮兵起，俞廷玉及俞通海、俞通源、俞通渊父子与乡人赵普胜、廖永安等结寨巢湖，有水军战船千艘。当时，农民起义军的另一支左君弼部，占据庐州，与俞廷玉父子素有仇隙。俞廷玉等与左君弼部数战于庐州，皆不利，遭到左君弼部的围困。至正十五年（1355）春，俞廷玉遣其长子俞通海间道前往朱元璋大营求援，并表示愿意归顺。当时，朱元璋正驻师和州，图谋渡江，苦于无船只。一筹莫展的朱元璋得知俞廷玉等人的求援，对谋士李善长说："天赞我也！"五月，朱元璋亲自督兵至巢湖，欲拔之而出。此时，恰逢元中丞蛮子海牙拥兵阻于河口，属于农民起义军巢湖水师一部分的赵普胜屯所部于黄墩，阴蓄异志。朱元璋只好派遣部将李文忠前往探访，俞廷玉父子即率死士倾心共谋，终于击退了蛮子海牙所部，顺利离开巢湖。

抵达和州后，以裕溪口、鲚鱼洲等处攻战有功，俞廷玉被朱元璋授以万户。随后，俞廷玉率所部水师侍驾朱元璋顺利渡江，拔采石，取太平，擢升为管军总管。后又纵火焚毁元中丞蛮子海牙所部水寨、楼船，蛮子海牙仅以数舟逃遁。后又于方山大败陈也先20万之众，

[①] 参见《明史》卷133《俞通海传附通源、通渊》；《明太祖实录》卷23，吴元年夏四月乙卯。

定策取金陵,朱元璋据此开基江左。至正十六年(1356)三月,俞廷玉率所部定台城,克镇江,被朱元璋授以元帅。后又攻取丹阳,击破宁国长枪军,收复池州、枞阳等地。至正十八年(1358)四月,俞廷玉率所部攻克栅江营,俘获元将赵牛儿、伪池州元帅洪均等及所部士兵、战船,擢升江南枢密院佥事,同时也被朱元璋倚为肱股之将。当时,朱元璋驻军池州,赵普胜率兵争夺,被朱元璋击退。未过多久,赵普胜再次进扰沙子港,朱元璋手下诸将皆不敌。

九月,朱元璋派遣俞廷玉率领水陆大军攻之,赵普胜暗中派人在安庆至枞阳一带设下埋伏,潜横铁索于水中。十九日,俞廷玉督率大军赶到,由于战船被潜藏于水下的铁索牵挂不能前行,被赵普胜所败,偕从官、卫士等人皆战死。吴元年(1367)十一月,朱元璋追封俞廷玉为河间郡公,谥武烈。

俞通海(1328—1367),字碧泉,俞廷玉长子。朱元璋麾下将领。元末,俞通海与父俞廷玉,弟俞通源、俞通渊及赵普胜、廖永安等结寨巢湖以自保,成为巢湖水师的中坚力量。

当时,占据庐州的农民起义军左君弼部,与俞廷玉、俞通海父子等人结下仇怨。俞廷玉、俞通海父子等素为左君弼部所困,无法发展。元至正十五年(1355)春,俞通海奉父命间道前往朱元璋大营求援。此时,驻师和州的朱元璋,图谋渡江发展。得知俞通海的到来,朱元璋亲自前往慰劳俞通海所部军士。但是,同属于巢湖水师的赵普胜,却不愿意依附朱元璋,率所部归顺了陈友谅。此时,元军用楼船扼守马肠河等港口,想要过河只有一个港口可以通行,但已经干涸很久。恰逢天降大雨,水深丈余,俞通海擅长水战,于是率军出江,抵达和州。俞通海为人沉毅,治军严而有恩,手下的谋士也乐为其用。巢湖水师诸将领皆擅长水战,其中又以俞通海的本领最大。抵达和州后,俞通海奉朱元璋之命攻破元军蛮子海牙诸水寨,被授以万户。

至正十六年(1356)二月,朱元璋率大军进攻采石,俞通海与廖永安率先战败敌人,俘获敌人将卒、战船甚众。暂时失利的蛮子海牙不甘失败,再次以战舰围攻采石,而此时元军将领陈兆先又集结大军二十万屯于方山,两股势力互为犄角。俞通海与廖永安等率军出击,大败蛮子海牙所部,蛮子海牙失败逃遁。三月,俞通海又击破陈野先,乘势攻取集庆路。后又从汤和攻下镇江,因战功被擢升为秦淮翼元帅。四月,奉命率诸将夺取丹阳、金坛。

至正十七年(1357)三月,俞通海攻取常州,改任行枢密院判官。四月,俞通海随朱元璋取宣城,后与赵碱乘胜攻下水阳。五月,俞通海率水师经略太湖,击败张士诚所部。此时,俞通海军威大振,招降张士诚马迹山守将王贵、钮津等,经东洞庭山,将战船集结于施口。就在此时,张士诚大将吕珍率兵突然而至,当时朱元璋的大部队已西进,俞通海独自一人率剩下的几艘战船与敌人周旋,手下诸将领都想撤退。俞通海说:"不可,彼众我寡,退则情见,不如击之。"于是身先士卒,与敌军激战,矢下如雨,右眼中箭负伤,不能再战。在此情况下,俞通海急令帐下卫士穿上自己的铠甲督战。敌军以为是俞通海本人,不敢进逼,慢慢撤退解围而去。此战使俞通海瞎了一只眼。

至正十八年(1358)正月,俞通海与廖永安率部攻克江阴石牌戍,降元军统帅栾瑞,夺取马驮沙,扎下营寨后而还。至正十九年(1359)四月,俞通海击败盘踞于枞阳的陈友谅手下大将赵普胜,俘获其军校赵牛儿等及大量战舰,乘胜追杀敌众,并收复池州。此时,正在浙东地区征讨的朱元璋,一直以盘踞于枞阳的赵普胜为心腹之患,得知俞通海捷报后,十分高兴,提拔其为金枢密院事。至正二十年(1360)闰五月,陈友谅进犯龙湾,俞通海、张德胜率所部出击,俘获其将佐喻国兴、李志高等及楼船。陈友谅不敌而逃,俞通海追赶并焚毁其舟于慈湖,擒获了陈友谅手下7员大将,向北一直追赶到采石。因为战功卓著,被擢升为枢密院同知。至正二十一年(1361)春,俞通海随从朱元璋攻打陈友谅。八月,下铜陵,克九江,掠蕲、黄,陈友谅遁走。

至正二十三年(1363)七月,陈友谅大举围攻南昌,俞通海随从朱元璋出击。双方在鄱阳湖之康郎山相遇,由于朱元璋所乘战船较小,不能仰攻,力战不敌。英勇机智的俞通海乘风纵火,焚毁敌船20余艘,挫败了敌人的士气。在战斗中,朱元璋的战船突然搁浅,陈友谅骁将张定边见势直趋往攻。危急之中,常遇春用箭射中张定边,俞通海则飞舸来援,朱元璋的战船在紧急中忽然驶进水涌,得以摆脱困境。而俞通海所乘战船却被敌人巨舰所压,手下兵卒被迫以头抵舰,战士们戴的头盔都被压裂了,后侥幸摆脱。第二日,双方再战,俞通海偕廖永忠等人用7只船装满火药,焚毁敌船数百艘。

又过了二日,俞通海等人再次驾驶6只战船深入敌阵,陈友谅所部将大的战舰联结在一起拼死抵抗。朱元璋登上舵楼观望,过了很久也不见俞通海等人所乘战船踪影,以为已经沉没。然而,过了一会儿,俞通海等人所乘6只战船绕敌舰而出,飘摇若游龙一般。朱元璋手下军士欢声雷动,俞通海等人愈战愈勇。陈友谅所部大败。战事结束后,朱元璋将大军驻扎于左蠡湖一带,俞通海进言说:"左蠡湖中多有浅滩,遇到浅滩,则战船难以回旋。不如将大军驻扎于长江中敌军的上游,敌船一进入我军控制范围内,即可被我军擒获。"朱元璋觉得俞通海的话很有道理,于是移师出湖,在水陆各结营寨。陈友谅被困于湖中近一个月,不敢出击,军粮物资耗尽,被迫引兵突围,最终在与俞通海等人的战斗中身亡。在这场拉锯战中,俞通海战功最大,班师后,朱元璋赐给他良田金帛甚多以示奖赏。

至正二十四年(1364)正月,朱元璋改立中书省,任命俞通海为中书省平章政事。后在攻取通州、庐州战役中,俞通海皆立有战功。七月,朱元璋在庐州设立江淮行省,命俞通海摄行省事。当时江淮一带遭遇兵革,人心未宁。俞通海实施安抚政策,给百姓以恩惠,于是外逃百姓纷纷归乡复业。与此同时,俞通海还积极修城浚濠,做好抵御敌人进攻的准备。至正二十五年(1365),俞通海随左相国徐达平定安丰。至正二十六年(1366)九月,俞通海随徐达克湖州。十一月,经略太仓。所到之处,明军秋毫无犯,获得了当地人民的拥戴。伪元帅陈仁寿乘百余舟逃入海中,听闻俞通海的威名,皆纷纷返回,罗拜于其麾下,愿意归顺者达数千人。

明军围攻平江,徐达檄俞通海率部前来会战,通海至桃花坞,为流矢所中,受到重创,返归京师。朱元璋亲往其家中探问病情:"平章知予来问疾乎?"此时的俞通海已经不能言语,朱元璋见状挥泪而出。翌日去世,终年38岁。朱元璋亲往吊唁,伤心痛哭不止,随从的官员卫士都受其感染而涕泣不已。不久,朱元璋赠其光禄大夫勋衔,追封其为豫国公,侑享太庙,置其肖像于功臣庙。洪武三年(1370),改封虢国公,谥忠烈。俞通海无子,死后其弟俞通源继承了他的爵位。

俞通源(1346—1389),字百川,俞廷玉次子,俞通海二弟。朱元璋麾下将领。吴元年(1367),随朱元璋平定苏州,立下战功。长兄俞通海战死后,俞通源承袭其官,为中书省平章政事,统率父兄旧部镇守庐州。

早年随从大将军徐达征讨中原,与副将军冯胜等会师太原,平定河中。后渡黄河,克鹿台、凤翔、巩昌、泾州,并守卫开城。后遇张良臣据庆阳发动叛乱,大将军徐达命诸将领分兵围堵之。俞通源得令后自临洮疾趋泾州,从西面实施围堵,大将顾时从北面实施围堵,傅友德从东面实施围堵,陈德从南面实施围堵。大将军徐达则亲自率军进逼城下,张良臣援绝粮尽,战败而死。庆阳得以平定。后在征定西、克兴元的战役中,俞通源皆捷足先登,冲锋在前。洪武三年(1370),朱元璋大封功臣,俞通源被封为南安侯,岁禄1500石,授予世券。洪武四年(1371),俞通源随廖永忠伐蜀,后从徐达出战漠北,抚定甘肃,皆立有战功。其奉命徙江南豪民14万前往凤阳府屯田,又率大军进攻云南,征讨广西少数民族叛乱,俘斩数万人。洪武二十二年(1389),朱元璋诏令其回乡,赐钞5万,置宅第于巢县。尚未成行,去世,享年44岁。洪武二十三年(1390),朱元璋追论胡惟庸党案,由于俞通源已经身死在先,不予追究,但废除了其爵位。

俞通渊(? —1393),俞廷玉三子,俞通海三弟。朱元璋麾下将领。因为父兄的军旅经历和战功卓著的缘故,俞通渊得以被朝廷任命为参侍舍人。

俞通渊屡次率部从征，因战功被授以都督佥事。其兄俞通源被定为胡惟庸同党后，朱元璋念其父俞廷玉、长兄俞通海立有赫赫战功，于洪武二十五年（1392）封俞通渊为越巂侯，岁禄2500石，授予世券。同年，率军征讨建昌叛贼，并于越巂筑城防守。洪武二十六年（1393），因受牵连失去侯爵，被遣还回乡。

建文元年（1399），明惠帝重新恢复其爵位。燕王朱棣发动"靖难之役"叛乱后，俞通渊奉命随大军征讨燕王朱棣。在白沟河之战中，朝廷诸大将之兵皆溃败，俞通渊与都指挥瞿能父子也殁于阵，南军由是不振。俞通渊战殁，朝廷震悼，追封其为巂国公，谥襄烈。次子靖，承袭其爵位。靖难后，家人惧祸，不敢言替袭事，爵位被废除。

郭　奎[①]

郭奎（？—1365），字子章，巢县（今巢湖市）人。学者。早年从著名学者余阙游学，致力于研究经学，受到余阙的称赏。后投奔朱元璋，担任幕僚，慷慨有志节。

朱文正开大都督府于南昌，郭奎以儒士参与其军事。后朱文正获罪，郭奎因未能予以进谏被朱元璋诛杀。著有诗集《望云集》5卷。《四库全书总目》云："奎当干戈扰攘之际，仗剑从军，备尝险阻，苍凉凄楚，一发于诗。五言古体，原本汉、魏，颇得遗意；七言古体，时近李白；五言律体，纯为唐调；七言律体，稍杂宋音；绝句则在唐、宋之间，元末明初可云挺出。赵汸、宋濂皆为之序，推崇甚至，良不诬矣！"《诗谈》云："郭掾史子章兴洽情真，固是逸才，如'落日平淮树，春潮带皖城'，'东邻茅屋新烟起，南硐石桥春水生'，此例佳甚。"清末陈田在其

---

① 参见《明史》卷285《列传·文苑一》；郭奎：《望云集》卷2；陈田：《明诗纪事》第1册，甲签卷21；唐先田、陈友冰主编：《安徽文学史》第2卷，安徽文艺出版社2013年版。

辑撰的《明诗纪事》中加按语曰:"参谋诗天才挺拔,俊逸不凡,郁塞磊落之气,时露毫端。如《亡家》《富池江口夜泊》《南康除夜》诸篇甚赋《感士不遇》矣!"

郭奎所作《贻李道士》《金陵道中》等诗事涉合肥,其中《贻李道士》云:"茅山李道士,卖药巢湖上。头戴乌纱巾,手持青藜杖。双鬟童子相随行,向月壶中吹玉笙。紫芝采罢忽不见,又骑玄鹤登蓬瀛。"《金陵道中》云:"野迥望云孤,风尘暗海隅。乡心悬落日,旅食倦长途。梦断巢湖上,行临建业都。春归未可卜,独立向蘼芜。"诗作冲洗了秾弱的元诗之弊,代之以风骨质朴之风,对明初诗坛具有一定的影响。

廖永安　廖永忠[①]

廖永安(1320—1366),字彦敬,巢县(今巢湖市)人。朱元璋麾下将领。元朝末年,廖永安与其弟廖永忠及俞通海等人结寨自保。朱元璋起兵后,廖永安兄弟与俞通海等率领水师自巢湖前往归附。

元至正十五年(1355)五月,廖永安率众击破位于裕溪口的元中丞蛮子海牙水寨。元军驾驶楼船,不利进退,而廖永安等人熟悉水战,操舟若飞,再战,再破元兵。与此同时,廖永安等人开始商定渡江之策。不久,廖永安率众于长江口整装待发,永安举帆,请示进攻的方向,朱元璋下令直指牛渚。此时,恰逢西北风骤然大作,廖永安所部毫不费力,顷刻间便顺利抵达长江对岸。朱元璋指挥甲士鼓勇以登,大败驻扎于采石的元军,乘胜攻取太平。因军功卓著,廖永安被授予管军总管。后以水师破海牙水栅,擒获陈兆先,会同朱元璋主力

[①] 参见《明史》卷133《廖永安传》;《明太祖实录》卷20,丙午七月丁未;《明史》卷129《廖永忠传》;《明太祖实录》卷98,洪武八年(1375)三月甲申;《明太祖实录》卷161,洪武十七年夏四月癸巳。

一同攻克集庆,因功擢升建康翼统军元帅。以水师随朱元璋攻取镇江、常州,擢升同佥江南行枢密院事。会同俞通海攻打江阴,攻克石牌戍,俘获张士诚守将栾瑞。因功被擢为同知枢密院事。

至正十八年(1358),廖永安率水师破张士诚兵于常熟福山港,再破之于通州狼山,获其战舰以归。于是随大将徐达克复宜兴,乘胜深入太湖。遭遇吴将吕珍,与之激战。因援军不继,舟胶浅,被敌人俘获。张士诚爱其才勇,使尽浑身解数加以招降,终未屈服。至正二十四年(1364)十月,朱元璋念廖永安陷于强敌,守义不辱,遥授为开国辅运推诚宣力武臣、光禄大夫、柱国、江淮等处行中书省平章政事,封楚国公。廖永安被囚8年,至正二十六年(1366)卒于苏州狱中。洪武六年(1373)追谥武闵。洪武九年(1376),改封郧国公。廖永安无子,朱元璋授其从子廖升为指挥佥事。

廖永忠(1323—1375),廖永安弟。明朝开国名将。元朝末年,廖永忠与其兄廖永安及俞通海等人结寨自保。朱元璋起事后,廖永忠随兄永安率巢湖水师归附朱元璋。因年少,朱元璋问他道:"汝亦欲富贵乎?"廖永忠答道:"获事明主,扫除寇乱,垂名竹帛,是所愿耳。"受到朱元璋的嘉许和器重,被提拔为水师副将。后廖永忠辅佐其兄永安率领水师渡长江,拔采石、太平,擒陈野先,破蛮子海牙及陈兆先,定集庆,克镇江、常州、池州,讨江阴海寇,皆立有战功。

元至正十八年(1358),廖永安被张士诚俘获后,因永忠勇而善谋,朱元璋命其承袭兄职,担任枢密佥院,总领水师。在担任水师总领之后,廖永忠率领所部取得了一个接一个的胜利。他先是率军攻打天完红巾军赵普胜部栅江营,收复池州。当陈友谅进犯龙江时,廖永忠奉命担任先锋,大呼突阵,诸军从其后,将陈友谅部打得大败。后随朱元璋征伐陈友谅,至安庆,攻破陈友谅所部水寨,于是安庆被攻克。此后又随朱元璋征伐江州。江州州城临江,守备甚为牢固。为了顺利攻城,廖永忠命人测量城墙高度,造桥于船尾,名曰"天桥",以船乘风倒行,使桥附着于城,于是轻而易举地拿下了江州。因战功被擢升为中书省右丞。

在与陈友谅所部作战过程中,廖永忠十分英勇,特别是至正二十六年(1366)鄱阳湖一役中更显示了他的勇武。是役,敌将张定边直接进犯朱元璋所乘战船,被常遇春驱赶而逃。作为水师总领,廖永忠乘飞舸一边追赶一边射击,张定边身中百余箭,所部大败,死伤不计其数。第二天,廖永忠又与俞通海等人用7艘船只装载苇荻,乘风纵火,焚毁敌人楼船数百艘。随后,廖永忠又率6舟深入敌营中进行搏战,复旋绕而出,敌军惊呼,以为遇到了战神。陈友谅死后,廖永忠奉命征讨其子陈理。廖永忠领命后,分兵栅四门,于江中连舟为长寨,切断陈理出入通道,陈理内外无援,被迫投降。廖永忠班师回京后,朱元璋以漆牌书"功超群将,智迈雄师"八字赐之,悬于门。不久,廖永忠又随从大将军徐达攻打淮东地区。恰在此时,张士诚派遣水师进逼海安,朱元璋急令廖永忠回师水寨抵御张士诚所部的进攻。在廖永忠配合之下,徐达顺利攻克淮东诸郡。

至正二十七年(1367),廖永忠又随徐达征讨张士诚部,攻取德清,进克平江,被拜为中书平章政事。同年,朱元璋命廖永忠为征南副将军,率水师自海道与征南将军汤和会师,进讨盘踞于浙东沿海一带的方国珍。方国珍率部乘海船逃跑,同年十二月投降,浙东地区得以平定。廖永忠充征南副将军,随征南将军汤和自明州由水路南下直取福州,形成对福建水陆两路夹击之势。汤和、廖永忠率征南大军先后攻克福州、延平、漳州,福建平定。延平一役,陈友定自杀未果,被执送应天处死。

明朝建立后,洪武元年(1368)二月,明太祖朱元璋命廖永忠为征南将军,朱亮祖为副将军,率平闽之师由海道取广东。永忠先发书劝谕元左丞何真,晓以利害,何真随即奉表请降。明军至东莞,何真率所部官属出城迎之。明军至广州,元将卢左丞出降。随后,廖永忠又擒获海寇邵宗愚,数其残暴罪行并斩杀之,"广人大悦"。接着,廖永忠又驰谕九真、日南、珠崖、儋耳30余座城池,上述各地得令后皆望风而降,"纳印请吏"。广东得以平定。平定广东后,廖永忠等率明军继续西进,形成东西两路夹击广西之势。先后攻克梧州、浔州、滕州、柳州、南宁、雷州、湛江等地,同年七月攻克象州,至此广西得以平定。平定两广后,廖永忠在当地推行了一系列安抚休养生息政策,为当地社会经济的恢复和发展奠定了良好基础。为了表达对廖永忠的感恩和景仰,广东士民纷纷立祠祭祀之。在广州番禺南沙天后宫至今仍供奉着廖永忠的塑像。

洪武二年(1369)九月,廖永忠班师回京,朱元璋命太子率领百官迎劳于龙江。洪武三年(1370),廖永忠随从大将军徐达北征,攻克察罕脑儿第地。同年,朱元璋大封功臣,他对诸将说:"廖永忠在鄱阳湖大战时,忘躯拒敌,可谓奇男子。然而,他常派遣与他关系友善的儒生窥伺朕意,徼封爵,所以只能封侯而不能封公。"赐号"开国辅运推诚宣力武臣",阶荣禄大夫,勋柱国,封德庆侯,食禄1500石,授以铁券。在杨宪担任丞相时,廖永忠与之走得很近。杨宪因罪被诛,廖永忠终因战功卓著而得以幸免。

洪武四年(1371),朱元璋任命汤和为征西将军,廖永忠为征西副将军,率大军伐蜀。五月,明军至瞿塘关,关守甚固,永忠用奇计破之,于是率兵长驱,沿江州县望风款附。大军进至铜锣峡,盘踞四川的大夏国末代皇帝明升出降。廖永忠号令严明,严禁士兵侵掠百姓,永忠所部明军进入重庆地区,有一士卒强取当地百姓7个茄子,廖永忠立命斩之,以肃军纪。明升投降后,成都尚未攻下,成都城的守将之家多在重庆,永忠对每户都加以抚慰,成都之人听闻之后,皆感慕其威惠,于是纷纷出降。在汤和、廖永忠、傅友德等人经略之下,四川地区终于得到平定。在论平定四川之功时,朱元璋特制《平蜀文》旌表其功,其中有"傅一廖二"之语,褒奖甚厚。

洪武五年(1372),廖永忠率大军北征,至和林省哈敦孛剌等处,追袭元将王保保,不获而还。洪武六年(1373),廖永忠奉命督率水师出海捕倭,消灭了大批入侵东南沿海的倭寇,有力地保卫了明朝海疆。不久,返回京师。洪武八年(1375)三月,朱元璋以廖永忠私自穿着绣有龙凤图案衣服逾制为由将其赐死,终年53岁。其实这也只是一个借口，导致廖永忠丢失性命的真正原因是早在至正二十六年（1366），他奉朱元璋之命迎接身处滁州的小明王韩林儿回应天，至瓜步时，命人将船凿沉而淹杀了韩林儿这件事。正是因为他忠实执行了朱元璋谋杀韩林儿的任务，朱元璋为维护自己的声誉，才不得不找借口将其杀害。廖永忠成了替罪羊。

据《明史》记载，廖永忠有四个儿子：廖权，早年以功臣子充任散骑舍人。洪武九年（1376），随宋国公冯胜练兵西安。洪武十一年（1378），随御史大夫丁玉征讨松叠等州，克之。洪武十三年（1380），袭封其父爵位德庆侯。洪武十四年（1381），随颍川侯傅友德征讨云南。洪武十五年（1382），领兵守毕节，不久改守泸州。洪武十六年（1383）五月，被朱元璋召还。洪武十七年（1383），病逝。赐葬安德门外。

廖镛，为散骑舍人，累官至都督。明惠帝建文年间，与建文帝等一起商讨军中大事，宿卫殿廷。

廖铭，曾与兄廖镛受学于大儒方孝孺，方孝孺被明成祖朱棣杀害后，兄弟二人收其遗骸，埋葬于南京聚宝门外山上。刚刚收拾、埋葬好方孝孺的遗骸，兄弟二人即被官府发觉，被处死。

廖钺，廖铭弟，曾与从父指挥佥事廖升一同戍守边疆。

张德胜[①]

张德胜（1328—1360），字仁辅，合肥县人。朱元璋麾下将领。才略雄迈。元朝末年，张德胜召集千余人，以巢湖为据点进行活动。

元至正十五年（1355），张德胜与俞通海等人率领所部水师自巢湖归顺朱元璋。后来跟随朱元璋渡江，攻克采石、太平等地。在此过

---

① 参见《明史》卷133《张德胜传》；《明太祖实录》卷8，庚子闰五月庚申。

程中,元朝将领陈埜先来攻,张德胜与汤和等率众破擒之。被授予太平兴国翼管军总管。随后攻破元军蛮子海牙水寨,擒获陈埜先从子陈兆先。

至正十六年(1356),率大军攻克集庆、镇江,被授予秦淮翼元帅。至正十七年(1357),率所部攻取常州,擢升枢密院判。同年,攻克宁国,收复长枪兵;后攻下太湖,经略马迹山。至正十八年(1358),率所部攻取宜兴的马驮沙及石牌寨,升金枢密院事。天完农民军赵普胜部攻陷池州后,张德胜率军前往救援,未来得及,无功而返。后随朱元璋麾下大将徐达攻拔宜兴。赵普胜再次掠夺青阳、石埭,张德胜与之战于栅江口,破走之。后同俞通海击败赵普胜部众,收复池州。引兵自无为前往浮山,赵普胜将胡总管见势逃走,张德胜率众追击,败之于青山。

元末农民起义军陈友谅部将郭泰逆战沙河,张德胜率众破斩之,攻克潜山。陈友谅进犯龙江,张德胜统率水师迎战,杀伤相当。张德胜率领诸将英勇奋击,大败陈友谅军,又顺势与诸将追至慈湖,纵火焚毁陈友谅水师船只无数。后于采石之役中阵亡。朱元璋追封其为蔡国公,谥忠毅,塑像功臣庙,侑享太庙。

左君弼[①]

左君弼(生卒不详),庐州(治今合肥)人。南方红巾军将领。元至正十一年(1351)红巾军起义爆发后,他在庐州聚众数千人响应,追随白莲教主彭莹玉,成为彭莹玉的门徒。

至正十三年(1353)十月,彭莹玉牺牲于瑞州。十二月,元军占领

---

① 参见《明太祖实录》卷12、14、17、27;《皇明开国功臣录》卷32《左君弼传》;邱树森:《左君弼事迹考略》,南京大学历史系元史研究室:《元史及北方民族史研究集刊》1981年第5期。

天完政权的都城蕲水,南方红巾军陷于困境。受其影响,淮西各支起义军则处于群龙无首状态,出现了严重的分裂局面。至正十四年(1354),赵普胜退居黄墩,与李普胜等结水寨于巢湖。左君弼则独据庐州。双方分据南北,本无纠葛,但左君弼欲乘机并吞巢湖水师,于是引起兵戎相见,迫使巢湖水师南下,最后出现分裂。左君弼占据庐州时间长达十余年,成为农民起义军天完政权汴梁行省(行省治所设在庐州)的首领。

至正二十三年(1363)二月,张士诚遣其将昌珍进攻韩林儿、刘福通于安丰,左君弼助珍攻之,城陷,福通被杀。三月,朱元璋亲率徐达、常遇春出击安丰,败珍,救出韩林儿。左君弼又出兵助珍,被常遇春击败,退回庐州。徐达、常遇春围庐州凡三月,不破。因洪都战事紧急,徐达奉令还师援洪都,庐州解围。

至正二十四年(1364)四月,徐达等再次率兵攻庐州。左君弼听闻徐达率大军前来,担心不是其对手,逃往安丰,命令其手下大将张焕、殷从道等守卫庐州城。徐达等到达庐州后,督兵围攻。七月,徐达、常遇春攻克庐州。当时庐州被围困时间较久,众军士皆饥困不能应战,张焕与贾丑暗中与徐达通和言好,请徐达大军攻打东门,自己在城中接应。于是徐达大军急攻东门,城中诸军都赶往东门援救,张焕乘机断钓桥开西门出降。徐达大军进入庐州城,擒获其部将吴副使以及左君弼的母亲、妻儿,送往建康。

洪武元年(1368)二月,大将军徐达等率军至陈桥,左君弼、元将竹昌等率所部兵迎降。左君弼降明后,被任命为广西卫指挥佥事,曾率军镇压广西左江上思州黄英杰、黄英览起义,后长期驻守广西。

金朝兴[①]

金朝兴(1331—1382),巢县(今巢湖市)人,明朝开国将领。元朝末年,四方兵起,金朝兴积聚地方武装保卫乡里。

元至正十五年(1355),金朝兴率众归附朱元璋,后随朱元璋渡江,参与各处征伐,屡立战功。进攻常州城时,担任都先锋,后又收复宜兴。因战功被授以中军右翼左副元帅。至正二十四年(1364),随大军平定武昌,升任龙骧卫指挥同知。平定苏州后,改镇武卫指挥使。吴元年(1367),征讨闽浙有功,升任指挥使。洪武三年(1370),转任大同卫,升任大都督府佥事兼秦王左相。不久,解任都督府事,专任秦王傅。洪武四年(1371),随大军伐蜀。洪武七年(1374),率师至黑城,俘获元太尉卢伯颜、平章帖儿不花并省院等官25人。又随李文忠分领东道兵,攻取和林。金朝兴为人沉勇有智略,所到之处往往能以偏师取胜,本人虽不是大帅,而所立战功却能出诸将之上。洪武十一年(1378),随沐英西征,平羌戎,累著勋绩。

洪武十二年(1379),论功赐号开国辅运推诚宣力武臣,阶荣禄大夫,封宣德侯,食禄2000石,赐铁券,子孙世袭指挥使。洪武十五年(1382),随傅友德征讨云南,驻师临安,元右丞兀卜台、元帅完者都、土酋杨政等纷纷出降。金朝兴抚辑有方,受到当地军民的拥戴。进军至会川,卒,享年52岁。灵柩运回京师后,被赐葬于太平门外。

洪武十六年(1383),朱元璋追封其为沂国公,谥武毅。洪武十七年(1384),朝廷论平云南功,改赐其世侯券,增禄500石。嘉靖元年(1522),朝廷命立傅友德、梅思祖及金朝兴庙于云南,额曰"报功"。

金朝兴长子金镇,袭爵位。洪武二十三年(1390),朱元璋追坐金

---

① 参见《明史》卷131《金朝兴传》;《明太祖实录》卷146,洪武十五年秋七月。

朝兴为胡惟庸同党,金镇被降职为平坝卫指挥使。后因从征有功,进升都指挥使。其后世袭卫指挥使。

吴 复[①]

吴复(?—1383),字伯起,合肥县人,明朝开国将领。少时有勇略。元朝末年,四方兵起,吴复召集乡里子弟,对他们说:"如今世道大乱,各地兵起,所在皆被寇掠,我等岂能安然自处!我们应当与大家一道团结起来,设立营寨,这样才可以保卫乡里。"众人皆点头表示赞成。于是吴复团练乡民,编为部伍,自己担任千户,设立营寨以确保乡里的安全。

由于势单力薄,吴复等人深感不能自立。元至正十四年(1354),吴复自梁县率众前往濠州归顺朱元璋。随朱元璋攻克泗州、滁州,因战功被授以千户。继克和州。后随朱元璋渡江,攻克采石、太平,升任万户。又随朱元璋攻取溧水、溧阳。至正十六年(1356),吴复随军攻破元大将蛮子海牙水寨,攻占建康。后从徐达攻克镇江,斩元平章定定。继下丹阳、金坛。至正十七年(1357),攻克常州,升任统军元帅。至正十八年(1358),攻拔江阴,击破无锡阳山诸寨,后还守常州。张士诚所部兵骤然赶到,吴复所部猝不及防,力战,最终将其击败。吴复追奔至长兴,连败敌军于高桥、太湖及忠节门,张士诚锐气大挫。至正二十二年(1362),率军增援安丰,击败张士诚所部,移师攻克庐州。至正二十四年(1364),随朱元璋攻克武昌,受降陈理,后接连攻下汉、沔、荆州诸郡,被授以镇武卫指挥同知,驻守沔阳。至正二十五年(1365),随常遇春下襄阳、克安陆,擒元同金任亮,改任安陆卫指挥同知。后又连克汝州、鲁山。

[①] 参见《明史》卷130《吴复传》;《明太祖实录》卷157,洪武十六年冬十月。

洪武元年（1368），吴复率军攻打郧阳、均州、房州等地不肯归顺者，共击破78座山寨，因战功升任怀远将军、安陆卫指挥使。洪武三年（1370），随大将军徐达征讨陕西，击败扩廓帖木儿，擒获其手下大将。后又败扩廓帖木儿于秦州。同年，又率军征吐蕃，克河州；援汉中，拔南郑。洪武四年（1371），随傅友德平定四川。洪武五年（1372），随邓愈征讨九溪、辰州等地少数民族，攻克辰州48洞，还守安陆。洪武七年（1374），被授予镇国将军、大都督府都督佥事。后巡视北平，回到京师后被授予世袭指挥使。洪武十一年（1378），随沐英征讨吐蕃，擒三副使，得纳邻哈七站之地。洪武十二年（1379），师还，论功被封为开国辅运推诚宣力武臣、荣禄大夫、柱国、安陆侯，食禄2000石。洪武十四年（1381），随傅友德征讨云南，攻克普定，并在水西筑城；充总兵官，攻破诸路山寨及广西泗城州诸寨，前后杀获甚众。洪武十六年（1383），克墨定苗，至吉剌堡，构筑安庄、新城，平定七百房诸寨，斩获万计，转运军粮到盘江。同年十月，因金疮发作，病逝于普定。朱元璋敕令有司运回棺柩，赐葬于南京钟山之阴，追封其为黔国公，谥威毅，加俸禄500石，授予世券。

据史书记载，吴复英勇善战，"临阵奋发，冲犯矢石，体无完肤"。日常生活中，始终小心谨慎，矢口不言征伐事。在普定，买妾杨氏，年17。吴复死后，杨氏视殓完毕，沐浴更衣，上吊自杀。被封为贞烈淑人。

吴复子吴杰，袭爵安陆侯。早年经常出入山西、陕西、河南、北平等地，练兵从征。洪武二十八年（1395），吴杰犯有罪过，从征龙州，建功自赎。明惠帝建文年间，燕王朱棣起兵，为抵御北军，吴杰奉命率军增援真定，战于白沟河，因违反军纪被贬谪为南宁卫指挥使。永乐元年（1403），吴杰的儿子吴璟向朝廷乞求恢复爵位；正统年间，吴璟又向朝廷再三乞求恢复爵位，皆未获允准。弘治六年（1493），吴璟的孙子吴铎援引诏书向朝廷乞求恢复爵位，亦未获允准。弘治十八年（1505），朝廷允准吴复子孙世职千户。

杨　璟[①]

杨璟(1338—1382),合肥县人,明朝开国将领。本为儒家子。年少时,为人沉毅,读书不喜治章句,好武略。元朝末年,四方兵起,杨璟聚集里中少壮保卫乡里。

元至正十五年(1355),杨璟率众渡江,在太平府归附朱元璋,被授以管军万户,领兵随朱元璋攻取溧水、溧阳、句容等地。至正十六年(1356),随朱元璋攻占金陵,因战功升任管军总管。后多次随朱元璋四处征伐,屡立战功。下常州,进升亲军副都指挥使。下婺州,迁任枢密院判官。随左相国徐达征讨陈友谅,攻取江陵,杨璟因战功被任命为湖广行省参政,分镇荆州,抚辑军民,威望甚著。进军湖南,驻师三江口。又以招讨功改任行省平章政事。

洪武元年(1368),充征南将军,与左丞周德兴、参政张彬等率领武昌诸卫军一同征讨广西。三月,率大军进攻永州。永州守将邓祖胜战败,敛兵固守,杨璟率大军进围之。得知永州被围困的消息,附近州县的元兵急忙前来救援,驻扎于东乡一带,凭借湘水之险立下7座营寨,军势很盛。杨璟不为所动,率部击败对方援军,俘获千余人。全州守将平章阿思兰及周文贵再次率军增援,杨璟派遣周德兴率军击败之。同时,派遣千户王廷取宝庆,周德兴、张彬取全州,略定道州、蓝山、桂阳、武冈等州县。然而,永州久攻不下,杨璟一边命令裨将在州城各门分营扎寨,修筑堡垒加以围困,一边在西江上修造浮桥,派人急攻之。永州守将邓祖胜终因支撑不住,喝药自杀。百户夏升相约归降,杨璟率军进城,与参政张子贤所部展开巷战。后张子贤军溃被执,永州被攻克。

---

① 参见《明史》卷129《杨璟传》;《明太祖实录》卷147,洪武十五年八月乙巳。

与此同时,征南将军廖永忠、参政朱亮祖亦率大军自广东西进取梧州,定浔、贵、郁林诸州。朱亮祖率军前来与杨璟会师。进攻靖江不下,杨璟对诸将说:"敌人所依恃的只有西濠水,决其堤岸,必定破敌。"于是派遣指挥丘广攻叚口关,杀守堤兵,尽决濠水,绕城筑土堤五道。尽管如此,城中犹固守,杨璟派人急攻两个月,终于攻克,俘获元平章也儿吉尼。早先张彬攻州城南关,被守城者辱骂,震怒,想要屠城。杨璟得知,一入城,立刻下令禁止屠城,民心得以安定。后又移师进攻郴州,降两江土官黄英岑、伯颜等。

八月,班师回京。朱元璋又诏令其与偏将军汤和随大将军徐达征讨山西。十月,率兵援泽州,与元平章韩札儿所部战于韩店,失利。朱元璋敕书抚慰杨璟,说:"你率兵出泽潞与敌相拒,虽稍有失利,连累了大军,这也是兵家常事!然而太原之战,因为你牵住了敌人一部分力量而获得胜利,亦可谓是创造了奇迹啊。如今朕任命你为偏将军,居汤和之下,协力平胡,务在殄灭,不要因为这些小事而感到忧虑。"十二月,攻克太原,班师回朝。

洪武二年(1369),奉命出使夏国。当时夏主明升年幼,其母彭氏及诸大臣当权。杨璟来到夏国后,多次为明升分析祸福形势,劝他一同入朝觐见。明升召集其手下诸大臣一起商议,这些大臣一个个专横跋扈,都极力反对明升归顺朝廷,在此压力下,明升亦犹豫不能做出决断。杨璟回到京师后,朱元璋下令赏赐其文绮白金,加以慰劳。杨璟则再次以书信劝谕明升归降,意见未被采纳。过了两年,夏国被明军灭亡。

洪武三年(1370),慈利县土官覃垕联合当地少数族发动叛乱,朱元璋命杨璟率师征讨,取得节节胜利。处于颓势的覃垕佯装投降,杨璟派遣部卒前往招降,被覃垕所执。后明军屡攻覃垕盘踞的山寨,始终不能如愿,军粮也消耗殆尽,于是杨璟派人向朝廷请求增拨粮饷,朱元璋十分不悦,派钦差持着自己的手诏前往杨璟军营予以斥责。在受到朱元璋斥责后,杨璟加紧了对覃垕的围剿,亲自督战,下令军士猛攻,终于将叛军击退。同年,朱元璋大封功臣,封杨璟为营阳侯,食禄1500石,赐铁券,子孙世袭其爵禄,又赐文绮、帛各22匹。

洪武四年(1371),杨璟率军分道征讨四川,从赤甲山进兵,出白盐山,至夔府南岸,据南城,沿大溪口进,在与蜀兵交战时,失利。同年,随汤和征讨盘踞于四川的夏主明升,战于瞿塘,再次失利。平定四川后,由于杨璟没有立下战功,朱元璋对他未加赏赐。朱元璋对他的表现作了一个评价,说:"杨璟粗识文字,命你统军,屡屡失利。先于潞州丧师,及攻覃垕寨,久不能克。进攻瞿塘,又不能料敌虚实,深入重地,以陷士马,难与赏赐。"

洪武五年(1372),湖南辰州、沅州一带少数民族发生叛乱,朱元璋诏令杨璟为右副将军,随邓愈率兵征讨,平定了叛乱。七年(1374),奉命随大将军徐达镇守北平,不久奉诏返回京师。十三年(1380),奉命前往辽东训练士卒。同年,朱元璋赏赐杨璟第宅于中立府。十五年(1382)八月,杨璟病逝于家,朱元璋赐葬于钟山之阴,命令有关部门按照朝廷相关礼制治丧。下葬那一天,朱元璋与皇太子朱标及亲王皆派遣相关官员前往祭奠。朱元璋下诏追封其为芮国公,谥武信。

洪武二十三年(1390),朱元璋下诏书将杨璟定为胡惟庸同党,罪名是,杨璟因为瞿塘之役战败被朱元璋斥责,心怀不满,有异谋。

杨璟长子杨通,袭爵为营阳侯,洪武二十年(1387),奉命率领归降的鞑靼官军前往戍守云南,中途士兵多逃亡,其被降职为普安卫指挥使。次子杨达,为散骑舍人。

汪兴祖[①]

汪兴祖(?—1371),巢县(今巢湖市)人,军事将领。本汪姓,为

---

① 参见《明史》卷133《汪兴祖传》;《明太祖实录》卷64,洪武四年夏四月己丑。

张德胜养子,改从张姓。元末,随养父张德胜归附朱元璋。元至正二十年(1360),张德胜在龙湾之战中战死,朱元璋感念其忠诚,追封其蔡国公,但因其亲子张宣年幼,便命汪兴祖继承爵位,并继任枢密院佥事之职。

在代理张德胜军职后,汪兴祖随从朱元璋破安庆,克江州,拔蕲、黄两州,取南昌。至正二十二年(1362),随朱元璋增援安丰,大败张士诚。至正二十六年(1366),鄱阳湖之战中,与廖永忠等率6舟深入敌营进行搏战。后又邀击陈友谅于泾江口。论战功第一,擢升湖广行省参政。至正二十四年(1364),从朱元璋平定武昌,攻克庐州,略地至通州而还。晋升为大都督府佥事。后从徐达克海陵、高邮、淮安,取湖州,围姑苏,屡立战功,晋升为同知大都督府事。大军北征,汪兴祖统领卫军由徐州克沂州、青州、东平,乘胜至东阿,降元参政陈璧及所部5万余人。孔子五十六世孙衍圣公孔希学率曲阜知县孔希举、邹县主簿孟思谅等迎谒于军门,受到汪兴祖的礼遇。兖州以东各州县得知此事后,纷纷归顺明军,于是汪兴祖顺利攻取济宁、济南等地。

洪武元年(1368),汪兴祖以都督兼右率府使,攻乐安,克汴梁、河、洛,还守济宁。与大将军徐达会师德州后,北上攻克元大都。后攻下永平,西取大同。再败元兵,斩获无数。此时,张德胜的亲子张宣已经长大成人,被朱元璋任命为宣武卫指挥同知。而兴祖也恢复了自己的本姓——汪。洪武三年(1370),汪兴祖攻克武、朔两州,擒获元知院马广等。率兵至大同北口,大败元军,擒获元将扩廓帖木儿的弟弟金刚奴等400余人。不久,朱元璋任命其为晋王府武傅,兼山西行都督府佥事。其间,有人揭发他犯有罪过,朱元璋予以宽宥而不过问,派他前往平定四川以自效。

洪武四年(1371),汪兴祖从前将军傅友德合兵前往伐蜀。四月,兵至文州,距城30里,当地人毁断白龙江桥以阻明军,傅友德督兵修桥以渡河。至五里关,四川平章丁世真等聚集军士据险抵抗,都督同知汪兴祖跃马直前,被飞石击中,身亡。

四川平定后,朱元璋追封汪兴祖为东胜侯,赐予世券,并下诏优待奖赏汪兴祖子。此时,汪兴祖的儿子尚年幼,朱元璋命其与张宣同住。后汪兴祖子因病去世,爵位被废除。

濮英　濮玙[①]

濮英(？—1387),字子雄,庐州(治今合肥)人,军事将领。少年时以勇敢著称。最初凭借勇力担任百夫长,因累积战功担任西安卫都指挥。因治军无方,被朱元璋召还,受到质问并责备。朱元璋命叶升替换他,叶升则称赞濮英贤能,于是朱元璋又令他官复原职。

洪武十九年(1386),朱元璋命耿炳文在陕西挑选都司卫所军士备边,唯独濮英所训练的士卒称得上劲旅,因此濮英被提升为都督金事。洪武二十年(1387),朱元璋命令濮英率所部随大将军冯胜北征。抵达金山,招降纳哈出。于是明军准备班师返回,冯胜派濮英率奇兵3000人为殿军负责殿后。当时纳哈出虽然投降了明军,但是其麾下逃窜隐藏的余众尚有数十万人,听说明军班师,便谋划在途中实施伏击。濮英作为殿军,后至,不幸身中埋伏,因寡不敌众,突击未能成功,被俘。当时元军想要挟持濮英为人质,濮英则绝食不言,乘间隙引佩刀剖腹自尽。朱元璋听闻此事后,十分震惊并予以哀悼,特赠其为开国辅运推诚宣力武臣、柱国,追封为金山侯,谥忠襄。次年,进赠乐浪公。

濮玙(？—1393),濮英子。被朱元璋封为西凉侯,食禄2500石,赐予世券。洪武二十三年(1390),朱元璋命其练兵东昌,后又令其驻守临清,训练士卒。洪武二十五年(1392),濮玙被召还,后奉命同宋

[①] 参见《明史》卷133《濮英传》;《明太祖实录》卷182,洪武二十年闰六月庚申。

国公冯胜等检阅山西军队。

濮玙处理政事有其父风范,受到朱元璋的称赏。朱元璋命他整编山西民兵,濮玙所整编的州县最多,顺利完成了交办任务却不扰民。洪武二十六年(1393),因蓝玉党案连坐而死。

马　云[①]

马云(？—1387),合肥县人,军事将领。元末,与六安人叶旺同隶属于长枪军谢再兴,担任千户。谢再兴叛敌后,二人于元至正十六年(1356)归附朱元璋。多次从征,累积军功一并授予指挥佥事。洪武四年(1371),偕同镇守辽东。

当初,元主北逃,元辽阳行省参政刘益屯据盖州,与平章高家奴互为声援,保卫金、复等州。明太祖朱元璋派断事黄俦诏谕刘益。刘益登记并带着所属兵马、钱粮和土地之数前来归附朱元璋。于是朱元璋设立辽阳指挥使司,任命刘益为指挥同知。不久,元平章洪保保、马彦翚合计谋杀刘益。右丞张良佐、左丞商暠擒获马彦翚并杀了他,洪保保挟持黄俦逃到纳哈出军营。张良佐因负责卫事,书写状子上报,说:"辽东僻远,地处大海一隅,左右四周都是敌人的地盘。平章高家奴镇守辽阳山寨,知院哈剌章屯驻沈阳古城,开元则有右丞也先不花,金山则为太尉纳哈出,彼此相互依存,时常共谋入侵。如今洪保保已逃往他们那里,他们必定会乘机进攻,请求留下断事吴立镇抚军民,而把俘虏的平章八丹、知院僧孺等人押送到京师。"明太祖朱元璋任命吴立、张良佐、商暠为盖州卫指挥佥事。念及辽阳为军事重地,又设立都指挥使司统辖诸卫,任命叶旺、马云为都指挥使,前往镇守。太祖得知黄俦被杀,纳哈出将要进犯,命令叶旺等人准备防御。

---

① 参见《明史》卷134《马云传》。

不久，纳哈出果然率领大军前来，见防御严密，不敢攻打，绕过盖州到达金州。此时金州城防御设施还没完工，指挥韦富、王胜等督率士兵分守诸门。敌军骁将乃剌吾率精骑数百在城下挑战，身中伏弩倒地，被明军擒获，敌人大为沮丧。韦富等人纵兵攻打，敌人败退，不敢沿着来的道路退走，从盖州城南十里沿着柞河逃走。叶旺早就派兵扼守柞河。自连云岛到窟驼寨十余里，沿河垒起冰块为墙，浇上水，晚上冻结，像城墙一样坚固。在沙中布下钉板，旁边设下陷阱，埋伏军队等候敌人。马云和指挥周鹗、吴立等人在城中树起大旗，按兵不动，安静得像没人一般。待敌人到达城南，伏兵四起，两山旌旗蔽空，矢石如雨点般地射下。纳哈出仓皇逃往连云岛，遇上冰城，从旁边走，全部掉入陷阱，于是溃败。马云从城中出击，联合其他部队追击至将军山、毕栗河，敌军被斩、被俘和冻死的不计其数，并乘胜追击至猪儿峪。仅纳哈出免于一死。洪武八年（1375）评定战功，叶旺、马云晋升为都督佥事。

洪武十二年（1379），朝廷命令马云征讨大宁。捷报传来，受到奖赏，被召回京。数年后去世。叶旺和马云镇守辽东，披荆斩棘，建立军府，安抚团结军民，开垦田地万余顷，成为永久之利。嘉靖初年，因二人在辽东有功，朝廷命令有关部门设立祠庙，春秋祭祀。

赵　庸[①]

赵庸（？—1390），庐州（治今合肥）人，军事将领。元朝末年，四方兵起，赵庸与兄赵仲中聚众结水寨，屯兵巢湖，以自保。元至正十四年（1354），投归朱元璋。

赵庸之兄赵仲中因战功升任行枢密院佥事，驻守安庆。陈友谅

---

① 参见《明史》卷129《赵庸传》。

攻陷安庆，仲中弃城逃回龙江，按照军法当诛。常遇春为他说情，请求朱元璋原谅他。朱元璋未答应，说："法不行，无以惩后。"于是按照军法诛杀了赵仲中，并将赵仲中所任官职授予了赵庸。后赵庸随朱元璋收复安庆，进攻江西诸路，因战功升任参知政事。鄱阳湖战役中，赵庸随从朱元璋战于康郎山，与俞通海、廖永忠等人乘6艘战船深入敌阵，大败敌军。后来平定武昌，攻克庐州，增援安丰，赵庸皆立下赫赫战功。大军征淮东，赵庸与华高率舟师克海安、泰州，围平江。平定张士诚后，擢升为中书左丞。至正二十七年（1367），赵庸从大将军徐达北伐，取山东。

洪武元年（1368），受命兼任太子副詹事。平定河南后，朱元璋命令赵庸留守当地。复分兵渡黄河，攻下河北诸州县，进克河间，并驻守当地。不久奉命移守保定，并收复当地未归顺的山寨。又从大军克太原，下关陕。从常遇春向北追逐元顺帝。大军返回后，常遇春卒，朱元璋命赵庸为副将军，同李文忠攻打庆阳。行至太原时，得知元兵攻大同急，李文忠与赵庸共同谋划，便宜行事，增援大同，再败元兵于马邑，擒获其将领脱列伯。论功行赏，赵庸仅次于大将军徐达。洪武三年（1370），复从李文忠北伐，出野狐岭，克应昌。师还，论功行赏，赵庸获得首功，但由于他在应昌私纳奴婢，按照军法不得封公，朱元璋封其为南雄侯，食禄1500石，赐予世券。不久，赵庸又奉命从傅友德平定四川，中途返回。

洪武十四年（1381），闽、粤一带发生农民起义，朱元璋命令赵庸率军征讨。次年（1382），平定当地农民起义及阳山、归善等处发生的少数民族叛乱，擒杀其为首者，遣散余众，使人民得以重新恢复生产。赵庸还上奏朝廷，请将当地"蜑户"万余人编为水军。后又平定广东铲平王起义，俘获17800余人，降其民13000余户。班师回京后，朱元璋赏赐其彩帛、上尊、良马，以示慰劳。同年冬，出理山西军务，巡抚北边。洪武二十年（1387），赵庸以左参将从傅友德征讨元将纳哈出。

洪武二十三年（1390），赵庸以左副将军从燕王朱棣出古北口，降元将乃儿不花。回到京师后,因胡惟庸案受牵连而被杀。南雄侯爵位被废除。

叶 升①

叶升(？—1392),合肥县人,军事将领。元末农民起义军首领左君弼占据庐州,叶升前往归附,后官至庐州佐将。

朱元璋手下大将徐达攻占庐州时,叶升率众归降。以右翼元帅从征江州,以指挥佥事从取苏州,以府军卫指挥使从定明州。洪武三年(1370),论功,任大都督府佥事。洪武四年(1371),从征西将军汤和率舟师前往平定四川。洪武六年(1373),任都指挥使,镇守西安,讨平庆阳起义。洪武十二年(1379),复任大都督府佥事。"西番叛",叶升与都督王弼率军征讨,收降乞失迦,平定其部落。又讨平延安伯颜帖木儿,擒获洮州少数民族起义首领。论功,封靖宁侯,岁禄2000石,世袭指挥使。洪武十五年(1382),奉命镇守辽东,修筑海州、盖州和复州等三城。在镇六年,重视加强边防,边备修举,外敌不敢侵犯。

洪武二十年(1387),朱元璋命叶升会同普定侯陈桓统领大军于云南定边、姚安等地立营屯田,经理毕节卫。洪武二十一年(1388),东川、龙海等地少数民族爆发动乱,叶升以参将随从沐英讨平之。不久,湖广安福所千户夏德忠引诱九溪少数民族作乱,叶升会同胡海等率军征讨。明军暗中绕到对方阵后偷袭,较为顺利地擒获了夏德忠。局势平定后,朝廷在当地设立永定、九溪两卫,叶升也因此留屯襄阳。后来赣州"山贼"联络湖广少数民族发动起义,叶升担任副将军,会同胡海等讨平之,俘获17000人。

叶升大大小小一共三次参与平定少数民族起义。后奉命练兵甘

---

① 参见《明史》卷131《叶升传》。

肃、河南。洪武二十五年（1392）八月，叶升因勾结丞相胡惟庸谋反一事被人告发，被朱元璋诛杀。蓝玉党案发生后，由于凉国公蓝玉与叶升是姻亲关系，叶升受到牵连。因为叶升与胡惟庸、蓝玉二人皆有某种关联和瓜葛，所以胡、蓝党案发生后，他便被列名于胡、蓝两党案之中。

徐忠　徐锜[①]

徐忠（？—1413），合肥县人，军事将领。其父徐用，洪武年间为河南卫副千户。徐忠袭父职河南卫副千户，后因战功升任济阳卫指挥佥事。

洪武末年，镇守开平。燕王朱棣起兵后，燕兵破居庸、怀来，徐忠以开平归降。南军主帅李景隆攻打北平，燕师自大宁还救。至会州，设置五路大军迎战。其中，张玉统领中军，朱能统领左军，李彬统领右军，房宽统领后军。由于徐忠一贯以骁勇著称，朱棣令他统领前军。徐忠等众将领协同作战，取得大胜，击败南军陈晖所部于白河，击破李景隆所部于郑村坝。白沟河之战中，徐忠单骑冲入敌阵，一只手指被流矢所中，来不及拔去箭头，一边急忙抽刀砍断指，一边拖着受伤的身体，殊死搏战。朱棣乘马看见了这一情景，对身边的人说："真壮士也！"

后徐忠率军进攻济南，克沧州，大战东昌、夹河；攻彰德，破西水寨，克东阿、东平、汶上，大战灵璧，奋勇敌忾，为诸将先。最后随朱棣渡江攻入京师。因战功，徐忠自指挥同知累升至前军右都督，最后被封为永康侯，禄1100石，赐世券。

---

① 参见《明史》卷146《徐忠传》；《明太宗实录》卷142，永乐十一年八月戊午；《明宪宗实录》卷222，成化十七年十二月癸卯；《明孝宗实录》卷185，弘治十五年三月甲午。

徐忠治军甚为严厉,所到之处,手下士卒对百姓不敢有丝毫干扰;善于安抚归降归附之人,能得到他们心悦诚服的追随;家居有孝行,事继母以孝闻,虽深夜回家,必定要先前往家庙拜揖后才进家门;平时不妄言笑,虽为贵富之人,却始终能以勤俭自持。明成祖朱棣北巡,因为徐忠老成,留其辅佐太子监国。永乐十一年(1413)八月,病逝,成祖朱棣及皇太子皆派遣使者前往祭奠。后被追封为蔡国公,谥忠烈。

徐忠子徐安,永乐十四年(1416)承袭爵位,为永康侯。成化十七年(1481)十二月,卒。子昌早卒,孙锜袭爵。

徐锜,徐安孙。成化十八年(1481),袭祖安爵。弘治三年(1490),管五军营右哨,兼管红盔将军带刀侍卫。弘治十一年(1498),管围子手大汉将军侍卫。弘治十三年(1500),挂印充总兵官,镇守湖广。弘治十四年(1501),平靖州、武岗等处少数民族,徐锜立有战功,受到玺书奖励及白金文绮之赏赐。后得疾,卒。子溥,袭爵。

徐忠的永康侯爵位共历九代,至明亡而绝。其九世孙徐锡胤袭侯爵,死后无子,从弟锡登,于崇祯年间袭爵。崇祯十七年(1644),京师沦陷,徐锡登被农民起义军杀死。

郑　亨[①]

郑亨(1356—1434),合肥县人,军事将领。其父郑用,洪武初隶籍行伍,累积战功,升任大兴左卫副千户。后因年老多病请辞,朱元

---

① 参见《明史》卷146《郑亨传》;《明太宗实录》卷67,永乐五年五月壬申;《明宣宗实录》卷108,宣德九年二月乙丑;《明英宗实录》卷91,正统七年四月乙未;《明宪宗实录》卷162,成化十三年二月癸未。

璋令其子郑亨袭职。洪武二十五年（1392），朝廷招募官员出使漠北，宣谕鞑靼，郑亨应募而往，到达斡难河。返回后，任密云卫指挥佥事。

建文元年（1399），燕王朱棣起兵靖难，郑亨率部归降。在真定之战中，郑亨先登破敌，晋升指挥使。十月，朱棣率师攻打大宁，兵至刘家口，诸将领准备强行攻关，朱棣担心守关的士卒前往大宁报告消息，使大宁有所防备，于是命令郑亨率劲骑数百，卷好战旗登山，悄悄地绕到关后，以切断敌人的后路。郑亨奉命率部急攻，并成功地将关上守军全部绑缚起来，使得燕军顺利到达大宁。郑亨因功晋升北平都指挥佥事。此后，郑亨又趁黑夜率众大战郑村坝，西破紫荆关，攻掠广昌，夺取蔚州，直抵大同，屡立战功。

建文二年（1400），郑亨参加白沟河之战，追击南军到济南，因功升任都指挥同知。攻打沧州时，郑亨驻军于城北门，扼守通往东昌的饷道。后来，燕军兵败东昌，郑亨招揽失散的士卒，返回深州。

建文三年（1401），郑亨随朱棣进攻夹河、藁城、彰德，并在黄河边上炫耀军威，然后回军完县，升任中军都督佥事。

建文四年（1402），燕军攻破东平、汶上，结果在小河兵败，大将王真战死。当时，众将都欲北还，只有郑亨与朱能主张继续进军。六月，朱棣攻入南京，不久称帝，是为明成祖。九月，明成祖定靖难功臣次序，郑亨名列第五位，升任中军都督府左都督，加封奉天靖难推诚宣力武臣，特进荣禄大夫、柱国、武安侯，食禄1500石，获赐铁券，并留守北平。

永乐元年（1403），郑亨充任总兵官，率武成侯王聪、安平侯李远镇守宣府。郑亨来到边镇，根据宣府、万全、怀来一带地形，在相邻的几个城堡中，选择一个规模较大可以容纳多个城堡士卒和战马的城堡，修高城、挖深池，浚井蓄水，以加强防守，让他们在遇到敌人来犯时，夜晚举火，白昼鸣炮，使得其他城堡能够及时防备。郑亨对于边镇防卫工事的规划十分周详。

永乐三年（1405）二月，郑亨被召回京师，不久又被派往边镇。永乐七年（1409）秋，郑亨又奉命改镇开平。

永乐八年(1410)，明成祖朱棣北征蒙古，命郑亨督护运输兵饷。明军出塞，郑亨率领五军中的右哨，追逐并击败本雅失里。后明朝大军与阿鲁台相遇，郑亨率众捷足先登，大破之。论功行赏，郑亨为诸将之冠。同年冬，郑亨回镇宣府。

永乐十二年(1414)，郑亨再次随成祖北征，并率领中军。忽失温之战时，郑亨追敌中箭，被迫后撤，后又与大军会合击破敌军。

永乐二十年(1422)，郑亨再次从成祖北征，统领五军中的左哨，率士卒万余人，修治龙门通道，在屈裂河击败兀良哈。明军班师时，郑亨护送辎重部队返回，并击破追兵。后仍旧镇守开平。成祖朱棣前后共5次出塞北征，郑亨每次都奉命随行。在永乐朝，郑亨奉命常年总兵镇守边镇，境内秩序晏然。

洪熙元年(1425)二月，明仁宗命郑亨佩征西将军印，仍出镇大同，赏赐甚为丰厚。在镇守大同期间，郑亨垦田积谷，边备完固，解决大同边患。

宣德元年(1426)，明宣宗将郑亨召回京师，命他掌管北京行后军都督府事。不久，郑亨奉命再次镇守大同，并为宣府运送军粮。此后，他还招降北方部族首领49人，请求朝廷用丰厚的待遇安抚他们，使得来归附者络绎不绝。

宣德九年(1434)二月，郑亨病逝于大同任上，终年79岁。追赠漳国公，赐谥忠毅。

郑亨为人严肃重厚，执守甚固，善于安抚士卒，耻于聚敛民财。出镇大同时，镇守太监干扰军政，被郑亨依法制裁，其人很不高兴，但在郑亨去世后，却深表哀悼痛惜之情。郑亨去世后，妾张氏自经殉死，被追赠为淑人。

郑能，郑亨子。宣德十年(1435)，袭父亨爵，于五军营督操。正统七年(1442)四月卒。子郑宏，正统十一年(1446)，袭父能爵，为武安侯，奉命出守辽东，不久又奉命掌管南京后府事，兼总理巡江兵。成化十三年(1477)二月卒。子郑英，袭爵。郑亨一脉的武安侯爵位，一直传至明亡。

郭 亮[①]

郭亮（？—1423），合肥县人。其父郭聚，为南宁卫百户。郭亮袭父职，后调天策卫，因征讨大宁及哈剌莽来有功，升永平卫千户。建文元年（1399），燕王朱棣起兵靖难，燕兵至永平，郭亮与指挥赵彝率部归降，朱棣命其仍守永平。

当时燕王刚刚起兵，注意力集中在先略定北平附近的州县。攻克居庸、怀来之后，山后诸州皆被顺利攻下。而永平地接山海关，是抵御辽东明军的战略屏障。郭亮率部归降，使北平更加安全，毫无后顾之忧，也使得燕王朱棣专心致力于真定之战，击败南军主帅耿炳文所部。不久，辽东镇将江阴侯吴高、都督杨文等围攻永平，郭亮拒守甚固。等到增援部队赶至，内外合击，吴高所部被迫撤退。未过多久，吴高中谗言被罢除军职，杨文代为统领，再次率众攻打永平。郭亮与刘江所部合击，大败之。因军功晋升左军都督同知。永乐元年（1403），朱棣即位，以守城功封郭亮为成安侯，食禄1200石，世袭伯爵。永乐七年（1409），郭亮镇守开平，以言行不检闻名。永乐二十一年（1423）三月，卒。赠兴国公，谥忠壮。妾韩氏，自经殉死，被追赠为淑人。

郭亮子郭晟，按理当承袭伯爵位，明仁宗特命袭侯爵位。宣德五年（1430），因护驾先归被革除爵位，不久又恢复其爵位。郭晟无子，弟郭昂承袭伯爵位，传爵一直至明亡。

---

① 参见《明史》卷146《郭亮传》；《明太宗实录》卷257，永乐二十一年三月庚寅；《明孝宗实录》卷69，弘治五年十一月丙子。

陈瑄　陈豫　陈锐　陈熊　陈圭　陈王谟[①]

陈瑄（1365—1433），字彦纯，合肥县人，官员。其父陈闻，以义兵千户归顺朱元璋，积功升官为都指挥同知。陈瑄自年少时即机警有智略，精通骑射。在大将军徐达幕府时，以射雁见称。起初，其父陈闻在成都为官，陈瑄随其左右，以舍人参谋侍奉大将，显露才干，受到重用。

后来其父陈闻因事获罪，被罚戍守辽阳，陈瑄向朱元璋陈情请求代父受罚，朱元璋下诏宽宥其父子二人。后陈瑄袭父职，为成都右卫指挥同知。洪武年间，陈瑄屡次从征西南。他率军征讨越巂，讨伐建昌起义军首领月鲁帖木儿，翻越梁山，平定天星寨。又征讨盐井，进攻卜木瓦寨起义军。陈瑄统领中军，对方势焰十分嚣张，将明军重重围住。陈瑄下马射敌，足部受伤，包扎伤口后继续应战，自巳时一直战斗至酉时，大胜而还。又从征少数民族首领贾哈剌，陈瑄奉命率奇兵横渡打冲河，他们沿着偏僻的小路，在河中制作浮桥，成功将军队摆渡过了河。军队过河后，陈瑄下令撤除浮桥，向士卒宣示决不后退的决心，连战破敌，并擒获敌人首领，押送京师。后又会同云南地方军队征讨当地少数民族，立下战功，升任四川行都司都指挥同知。

明惠帝建文年间，陈瑄升任右军都督佥事。燕王朱棣起兵后，建文帝命令陈瑄统领水师负责江上防御。建文四年（1402），朱棣率军南下至江北浦口，陈瑄率水师迎降并帮助燕兵顺利渡江。朱棣即位后，授陈瑄奉天翊运宣力武臣，特进荣禄大夫、柱国，封平江伯，食禄1000石，赐予诰券，世袭指挥使，并赐予白金、钞币，追封其三世。

---

① 参见《明史》卷153《陈瑄传》；《明宣宗实录》卷106，宣德八年十月丙寅；《明孝宗实录》卷194，弘治十五年十二月甲寅；《明武宗实录》卷82，正德六年十二月庚子。

永乐年间，陈瑄的主要使命是督办漕运事宜。永乐元年（1403），明成祖朱棣命陈瑄担任总兵官，总督海运，共运粮49万余石前往北京及辽东，作为军饷。并在直沽建百万仓，在天津卫筑城。在此以前，负责运送漕粮的船只通过海上进行运输，沿途中一些海岛上的居民畏惧漕运士卒，大多躲避逃窜。针对这种情形，陈瑄对岛民予以招抚，并创造条件进行公平贸易。永乐四年（1406），漕船返回途中，所部在沙门岛遭遇倭寇，陈瑄奋起追击，至金州白山岛，将倭寇船只焚毁殆尽。

永乐九年（1411），明成祖朱棣命陈瑄与丰城侯李彬统领浙、闽军队缉捕海寇。自海门至盐城一带的海堤共有130里长，因为海水溢灌，遭到毁坏，朱棣命令陈瑄率40万大军前往修筑治理，筑成捍潮堤18000余丈。永乐十年（1412），陈瑄再次负责统领海运事宜，他向明成祖朱棣进言："嘉定县濒海地方，是江流冲会之所。海船停泊于此，没有高山大陵可作依凭。请在青浦筑造方百丈、高三十余丈的土山，并在山上设立瞭望敌情的土堡作为标记。"土山筑成后，明成祖赐名曰"宝山"，并亲自撰文记之。

永乐十一年（1413），陈瑄修筑通州捍海堤。当时朝议认为海运艰险，安全没有保障，为了确保漕粮安全及时地运到北京等地，陈瑄建议疏浚会通河使其通往北京。会通河疏通后，朝廷废除海运，仍以陈瑄督办漕运事宜。当时，江南漕船抵达淮安后，一律要通过陆路运输才能顺利过坝，经过淮河到达清河，劳民伤财，花费巨大。永乐十三年（1415），陈瑄采纳故老建言，自淮安城西管家湖，凿渠20里，为清江浦，引导湖水进入清河，修筑四道水闸，以时宣泄，免除了运输船只过闸坝及风涛之患。又沿着管家湖筑堤10余里，既有助于蓄水益河，又方便引舟，从此漕船直达于淮河，省去了巨额花费。

此后，又疏浚仪真瓜洲坝下渠；凿除吕梁、徐州洪旁乱石；修筑沛县刁阳湖、济宁南旺湖长堤，沿河多设置水闸，以时闭泄；开凿泰州白塔河以通长江；修筑高邮湖堤，于堤内凿渠四十里，以避风涛之险。又自淮安至临清，根据水势设置水闸47座，造常盈仓四十区于清江浦河上,及徐州、临清、通州等地皆设置粮仓,方便转输。考虑到漕船搁浅,自淮安至通州设置房舍568座,舍中设置士卒,以引导漕船避开浅滩。又沿着河堤开凿水井,栽植树木,以方便行人。凡其经营规划,精密宏远,具有条理。陈瑄经理漕河30年,多有建树,所提方略无一失算。

明仁宗即位之年九月,即永乐二十二年(1422)九月,陈瑄上奏疏陈说治理国家、便利人民七事:

一曰南京为国家根本,恳请严加守备。

二曰推举官员应多加核实,不可只讲求资格,选派公道正直的朝中大臣分巡天下。

三曰天下岁运粮饷,湖广、江西、浙江及苏州、松江诸府距离北京路远,往还超过一年的时间,对上拖欠国家租税,对下妨碍农业生产。恳请令其转运至淮安、徐州等处,再令官军接运至京师。此外,快船、马船所载漕粮不过五六十石,每只船上的官军人手足够使用,有关部门额外增添军民递送,征集军民听候差遣,以至于有饥寒交迫之人,请求革除。

四曰担任教职者多是一些不合适的人,恳请将考试不称职者黜罢,挑选俊秀之子弟补为生员,而军中子弟亦让他们进入学校学习。

五曰军队有逃亡之人,恳请核查其中年老多病者,让他们的子弟顶替,逃亡者予以追回补充,户绝者予以查验废除。

六曰开平等处是边防要地,军粮空虚缺乏,恳请选练精锐士卒从事屯田与守卫任务。

七曰漕运官军,每岁北上,归来后即要修理船只,勤苦终年。所在卫所又于其稍有空闲之时,摊派杂役以加重他们的困苦,恳请予以彻底禁止。

仁宗批阅奏疏后十分感动,说:"陈瑄所言皆甚为恰当。"下令所司迅速予以执行。并降敕奖谕,赐钞币,令子孙世袭伯爵。

明宣宗即位后,命令陈瑄驻守淮安,继续统领漕运事宜。宣德四年(1429),陈瑄向宣宗进言:"济宁以北,自长沟至枣林一带河道淤塞,共计需用十二万人疏浚,半个月可以完成任务。"宣宗惦念陈瑄久为劳顿,命令尚书黄福前往一同经理。宣德六年(1431),陈瑄向宣宗进言:"每岁运输漕粮要用军士十二万人,这些人频年劳苦。恳请于苏州、松江诸郡及江西、浙江、湖广另外挑选民丁,又于士卒人数多的卫所挑选军士,合计二十四万人,轮流运输。此外,江南之民,运粮赶赴临清、淮安、徐州,往返一年,耽误农业生产,而湖广、江西、浙江及苏州、松江、安庆等地军士,每岁以空舟赶赴淮安载粮。如果让江南之民拨粮给附近卫所,由官军运载至京师,适当补贴给官军耗米及途中费用,则军民双方都甚为便利。"对于陈瑄的建议,宣宗命令尚书黄福及侍郎王佐商讨并加以执行。有明一代改民运为兑运,就是从这时开始的。

宣德八年(1433),陈瑄生病,宣宗赏赐宽慰之,并派遣名医前往医治。陈瑄自知病重不能痊愈,封好所受制命及漕运印。十月,陈瑄病逝,终年69岁。噩耗传来,宣宗哀伤惋惜,心情十分悲痛,停止视朝一日,并派使者前往祭奠,命有关部门办理丧葬事宜。追封其为平江侯,赠太保,谥恭襄。

陈豫(? —1463),字立卿,陈瑄孙。袭爵平江侯。生平喜爱读书,行事谨慎,恪守礼法。明英宗正统末年,福建沙县发生农民起义,陈豫担任副总兵,随宁阳侯陈懋分道讨平之,因战功晋封平江侯。

蒙古瓦刺部首领也先侵犯内地,陈豫奉命出镇临清,修建城堡,训练士卒,安抚百姓,边境安宁不扰。第二年,明英宗准备将陈豫召回,临清当地父老得知后,前往京城请愿恳求将他继续留任,得到了明英宗的允准。代宗景泰五年(1454),山东发生饥荒,陈豫奉诏前往赈济抚恤。不久,奉命守备南京。英宗天顺元年(1457),陈豫被朝廷召回,从这一年开始,每年增加其俸禄米百石。天顺七年(1463)去世。追赠黟国公,谥庄敏。

陈锐(? —1503),陈豫子。天顺八年(1464),袭爵平江伯,命其坐营管操兼领兵侍卫。成化初年,陈锐奉命掌管三千营及团营。

成化六年(1470),陈锐奉命镇守两广,担任总兵官,因捕杀擒获少数民族立下战功,宪宗特颁诏书以示褒奖。成化八年(1472),改任镇守淮安、扬州等处总兵官兼督办漕运,修筑大通桥抵张家湾一带河闸及邵伯、高邮等湖堤岸,漕粮运输得以畅通。陈锐督办漕运14年,上奏章数十份。镇守淮安、扬州期间,陈锐多行善举。日本贡使买民男女数人准备带回本国,取道淮安,陈锐截留不让得逞,用钱赎买并将他们遣返回家。淮安、扬州发生饥荒和疫情,陈锐派人煮粥施药进行赈济,救助多人。

弘治改元(1488),明孝宗命陈锐提督京营操练军士,兼掌管左军都督府。弘治七年(1494),孝宗加其太子太保衔,命其治理安平镇决口河段。弘治八年(1495),治河工程竣工,进封太保兼太子太傅,每岁增加食禄百两并赏赐其白金文绮。弘治十一年(1498),加太傅,兼职如故。

弘治十三年(1501),蒙古鞑靼部首领火筛入寇大同,孝宗命其挂印充总兵官,统领京营官军前往征讨。抵达大同后,陈锐拥兵自守,久无战功,被给事中御史所弹劾,孝宗扣发其禄俸,让其在家闲住。在出征那一天,孝宗在朝为陈锐颁赐军印,陈锐忽然仆倒在御阶上,有人认为这是他出师不利的先兆。弘治十五年(1503)十二月,陈锐去世。子陈熊,向孝宗请求予以祭葬。下所司再议,部分朝臣认为陈锐与那些在位官僚不能相比,孝宗不为所动,特命停止临朝听政一日,按照惯例赐予祭葬。

陈锐身为一介武将,却爱读儒家书籍,喜好吟咏,早年就小有名声,受到当时许多武臣的称许看重。与此同时,陈锐也有一个致命的弱点,那就是他身为武将,却不精通为将之道。

陈熊(?—1512),字继昌,陈锐子。袭爵平江伯,坐营管操兼领禁兵侍卫,不久佥书后军都督府事。正德三年(1508),陈熊奉命总督漕运,镇守淮安。

在淮安期间，陈熊作威作福，贪污纳贿，当地人民深受其害。正德四年（1509），陈熊回到京城，大太监刘瑾察知其在淮安期间的恶行，向他勒索金钱，陈熊未予理睬，遭到刘瑾的忌恨。刘瑾罗织罪状，将其逮下诏狱，谪戍海南卫。刘瑾失势后，武宗下诏恢复陈熊的爵位。正德六年（1512）十二月，去世，无子，赐祭葬。

陈圭（1509—1554），字世秉，陈锐从兄弟的儿子。袭爵平江伯，统领宫中警卫，掌管京营，金书中军府，因举荐出镇两广。封川县发生农民起义，陈圭督领诸将前往征讨，擒获其首领，俘获斩杀数千人，因战功被加封太子太保。后又率军平定柳庆及贺连山一带的农民起义，被加封太保，荫一子。

安南范子仪等侵犯钦、廉两州，黎岐少数民族侵犯琼崖，相互形成掎角之势。陈圭移文安南，晓以利害，让他们主动约束范子仪，与此同时，自己则迅速出兵攻打黎岐，将其击败。论功，复荫一子，加岁禄40石。陈圭能与士卒同甘共苦，得知敌人所在，则擐甲先登。即使遇到深箐绝壑、冲冒瘴毒，也不回避，因而能够所向披靡。在广东将近十年，平定叛乱、歼灭叛军不可胜数。后被召回京，掌管后军都督府。陈圭的妻子仇氏，为咸宁侯仇鸾的妹妹。然而，陈圭与仇鸾关系不和，陈圭十分嫉恨仇鸾，仇鸾也多次在明世宗面前说陈圭的坏话，使陈圭几乎因此而获罪。仇鸾失势后，世宗皇帝更加重用陈圭，命他统领京营兵。北方少数民族入侵紫荆关，陈圭主动请求出战，扎营于卢沟，敌军察知后撤退。第二年，北方少数民族再次入侵古北口，有人提出在京城九门扎营作为防备，陈圭认为一味示弱徒劳无益，不久敌军撤退。总理京师外城修筑工程，加太子太傅。嘉靖三十三年（1554）十二月卒于官，终年46岁。赠太傅，谥武襄。

陈王谟（生卒不详），陈圭子。袭爵平江伯。金书后军，出镇两广。张琏发动起义，攻掠数郡，陈王谟会同提督张臬讨平之，擒获斩杀3万余人。论功，加太子太保，荫一子。

万历年间,陈王谟出镇淮安,总领漕运事宜,回京后掌管前军都督府事。去世后,赠少保,谥武靖。传至明朝灭亡,陈氏一族爵位被废除。

史　昭[①]

史昭(？—1444),合肥县人,军事将领。永乐初年,积功至都指挥佥事。永乐八年(1410),充总兵官,镇守凉州。当地士兵老的罕先与千户虎保一起作乱,后来虎保战败,老的罕接受安抚。史昭上书朝廷,指出老的罕必定会反叛。朝廷使者尚未赶到,老的罕果然已经发生叛乱。史昭与都指挥满都等奉命率军将其击败,平定叛乱。后移镇西宁。

洪熙元年(1425),史昭晋升为都督佥事。史昭上疏朝廷说,西宁风俗粗野强悍,请求按照内地的做法在当地设立学校,该建议仁宗采纳。宣宗宣德初,史昭上疏建言,卫军守御,顾不上屯种,其家属愿意屯田者有770余人,请求朝廷让他们耕种,征收其赋税以补足军粮。奏疏被宣宗采纳。宣德五年(1430),曲先卫都指挥使散即思中途抢劫西域使臣,史昭奉命率参将赵安偕太监王安、王瑾前往征讨。大军长驱赶到曲先,散即思望风逃遁,擒获其同党答答不花等人,俘获男女340人,马驼牛羊30余万,威震塞外。捷报传来,宣宗十分高兴,颁布诏书予以慰劳,赏赐加等。

宣德七年(1432)春,史昭以征西将军镇守宁夏。孛的达里麻侵犯边地,史昭派兵征讨。一直追击至阔台察罕,俘获甚众。晋升都督同知。

正统初,史昭以宁夏孤悬黄河外,东抵绥德2000里,广阔辽远,

[①] 参见《明史》卷174《史昭传》。

难以防守,请求于花马池修筑哨马营,增设烽火台,直接通达哈剌兀速之境,北部边境守备因此得到很大的巩固。不久升任右都督。当时阿台、朵儿只伯多次侵犯边境。英宗下诏命令史昭与甘肃守将蒋贵、赵安一同前往围剿。由于没有立下战功,史昭受到英宗严词斥责,被贬为都督佥事。兵部尚书王骥、宁夏参将王荣曾检举其过错,朝议认为史昭镇守边地时间长久,熟习军事,没有将其更换。

正统三年(1438),恢复原任官职右都督。史昭居留宁夏12年,老成持重,兵政修举,加上此时敌人势力衰弱,边境得以安宁无事。正统八年(1443),因年老被召还。正统九年(1444),去世。

陈 怀[①]

陈怀(?—1449),合肥县人,军事将领。承袭其父陈甄的官职,为通州卫千户。燕王朱棣起兵后,陈怀屡立战功,升至本卫指挥使。永乐初年,因积功升至辽东都指挥佥事,后随从平定安南叛乱,以战功升任山西行都司都指挥使。又从张辅擒获安南叛军首领简定,从都督费瓛征讨凉州叛军首领虎保,皆立有战功。又奉命充任参将,镇守陕西、宁夏。洪熙元年(1425),升右军都督同知,仍参将镇守如故。

宣德元年(1426),陈怀取代梁铭为总兵官,镇守宁夏。当时征讨交阯的官军屡吃败仗,宣宗下诏征调四川松潘卫官军增援,将士们都害怕出行。千户钱宏与众人密谋,谎称当地少数民族反叛,率兵抢掠麦匝等部落。麦匝等地少数民族十分害怕,在官军逼迫之下发生叛乱,他们杀死指挥陈杰等人,攻陷松潘、叠溪等地,包围威、茂等州,指挥吴玉、韩整、高隆相继溃败,西部边境骚动不安。

---

① 参见《明史》卷155《陈怀传》;《明英宗实录》卷181,正统十四年八月壬戌;《明宪宗实录》卷271,成化二十一年冬十月甲申。

针对这种形势，宣宗下诏派遣鸿胪寺丞何敏、指挥吴玮前往招抚，并命陈怀统领刘昭、赵安、蒋贵率大军数万人紧随其后。吴玮等到达后，叛军拒不接受招抚。吴玮与龙州知州薛继贤一道共同击败叛军，收复松潘。陈怀到达后，仍用吴玮为前锋，乘势收复叠溪，降服20余寨，招抚复业者12200余户，夺回被掠去的军民2200余人，叛乱终于得以平定。陈怀因战功晋升左都督，并被犒赏丰厚的金币，而吴玮等人的功劳则被忽略不录。后陈怀仍充总兵官，留镇四川。在镇守四川期间，陈怀骄纵不法，干预地方行政事务，接受贿赂包庇罪犯，侵夺屯田，鞭打侮辱佥事柴震等人，多次被言官弹劾。宣宗颁布诏书予以斥责，并将御史王礼弹劾他的奏章拿给他看，陈怀不得不承认自己所犯罪行。对于陈怀所犯罪行，宣宗置之不理，并未予以过问。

宣德六年（1431），松潘勒都、北定及空郎、龙溪等地少数民族再次发动叛乱。陈怀派兵前往镇压，战败，指挥安宁等300余人战死。于是陈怀亲自督兵深入，攻破革儿骨山寨，进而攻打空郎乞儿洞。叛军战败，被斩首和坠崖而死者不计其数。革儿骨山寨叛军不甘失败，又聚集生苗邀战，被官军击破，剿杀殆尽。任昌、牛心等山寨叛军闻风请降，各地叛乱终被平定。过了一段时间，巡按御史及按察使们再次纷纷上奏章弹劾陈怀，说："陈怀生活奢侈过度，行事超越本分。每天早上，他令三司官员分班站立，有事必须跪着报告。陈怀中间落座，部下所陈述的事只有符合他的旨意才能离开。而且，陈怀每天都沉湎于酒中，忽略了整饬边防，导致各处城池和山寨屡屡失陷。"闻知陈怀的劣行后，宣宗十分震怒，将陈怀召回京城，命文武大臣加以审问，论罪当斩。将他投入都察院监狱，后被免除死罪，削职为民。

正统二年（1437），陈怀以原任官职镇守大同。当时北方前来朝贡者，每天都要供给其膳食，这成为边境军民的沉重负担。陈怀向朝廷汇报后，这一类花费得以减少。陈怀在大同任职二年，正统五年（1440），因年老被召回，受命掌理中军都督府事。正统九年（1444）春，陈怀与太监但住出古北口，征讨兀良哈，回来后被封为平乡伯。正统十四年（1449）八月，陈怀随英宗北征，死于土木堡。追赠平乡侯,谥忠毅。

陈辅,陈怀子。陈怀去世后,陈辅请求袭爵,吏部说陈怀在世时没有获得世券,拒不同意。景帝以陈怀死于国事,最终同意了陈辅的请求。陈辅去世后,其子陈政请求袭爵,吏部仍然坚持如初,但皇帝还是同意他继续袭爵。成化三年(1467),陈政奉敕充总兵官镇守两广,两广只有廉州号称繁华,陈政镇守两广19年,一次也未去过。陈政镇守两广时间较久,熟谙世事,有所作为。后来他自陈军功,请求颁给世券,吏部仍不同意,但皇帝最终还是下诏赐予之。陈政去世后,子陈信袭爵。弘治年间,陈信去世,无子,弟陈俊袭职指挥使。

周　玺[①]

周玺(?—约1509),字天章,号荆山,庐州卫(治今合肥)人,官员。弘治九年(1496)进士,授吏科给事中。后累升至礼科都给事中。为人慷慨好言事。明武宗即位初期,周玺请求毁去新建的寺庙道观,驱逐法王、真人,停止道士所做的祈祷礼仪,并追论此前的太监齐玄炼丹浪费钱财的罪过。不久,因为天连连下雨,周玺与同僚一道弹劾侍郎李温、太监苗逵等人。同年九月,因星变,周玺再次弹劾李温与尚书崔志端、熊翀、贾斌,都御史金泽、徐源等人,熊翀、李温、金泽等人因此被罢免。当时武宗派遣太监韦兴镇守郧阳,周玺上疏反对。不久,周玺又与同僚进言:"近来聪明日蔽,膏泽未施。讲学一暴而十寒,诏令朝更而夕改。冗员方革复留,镇监撤还更遣。解户困于交收,盐政坏于陈乞。厚戚畹而驾帖频颁,私近习而帑藏不核。不可不亟为厘正。"请求武宗改正时政弊病,没有得到批准。

正德元年(1506),周玺再次应诏上疏陈述八件大事。在奏疏中,

---

① 参见《明史》卷188《周玺传》。

周玺弹劾大臣贾斌等 11 人，中官李兴等 3 人，勋戚张懋等 7 人，边将朱廷、解端、李稽等 3 人。过了不久，周玺再次进言："陛下即位以来，鹰犬之好，靡费日甚。如是不已，则酒色游观，便佞邪僻，凡可以悦耳目荡心志者，将无所不至。光禄上供，视旧十增七八，新政已尔，何以克终？"指责武宗荒乱时政。御史何天衢等亦赞同其言。奏章抵达礼部，礼部尚书张升请求采纳其建议。武宗虽然不加以责怪，但仍然不采纳。

正德二年（1507），周玺升任顺天府府丞。因其屡次进谏，得罪了太监刘瑾等人。当时，武宗命周玺与监丞张淮、侍郎张缙、都御史张鸾、锦衣卫都指挥杨玉勘察近县皇庄。杨玉为刘瑾党羽，周玺对其不假辞色，与其交往只用牒文。杨玉上奏称周玺侮慢皇帝亲使，刘瑾于是矫旨将其逮下诏狱并严刑拷打，周玺最终被拷打致死。刘瑾被诛杀后，武宗下诏恢复其原来官职，赐祭，抚恤其家人。嘉靖初年，录用其一子为官。

蔡 悉[①]

蔡悉（1536—1615），字士备，号肖谦，又号符卿，谥文毅，合肥县人，政治家、理学家。嘉靖三十七年（1558）应乡试中举。嘉靖三十八年（1559）中进士。历世宗、穆宗、神宗三朝，为宦五十载。任常德推官，修筑城郭外六堤，以免除水患。后官至南京吏部主事、南京尚宝司卿、国子监祭酒。任官期间，曾力请神宗皇帝立东宫太子，又极力进言陈述矿税之危害。平生有学行，以"理学名臣""理学清臣""理学名流"闻名于世。

---

① 参见《明史》卷 283《列传·儒林二》；嘉庆《庐州府志》卷 34《笃行》；赵春辉：《蔡悉理学源流考》，《安徽史学》2014 年第 5 期；蔡继钊：《蔡悉述论》，《安徽史学》2008 年第 3 期。

其学术特别是理学成就,是蔡悉一生中的闪光点。蔡悉理学有两大渊源,一为家学,二为阳明心学,但其理学在本质上则是近承闽洛,远接洙泗,表现为向儒家原教旨回归的特征。就家学而言,蔡悉的祖父蔡裡,"涉猎经史,以孝友闻于时","居恒手一编,诗酒自娱。子孙各视其才篑授以职业,咸得有成"。蔡悉的父亲蔡廷用,则令六子各抱一经,刻苦读书。蔡悉的长兄蔡懋,平生治学主一"谦"字,崇尚程朱理学,终日危坐,研求性理,对蔡悉影响很大。

除家学渊源之外,蔡悉理学的建构还受到阳明心学的洗礼。嘉靖四十年(1561),蔡悉授湖广乡试同考官,分校楚闱。这一年,王阳明再传弟子、王门学派代表人物胡直出为湖广佥事,领湖北道,倡鹅湖、鹿洞讲学之风。蔡悉闻讯后,慨然以为己任,向胡直执弟子礼。次年,又随胡直赴武昌讲学。蔡悉深受胡直的启发,在武昌大善寺讲学,与门人姚学闵等数十人日日讲究《大学》主旨。认为《大学》主旨在"诚意",而"诚意"即谓"毋自欺"三字。隆庆初年,蔡悉听说泰州学派代表人物罗汝芳创办从姑山房,开始讲学,便往从之游。

蔡悉理学思想尽管受到王学的影响,但绝不固守,贵在能出入王学,接受其洗礼,而直接洙泗渊源、关闽濂洛之学。蔡悉理学以"毋自欺"为宗旨、"不踰矩"为究竟,眼开于致知,脚立于格物。蔡悉任太常寺卿时,曾上《协律箴》《赞礼箴》两疏;见国子监大祭,瑟学失传,乃按谱演成,以示祭酒郭明龙,令司瑟者习学,八音始备;而其止矿税所言"自欺不可,何况欺君"足以发省人心,均体现出其"毋自欺""不踰矩"的理学观念。蔡悉的心学观念并未沿着胡直的心学走向更远,而是回归到程朱理学,即"眼开于致知,脚立于格物"。因此,清人纪昀称蔡悉在姚江末派中"最能谨严不肆",于《大学》则"以慎独为要义,致知格物为先务"。

蔡悉一生著述丰硕,多达70种,见于史籍记载者主要有《古本孝经注》1卷、《孝经孝则》、《周易玩占》、《洪范解》1卷、《炯名解》1卷、《雅诗删》、《礼庆直指》、《赞礼箴》、《协律箴》、《中庸解》1卷、《孟子传》1卷、《大学注》1卷、《大学语录》1卷、《太极图说》、《天赐图说》、《尊闻经》、《学矩》4卷、《庸言》1卷、《蔡子求迩集》3卷、《献芹集》3卷、《宏毅堂集》、《日新记》、《辅仁集》、《省传录》、《六字经》、《草堂好古集》、《迷古五训》、《圣谕演六章》、《奏议》2卷、《居身十训》、《居家十训》、《杂著文集》，以及《圣师年谱》3卷、《颜子见知经》1卷、《程子闻知经》1卷、《孝经正传》、《孝经行义》4卷、《圣易全经》、《大明儒学宪章记》4卷、《书畴彝训》1卷、《大学正宗堂经解》、《古本大学解》、《肃帝敬一箴解》、《大学经传注》、《程子大学定本》、《高皇帝大学实录》。

龚鼎孳[①]

龚鼎孳（1616—1673），字孝升，号芝麓，合肥县人。合肥龚氏系元末明初自江西临川经江苏句容辗转迁来合肥，至明代始成为地方望族。鼎孳祖父承光，字玄鉴，号宁揆，又号光甲，别号梦岩吏隐。明万历三十一年（1603）举人。万历三十二年（1604）任浙江分水县知县，次年调任桐庐县知县，任内"裁陋规，崇学校，建桥筑堰"。天启元年（1621）擢升云南武定府禄劝州（治今禄劝彝族苗族自治县）知州。父孚肃，字尹达，又字雍合，号眉士，一号眉斋，廪生，少负文名，善诗书画。以子贵而荣，诰赠光禄大夫、兵部尚书（1668年）。著有《眉斋集》《懿诵堂诗集》《画外史》《集韵诗》等。伯叔萃肃、方肃、履肃、翼肃均有文名。

龚鼎孳于明万历四十三年十一月十七日（1616年1月5日）出生于其祖父任职的浙江桐庐县县署中。幼承家学，少年早慧，禀赋颇

---

① 参见《清史稿》卷484《文苑一》，中华书局1977年版；《清实录》（顺治朝、康熙朝），中华书局1985年影印本；严正矩：《大宗伯龚端毅公传》《龚端毅公奏疏·附录》，《四库禁毁书丛刊补编》，北京出版社2005年版；龚鼎孳：《定山堂诗集》，《续修四库全书·集部·别集类》第1402册，上海古籍出版社2002年版；董迁：《龚芝麓年谱》，《中和月刊》1942年第3期；龚照瑷等主编：《合肥龚氏宗谱》，光绪十六年福寿堂木活字本。

佳,十几岁时即能做八股文。明崇祯五年(1632)进学,六年(1633)中举,七年(1634)联捷中甲戌科进士,列三甲第98名,时年18岁。

龚鼎孳考中进士当年,因为暂停馆选,出为湖广蕲水(治今湖北浠水)知县。在蕲水7年,龚鼎孳一方面问民疾苦、兴利除弊、阐扬理学、勤课多士、劝农耕种、清理狱讼,另一方面增筑城墙、深挖壕沟以抵御起义军。当时,农民起义军在鄂豫一带往来穿梭,攻城略地,江北州县多陷,而蕲城无恙。蕲水百姓感恩戴德,为其立生祠。任满入觐,经保举与考选,崇祯十五年(1642)升兵科给事中。时年未及30,能吏干才之名已著甚。以青年当言官,任期不长,却以敢言著称,曾于一个月内上疏17次,或为民请命,或弹劾权臣,如两弹首辅周延儒、陈演,并谏阻原大学士王应熊东山再起。崇祯十六年(1643)十月,因接连参奏陈新甲、吕大器、陈演等失职权臣触怒崇祯,以"冒昧无当"的罪名被捕下狱。崇祯十七年(1644)三月,李自成起义军攻陷北京,获释不久的龚鼎孳俯首称臣,①受任直指使,巡视北城。五月,清军攻进北京城,龚鼎孳再度迎降,以原官兵科给事中任。短短数月之间,先迎闯,继降清,备受士林清议。邓之诚《清诗纪事初编》论及龚鼎孳之节操时,一言以蔽之曰:"鼎孳为人,实无本末。"②这颇能代表旧时正统士大夫的看法。随着岁月的消逝,若干年后,龚鼎孳在与友朋赠答的作品中也不时流露出出事新主、身名瓦碎、悲伤惭悔的心绪。如《秋怀诗二十首和李舒章韵》之十三云:"无由追逝辇,终日履春冰。大事输今古,浮生阅废兴。歌成悲独鹿,壁站误飞蝇。惆怅前身梦,青霜薄晓灯。"

入清以后,龚鼎孳的仕途可谓跌宕起伏。顺治元年(1644)十月升吏科右给事中,十二月再升礼科都给事中。虽为降臣,并不懦喏退

---

① 关于投降李自成,龚鼎孳曾对人说:"我原欲死,奈小妾(指顾媚)不肯何?"计六奇:《明季北略》卷22,中华书局1984年版;龚氏门生、同为贰臣的严正矩在《大宗伯龚端毅公传》中则叙述为:"寇陷都城,公阖门投井,为居民救苏。寇胁不屈,夹拷惨毒,胫骨俱折,未遂南归。"见《清代碑传全集》,上海古籍出版社1987年版。

② 邓之诚:《清诗纪事初编》卷5甲编下《龚鼎孳》,台湾明文书局印行,第552—553页。

缩,因熟知时弊而勇于言事。如顺治元年上奏的《条上江北善后事宜书》,提出安抚百姓、减免徭役、消弭民害等建议;针对旗兵四处抢掠危害地方的情况,主张凡是驻军处所务宜申明纪律,禁抢掠、平贸易。其他诸如吏治之要、酌定礼仪、定取士之规、举乡试遣学臣等,不一而足。依旧尽言官职责,疏陈时政缺失、条奏各等事宜。顺治二年(1645)九月,升任太常寺少卿。顺治三年(1646)六月,父亲去世,请赐恤典,遭工科给事中孙垍龄严词弹劾:"鼎孳明朝罪人,流贼御史,蒙朝廷拔置谏垣,优转清卿。曾不闻夙夜在公,以答高厚,惟饮酒醉歌,俳优角逐。前在江南用千金置妓,名顾眉生,恋恋难割,多为奇宝异珍,以悦其心。淫纵之状,哄笑长安,已置其父母妻孥于度外。及闻父讣,而歌饮流连,依然如故。亏行灭伦,独冀邀非分之典,夸耀乡里,欲大肆其武断把持之焰。"①疏上,部议降二级,因遇恩诏获免。此后数年,龚鼎孳回籍守制。

　　顺治九年(1652)四月诏令补原任太常寺少卿龚鼎孳原官,不久又提督四译馆。因意见常与当道诸公相抵牾又不愿阿附,欲出京为官,引见之日颇得世祖赏识,于顺治十年(1653)四月升刑部右侍郎。顺治十一年(1654)二月调户部左侍郎,未满月拟调吏部左侍郎,四月奉上谕特简都察院左都御史。顺治十二年(1655)十月,因对法司审理各案往往倡为另议,事系满洲则同满议、附会重律,事涉汉人则多出两议、曲引宽条,被降八级调用;顺治十二月,因审判朱四案"仍引前议"降一级调用,复因所荐巡按御史顾仁贪污纳贿被正法再降三级用。顺治十三年(1656)四月补上林苑监蕃育署署丞,六月因党庇吴达一案罚俸一年。后曾颁诏粤东,途次量移太仆寺主簿,再移上林苑丞。京察部议,降级补外,奉旨留京,补国子监助教。顺治十七年(1660)三月,审核行状资历,著降三级在内调用。按照以往惯例,降职官员多不入署理事,龚鼎孳虽连遭降级,仍然认为官无大小都应供职无缺,在上林苑时上疏请退出屯庄22处仍归民间业主办纳丁粮,

---

① 《清史列传·贰臣传乙·龚鼎孳传》,中华书局1987年版,第6593—6594页。

在国子监课诸生勉学力行。十八年(1661)继母去世,奉诏在任守制。

这一时期,龚鼎孳虽连遭贬黜,却也凑巧避开了顺治十四年(1657)"科场案"、十六年(1659)"通海案"、十八年(1661)"奏销案"三大酷治,可谓因祸得福。康熙元年(1662)六月奉上谕,龚鼎孳降调处分已久,著遇侍郎缺补用。二年(1663)守丧期满,六月补都察院左都御史。康熙三年(1664)十一月升任刑部尚书,折狱至谨,为人所称。康熙五年(1666)二月请假葬亲,九月转兵部尚书。在刑部、兵部尚书任上,有复秋决、恤妇女、恤株累、重言路、宽奏销诸疏,"皆切中时务,语多忌讳"。特别是奏请宽免"奏销案"之严惩,尤得江南籍士绅的感戴。康熙八年(1669)五月转礼部尚书。康熙九年(1670)、康熙十二年(1673)两充会试正考官,"汲引英隽如不及"。康熙十二年(1673)九月第三次以病乞休,获准。未及一月而卒,终年57岁。十二月旨予祭葬,谥端毅。乾隆三十四年(1769)诏夺其谥。

龚鼎孳为人落拓不羁、不拘形迹、我行我素。在明季国事糜烂之际,他公然花重金将名列"秦淮八艳"的名妓顾媚明媒正娶入门,且将两人婚后生活中的种种细节写入诗文,刊刻行世。顺治二年(1645)九月参审弘文院大学士冯铨被劾案时居然自比魏徵,以李自成比唐太宗;回籍奔父丧时携顾媚同行,守丧期间无视礼法,优游访友,诗酒欢宴。另一方面,幕养、结交遗逸故旧,奖掖后进,礼贤好客、轻财重义、善待文士,也是其一贯作风,遗老、寒士辈尤为感戴其风谊。钱澄之《田间诗集》卷19《病起哭龚宗伯八章》其二云:"交游屡散千金囊,归去曾无二顷田。"吴伟业序龚鼎孳诗集,称"先生倾囊橐以恤穷交,出气力以援知己"①,这方面的事例很多。顺治十年(1653)陶汝鼐以叛案论死、顺治十一年(1654)傅山以河南狱牵连被逮、康熙四年(1665)阎尔梅援诏自首下狱,均系龚鼎孳斡旋开脱,竟得宽免。"朱彝尊、陈维崧游京师,贫甚,资给之"②,纪映钟、杜濬、余怀、曾灿、陶汝

---

① 吴伟业:《吴梅村全集》卷28,上海古籍出版社1999年版。
② 《清史稿》卷484《文苑一》,中华书局1977年版,第13325页。

鼐、尤侗、马世俊等遗民、才士也都受过龚氏接济。最为人传诵的两个故事，一是顺治十六年（1659）溧阳马世俊会试落第，落拓京师，以行卷谒龚鼎孳，鼎孳读其文《而谓贤者为之乎》至"数亡主于马齿之前，遇兴王于牛口之下。河山方以贿终，而功名复以贿始。七十年以前之岁月已沦，七十年以后之星霜复变。少壮未闻谏书，而衰龄反同贩竖"时，泪涔涔堕，叹为真才子，岁暮赠炭金八百两，①而顺治十八年（1661）马世俊竟以状元登第。二是临殁之际，龚氏还以吴江词人徐釚托付与同僚梁清标，曰："怀才如虹亭，可使之不成名耶？"②徐釚后因梁清标的推荐于康熙十八年（1679）试博学鸿词，授翰林院检讨，入史馆纂修明史。

观龚氏一生之经历与际遇，面对命运的捉弄，他顺其自然，适应性很强，但绝不颓废。入清以后，其勇于言事，勤于政事，对事功的努力追求，包括在清初文化高压政策下志在保全汉族士人的奏疏和援救遗民高士的实际行动以及对后进的奖掖与培植，不管是出于弥补自己在道德方面缺憾的考虑，还是超越了出于内心愧疚而产生的自我救赎，这在某种程度上说具有"文化拯救"工程的意义，③总之为他赢得了士林的敬重。难怪乎《清史稿·文苑传》会说"自谦益卒后，在朝有文藻负士林之望者，推鼎孳云"。

龚鼎孳在明时即负文名，洽闻博学，天才宏肆，作诗文下笔数千言可立就，辞藻缤纷，不加点窜。"世祖在禁中见其文，叹曰：'真才子也。'"④康熙六年（1667），吴江顾有孝和赵沄编成《江左三大家诗钞》，以诗歌选本的形式固定了这个由钱谦益、吴伟业、龚鼎孳组成的诗歌集团。三人诗名并著，在文坛中声望相近，籍贯都属旧江左地区，于是有了"江左三大家"之称。

---

① 李元度：《国朝先正事略》卷38《文苑·马章民先生事略》，岳麓书社1991年版。
② 《清史稿》卷484《文苑一》，中华书局1977年版，第13325页。
③ 白一瑾：《龚鼎孳人格论》，《人文中国学报》第16期，上海古籍出版社2010年版，第198页；马大勇：《清初庙堂诗歌集群研究》，吉林人民出版社2007年版，第54页。
④ 《清史稿》卷484《文苑一》，中华书局1977年版，第13325页。

龚鼎孳著有《定山堂诗集》43卷（五言古诗2卷200首、七言古诗2卷72首、五言律诗11卷1157首、七言律诗17卷1656首、五言排律1卷26首、七言排律1卷6首、六言绝句1卷19首、七言绝句8卷829首，合计43卷3965首）。其诗风刻意摹杜，古体多用韵，情感深厚，遣词缛丽，用典富赡，于婉丽中善萧瑟感慨之辞，亦多寓兴亡之感；诗作的内容大多反映了他身历几朝更替的生活经历和内心体验，也有许多反映清初社会生活、民生疾苦的作品。吴伟业《龚芝麓诗序》从才气、性情、学识三方面对其人其诗作出评价，说"其恻怛真挚，见之篇什者，百世而下读之应为感动"①，评价应属中肯。在龚氏诗作各体中七律篇幅最重，造诣也高，如"失路人归故国秋，飘零不敢吊巢由。书因入洛传黄耳，乌为伤心改白头。明月可怜销画角，花枝莫遣近高楼。台城一片歌钟起，散入南云万点愁"（《初返居巢感怀》）。徐世昌曾说其所作七律感慨兴亡，声情悲壮，有不可一世之慨；世之论龚诗者皆以其七绝为成就最高，如"倚槛春风玉树飘，空江铁锁野烟消。兴怀无限兰亭感，流水青山送六朝"（《上巳将过金陵》）、"梦醒忽忆身是客，一船寒月到江村"（《百嘉村见梅花》）等，被誉为清代"蜀中三才子"的彭端淑对龚氏诗作多有异词，独称其七绝为"才子语"。

龚鼎孳另有词作200余首，先后有《香严词》《三十六芙蓉斋词》刻本，后定本称为《定山堂诗余》4卷。相较于钱、吴在诗文、诗歌上取得的成就与地位，龚氏则更多致力于词的创作。其早年词作多绮丽悱恻之调，后渐变为苍润清腴而多劲急味，晚年更趋于豪放，以意象绵密、着意锻炼、好用拟人、善于和韵为主要风貌，其体式和结构在明清之际的词风演进中有独特意义。说他在清初词坛上的地位更为重要，是因为他总持辇下风雅20余年，多次参与并推动词学界的集群性酬唱活动，扭转了明末以来词风卑弱、词学观念浅陋保守的状况，对于清初词坛风气的多元化和刚健化起着相当作用。最著名的要数康熙十年（1671）秋的"秋水轩倡和"活动，参与者众，鼓动起清初"稼

---

① 吴伟业：《吴梅村全集》卷28，上海古籍出版社1999年版。

轩风"的一时盛行。

龚鼎孳在清初文坛占据着重要地位,主要得益于其才气和声望。关于才气,前文多有叙说,描写最生动的当属邓汉仪《诗观初集》:"公赋诗有三异,每与同人酒阑刻烛,一夕可得二十余首。篇皆精警,语无拙易,此一异也。当华筵杂沓之会,丝竹满堂,或金鼓震地,而公构思苦吟,寂若面壁。俄顷诗就,美妙绝伦,此二异也。他人次韵每苦棘手,而公运置天然,即逢险韵,愈以偏师胜人,此三异也。"①关于声望,主要是指其位高权重,主导着台阁的风雅活动,与当时名士多有往来与唱酬,为士流所归。盛名之下,海内士子至京师者,先以所作呈龚芝麓。吴伟业、钱谦益、冒襄、方以智、阎尔梅、万寿祺、曹溶、余怀、纪映钟、杜濬、龚贤、陶汝鼐、周亮工、李雯、曾灿、顾与治、邓汉仪、朱彝尊、陈维崧等一大批著名的文人学士,以及王紫稼、柳敬亭等艺人,都曾与他有过交往。这也使得其诗词中宴饮酬酢之篇特多、步韵之篇特多。职是之故,沈德潜《国朝诗别裁集》、彭端淑《白鹤堂诗话》、邓之诚《清诗纪事初编》、朱庭珍《筱园诗话》等对其多有异词,认为其诗作以浓词掩真气,纯恃才气,文采有余而骨力不足,用典多而剪裁不够,喜爱步和古人诗韵,辞藻丰富而显得空泛。

龚鼎孳《定山堂集》初刻于康熙年间。雍正时禁毁钱谦益文字,因书前有钱序,加之龚氏诗文内有碍语,全部版片入缴藩库。乾隆五十三年(1788)被列入《军机处奏准全毁书目》,成为禁书。光绪九年(1883)其十四世孙龚彦绪重为辑集付梓。龚氏著作除《定山堂诗集》《定山堂诗余》之外,尚有《定山堂古文小品》《浠川政谱》《露浣园稿》以及今已不传的《蝶嗧集》《鹤庐八帙》,后人另辑有《龚端毅公奏疏》《龚端毅公手札》《龚端毅公集》等。

龚鼎孳长子世勣,字伯通,号千谷,清顺治十四年(1657)江南乡试副榜,以荫官工部虞衡司员外郎,历官至湖广按察司佥事。次子世稚,字仲圭,号骈斋,清康熙二十六年(1687)江南拔贡,康熙五十四年

---

① 邓汉仪:《诗观初集》卷2,"龚鼎孳"条尾评,康熙慎墨堂刻本。

(1715)遇特恩御试第四名,先后任宿松、怀宁县教谕。①

李天馥②

李天馥(1635—1699),字湘北,号容斋,合肥县人(一说河南永城人)。先世于明洪武初年自黄冈迁来庐州,世袭庐州卫指挥佥事,遂以合肥为家。累世高勋世胄,然皆好读书。天馥自少颖异,7岁能诗,弱冠之年即已诵览群书。顺治十四年(1657)乡试中举,③顺治十五年(1658)中进士,改庶吉士,顺治十八年(1661)五月散馆授检讨。在翰林院供职期间,博闻约取,究心经世之学,声名显著。康熙六年(1667)九月充《世祖章皇帝实录》汉纂修官。顺治七年(1668)父亲去世,回籍守制。顺治十年(1671)守丧期满,以原官翰林院检讨补用,顺治十一年(1672)十月充顺天乡试副考官,旋升国子监司业,掌儒学训导,继升翰林院侍讲。顺治十四年(1675)升任翰林院侍讲学士。顺治十五年(1676)正月转侍读学士,十月充日讲起居注官,十二月迁詹事府少詹士。顺治十六年(1677)八月升内阁学士兼礼部侍郎。顺治十八年(1679)正月充经筵讲官,为康熙讲解经传史鉴,敢于直陈已见,很受器重。当年九月充武会试正考官。顺治十九年(1680)四月,因去冬无雪而春雨愆期,奉旨偕大学士明珠等会同三法司将已结重案逐一详加审鞫,减等发落。顺治二十年(1681)二月擢户部左侍郎,顺治二十一年(1682)二月充会试副考官,顺治二十三年(1684)九月

---

① 戴健:《声名煊赫的"合肥龚"》(一),《江淮文史》2004年第4期;嘉庆《合肥县志》卷24《人物传第四·龚鼎孳》,江苏古籍出版社1998年版。

② 参见金天翮:《皖志列传稿》卷2《施闰章李天馥传》,台湾成文出版社1974年版;王锺翰点校:《清史列传》卷9《李天馥传》,中华书局1987年版;赵尔巽《清史稿》卷267《李天馥传》,中华书局1977年版。

③ "有族子占永城卫籍,天馥以其籍举乡试。"《清史稿》卷267《李天馥传》。

调吏部左侍郎,顺治二十四年(1685)五月充《政治典训》副总裁官。在户部、吏部任职期间,以激浊扬清为己任,居官清廉,无所私,有携礼拜谒者均严词拒绝。顺治二十七年(1688)二月擢工部尚书,当时因如何治理淮河下游河工事宜与河道总督靳辅、直隶巡抚于成龙[①]各持己见。靳辅主张修筑高家堰重堤、束水出清口,停开海口以免海水倒灌之患,于成龙则认为如果高家堰修筑重堤、停开海口,纵使上流水不来,而秋雨暴涨,天长、六合等处水无所泄,海口仍应开。旨命二人进京质对,仍各坚执一说。三月初,康熙命会同九卿详议,李天馥认为下河海口当开,高家堰重堤宜停。上从之。五月调刑部尚书,十二月调兵部尚书。康熙二十九年(1690)向吏部举荐三河县知县彭鹏、灵寿县知县陆陇其居官有声。康熙三十年(1691)六月转吏部尚书。康熙三十一年(1692)十月,因老成清慎、学行俱优、能得政体培国脉,授武英殿大学士。康熙三十二年(1693)六月因母亲去世回籍守制,康熙御书"贞松"两字赐之,并语:"李天馥侍从朕三十余年,未有纤毫过失。三年的时间容易过去,留此缺以待其归。"康熙三十四年(1695)十一月以原官入阁办事。康熙三十五年(1696)二月,康熙督师亲征噶尔丹,平定朔漠,兵革甫息,天馥谏以清静和平,与民休息。康熙三十六年(1697)六月充《平定朔漠方略》总裁官。康熙三十八年(1699)十月病逝。谥文定。

李天馥事亲至孝,母亲去世后,扶柩南归,既葬,于墓旁结庐尽孝,亲植松楸,有白燕筑巢于墓旁屋上,众人以为系被其孝心所感动,于是称其守丧居住的房子为"白燕庐"。李天馥亦擅长诗词文章,王士祯以为其诗"取材博而不杂,持格高而不亢,敷采丽而有则"[②]。著有《容斋集》。

李天馥子孚青(1664—?),字丹壑,康熙十八年(1679)进士,官翰林院编修,康熙三十八年(1699)丁父忧,归里不再出。著有《野香亭集》。

---

① 此处指小于成龙(1638—1700),字振甲,号如山,汉军镶黄旗人,有"治河名臣"之称。

② 金天翮:《皖志列传稿》卷2《施闰章李天馥传》。

李文安①

　　李文安(1802—1855),字式和,号玉川,又号玉泉,别号愚荃,榜名文玕,嘉庆六年腊月二十九(1802年2月1日)出生于合肥县东乡磨店(今属合肥市新站区)祠堂郢村。先世本姓许,明季避战乱自江西湖口迁合肥。七世祖许光照与同做小买卖的乡邻李心庄友善,因怜李心庄膝下无子,遂命次子祥瑾(字祯所。雍正年间以字修谱,为避清世宗嫌名②,以慎代祯,祯所改为慎所)出嗣为后,受姓于李心庄,遂为李姓。自慎所许承李姓之后,至嘉庆年间,屡议回宗复姓,未果。李氏派衍枝蕃,人丁渐盛,成为合肥东乡大族。自李慎所起,经君辅、汉昇(申)、士俊、世椿、殿华,至李文安已是第七代。③ 李文安兄弟四人,排行老小。事亲至孝,治家以礼。为人厚重刚方,然诺不欺,操行廉介,处乡邻族里笃厚,人有急难能倾囊济助。与诸兄分家时,得田约十五亩,因就食者众,生活并不宽裕,在乡以课馆为业十余年,篝灯督课,寒暑不倦,多有成就。道光十四年(1834),以县学优廪生中江南乡试第96名举人。道光十八年,会试中贡士,殿试三甲第55名,与曾国藩同年。朝考以主事用,服官刑部。许氏一族自更姓以来,无人与于科目之列,至此以科甲奋起,遂为庐郡望族。李文安居刑部十数年,始为部中主管广西、奉天、山西的司员,督理提牢厅兼行秋审处,后为四川司主事、云南司员外郎、督捕司郎中,记名御史。李文安

---

① 参见李鸿章:《葛洲墓志》,《李鸿章全集》,安徽教育出版社2008年版;丁德照、陈素珍编著:《李鸿章家族》,黄山书社1994年版。

② 嫌名指与人姓名字音相近的字。古时礼法臣子只避君父名讳,后世讳法加严,讳同字亦讳嫌名。大约至唐高宗时就以避嫌名为国家礼法制度。雍正帝胤禛,"祯"与"禛"同音。

③ 丁德照、陈素珍编著:《李鸿章家族》,黄山书社1994年版,第1页。

为官忠厚正直,尽心职事,待下以宽,颇有政声。督理提牢厅,严禁吏卒虐囚,捐置衣被、药饵,夏席冬粥,狱无瘐毙;总办秋审处,掌核秋审朝审各案,庭诤面折,平反冤抑,虽有"包老再世之目",却因"倔强不苟合,不获于上官"①。

李文安认为士大夫于世道人心的维系应有所担当,居乡当有益于乡,在国当有益于国,纵不能转移风气,亦当不能为风气所转移。他虽长期居京为官,于家乡事时常挂念,对于皖中农村盗风日炽、社会不宁、风习由俭入奢隐忧不已,于是倡立淮南乡约,教民守望相助,订立章程,积谷备荒,改节孝总坊以惠穷嫠,修族谱创义仓以敦宗睦族、赡济乡里。并在京师捐资倡建庐州会馆、庐州凤阳两府义园。咸丰三年(1853)初,太平军大举入皖,正月二十四,清廷命文安次子翰林院编修李鸿章随工部左侍郎吕贤基回安徽办理团练。数月后,歙县人户部右侍郎王茂荫上疏说,李文安为人老成练达,熟悉本省地形,素为乡里推重,庐郡团练之所以整齐,皆因为其寄书回里劝导、乡人先为预防之故,因此举荐李文安回省带勇防剿。十一月初九,旨命刑部郎中李文安回籍督率练勇,协力防剿。数日后自京启程,十二月二十二日抵固镇,已知庐州被太平军攻陷,遂停留在临淮关。

咸丰四年(1854)正月,副都御史、帮办安徽军务袁甲三奏留李文安驻扎临淮,募集训练乡勇,联结沿淮堡寨。此后数月,李文安督带乡勇在临淮关、滁县、定远等地镇压捻军与地方武装。五月,正率军围攻庐州的安徽巡抚福济催促李文安速赴庐州,七月李文安率乡勇千余人助清军攻破庐州城外太平军营垒,旋奉命渡巢湖以阻击援助庐州的太平军,在庐江白石山下击败陈玉成部。从咸丰五年(1855)正月起,李文安与次子鸿章率团练分路策应副都统忠泰进攻巢县,后被太平军击败,回到家中,于五月二十三日(7月6日)病故,终年54岁。李文安回籍督办团防期间,除次子李鸿章之外,三子李鹤章、女

---

① 李鸿章:《葛洲墓志》,《李鸿章全集》第37册《诗文》,安徽教育出版社2008年版,第40页。

婿张绍棠及其兄张绍堪、族人李胜等皆从其办练。且因进士出身,乡望素孚,跟随者众,庐州地方练首如张树声、张树珊兄弟,吴毓芬、吴毓兰兄弟等皆其部下,张树声还因县廪生出身,被李文安"召襄戎幕"①。张氏、吴氏兄弟还曾率团练随李文安在凤阳、寿州、定远、庐江白石山、巢县、无为、和州等地与捻军、太平军作战。这些为日后李鸿章招募庐州团练组建淮军积累了很好的人脉、打下了坚实的组织基础。

李文安娴武略、能诗文,著有《愚荃敝帚二种》两卷(上卷《贯垣纪事》,下卷《村居杂景》)。后人李国杰辑有《李光禄公遗集》。

李文安原配李氏(1800—1882),侧室周氏、张氏,生卒年无考。李氏生子六:瀚章、鸿章、鹤章、蕴章、凤章、昭庆;女二,长女配同县记名提督张绍棠,次女配同县江苏候补知县费日启。

徐子苓　朱景昭　王尚辰②

徐子苓(1812—1876),字西叔,一字叔伟,号毅甫,晚年自号龙泉老牧、南阳子、默道人,合肥县人,桐城派作家、诗人。早年丧父,少时孤贫,喜欢读《易经》及老庄、孙武书,究心天下利弊。道光十五年(1835),乡试中举。入京应试,得以结交曾国藩、邵懿辰、陈源兖、张穆等名士。会试不第,回到乡下以卖文为生。陈源兖出任池州知府,徐子苓因喜爱江南山水,遂客居陈源兖处。太平军进入安徽,回庐州乡居避难。咸丰三年(1853)十一月,新任安徽巡抚江忠源抵达临时省会庐州接印任事,已解池州任的陈源兖亦被召至庐州助守,因陈源

---

① 张树声:《张靖达公奏议》卷首,台湾文海出版社影印本,第7页。
② 参见金天翮:《皖志列传稿》卷6,台湾成文出版社1974年版;徐世昌辑:《晚晴簃诗汇》,中国书店1989年影印版;马祖毅:《皖诗玉屑》,黄山书社1985年版;江山、何峰、储敏:《论徐子苓的文学创作特色及其成就》,《合肥学院学报》2011年第3期。

究引见,徐子苓得以与江忠源言军事。此时太平军围攻庐州城甚急,徐子苓奉命出城邀集四郊乡勇救援,以巨筐缒城而下,十二月十六日(1854年1月14日)庐州城破,江忠源、陈源兖皆死于事,徐子苓因先期出城幸免于难。咸丰十一年(1861)八月湘军攻克安庆后,曾国藩派人迎请徐子苓入其幕府。居幕三年,请辞归里,耕种自娱,并自号龙泉老牧。兵燹之余,灾乱频仍,连年歉收,"仍时时鬻文游公卿间",故交英翰新任安徽巡抚,乃留居入幕。同治五年(1866),拣选得知县,不愿为吏,改教职,选授和州学正,因听说学官争诸生礼金厚薄,知事不可为,辞职不就。光绪二年(1876)卒,终年64岁。

徐子苓为人孤介特立,自视甚高,不随流俗,"于时俗人不能容纳,尤贵显者尤以气轹之,人以此畏其狂"[①]。徐子苓博学多才,经史百家而外,于医学、占卜、相人之术一皆研习。早年师事桐城姚莹,为文宏肆,其诗学杜,以"鸷悍"著称,多有存世之作。所撰《敦艮吉斋诗存》2卷,生前自定,同治五年(1866)英翰刻于颍州,同治十年(1871)再刻于省城。其子源伯合其诗文编为《敦艮吉斋文存》4卷、《诗存》2卷,存杂体文153篇,录古今体诗538首(光绪十二年刻)。后桐城马其昶重编其集,汰文40余篇,编成《敦艮吉斋文存》4卷、《诗存》2卷(光绪三十二年集虚草堂校刻)。又有《徐四叔学正遗稿》1册(咸丰间稿本)。《文存》计4卷102篇,含论说33篇、牍31篇、传状19篇、杂记19篇,取材广泛,长于叙事,于皖地风土人物、当时的历史事件多有记载,如"庐州三记"(《庐州战守记》《复庐州记》和《庐州再陷记》)等,有较高的史料价值;诗作学杜,关注现实,对晚清社会底层民众的生活现状、诗人自身的人生境遇与交游生涯多有反映。清代文学家谭献对徐子苓推崇有加,辑录徐子苓与王尚辰、戴家麟三家诗作编为《合肥三家诗录》。

---

① 《皖志列传稿》卷6《徐子苓朱景昭王尚辰传》,台湾成文出版社1936年版,第536页。

朱景昭（1823—1878），字默存，号朴庵，合肥县东乡（今属肥东县）人，学者。自幼禀赋殊异，长益嗜读，穷究经史，通达世务，为文多创意，才力过人。咸丰二年（1852）优贡生。合肥知县、安徽巡抚英翰重其才，尝为昆弟交。咸丰初年，袁甲三统军淮上，朱景昭入军幕，负责笺章起草。袁甲三离皖后，其子袁保恒继续用兵皖北，对抗捻军，倚任如故。后入淮军名将刘铭传军幕，建言"以捻法制捻"，即训练骑兵以与捻军对抗。刘铭传称其"磊落有风义者"。以军功议叙州同，坚辞不就。主掌芜湖中江书院，成就弟子甚众。后客江阴防营淮军提督唐定奎幕。不久卒于维扬，终年55岁。

朱景昭性孝友，每作家书告诫子弟，言辞恳切，出自肺腑。与人交往，则以古意相切责，于辞受、取与之间，尤重视名节。平生服膺桐城派代表人物方苞之为人，为文亦模仿之。著有《无梦轩遗书九种》《无梦轩文集》《无梦轩诗集》《读庄札记》《读春秋札记》《读诗札记》《劫余小记》《论文刍说》等。

王尚辰（1826—1902），字北（伯）垣，号谦斋，晚自号遗园老人，又号五峰居士，合肥县人，诗人。贡生，官翰林院典簿。咸丰年间曾助父世溥办沿淮团练，对抗太平军及捻军。咸丰九年（1859）以招降苗沛霖闻名于当时。王尚辰学识务求实用，文章不拘常格，诗作仿中晚唐，近似白居易，得其闲适之神韵。著有《谦斋诗集》《谦斋初二三续集》《遗园诗余》《虱隐庵杂作》。谭献选其与徐子苓、戴家麟诗作编为《合肥三家诗录》。桐城方昌翰为王尚辰诗作序，认为："庐阳据江淮形胜，哲人代兴。咸同以来，豪杰乘运而蔚起，崇勋鸿烈，铭勒旂常，然独至稽古绩学之儒、瑰异畸行之士、以文章气节自树立者，乃千百中未易一二觏焉。仅存一奇特擅才望如谦斋者，不谓举俗犹诧为狂怪而风汉目之也。今长安贵人抑多矣，令名晚节，持清议者不敢预为臧否。而惟谦斋之丰于才、阨于遇，顾可即其诗论次其人，虽未知与东方曼倩、扬子云有合与不，要其文藻品谊，固得江山之助，而擅风雅之归者也。彼诧而目之者奚为哉。"①

王尚辰性诙谐,好辩论,不为世俗俯仰。名与子苓、景昭齐。三人皆才华横溢,然个性特立,子苓孤僻,景昭傲慢,尚辰则跅弛,当时盖称"合肥三怪"。

蒯德模②

蒯德模(1816—1877),字子範(或写作子藩),晚年自号蔗园老人,合肥县人。合肥蒯氏一族,出自襄阳蒯氏一脉,从江西抚州峨眉镇迁至合肥后,世代行医。德模生于嘉庆二十一年九月初三(1816年10月23日),幼颖异,有悟性,13岁才从师就学,一年后即熟读经典。在县学岁试场中,与李鸿章等结为好友。道光二十三年(1843)李鸿章入京准备参加次年的顺天乡试,蒯德模以诗《送李少荃入都》为其送行,李鸿章亦作《留别蒯子藩》相赠:"共战名场秋月白……知己今惟属蒯通。"③然而蒯德模科场一直不得志,只有附贡生的功名。

咸丰初年,太平军进入安徽,蒯德模以附贡生在籍办理团练,捍卫桑梓。咸丰五年(1855)清军攻克庐州,合肥知县马新贻办理一切善后事宜,倚蒯德模如左右手。咸丰六年(1856),率乡团随官军镇压地方武装。后随清军攻克定远,授训导。咸丰八年(1858),太平军再克庐州,蒯德模与乡人距城三四里筑堡数十处,与陈玉成部太平军相

---

① 《皖志列传稿》卷6《徐子苓朱景昭王尚辰传》,台湾成文出版社1936年版,第541页。

② 参见李鸿章:"蒯德模神道碑";冯煦:"蒯德模墓志铭";蒯光典:《先考子範府君事略》,刊于蒯德模著《带耕堂遗诗》卷首,民国十八年(1928)江宁刻本;赵尔巽:《清史稿》卷479《循吏四·蒯德模》;顾廷龙、戴逸主编:《李鸿章全集》,安徽教育出版社2008年版;王腾飞、陈北肆:《晚清循吏蒯德模苏州事功考》,《丽水学院学报》2016年第6期。

③ 李鸿章:《留别蒯子藩》,《李鸿章全集》第37册《诗文》,安徽教育出版社2008年版,第70页。诗中附注:"余与子藩订交于沈院岁试场中。"

持数月,因配合清军再占庐州,升教谕,加五品衔。在此数年间,蒯德模统带练勇辅助清军对抗太平军,间不容发,财散家毁,然"德慧、术知自此日进",庐州东北一隅亦安堵如故。①

同治元年(1862),李鸿章率淮军入沪,招蒯德模至淮军营务处,办理江苏牙厘局。蒯德模力持大体,不务苛敛,使商旅乐输,饷项无缺,叙其劳绩,李鸿章于克复常熟、昭文案内,保升他为知县,留江苏补用,赏戴蓝翎。同治三年(1863),苏州克复,李鸿章派他暂时代理长洲县知县。当时,"盗匪"横行,他侦之辄获,有盗藏匿镇将营所,亲往擒之,绳之以法。清理词讼,随收随批,随到随审,治长洲4年判牍800余,尽惬民意。裁减赋额,不畏强暴,户无大小,一令平均。驭下严而恤其私,胥役奉法,不敢为蠹。暇则行走乡陌,周知民隐,体恤民瘼,治塘造桥,以利行旅。建平江书院,设恤孤局、清节堂、养济院、施药局、化莠堂、义冢,其他如坛庙、仓庾、昭忠节孝名宦等先贤祠墓都力加修整,经费不足则割俸助之。② 同治五年(1866)九月初七,李鸿章向清廷上《保荐人才片》,称保升知府借补长洲县知县蒯德模才识开展,明而能断,自苏州克复后调署首篆,凡通商、惠农、缉乱、减漕等大政,皆随同艰苦经营,一洗官场浮滑之习,清理积案,狱无留讼,绅民爱戴,颂声禽然,奏请破格任用。③ 同治六年(1867),因征漕事"大小户均一,便于民而不便于绅",御史朱镇奏参蒯德模浮收漕粮、庇护漕书,清政府命两江总督曾国藩、江苏巡抚郭柏荫查办,曾国藩、郭柏荫为之辩解,清廷以"是非倒置"切责朱镇。

蒯德模因政绩卓著汇案保至直隶州知州,换戴花翎,复因淮军分援浙江、福建、安徽之功及海运出力,累保至知府加道衔、补缺后以道员用。丁日昌出任江苏巡抚后,欲清厘积牍,于同治七年(1868)以蒯

---

① 蒯光典:《先考子范府君事略》,《带耕堂遗诗》卷首,民国十八年江宁刻本,第13页。

② 赵尔巽:《清史稿》卷479《循吏四·蒯德模》,第13080页。

③ 李鸿章:《保荐人才片》,《李鸿章全集》第2册《奏议二》,安徽教育出版社2008年版,第531页。

德模代理苏州府知府。蒯德模任事五月,决狱200余起,丁日昌保举蒯德模加随带二级,给予封典。调署太仓直隶州知州,修缮城垣,兴修水利,浚治塘河,建安道书院,添盖仓廒,筹备积谷,设牛痘局,重建普济堂,凡是有利于百姓的,莫不兴举。因功加三品衔。时任两江总督马新贻曾言循吏乃以蒯、陈(其元)并称,陈其元则自认"余之政治不能及子範远甚"。① 同治九年(1870),调署镇江府知府,时天津教案发生,人心惶惶,沿江戒严,当地士民已闻警远徙,蒯德模到镇江后,责以大义,号召绅富捐款,修葺外城,疏浚甘露港,召还民众,人心始定。工未竟即调署江宁府知府。同治十年(1871)十一月入都引见,补授四川夔州府知府兼监督夔、渝两关税务。次年六月抵任。夔州府城临江,沙土浮松,为水所侵,屡修屡圮,蒯德模自出方略,筑保坎13道,砌以大石块,层累而上,不到两年完工,崇埠隐然。夔州所属奉节县有臭盐磺,河水退落民众即相聚煎盐,后为云阳灶户所持,请官府加以封禁,但民众私煎如故,聚众抗捕之事时有发生。蒯德模认为利之所在徒禁无益,请求弛禁,官买其盐,运销宜昌,如此既不影响奉节贫民谋生,也不会侵占云阳盐引的销售。刊刻《蚕桑实际》一书分发各保甲,劝民种桑,不到两年仅奉节一县即栽种桑树22万株。建文峰书院,厚给膏火,以培育人才。光绪三年九月二十一日(1877年10月27日)病死于任上,终年61岁。皖抚冯煦称其为:"晚清循吏之冠"。

蒯德模著有《带耕堂遗诗》《吴中判牍》等。

蒯德模有4子,长子光煦,曾任江苏候补同知;次子光藻,为五品衔蓝翎候选知县;三子光昭,为县学生;四子光典,出身进士,历任翰林院检讨、会典馆图绘总纂、淮扬道道员、京师督学局长、南洋劝业会提调、候补四品京堂。②

---

① 陈其元:《庸闲斋笔记》卷10《蒯子範判牍》,中华书局1989年版。
② 金天翮:《皖志列传稿》卷8《蒯光典传》,台湾成文出版社1936年版,第5页。

吴毓芬　吴毓兰[①]

吴毓芬（1821—1891），字公奇，号伯华，合肥县东乡六家畈（今属肥东县）人，廪生。早年以学问品行、信用道义著闻乡里。咸丰初，与弟毓蕙、毓兰在籍兴办团练，保卫乡间，对抗太平军与捻军。咸丰三年（1853）李鸿章、李文安先后奉命回到合肥办理团练，吴毓芬兄弟即追随左右，曾在凤阳、定远等地抵抗捻军，后又奉命驻扎运漕，阻击太平军，转战于柘皋、巢县、无为等地。九月，因所带团勇颇有成效，与文生䣭德模、李鹤章等一起受到署理安徽巡抚的奖勉。十二月十六日，太平军攻克庐州。清廷随即从江南大营、江北大营、河南等地调来2万多兵勇围攻庐州。咸丰四年（1854）二月，陈玉成部太平军由巢县进援合肥，吴毓芬兄弟在李鸿章之父李文安率领下，与之战于庐江白石山，胜之。其时，寿州人谈家宝率捻军纵横于庐州、凤阳之间，吴毓芬谒见皖抚福济，称谈家宝为寿州侠士，因家陷冤狱被迫起事，非有意作乱，自请前往招抚，偕至李鸿章军前，谈家宝参加了咸丰六年（1856）攻克含山、巢县、无为之役，力战而死。复解寿州围，毓芬因功得补知县。

咸丰十一（1861）年底至同治元年（1862）初，李鸿章奉曾国藩之命招募淮勇组军东援，毓芬奉命前往联络张树声、潘鼎新、吴长庆、刘

[①] 参见《皖志列传稿》卷7《吴毓兰吴毓蕙附吴毓芬》；光绪《续修庐州府志》卷97；《安徽通志稿·吴毓兰吴毓蕙附吴毓芬》（抄本）；马昌华主编：《淮系人物列传·李鸿章家族成员·武职》，黄山书社1995年版；顾廷龙、戴逸主编：《李鸿章全集》，安徽教育出版社2008年版；《清史稿》卷435《吴毓兰传》。

铭传等。^① 同治元年（1862）春，随李鸿章率师抵达上海，初在营务处管理营务，兼综厘捐，"极意厘剔，两月内多收六七十万"。六七月间，回乡募勇返沪，是年冬组建华字营，加入作战，不久扩充为2营，自任统领，归程学启统带。十一月底至十二月初，以候补知州带队随淮军收复常熟、昭文县城，攻克福山要塞后，奉命"前赴常昭、福山一带察看情形，抚驭降众，固结其心"^②。李秀成率苏州等地太平军图攻常熟，直逼城下，李鸿章派松江常胜军往援，知州吴毓芬等随队照料。同治二年（1863）二月，随队再克福山港口，解常熟、昭文之围。六月调防吴江，浙江数万太平军前往支援图解苏州城围，径扑吴江，吴毓芬率众坚守，相持逾月。八月，率部随程学启进逼苏州城，攻克宝带桥太平军营垒。九月，复败援苏州之嘉兴太平军于吴江七星桥和长坂桥、大江桥，会同程学启等军攻下八圻，军锋直指嘉兴。吴毓芬率华字营2营驻石城，以阻截嘉兴、嘉善之太平军。十月二十六日，苏州克复，以道员补用。十一月二十三日，会同程学启等攻克平望镇及九里桥、黎里等处太平军营垒。平望东连嘉兴，西达湖州，北联苏州，南通杭州，为江浙通衢要口。平望既克，嘉善太平军守将陈占榜、余嘉鳌至吴毓芬营中密谋献城乞降，并遣子为质。十一月二十七日，吴毓芬轻舟入城，挑选降众精壮者编为华字营左右暨新副水师营，其余的资遣回籍。因收复嘉善功擢升补用道。

关于嘉善受降，据刘秉璋之子刘体智记载，吴毓芬与刘秉璋之间还产生了矛盾："先文庄（刘秉璋）率师过张泾汇，连战皆捷，嘉善已在掌握，华字营遽受寇降书，文庄不悦。嘉兴既克，两军偶有斗殴细故，华字营不胜。未几，伯华观察以事见，随从多人，因而寻衅。门者以

---

① "当臣（指李鸿章）东征之始，方苦兵单"，其时张树声、潘鼎新、吴长庆、刘铭传皆练团勇保卫乡里，与吴毓芬气谊素投，"奉檄往招，约与俱来，是为铭、鼎、树、庆四军"。李鸿章：《为吴毓芬请恤片》，《李鸿章全集》第14册《奏议十四》，安徽教育出版社2008年版，第163页。

② 李鸿章：《收复常熟昭文攻克许浦折》，《李鸿章全集》第1册《奏议一》，安徽教育出版社2008年版，第169页。

告,不免言之过甚。及入见,文庄以军法杖责之。观察颇忿,上书于李文忠,言本朝二百余年,从无鞭挞道员之理。文忠曰:'汝读书,尚不知身在军中,当从军法耶?'时同袍者皆乡人,事过劝解,和好如初。"①

攻克嘉善县城后,淮军程学启、刘秉璋等部继续进逼嘉兴府城,吴毓芬率4营进扎七里店。同治三年(1864)正月二十三日,各部会商攻城,以程学启部陆师与淮扬、太湖水师攻北门外之杉青闸、御花园、端平桥及北门以西等处,附近之秋泾桥由李昭庆部负责;以刘秉璋、潘鼎新部攻东门外之吴泾桥及东塔等处,附近之合欢桥由吴毓芬一军主之。二十四日起,两路同时发起进攻。吴毓芬率部由东路进克六里街、合欢桥、吴泾桥诸要隘,以巨炮轰坏城楼及雉堞数十丈,越濠而进,倚云梯蚁附而登,二月十八日嘉兴城破,赏加御勇巴图鲁名号、三品封典,并驻守嘉兴。三月中旬,驻守溧阳之"常胜军"戈登部被调往江阴、常州一带作战,吴毓芬奉命率所部水陆5营前往替守。时金坛太平军被鲍超部围攻,弃城出走。毓芬探知太平军已抵距溧阳36里之南渡,恐其图攻溧阳,便带300人前往查看,并在小蜀山、丁上桥、周城镇等处设伏袭击。三月二十五日,太平军万余人在林得英带领下由金坛转移广德,途中暂屯南渡。得知消息后,吴毓芬率陈占榜、余嘉鳌出南渡正路,遣弟吴毓兰由小路进扼招仙桥,罗义胜带炮船及炸炮队遏阻南渡水路,分队突袭太平军营垒,杀伤甚众。六月,李鸿章命驻守溧阳之吴毓芬部水陆5营移驻长兴之夹浦口,调周盛传部3营接防溧阳,协同郭松林、杨鼎勋等固守太湖西岸由长兴至宜兴、溧阳一带,为湖西之师;以刘秉璋、潘鼎新等部由太湖东岸进扎,配合左宗棠部湘军攻打湖州。七月二十七日,清军攻占湖州府城。湖州攻克后,城内太平军余部分股突围,当晚吴毓芬率洋枪队800人由长兴观音桥追击八九十里,接连在午山桥、林成桥击败太平军,二十八日攻克四安镇,以功赏加按察使衔。同治四年(1865)初,

---

① 刘体智:《异辞录》卷1,中华书局1988年版,第51—52页。

因江北兵单,堵截捻军不敷分布,漕运总督吴棠商调吴毓芬赴清江浦策应,李鸿章命张树声、张树珊率部前往徐州、清江,而以吴毓芬所部4营前往扬州接防。后又进扎清江、宿迁及山东之峄县、韩庄等处,以其弟吴毓兰分统华字营两营回防扬州①。同治六年(1867),东捻平。吴毓芬因在军营积受寒湿,骤发风痹,于是年十二月假归调治,②未再复出。光绪十七年(1891)三月病故于里,终年70岁。

吴毓芬辞官回乡后,在六家畈广置田产,大兴土木,依照苏州园林格局营建的"也是园"更是精致别雅,光绪四年(1878)曾主持续建巢湖姥山文峰塔(建于明崇祯四年,至第四层时因明末农民起义而辍工)上三层。吴毓芬精于诗词研究,著有《也是园诗钞》5卷,收录作品544首。近年在姥山文峰塔内还发现其所作的《姥山歌》。

吴毓兰(1827③—1882),字香畹,国子监生,吴毓芬弟。咸丰年间,与兄毓芬、毓蘅在籍组织团练,毓蘅战死后,多次随清军在庐州、凤阳、颍州等地作战,以功擢县丞。同治元年(1862)加入淮军,初在营务处经理饷项。是年冬,随兄毓芬募立华字营,隶程学启部,后以同知衔领华字营副营官。同治二年(1863),随队再克福山要口,解常、昭之围,调防吴江,进克八坼、平望、黎里,调守嘉善。当是时,淮军内统将林立,皆以材武意气相角,毓兰兄弟俯仰其间,碌碌无所短长,而节制有度,亲与士卒均劳,战必身先,能得敌方要领,未尝挫败。人不敢以儒生轻之。④ 同治三年(1864)正月随攻嘉兴府城,率死士以炮船冒险渡河,掘河口架桥济师,昼夜环攻,缘梯先登,二月十八日城破,以功免选本班以直隶州知州遇缺即选,并赏换花翎。三月调守溧

---

① 李鸿章:《为吴毓芬请恤片》,《李鸿章全集》第14册《奏议十四》,安徽教育出版社2008年版,第163页。

② 《清实录》(光绪朝)卷300,光绪十七年八月癸丑,中华书局1985年影印本。

③ 据《安徽通志稿·吴毓兰吴毓蘅》(抄本)"光绪壬午(1882年)卒官,年四十有七",吴毓兰当生于1835年。此据《肥东文史资料》第3辑《华字营统领吴毓芬、吴毓兰》一文。

④ 《安徽通志稿·吴毓兰吴毓蘅附吴毓芬》(抄本);《皖志列传稿》卷7,台湾成文出版社影印本,第22页。

阳,设伏南渡,大败自金坛转移广德之太平军直王林得英等部。六月移驻长兴之夹浦口,协攻湖州。七月二十七日湖州既克,冒雨潜渡观音桥,击出城之太平军余部于午山桥、林成桥,克四安镇,叙功擢知府。四年(1865)调防扬州。追论在浙西战功,以道员选用。同治六年(1867)十二月在扬州瓦窑铺俘获东捻首领赖文光,以道员记名简放,"由是显名于时"①。次年加布政使衔。同治十年(1871)调北洋海防营务处,历管北洋营务、支应、军械、制造各局。光绪六年(1880)授天津河间兵备道。时滨海多盗,按名捕拿法办;以工代赈,加修南运河、子牙河大堤及千里堤、静海、军粮城河道;与淮军将领周盛传筹开减河以兴屯田。光绪八年(1882)三月,卒于天津道署。

李瀚章[②]

李瀚章(1821—1899),本名章锐,字敏荪,号筱荃,亦作小泉,晚年自号钝叟。道光元年七月二十七日(1821年8月24日)出生于合肥东乡磨店(今属合肥市新站区)祠堂郢村,李鸿章长兄。父亲李文安长期在京城任职。作为长子,李瀚章要负担起料理家中一切大小事务的重责,正所谓"百口荷一身""日日役米薪"。虽秉持庭训专攻举业,但科场不顺,屡试不第,直到弟弟鸿章考中进士后的第二年,也即道光二十九年(1849),才被选为拔贡。朝考一等,出自曾国藩门

---

① 《安徽通志稿·吴毓兰吴毓蘅附吴毓芬》(抄本)。
② 参见赵尔巽:《清史稿》卷447《李瀚章传》;金天翮:《皖志列传稿》卷7《李瀚章传》;王锺翰点校:《清史列传》卷59《李瀚章传》;黎庶昌编撰:《曾文正公年谱》;丁德照、陈素珍编著:《李鸿章家族》,黄山书社1994年版;张昌柱等编:《李鸿章家族碑碣》,黄山书社1994年版;《清实录》(同治、光绪朝);马昌华主编:《淮系人物列传——李鸿章家族成员·武职》,黄山书社1995年版。

下,①以知县分发湖南。至武昌,湖广总督裕泰召见后称赞说:"他日继吾位业必李令也。"

咸丰元年(1851),署理永定知县。咸丰二年(1852),改署益阳知县,未及上任,太平军进围长沙,湖南巡抚骆秉章命守南门天心阁,率兵力御,围解,奖六品衔,随赴益阳县任。咸丰三年(1853),调署善化知县。时丁忧侍郎曾国藩奉诏在湖南原籍帮办团练,组建湘军,因李瀚章为人淳厚谦逊、明晓事理,派办捐输事宜。咸丰四年(1854),曾国藩奉命率湘军东下,二月初二在衡山舟次奏调善化知县李瀚章等随同东征差遣。湘军攻克湖北崇阳之后,进攻新滩口,李瀚章率水师配合作战,因功免补本班以直隶州知州留湖南补用。咸丰五年(1855)四月,曾国藩在江西南昌设立湘军后路粮台,以李瀚章、江西在籍礼部主事甘晋总理其事。② 九月,曾氏在奏折中称候补知州李瀚章办理粮台,权衡缓急,实有劳绩,拟归入义宁案内开单保奏。十二月,曾国藩具折汇保陆军克复义宁攻剿湖口两案,出力员弁兵勇,开单请奖,李瀚章保知府,并赏戴花翎。咸丰六年(1856)二月,曾国藩奏称,知府李瀚章等在营闻讣丁忧,③该员等办理臣军粮台,洵为得力熟手,仍请留营当差。咸丰七年(1857)二月,曾国藩因父亲去世开缺回籍,疏请终制。湘军粮台归并于江西省局。李瀚章也回到庐州,为皖抚福济奏留,办理当地团防捐务。咸丰八年(1858)五月,旨命守丧期满之曾国藩督师援浙。七月,曾国藩于湖口设立报销总局,札调李瀚章来江西总理报销局,清厘东征水陆各军饷粮收发之数,分款核销。当时,福济已经罢官,太平军陈玉成部再克庐州,李瀚章携母及全家于九月奔往江西,先住奉新,后住南昌,设报销总局于吴城镇。弟李鸿章亦于是年十二月赴建昌加入曾国藩军幕。咸丰九年(1859)六月十四日,曾国荃、张运兰等率湘军攻克景德镇,李鸿章同往赞画,

---

① "(六月)十四日,钦派朝考拔贡阅卷大臣","李公瀚章以己酉选拔朝考,出门下。"黎庶昌编撰:《曾文正公年谱》卷1"道光三十年六月"条、卷2"咸丰三年二月"条。

② 黎庶昌编撰:《曾文正公年谱》卷4"咸丰五年四月"条。

③ 李瀚章父亲李文安于咸丰五年五月二十三日病故,按礼制应去官回籍守孝。

次日克浮梁县城，江西全省肃清，李瀚章以道员留于湖南尽先补用。

　　李瀚章、李鸿章兄弟皆师事曾国藩，而瀚章跟随更久，因老成练达、办事勤能很受曾氏看重。据李鸿章撰写的墓志铭记载，曾国藩尝上疏奏陈李瀚章劳绩，而湖北巡抚胡林翼举荐李瀚章的奏疏也到了咸丰帝手中，咸丰帝因胡林翼所保举的职位更优，于是在曾国藩的奏折上手批曰已经答应了胡林翼的奏请。胡林翼亦想调李瀚章至手下办事为官，只是曾国藩没有同意①。因湖广总督官文奏请，朝廷有命曾国藩赴四川夔州扼守之旨，咸丰九年（1859）七月十五日，李瀚章、李鸿章兄弟随曾国藩自南昌北上，至黄州晤胡林翼，至武昌晤官文，会商军务，最后决定奏请曾国藩缓赴四川，改援安徽。咸丰十年（1860）闰三月，太平军破清军江南大营，天京两次解围。四月，旨命曾国藩加兵部尚书衔，署理两江总督。旋与江西巡抚毓科商定，仿照湖南办法设江西通省牙厘局，征收厘金，遴委大员专管，专充湘军之饷。五月，保奏湖南道员李瀚章廉正朴诚、遇事精核，请以道员改归江西遇缺简用，与署藩司李桓会办江西通省牙厘事务。二十日，李瀚章自宿松湘军大营启程赴江西办理牙厘局。七月，授李瀚章江西吉南赣宁兵备道，旋命襄办江西团练防剿事务。因吉安、南安、赣州、宁都直隶州一带无劲旅扼守，曾国藩又咨商湖南巡抚骆秉章请调陈士杰（桂阳人）之桂勇专防南路。在任期间，李瀚章私下从厘局拨款7000两发交曾国藩部将吴坤修赴援江西抚州、建昌之用，使江西布政使张集馨大为不满。②

　　同治元年（1862）三月，曾国藩上奏清廷请求抽收广东韶关、肇庆、佛山等地之厘金，用于接济南京之曾国荃军、苏南之李鸿章军、浙江之左宗棠军。清廷命左副都御史晏端书前往督办，并让曾国藩派员助理。五月初三，曾国藩上折保奏才识宏远、条理精详之道员李瀚章、黄冕、赵焕等9人随同晏端书赴广东，办理分卡，抽收厘金。因与

---

　　① 李鸿章：《清故光禄大夫太子少保两广总督李勤恪公墓志》，《李鸿章家族碑碣》，黄山书社1994年版，第35页。

　　② 张集馨：《道咸宦海见闻录》，中华书局1981年版，第319页。

两广总督劳崇光、广东巡抚耆龄不无龃龉,在给李瀚章的信函中请他加意预筹善处,并妥善处理好与当地士绅的关系。七月十六日,李瀚章由赣南到达安庆,准备乘船经上海前往广东。八月十九日,李瀚章与幼弟昭庆同至上海。九月初六,李瀚章离上海赴广东。李鸿章托他在香港采购洋枪天字号3000支。李瀚章到广东后,兴办厘卡8处,每月可得厘金数万两,分济湘、淮军。十二月,李瀚章调补广东督粮道。同治二年(1863)六月,升广东按察使。因粤省官场风气固殊、吏治民风挽回不易,且广东地方大吏欲分留厘饷之四成,性素拘谨的李瀚章虽屡获升迁,但心情不畅、郁郁不乐,欲于年底称病告退。① 其主要原因是与署两广总督兼署广东巡抚晏端书关系不洽,想改官他省。李鸿章为此致函原籍顺德的户部尚书罗惇衍加以劝说。同治三年(1864)四月,升任广东布政使。

同治四年(1865)二月,湖南巡抚恽世临因案被劾去职,旨命广东布政使李瀚章升湖南巡抚。当时,湖南军务纷扰,处处告警。太平军攻克福建漳州后,李世贤、汪海洋等部意欲从上杭进兵赣南进而图谋两湖;贵州苗民军、号军起义,联结太平军威胁湘界;调赴四川之总兵宋国永、冯标所统鲍超旧部霆军18营行至湖北汉阳金口地方,不愿西行,全行溃散,扰犯湘赣边境。李瀚章受命督办湖南、贵州军务大臣,派总兵周洪印镇压贵州苗民军、号军起义;命前江苏按察使陈士杰部驻郴州,对抗太平军;命在籍云南按察使赵焕联率部驻岳州,防范霆军溃散兵卒。陈士杰、张义贵等在湖南攸县、安仁、兴宁击败霆军溃勇;周洪印在湖南晃州、沅州击败贵州苗民军、号军起义军,进而越境追杀,战于贵州铜仁,解其围。七月,为体恤商情、培养士气,李瀚章奏遵旨裁撤东征局,酌留盐、茶两项归本省局卡抽收,其余各物酌留四成,协济甘饷。九月,授资政大夫。同治五年(1866)正月,黔省下游爆发苗教民起义,李瀚章奏准新任贵州布政使兆琛暂缓赴任,

---

① 李鸿章:《上曾中堂》,《李鸿章全集》第29册《信函一》,安徽教育出版社2008年版,第244页。

专办贵东军务,与湘军共图进取;派已革按察使李元度由铜仁进攻思南、石阡之号军;派兆琛、周洪印由思州、天柱进攻清江、台拱之苗民军,各个击破,使起义军不能互为声援,然后会合诸军大胜于荆竹园、波洞。

同治六年(1867)正月十一,李瀚章调任江苏巡抚。同日,清廷任命李鸿章接替官文出任湖广总督,因其在军营督办镇压捻军事宜,由李瀚章署理湖广总督;内阁学士刘崐为湖南巡抚,两淮盐运使丁日昌为江苏布政使。此次人事变动曾国藩心甚喜之,一是湘淮联合镇压捻军等事可以顺手,二是官文去职其弟曾国荃担任湖北巡抚也可以安于其位。而对于淮军的帮助,李瀚章的作用也远在淮系其他人员之上。自同治元年起,李瀚章在广东办理厘金,淮军之洋枪、洋炮等新式武器,多由他购置;同治六年署任湖广总督,继又实授,长达十三年之久,又以饷项源源供给,使淮军获得坚实之后援。

同治六年(1867)四月,东捻军任柱、赖文光部自湖北枣阳进入河南,李瀚章派总兵宋国永等率部追击,分兵驻防黄安(今红安)、麻城、随州(今随县),令北岸各州县添修寨堡,力行坚壁清野之法,以防捻军回鄂。六月,钦差大臣李鸿章奏调鄂浙各军分守运河堤墙与胶莱河,实施倒守运河之计,李瀚章先后派遣提督谭仁芳、刘维桢、唐仁廉等部至济宁助防。七月,捻军张宗禹部活跃于陕西渭北一带,有东进之势,荆紫关为河南要隘,河南兵力不足,请湖北筹兵代守,李瀚章立即派提督姜玉顺前往。十二月,调任浙江巡抚,赏头品顶戴。同治七年(1868),议定浙江省新漕海运规则14条,奏准施行。江苏诸府半用浙盐,太平天国失败之后,元气未复,商贩凋零,无本包运,变通其法由官府代为经销。同治八年(1869),李瀚章决定仍复旧法,招徕盐商,先行试销66000引,并暂不纳入州县官吏督销政绩考成。

同治八年(1869)十二月,李瀚章调署湖广总督。同治九年(1870)六月,内阁学士宋晋奏称长江水师营制渐形疏懈,请加整顿。七月,与长江水师提督黄翼升复奏整顿长江水师,严申纪律,汰老弱、勤操巡以肃军律。天津教案发生之后,清廷以津事尚无头绪命令沿海沿江各省迅速筹防,遵旨调派水、陆各军分布要隘。八月三日,实授湖广总督。湖北宣恩哥弟会(哥老会)杨竹客起义,在其影响之下,湖南湘潭哥弟会起事,戍县丞葛治平,据凤凰山莲花寨,于同治十年(1871)四月十二、十六日攻陷益阳、龙阳等地。李瀚章令所部四出搜捕,获为首者斩,令各县推行保甲。杨竹客起义失败。十二月,因湖南地方紧要,会党散勇堪虞,拟于省城长沙设立保甲总局,责成臬司会督绅士妥为办理;省城内外亦分拨水陆各营择要扼守。同治十一年(1872)五月,随着张秀眉、包大度等起义首领被俘被杀,坚持18年的贵州苗民起义宣告失败,李瀚章能和衷共济、克竟全功,著交部从优议叙。同治十二年(1873),奏免湖北行销川盐之陆课及湖南澧州行销川盐之邻税,商民两便。八月,湖南临湘傅春琳聚众数千人起义。李瀚章派提督刘维桢率部平之。同治十三年(1874)九月,因新任湖北巡抚翁同爵到任需时,兼署湖北巡抚。十一月,清政府命江西、湖北、湖南等省自次年开始,全运本色漕粮。李瀚章奏陈湖北漕粮骤难改征本色,打算就漕折拨款购米3万石由轮船运抵天津。并请开办海运。是年,日本武力侵略台湾,引发第一次海防大讨论。总理衙门会筹海防六策,清政府命各督抚详议切实办法,李瀚章也从练兵、简器、造船、筹饷、用人、持久等6个方面陈述了自己的意见。

光绪元年(1875)正月,往迎柏郎"探路队"的英国驻华使馆翻译马嘉理,在自缅甸返回云南途中于滇省边境蛮允被杀,柏郎受阻退回八莫,是谓马嘉理案,引起中英交涉,且久悬未决。五月十六日,根据总理衙门奏请,李瀚章奉命前往云南查办案件。六月五日,在武昌与英国驻华公使馆参赞格维纳晤谈马嘉理案。七月二十八日,清政府派李鸿章、丁日昌与英国公使威妥玛谈判马嘉理案,命李瀚章将柏郎被阻之事一并查办。八月初八,经李鸿章奏准,清廷旨派前任侍郎、李瀚章儿女亲家薛焕赴云南帮同李瀚章办理马嘉理案。十月十六日,李瀚章到达云南。十一月十二日,李瀚章、薛焕奏准,将马嘉理案事发地方官云南腾越厅同知吴启亮、腾越镇总兵蒋宗汉撤职。十二月十九日,李瀚章调任四川总督,继续办理马嘉理案。十二月二十三日,李瀚章、薛焕奏准将参与案件之参将李珍国革职,与蒋宗汉等分别提审。光绪二年(1876)三月,李瀚章、薛焕离开昆明前往四川,并胪呈全案,请旨饬下总理衙门会同刑部将有关涉案人员拟定罪名。此行查核案件因云南地方事前已有准备,未能访得实情。案件延至七月才告议结。

　　光绪二年(1876)九月,李瀚章调任湖广总督。光绪三年(1877)八月,因湖北巡抚邵亨豫赴河南查办事件,李瀚章兼署湖北巡抚。清代食盐分区销售,各地所产食盐皆划定特定区域为其引地即销售区域,产盐区和销盐区关系固定,不可逾越,否则即为违法贩卖私盐。两湖例食淮盐,太平军兴,盐纲紊乱,川楚相连,川盐大量入楚也就顺理成章,而且川盐在盐色、口味、运道、价格、筹运、民众食用习惯等方面均具优势。太平天国以后的同光之际,两江总督为维护两淮盐政,更出于每年近百万税收的利益考虑,极欲全数规复淮引,试图恢复两淮失去的两湖(尤以湖北为重①)广阔的销售市场。为此,当事者或往返磋商、讨价还价,或上奏朝廷请求裁定解决。虽然川私侵占淮引大紊纪纲,但出于各自利益考虑,既成的事实难有多大改变。针对两江总督沈葆桢欲全数规复淮引之疏,光绪三年九月,李瀚章奏称,沈葆桢原奏包完饷银立限截止川盐设法严缉私枭章程,或虚数徒悬,或事多窒碍,未能允洽。必欲规复全引,亦应俟数年后量度事势,再行筹办。清政府采纳了他的意见。光绪四年(1878),侍郎袁保恒请求增加川盐厘税,抵还河南省赈灾借款。李瀚章认为川盐厘税高于他引,如果再过分抑勒苛求,商民皆病,何况以河南省借款取偿于四川、湖北,情理不合。至于湖南加征,尤多窒碍难行。清政府命即作罢论。光绪六年(1880)正月,以彭祖贤尚未到任,命湖广总督李瀚章兼署湖北巡抚。光绪六年七月,中俄因伊犁争端关系紧张,考虑到俄国意存启衅,清政府命湖南提督鲍超募勇万人,限月内北上,驻扎天津至山

---

① 湖北武昌、汉阳、黄州、德安、安陆、襄阳、郧阳、荆州、宜昌、荆门九府一州为淮引之地。

海关之间适中之地,策应海防。李瀚章负责为这些兵勇筹措粮饷、军械。伊犁谈判达成协议之后,鲍超所部裁撤13个营,李瀚章妥善处置,顺利遣散,未酿事端。

光绪八年(1882)三月初九,李瀚章丁母忧。清政府以安徽六安人涂宗瀛为湖广总督。是月,因有人奏李瀚章、李鸿章之子弟族人在合肥县广营田产、包揽垦荒,并有主持词讼、闯关闹卡情事,旨命安徽巡抚裕禄确切查明据实具奏。不久,裕禄奏称遵查各节均无其事。十二月,给事中邓承修奏参李瀚章在湖广总督任内黩货无厌,任用私人。清廷命左宗棠查明具奏。左宗棠奏称,邓承修奏参李瀚章各款查无实据,只是已革道员杨宗瀛(江苏金匮县人,系李鸿章同年好友杨延俊之子)声名平常,经管新关税务,招致物议,该督漫无觉察,请将李瀚章交部严加议处,已革道员杨宗瀛请从重发往军台效力赎罪。清廷部院大臣极力为李瀚章与杨宗瀛说情,认为杨宗瀛家有老亲,年逾八旬,应该从轻发落,这件参案才不了了之,给李瀚章留了面子,使李鸿章感激涕零。李鸿章说李瀚章平生孝友忠爱,远近尚无闲言,现衰老已甚,已无意为官。

光绪十年(1884),守孝期满,亦未出仕,在合肥闲居6年,光绪十四年(1888)四月间,到天津李鸿章的直隶总督衙门住了20多天。端午节后,离津赴京,蒙召见,赐西苑乘马。在京期间,住醇亲王奕譞王府中。因漕运总督卢士杰病死出缺,九月二十六日,清政府即任命李瀚章为漕运总督兼理南河总督、淮北盐务,又赏加兵部尚书衔兼都察院右都御史,赐紫禁城骑马。

光绪十五年(1889)二月十七日,授光禄大夫。七月十二日,清政府调两广总督张之洞为湖广总督,筹筑芦汉铁路,以李瀚章继任两广总督。广东所属南海、番禺、顺德等地,社会不宁,盗风盛炽。李瀚章命广东水师提督方耀统兵分三路缉捕,数月平之。粤东各局多冗滥,李瀚章细心厘定,加以裁革,仅留海防、善后等11局,每年节省经费数万两。四月,署广东巡抚游智开因病解职,李瀚章兼署广东巡抚。光绪二十年(1894)正月初一,以慈禧太后60整寿之年,晋封妃嫔及宗室、外藩王公，并及中外文武大臣，李瀚章加太子少保衔。日本蓄意挑起中日甲午战争，清政府命各有关省份密备海防，李瀚章巡阅各炮台，整饬营伍，缉获私与敌通、代为招兵之奸匪，严加惩处。九月，商议息借商款助饷。广东旧有闾姓捐四成助饷。广东巡抚马丕瑶议革之。李瀚章请循旧收缴备海防，舆论大哗。御史谢希铨奏参两广总督李瀚章玩寇营私，经马丕瑶查无实据，光绪二十一年（1895）三月十九日上谕，该督年力就衰，前因病奏请开缺，当经赏假一个月。著加恩准其开缺，回籍调理。时年75岁。光绪二十五年八月初七（1899年9月11日），卒于安徽合肥原籍，终年79岁。谥勤恪。

李瀚章著有《合肥李勤恪公政书》10卷。其主编的《曾文正公全集》，光绪二年（1876）由传忠书局印行。

李瀚章原配王氏，同县王日初第三女；继配湖南益阳罗氏，另有侧室安徽太平孙氏、丁氏、伍氏。有子11人，即经畬、经楚、经滇、经湘、经沅、经澧、经沣、经湖、经淮、经粤、经淦。女10人，殇1人，分别嫁给光禄寺署正同县张文燕、记名海关道寿州孙传樾、浙江候补知府常熟杨同复、分部主事江西新建张以琮、工部主事杭州孙宝瑄、江苏候补道钱塘汪鸣銮、刑部员外郎嘉定徐厚祥、湖南衡山聂其焜、四川候补道宣城周风冈。

李鸿章[①]

李鸿章（1823—1901），本名章铜，字渐甫（一字子黻），号少荃（泉），晚年自号仪叟。道光三年正月初五（1823年2月15日）生于合肥县东乡磨店（今属合肥市新站区）祠堂郢村，李文安次子。六岁起

---

① 参见顾廷龙、戴逸主编：《李鸿章全集》，安徽教育出版社2008年版；苑书义：《李鸿章传》，人民出版社2004年版；雷颐：《李鸿章与晚清四十年》，山西人民出版社2008年版；雷禄庆：《李鸿章年谱》，台湾商务印书馆1977年版。

欤助。十二月初十,李鸿章抵达建昌湘军大营拜谒曾国藩,并留为幕宾,初掌书记,继司批稿奏章,后则襄办军务、参赞戎机。劲气内敛、才大心细的李鸿章深得曾国藩赏识与倚重。曾氏对其也是精心训导,尽心栽培,大至经济学问、用兵方略,小到待人处世、生活习性,随时随事随地均有所指示,使李鸿章"至此如识南针,获益匪浅"①。出于军情需要,曾国藩在李鸿章入幕未及一旬便决定请他主持编练皖北马队,以补湘军有水陆而无马队之缺陷,但因皖北地方阻挠不愿放人而搁浅。咸丰九年(1859)十月,授福建延建邵遗缺道,因无缺可补,留营未赴任。咸丰十年(1860)七月,曾国藩保举李鸿章为两淮盐运使,兴办淮扬水师,隐含让其独立组军的意图,但因朝廷没有下文无果而终。八月,英法联军进逼京城,咸丰北逃热河途中,命曾国藩派鲍超北上"勤王"。鲍乃湘军悍将,去则长途跋涉,且归满人胜保统带,"必为磨死",不去则有违煌煌圣旨。两难之际,李鸿章独谓"夷氛已迫,入卫实属空言。三国连衡,不过金帛议和,断无他变。当按兵请旨,且无稍动"②,曾国藩据此实施"拖字诀"渡过难关。稍后,因李元度徽州兵败被劾,曾、李产生分歧,李鸿章一度出幕。经胡林翼、郭嵩焘、陈鼐等人劝说与曾国藩邀请,李鸿章于次年六月赶至东流大营,重归幕府。

咸丰十一年(1861)八月一日安庆克复,湘军取代经制军,用兵苏浙势所必然。二十六日胡林翼去世,意味着湘军早期的一批统军大帅凋零殆尽,招募新勇、选将择人成为当务之急。十月十六日,苏绅、钱鼎铭等由上海乘轮船抵达安庆拜见曾国藩,呈递沪绅公启私函,请兵援沪。李鸿章亦从旁劝说,曾氏基于政治、军事、经济利益考虑最终决定派兵东援。因所属意人选曾国荃、陈士杰力辞,曾国藩转商于李鸿章,李欣然应命,并于当年十一月开始了淮勇新军的招募与组建。起初,太平军兴,皖省境内团练林立,尤以合肥西乡张树声、周盛

---

① 薛福成:《庸庵笔记》卷1《李傅相入曾文正公幕府》,江苏人民出版社1983年版,第8页。

② 徐宗亮:《归庐谭往录》,《清代野史》第4辑,巴蜀书社1987年版,第239页。

波、刘铭传等民团势力最为强大,百里之内,互为声援。咸丰十一年三四月间,西乡团练头目公推曾任李文安幕僚的张树声致书李鸿章:"洞陈天下大势,暨同乡诸圩人士报国意。"①李鸿章受命之后,首先让张树声联络合肥西乡团练,并带信给自己的门生庐江练首潘鼎新,又通过前来安庆拜访的庐江进士刘秉璋联系驻扎三河的吴长庆。同治元年(1862)正月,铭、鼎、庆、树字4营至安庆训练。加上曾国藩所拨湘军亲兵两营(韩正国)、春字营(张遇春)、济字营(李济元)、开字两营(程学启)、湖南新勇林字两营(滕嗣林、滕嗣武)、熊字营(陈飞熊)、垣字营(马先槐),共14营。每营营官1名、哨官4名、正勇500名、长夫180名。营制营规、器械粮饷悉仿湘军章程。二月初四,曾国藩在李鸿章陪同下至安庆城外检阅各营,标志着这支新军正式成军。离开安庆之前,李鸿章在训练新勇的同时,还忙于向湘军鲍超、曾国荃部下借调将领,网罗幕府人才。

同治元年(1862)三月初七,李鸿章率亲兵营、开字营自安庆乘船东下,初十抵沪。至五月上旬,13营(济字营留防池州)9000余名官兵分批乘坐上海士绅雇用的英国商船到达上海。在此前后,李鹤章、周盛波、唐殿魁、吴毓芬等所募之勇陆续由江北陆路绕道来沪。临阵观摩一段时间后,先期到达的湘、淮勇于四月底开始联合英法雇佣军对太平军作战。五月下旬虹桥、泗泾之战,未得洋兵相助,李鸿章亲临前线,大获全胜,松江解围。八九月间,又亲督各军于北新泾、四江口大败太平军,淞沪解围,淮军能战自此闻名。淮勇新军最初作为湘军分支而创立,"以济湘军之穷"②,在李鸿章以军事统领兼任封疆大吏,掌握地方行政权力之后(三月二十七日署理江苏巡抚,十月十二日实任江苏巡抚,次年正月署理五口通商大臣),利用上海等地充足的饷源迅速发展,得以独立成军。成功守住上海,军事上站住脚跟

---

① 张树声:《张靖达公奏议》卷首,文海出版社影印本。李鸿章于咸丰十一年(1861)四月二十三日致函曾国藩,并将此信转呈。曾氏批曰:"独立江北,真祖生也。"见金松岑编:《淮军诸将领传·张树声传》,上海图书馆馆藏稿本。

② 曾国藩:《复李宫保》,《曾文正公书札》卷24,传忠书局清光绪二年刻本,第13页。

后,李鸿章开始从"察吏、整军、筹饷、辑夷"①诸事入手,进一步稳固自己在江苏的地位。察吏方面,罢免了媚外过甚、圆滑贪利的苏松太道吴煦、苏松粮道杨坊等买办官员,代之以务实肯干、精通洋务的黄芳、郭嵩焘、刘郇膏、丁日昌等,"沪中吏治渐有返朴还淳之象"②。同时注重罗致经世致用、精明练达、操守廉介之士,组建淮军幕府,兼顾军事与政务。整军方面,戒谕诸将弁师夷长技、操用洋枪洋炮,重金购置、设局仿制外洋军火,聘请外国军官教练兵勇,进而变易兵制,实现了从冷兵器作战到热兵器作战的过渡。同时,采取派员回乡募勇、改编旧有防军勇营与师船、收编太平军降众与淮南团练、接受常胜军余部等措施,扩充军力。至同治三年(1864)四五月入沪仅三年时间,淮军就建立起50多个独立的营头,形成铭、鼎、树、盛、军、松、勋、开字营等数个大枝营头,总兵力有一百四五十个营7万余人。筹饷方面,采取关税与捐厘分收分用、以厘济饷的政策,以关税支付常胜军、上海中外会防局、镇江防军用款和上海水陆各军购制洋枪火药经费,而以厘金作为淮军饷源。因为当时捐厘款项不入户部部库,地方督抚可自行支配,更可增设名目抽收厘金,所以随着淮军在苏南的军事进展,厘卡也层层添设,有益于军饷者不少,竭膏脂于商民者亦多。辑夷方面,体察洋人之性,设法笼络,使为我用,于华尔"欲结一人之心,以联各国之好"③,于戈登则利用英国人总税务司赫德、洋顾问马格里和苏州士绅潘曾玮充当说客,平息因苏州杀降而引发的冲突。同时也认识到洋人不可专恃、沪防必须自强,以白齐文松江闹饷事件为契机着手整顿常胜军并最终将其妥为遣散,初显其外交手腕。

守住上海进而攻夺苏州、常州,肃清金陵外援,是扭转危局并最终歼灭太平天国的关键所在。同治元年(1862)底二年(1863)初,淮

---

① 李鸿章:《奏保郭嵩焘片》,《李鸿章全集》第1册《奏议一》,第7页。
② 李鸿章:《上曾中堂》,《李鸿章全集》第29册《信函一》,安徽教育出版社2008年版,第164页。
③ 李鸿章:《上曾帅》,《李鸿章全集》第29册《信函一》,安徽教育出版社2008年版,第111页。

军、常胜军陆续攻下常熟、昭文、太仓、昆山、新阳等州县城，初步扫清苏州外围。五月十一日，李鸿章上《分路规取苏州折》，兵分三路：程学启率部由昆山攻苏州为中路，李鹤章、刘铭传率部由常熟进江阴、无锡为北路，李朝斌率太湖水师由泖澱湖进吴江、太湖为南路。黄翼升督淮扬水师往来调度，戈登率常胜军驻昆山专备各路应援。七月底，中路军兵临苏州城下。苏州与金陵为犄角，四面大河，形势甚固，守军米粮充足，加上李秀成自天京回援，人心镇定，一时难以攻下。淮军水陆各部相继攻下吴江、江阴，截断太平军外援；再克苏州东南之宝带桥、盘门外五龙桥、齐门外蠡口，围城日紧。至十月中旬，太平军守将郜永宽等见大势已去，遂生二心，借淮军副将郑国魁通款于程学启，在城北阳澄湖上密谈投降之事，戈登证之。李秀成见人心散乱，遂带部众万余离去。二十四日，汪安均、汪有为等刺杀守城主将谭绍光，次日以城献降。淮军入城后，因太平军八降王提出占据苏州半城、添立 20 营、奏保副将以上实任官职等非分要求，李鸿章采纳程学启建议，于二十六日诱杀八王，搜斩悍党，遣散余众。苏州克复，李鸿章加太子少保衔，赏穿黄马褂。此后不到半年时间，淮军各部相继攻克江浙无锡、金匮、嘉善、宜兴、荆溪、溧阳、嘉兴、常州、丹阳等地，江苏仅余金陵一城未克。

在此前后，清廷以曾国荃久攻金陵不下，诏命李鸿章迅速调劲旅及得力炮队前往会攻，曾国藩亦多次函商调军赴金陵协攻。鸿章顾及与曾氏兄弟之间的关系，以金陵城破指日可待，曾国荃围城劳苦累年，不欲分此垂成之功，托言固辞，不肯进军。六月十六日，湘军自地道运火药炸塌城垣二十余丈，攻克金陵。江苏肃清，廷旨封李鸿章一等伯爵（翌年赐伯号曰肃毅），赏戴双眼花翎。

金陵既克，太平军余部已不足为患。依旧制与惯例，战事结束之后团勇应解散归农。湘、淮勇的去留事关大局，颇费周章。李鸿章认为"目前之患在内寇,长久之患在西人"①,"吾师暨鸿章当与兵事相始终,留湘、淮勇以防剿江南北"②,主张保留淮军精锐,以备海防,并为此不断向同僚们陈述自己的意见。而湘军统帅曾国藩基于持盈保泰的心理与湘勇渐成强弩之末,不如淮勇之方锐的现实,决定裁湘留淮,年余时间湘军裁撤殆尽,③并上奏主张以淮军出援南北各省。自此,淮军取湘军而代之,成为晚清最强大的武装力量。

同治三年(1864)十月八日,因西北太平军陈得才部和捻军在鄂皖边境会合,势力大张,清廷命曾国藩督兵前往皖鄂交界会剿,以李鸿章暂署两江总督。十七日,李鸿章抵金陵拜谒曾国藩,会商军事,决定将淮军主力分为三部:铭、盛军北上"剿捻";松、勋军南下赴闽追捕太平军余部;其余各部留防江苏。十一月初,因皖、鄂军情缓解,旨命曾、李各回本任。同治四年(1865)四月,同捻军作战的清军统帅僧格林沁在山东曹州中伏阵亡,清廷急命曾国藩为钦差大臣北上督师"剿捻",以李鸿章署理两江总督,负责调兵筹饷诸事。五月,李鸿章奏留刘铭传部随曾国藩镇压捻军,改派常镇道潘鼎新率淮勇10营由海道赴天津,援护畿辅;上《苏省地漕钱粮一体酌减折》,获准核减苏州、松江、太仓、常州、镇江五属漕粮。由于湘军大部被裁,随曾国藩北上镇压捻军的为淮军刘铭传、周盛传、张树珊、刘秉璋、杨鼎勋、刘士奇、吴毓芬等部5万余人,另有湘军刘松山部约8000人。九月,清廷拟令李鸿章督带杨鼎勋等部赴豫西河洛防剿,兼顾山陕门户,因关涉淮军饷源地两江总督、江苏巡抚人事变动,李鸿章力陈兵势难远分、饷源难专恃、军火难接济,表示殊难前往,加上曾国藩亦持反对意见,遂寝前议。此后,直至甲午战前,任职两江总督、江苏巡抚者多为

---

① 李鸿章:《复徐寿蘅侍郎》,《李鸿章全集》第29册《信函一》,安徽教育出版社2008年版,第262页。

② 李鸿章:《上曾中堂》,《李鸿章全集》第29册《信函一》,安徽教育出版社2008年版,第332页。

③ 当时在江南地区与太平军作战的十数万湘军,除了水师改编为经制长江水师,老湘营与鲍超部霆军部分保留外,其余大部分被裁撤,其中浙江左宗棠部湘军5万余人被裁撤45营,剩余2万8000人出援福建;曾国荃部湘军5万余人只剩6营3000人。

淮系要员或与淮系关系密切者。同治五年（1866）八月，捻军大队自河南朱仙镇以北突围入鲁，河防失败，因尾追入鲁的淮军无人调度，曾国藩奏请饬令李鸿章出驻徐州，筹办淮、徐以东各路防务。十月，在军务、人事上遇到种种麻烦与掣肘的曾国藩因历时半年督战无功，奏请开缺。十一月一日，授李鸿章为钦差大臣，专办"剿捻"事宜；命曾国藩回两江总督本任。

此前的九月，捻军在河南陈留已分为两股：张宗禹、邱远才等统带所部西南入陕为西捻；任柱、赖文光等统所部留在中原为东捻。李鸿章受命后，为集中力量对付东捻，进一步扩充淮军。李昭庆一军扩至19营，号武毅军，至次年底淮军共有步队、马队、炮队、水师160多营8万余人。同治五年十月二十日李鸿章上折称："剿捻之计，应用谋设间，蹙之于山深水复之处，弃地诱入，合众军围困之。"时届仲冬，捻军由豫入鄂就食，命刘铭传、郭松林、张树珊等率军尾追入鄂，扼地兜剿。十二月，在湖北钟祥、德安（今安陆）为捻军所败，提督郭松林重伤，右江镇总兵张树珊阵亡。同治六年（1867）正月十一，清廷授李鸿章为湖广总督，仍留军营。四日后，刘铭传部在安陆尹隆河为捻军大败，唐殿魁等阵亡。四五月间，捻军由湖北进河南，趋山东，渡运河，济南戒严，京畿震动，李鸿章以督办军务日久疲师，奉旨戴罪立功。

五月，李鸿章自周家口经归德抵济宁，坐镇指挥，欲于山东半岛围歼东捻。纳刘铭传、潘鼎新反守运河西堤，蹙捻于登莱海隅，再进扼胶莱河以困之之策，在胶莱河两岸增设内层防线，命豫军、皖军、东军、淮军分段防守运河，后又联合东军，筑胶莱河防长墙280余里，堵捻军于黄河、运河、六塘河及大海之间的狭窄地带，限制捻军"以走制敌"的优势。捻军屡扑长墙不得出，转至莱阳、即墨间。十月，刘铭传部大败东捻于山东潍县，再败之于江苏赣榆，收买降将潘贵升击毙任柱于阵中。十二月，赖文光突破六塘河防至江苏扬州，为淮军华字营统带吴毓兰所擒。东捻平，李鸿章被清廷赏加骑都尉世职。

为声援受困之东捻军，西捻张宗禹率所部从陕西至山西一路突奔,于同治七年(1868)正月自河南临漳入直隶,扰保定,京师震动,诏责李鸿章救援不力,拔去双眼花翎,褫去黄马褂,革去骑都尉世职,并催李鸿章调率各部赴直隶进剿。因淮军连年征战未得休息,诸将在济宁聚讼不休,纷纷求退,拒绝北上,淮军几有瓦解之势。李鸿章通过刘秉璋说服潘鼎新首先应命北援,其余将领除刘铭传之外亦继起赴急。李鸿章自济宁北上督师,勘察形势,四月二十九日与陕甘总督左宗棠会于德州桑园,筹商堵剿机宜,议定"就地圈围"之策。五月十五日李鸿章上折称,宜趁黄河伏汛盛涨之际,缩地围扎:以运河为外圈,就山东恩县、夏津、高唐之马颊河截长补短,画为里圈,逼捻西南,层层布置。此间,西捻军与跟踪追击的湘淮军数次接仗,均遭大败。六月中旬,西捻军在德州一带数度抢渡运河未成。适逢大雨,黄河、运河及徒骇河河水大涨,东昌、临清、张秋等皆深不可越。淮军刘铭传、郭松林、潘鼎新等各部分屯茌平至东昌,围西捻军于徒骇河、黄河、运河之间。月底于茌平县南镇激战,捻军大败,张宗禹突围至徒骇河边,不知所终。七月,李鸿章以西捻平,被开复迭次降革处分,赏加太子太保衔,以湖广总督协办大学士。十月底,至金陵晤曾国藩,商讨淮勇各营去留及驻防事。次月起,陆续裁遣淮军马步59营,留存80余营四万多人,①驻防于直、鲁畿辅重地和苏、鄂财富之区。

金陵会晤后,李鸿章回乡省亲,同治八年(1869)正月抵武昌就任湖广总督。五月奉旨入川查办四川总督吴棠被参案。吴系李早年办理团练期间的至交,又有恩于那拉氏,曲意回护,以查无实据结案。同治九年(1870)初,先后奉命赴黔、陕督办军务,因不愿赴无足轻重之地,亦不愿与左宗棠共事,故作迟回。六月二十七日行抵西安,旋因天津发生教案,百姓殴毙法国领事官,法国兵舰聚集塘沽示威,奉密谕克期驰赴近畿驻扎,以资拱卫。八月,调任直隶总督。十月,兼任北洋通商事务大臣,每年海口开冻后移驻天津,至冬令封河再回省城保定。自此,李鸿章任职直隶总督兼北洋大臣长达25年,"通商、

---

① 樊百川:《淮军史》,四川人民出版社1994年版,第204页。

海防各事归并,权一而责巨"①,举凡清廷内政、外交、军事、经济多所参与,成为朝廷倚重的股肱重臣,授武英殿大学士,改文华殿大学士,赏三眼花翎,赐方龙补服,集荣耀恩宠于一身。

  李鸿章出任直隶总督后,责任愈重,视野愈阔,对中外形势和因应之方有着更为明确的认识,提出了"数千年来未有之变局"和"数千年未有之强敌"的时代命题,认为只有师西技、变成法、改科举、兴洋务,才能图存、图强。早在同治二年(1863),基于"练兵以制器为先"的认识,李鸿章开始涉足近代军事工业,雇用英国人马格里会同直隶州知州刘佐禹在松江创办洋炮局,继命韩殿甲、丁日昌分别在上海创办洋炮局,合称"上海炸弹三局"。同治三年(1864),迁松江局至苏州,改称苏州机器局。同治四年(1865),在曾国藩支持下,收购上海虹口美商旗记铁厂,与韩殿甲、丁日昌所办两局合并,扩建为江南制造总局(今上海江南造船厂);迁苏州机器局至南京,扩建为金陵机器局(今南京晨光机器厂)。及莅天津,又接管原由崇厚创办的天津机器局,扩大生产规模。

  进入19世纪70年代以后,基于"富强相因""必先富而后能强"的认识,李鸿章将洋务运动的重点转向"求富",大力倡办近代民族工业,以富国力。同治十一年(1872)底,在上海创办轮船招商局,招商集股,该局是为近代中国最大的民用企业,也由此奠定"官督商办"政策的基调。此后,相继于光绪元年(1875)创办河北磁州煤铁矿,光绪二年(1876)开办江西兴国煤矿、湖北广济煤矿,光绪三年(1877)创办开平矿务局,光绪四年(1878)创办上海机器织布局,光绪五年(1879)设电报于大沽、北塘海口炮台以直通天津,光绪六年(1880)开办山东峄县煤矿,设立天津电报总局架设津沪电报线,光绪七年(1881)兴建唐胥铁路以运开平之煤,光绪九年(1883)添设苏浙闽粤沿海陆路电报线,光绪十三年(1887)修建津沽铁路,开办漠河金矿、热河四道沟

---

  ① 李鸿章:《致曾中堂》,《李鸿章全集》第30册《信函二》,安徽教育出版社2008年版,第124页。

铜矿及三山铅银矿,光绪二十年(1894)创办华盛纺织总厂等。这些民用企业涉及矿业、铁路、航远、纺织、电信等诸多行业,经营方针以官督商办为主,辅以官商合办,内浚中国之利源,外杜洋人之侵占,实为中国近代化事业开风气之先。

在洋务实践中,李鸿章深刻体会到御侮图强离不开新式人才,以传统的小楷试帖、章句弓马施于洋务,隔膜太甚,因而要积极倡导改革科举、兴学育才。主张凡有海防省份,均应设立"洋学局",以培养掌握西方近代自然科学和工程技术的有用人才;建议对"考试功令稍加变通,另开洋务进取一格,以资造就"①。同治二年(1863),李鸿章奏设上海外国语言文字学馆,以造就洋务通才,为其创兴洋务之始。此后,其经手创办的新式学堂还包括天津电报学堂、北洋水师学堂、天津武备学堂、天津西医学堂,以及旅顺口鱼雷学堂、驾驶学堂、管轮学堂、水雷营学堂、威海卫绥巩军之枪炮学堂及南北岸水雷营学堂、山海关武备公所等,其中不少学堂在国内具有开创和示范意义。为了造就洋务人才,李鸿章还力排众议,向国外派遣留学生。同治十年(1871)七月、同治十一年(1872)正月,与两江总督曾国藩两次奏请选派聪颖子弟赴西方各国肄业技艺,促成4批120名幼童赴美留学,期以20年学成回国效力。不意,因朝臣观念不合,李鸿章争之不能得,所遣幼童未及终学而中辍。光绪二年(1876),选派卞长胜、刘芳圃、查连标、袁雨春、杨德明、朱耀彩和王得胜等7名淮军军官赴德国学习军事技术。是年十一月,奏请派遣福州船政学堂生徒赴英、法留学,继续深造。留学欧美生中不少人成长为晚清、民国政界、学界、科技界、军界翘楚。

"外须和戎,内须变法"是李鸿章办洋务过程中主张应遵循的原则。所谓"变法"就要通过效法西方去改变中国积贫积弱的状况,实现自强自立;所谓"和戎"是指以"以夷制夷"、羁縻之策谋求"中外相

---

① 李鸿章:《筹议海防折》,《李鸿章全集》第6册《奏议六》,安徽教育出版社2008年版,第166页。

安"之局,为"借法自强"赢得尽可能多的和平时间。在李鸿章主持处理过的重大对外交涉中,这些外交设想与手段都得到充分体现。

同治十年(1871)七月,李鸿章代表清政府与日本签订《中日修好条规》。当时朝野多反对与日本议约通商,李鸿章认为"正可联为外援,勿使西人倚为外府"①,力持与日本订约,是为有清一朝第一次由汉臣主持签订的对外条约,也是近代中国对外签订的首个平等条约。同治十三年(1874),日本以琉球遇难船民被台湾土著所杀,出兵台湾。李鸿章积极支持朝廷派船政大臣沈葆桢以钦差大臣率舰队赴台湾巡阅,并调淮军唐定奎部6500人分批前往台湾,以壮声援。此事最后虽以签订《北京专约》而暂告平息,但光绪五年(1879)日本乘中俄为伊犁事件关系紧张之时,吞并琉球,改设冲绳县。日本出兵侵台终使李鸿章认识到"日本则近在户闼,伺我虚实,诚为中国永远大患"②,对日本的认识发生重大转变,抛弃了昔日联合东洋抗拒西洋的幻想。因英、美暗助日本希冀他日得地分肥,而德国不与其党,李鸿章遂建议总署"引德国以阴持各国"③。日本侵台亦引发清廷内部关于海防建设之讨论,同治十三年(1874)十一月,李鸿章上《筹议海防折》,同意设立北洋、福建、南洋水师,主张定购铁甲舰,并辅以沿海陆防。光绪元年(1875)四月,旨命李鸿章、沈葆桢分别督办北洋、南洋海防事宜,每年从江苏等六省厘金、粤海等关四成洋税项下筹拨经费四百数十万两④用于海防建设。负责筹办北洋海防、筹建北洋水师的李鸿章曾明确表示,"今之所以谋创水师不遗余力者,大半为制驭日

---

① 李鸿章:《致总署 论天津教案》,《李鸿章全集》第30册《信函二》,安徽教育出版社2008年版,第99页。
② 李鸿章:《筹办铁甲兼请遣使片》,《李鸿章全集》第6册《奏议六》,安徽教育出版社2008年版,第170页。
③ 李鸿章:《致总署 采集台事众议》,《李鸿章全集》第31册《信函三》,安徽教育出版社2008年版,第94页。
④ 海防专款原拨数约350万两,此后数额更低。参见陈先松:《海防经费原拨数额考》,《中国经济史研究》2010年第3期。

本起见"①。

　　在此前后,李鸿章还受命为全权大臣与秘鲁、英国就"虐待华工案"、"马嘉理案"进行交涉,分别于同治十三年(1874)五月、光绪二年(1876)七月与秘鲁、英国签订《中秘查办华工专条》《中秘友好通商条约》和《烟台条约》。前者为保护华工据理力争;后者因"理"与"势"不如人而委曲求全。面对英驻华公使威妥玛的肆意要挟,李鸿章在烟台期间利用他国公使调停,以夷制夷最终促成案件议结,但条约之规定使国家、民族权益进一步受到损害。马嘉理案交涉过程中,威妥玛提出遣使赴英道歉之要求,清廷乃派湖南湘阴人郭嵩焘为出使英国钦差大臣,郭嵩焘是为中国历史上第一位驻外使节。此后,清廷在选拔驻外使臣时,常征询李鸿章意见,李鸿章亦依制推荐人选。据不完全统计,晚清政府于1875—1901年间先后向英、美等13国派出驻外使臣33人,其中淮系成员共19人。②

　　光绪六年(1880),李鸿章受命为全权大臣与巴西公使喀拉多谈判,于次年签订中巴《和好通商条约》。光绪七年(1881),经总理衙门奏准,朝鲜事务从礼部办理转由北洋大臣直接监督管理、驻日公使协助。③从朝鲜与中国的安全考虑,李鸿章根据丁日昌的建议和总署的意见,遵旨致书朝鲜前相国李裕元,劝以密修武备,次第与西洋各国立约通商聘问,借以牵制日本,备御俄国。光绪八年(1882)六月,朝鲜京城发生兵变,署理北洋大臣直隶总督张树声派提督吴长庆率淮军6营、丁汝昌率军舰3艘东渡海赴朝,旋定其乱。时李鸿章因母丧在原籍守制,谕催回津。七月初抵达天津,旋接署北洋大臣篆务,谋定朝鲜善后事宜,将大院君李昰应囚押天津;议定中朝水陆贸易章程

---

　　① 李鸿章:《议复梅启照条陈折》,《李鸿章全集》第9册《奏议九》,安徽教育出版社2008年版,第261页。

　　② 据钱实甫《清季新设职官年表》第15—26页"出使各国大臣年表"统计。含副使3名,未到任者不计入。

　　③ 王彦威辑、王亮编:《清季外交史料》(一),书目文献出版社1987年版,第455—456页。

八款,以加强对朝鲜的援助和控制。

时法军侵越,危及西南边疆。十月,李鸿章派马建忠与法使宝海商定越事办法三条:中国将滇、桂兵自现在屯扎之处退回;通商;法中分巡红河南北。翌年初,法内阁改组,李、宝协议告废。光绪九年(1883)三月,以法越事急,旨命李鸿章秉金革毋避古训,迅速前往广东督办越南事宜。李鸿章则认为各省海防兵单饷匮,水师又未练成,未可与欧洲强国轻言战事,仍回北洋大臣署任。光绪十年(1884)三月,因在越清军相继失利,边防不靖,慈禧下令改组军机处和总理衙门,主和舆论渐起。四月,李鸿章因与法国代表福禄诺签订《李福协定》而大受攻击,屡遭弹劾。闰五月,随着法军进攻谅山,该协议又被撕毁,交涉再起。七月六日,清廷下诏对法宣战。当战争进入胶着状态时,清政府又支持海关总税务司赫德派金登干在巴黎直接与法国政府交涉议和,再命李鸿章为全权大臣,与法国代表谈判。"款议始终由内主持,专倚二赤(指赫德),虽予全权,不过奉文画诺。"[①]光绪十一年(1885)四月,李鸿章与法国驻华公使巴德诺在天津签订《中法会订越南条约》,法国取得了对越南的"保护权",中越边境对法开放等特权。

中法战争结束后,清廷展开第二次海防大讨论,决定大治水师,于光绪十一年(1885)九月设立海军事务衙门,任命醇亲王奕譞总理海军事务,庆亲王奕劻和李鸿章为会办,先从北洋精练水师一支,由李鸿章专司其事。实际掌握海军衙门大权的李鸿章,利用朝廷加强海防建设之机,购买船舰,兴办新式军事学堂,在大沽以及旅顺、威海卫等海军基地修建炮台、船坞,加紧北洋海军建设。至光绪十四年(1888)北洋海军成军,共有在编军舰25艘4万余吨,实力已居亚洲之首。然北洋海防建设期间,海防经费因种种原因多次被挪用于赈

[①] 《李中堂来电》,中国史学会编:《中法战争》第4册,上海人民出版社1957年版,第498页。

灾、皇家陵园建设等①,加上户部迭次借口经费支绌,要求停止添船购炮,成军以后的北洋海军建设陷于停顿、倒退困境。

光绪十年(1884)底,对朝鲜时存觊觎之心的日本利用中法交战之机在汉城策动政变,组建亲日政府,史称"甲申事变"。光绪十一年(1885)三月,李鸿章与日本全权大臣伊藤博文在天津签订中日《天津条约》时,规定朝鲜若有重大变乱事件,彼此出兵先行文知照。此条使日本获得了向朝鲜的派兵权,为甲午战争爆发埋下祸根。光绪十二年(1886)三月,李鸿章与法使戈可当在天津签订中法《越南边界通商章程》。光绪十四年(1888)三月,与葡萄牙使臣罗沙在天津水师公所互换《中葡和好通商条约》54款、洋药缉私专约3款。

光绪二十年(1894)四月,朝鲜发生东学党之乱,请求中国遣兵代剿,日本政府亦怂恿清政府出兵朝鲜,以寻找挑起战争的口实。李鸿章听信驻扎朝鲜总理交涉通商事宜大臣袁世凯关于日本"志在商民,似无他意"的判断,低估了日本的侵略野心,遂派直隶提督叶志超、太原镇总兵聂士成率淮练1500人赴朝。日本亦向朝派兵,不到数日增至8000人,且尽占险要之地,事态日趋严重,战争大有一触即发之势。朝内帝、后党对于备战意见存有分歧,李鸿章一意寄望于英、俄出面干预日本,以保远东和平,故对于增兵援朝迟迟不行。直到调停宣告无效,迫于朝廷切责与日本进逼,才增派卫汝贵、马玉崑、左宝贵等率军入朝。六月二十三日,日本海军在朝鲜丰岛海面发动突然袭击,击沉中国运兵船"高升"号,挑起战端。三日后,日军攻击成欢,清军不敌,撤至平壤。七月一日,中日宣战。八月十六日,驻朝陆军在平壤与日军激战后溃败,左宝贵力战殉国,前敌统帅叶志超等逃回国内。十八日,北洋舰队与日本联合舰队战于黄海大东沟,激战五小时,致远舰管带邓世昌战殁,"致远"、"经远"、"超勇"、"扬威"及"广

---

① 关于北洋海防经费被挪用之情形,可参见陈先松:《北洋收存海防经费的挪用问题(1875—1894)》《安徽史学》2013年第2期、《修建颐和园挪用"海防经费"史料解读》《历史研究》2013年第2期。

甲"等五舰沉毁，余舰退旅顺修理（一个月后移泊威海卫）。日本联合舰队于此役亦遭重创。十九日，清廷以李鸿章未能迅赴戎机、日久无功，命拔去三眼花翎，褫黄马褂。二十日，李鸿章据实陈奏军情，谓"以北洋一隅之力，搏倭人全国之师，自知不逮"①，唯有严防渤海以固京畿藩篱，力保沈阳以顾东北根本。此后，在李鸿章"避战保船"思想指导下，北洋舰队一直不敢寻机再战，终被日军困厄于威海军港内。日本控制黄海制海权后，水陆并进，乘胜内侵，于九月下旬越过鸭绿江，连陷九连城、凤凰城、金州、大连湾、旅顺口。十月二十六日，旅顺失守，李鸿章调度乖方，革职留任，摘去顶戴。

以淮军为主力的清军在陆路战场节节败退，清廷中枢束手无策，转求列强调停乞和。十月二十九日，津海关税务司德人德璀琳携李鸿章照会与私函抵神户，伊藤博文拒与相会；十一月二十六日，命户部左侍郎张荫桓、署理湖南巡抚邵友濂前往日本会议和局，日方以张等全权不足，拒与谈判。十二月二十五日，日军在山东半岛成山角附近荣成湾登陆，嗣由荣成向西分南北两路进攻威海卫，督办威海防务之巩绥军统领戴宗骞、北洋海军右翼总兵刘步蟾、北洋海军提督丁汝昌、北洋护军统领张文宣等先后自杀殉国。光绪二十一年（1895）正月十八日，威海卫海军及刘公岛守军降，北洋海军全军覆没。正月十九日，清廷派李鸿章为头等全权大臣与日本商议和约，以王文韶署理直隶总督、北洋大臣。

二月十八日，李鸿章一行离津赴日，二十三日抵日本马关。尽管行前朝廷已予以商让土地之权，但李鸿章仍期望争回一分即少一分之害、争得一分有一分之益，与日方代表伊藤博文等反复辩论。二十五日第二次会谈时，日方提出苛刻停战条件。二十八日第三次谈判结束后李鸿章在回住处的路上，遭日本浪人枪击，左颊中弹，日本朝野震骇，世界舆论哗然。日本政府旋决定无条件休战。三月二十三

---

① 李鸿章：《据实陈奏军情折》，《李鸿章全集》第 15 册《奏议十五》，安徽教育出版社 2008 年版，第 424 页。

日,李鸿章与伊藤博文在《马关条约》上签字:中国承认朝鲜独立,割让辽东半岛、台湾岛及其附属岛屿、澎湖列岛给日本;赔款日本军费白银2亿两;开放沙市、重庆、苏州、杭州为商埠,日船可以沿内河驶入以上各口;日本臣民可在中国通商口岸设厂制造工业品,免征杂税等。次日,李鸿章离日返国,二十六日返抵天津。后因俄、德、法三国联合"干涉",李鸿章与日本驻华公使林董在京签订中日《辽南条约》,由中国再出资3000万两白银赎回辽东半岛。《马关条约》在全国引起强烈反响,国人万口一词,皆曰(李鸿章)可杀;康有为等发动"公车上书",掀起维新变法高潮;李鸿章亦视《马关签约》为奇耻大辱,"一生事业扫地无余",发誓终生不再履日地,并倾向变法。七月,调王文昭为直隶总督兼北洋大臣,命李鸿章留京入阁办事,实则投闲置散。

十二月二十七日,清廷屈从于俄使喀西尼之请,改派李鸿章为正使,往贺俄皇尼古拉二世加冕礼。此前,俄国联合法、德"干涉还辽"成功,清廷上下视俄为救星,刘坤一、张之洞、翁同龢、奕䜣等重臣均倾向联俄以结强援。而李鸿章早在光绪六年(1880)就主张"借俄以慑倭"①。彼时其也有联德之构想,但中法战争中,李鸿章请德国出面调停,并请悬德国旗遣回"定远""镇远"两舰,均遭拒绝,致遭清议抨击;稍后巨文岛事件借俄国抗议为口实迫使英军撤退,联俄制英日遂成为其此后以夷制夷外交政策的主体。② 职是之故,此次派李鸿章出使俄国乃顺理成章之事。李鸿章临行前对来访的黄遵宪说"联络西洋,牵制东洋,是此行要策",也道出了清廷的意图。光绪二十二年(1896)正月初八,命李鸿章顺道前往德、法、英、美各国亲递国书,以固邦交;十二日,清廷又命李鸿章于奉使之便,与俄、英等国商增进口洋税,以挽回利权。二月十五日,李鸿章一行45人离沪赴俄。四月二十二日,李鸿章与俄外务大臣罗拔诺夫、财政大臣维特在莫斯科签

---

① 李鸿章:《妥筹球案折》,《李鸿章全集》第9册《奏议九》,安徽教育出版社2008年版,第199页。

② 李国祁:《自强运动时期李鸿章的外交谋略与政策》,《清季自强运动研讨会论文集》,台湾"中央研究院近代史研究所",1988年。

订《御敌互相援助条约》(俗称《中俄密约》),两国协力防御日本,俄于黑龙江、吉林接修西伯利亚铁路直达海参崴。此后,李鸿章率随员先后访问德国、荷兰、比利时、法国、英国、美国、加拿大诸国,所到之处皆受礼遇,于西洋各国立国政教、生财之法、社会民情多有考察,思想有所前进,于变法图存自强的紧迫性有了更深体会。

光绪二十二年(1896)八月二十七日,李鸿章返抵天津。九月十八日,奉命在总署行走。光绪二十三年(1897)正月,与英使窦纳乐订立《中英滇缅境界及通商修正条约》。光绪二十四年(1898)二月至四月,又分别会同翁同龢、张荫桓、许应骙与德、俄、英三国订立胶州湾、旅顺、大连、九龙租借条约,并参与向英、俄等国政治性借款谈判。其时,光绪帝下诏更新国是,变法自强。李鸿章对戊戌变法持赞赏态度,慨然以"维新之同志"自许。变法失败后,对康有为、梁启超、张元济等"新党"人士暗中设法回护。

光绪二十四年(1898)七月,李鸿章被免除总理衙门大臣职务。九月,命往山东勘察黄河工程,历时近五个月。光绪二十五年(1899)十月,充商务大臣,前往通商各埠考察商务。十一月,以李鸿章署理两广总督。次年四月二十六日实授。稍后,义和团大批涌入京城进行焚掠屠杀,各国联军亦已武装入侵,局势危迫。五月二十五日清廷下诏与各国宣战。李鸿章在粤"首倡不奉诏之议"①,二十九日明确表态:"二十五矫诏,粤断不奉,所谓乱命也。"②并支持两江总督刘坤一、湖广总督张之洞与驻上海各国领事订约,实行所谓"东南互保"。在此期间,经由革命党人陈少白与李鸿章幕僚刘学询牵线,李鸿章一度有意与自日本前来策划"两广独立"的孙中山晤面,后因双方互存戒心而作罢。六月十二日,清廷再度授李鸿章为直隶总督兼北洋大臣,催其北上收拾残局。七月十三日,清廷授李鸿章为全权大臣,即日电

---

① 李希圣:《庚子国变记》,中国史学会编:《义和团》(一),上海人民出版社2000年版,第31页。

② 李鸿章:《寄盛京堂》,《李鸿章全集》第27册《电报七》,安徽教育出版社2008年版,第75页。

商各国外部,先行停战。因局势未明,李鸿章一路迁延观望,于六月二十一日自广州启程,经香港、上海、天津,于闰八月十八抵京,办理和议。光绪二十七年(1901)七月二十五日,李鸿章、奕劻代表清廷与德、奥、比、西、美、法、英、意、日、荷、俄等十一国代表签订《辛丑条约》,赔款白银 4.5 亿两。稍后,被李鸿章倚为强援的俄国再度发难,提出"道胜银行协定",威逼李鸿章签字,意图借此掌握东三省一切权利。"老来失计亲豺虎",李鸿章气恼交加,忧郁积劳过度,呕血不起,于九月二十七日(11月7日)去世,时年 78。谥文忠。有《李文忠公全书》《李鸿章全集》(39 册)问世。

李鸿章原配同邑周氏,咸丰十一年(1861)卒。继室赵继莲(一名小莲),光绪十八年(1892)卒;侧室莫氏,侍妾冬梅;育有 6 子 3 女:嗣子经方;嫡子经述,原任刑部员外郎,赏四品京堂,袭一等侯爵;庶子经迈,工部员外郎,赏四五品京堂;经毓、经远、经进皆早殇。长女镜蓉,适潍县郭恩垕;次女琼芝,适宜兴任德龢;幼女李经璹,字菊耦,善书,能诗文,适翰林院侍讲学士张佩纶,其孙女张爱玲,为旅美知名作家。

吴赞诚[①]

吴赞诚(1823—1884),原名道生,考名道成(因考官力劝遂改名赞诚),字存甫,一字秉之,号春帆,庐江县人。道光三年八月初一(1823 年 9 月 5 日)生。母早逝,父长期游宦于蜀。9 岁起受业于家乡名塾师姚集梧,刻苦力学,勤读不辍,经史而外,兼通《数理精蕴》《算学》诸书。道光二十九年(1849)拔贡,与李瀚章同科。朝考一等,

---

① 参见夏冬波:《抚台建功吴赞诚》,《江淮文史》2005 年第 3 期;郑孝胥:《清署理福建巡抚光禄寺卿吴公家传》,《碑传集补》卷 15,明文书局 1986 年印行;马昌华主编:《淮系人物列传——文职·北洋海军·洋员》,黄山书社 1995 年版。

以知县签分广东。咸丰元年（1851），署永安知县。

咸丰四年（1854），广东东、西江地区爆发农民起义，起义军攻占州县数十，屡围永安。吴赞诚部署战守，"相持数十日，贼无隙可乘，解围去"①。咸丰七年（1857）八月，因镇压农民起义军出力赏戴花翎。当年，补德庆州知州。德庆位于广东省中部偏西、西江中游北岸，与怀集、广宁、梧州、肇庆相距不过数十公里。当时西江"艇匪"已攻陷梧州，北江陈金缸攻陷怀集、广宁，与西江起义军汇合，欲破德庆以直捣肇庆、广州。德庆州城毁于兵燹，无险可扼，同僚劝其以病辞，吴赞诚不顾安危，单舸抵州，攻守累年，事平，移任顺德知县、虎门同知，勤事恤民，案无留牍。同治元年（1862）五月初三，曾国藩奏调吴赞诚与李瀚章、丁日昌等在广东办理分卡，抽收厘金。同治三年（1864），太平军李世贤部转战闽、粤间，据嘉应州，吴赞诚以轻骑逼城下，设伏败之。遂克嘉应、长乐、平远、镇平、和平诸城，并越境攻占福建的武平、永定、诏安等。以功署理惠潮嘉道，在任期间，办理团练，惩办械斗，抑制土豪，安抚灾民，擒获海盗，追还民田，两广总督瑞麟曾为其叙功奏陈。

同治六年（1867）二月二十日，正在督师剿捻的钦差大臣李鸿章以联络前敌各军、筹办后路饷运均需得人襄助为由，上折奏调治军理饷精细朴实的广东候补道吴赞诚到军营差遣委用。② 未成行。同治十一年（1872）五月十五日，因办理天津机器局的候补道沈保靖屡请病假，根据原江苏巡抚丁日昌的推荐，直隶总督李鸿章上折奏调广东尽先补用道吴赞诚来津随同办理洋务制造事宜。③ 八月，吴赞诚由粤航海来津，督办天津机器局。因在局期间驾驭中外员工操纵咸宜、综核工料巨款丝毫不苟、监制军火日有起色，遇有洋务棘手之事也能从

---

① 光绪《庐江县志》卷8《人物·名宦·吴赞诚传》，江苏古籍出版社1998年版，第239页。

② 李鸿章：《奏调何慎修、吴赞诚片》，《李鸿章全集》第3册《奏议三》，安徽教育出版社2008年版，第46页。

③ 李鸿章：《沪津机局调员片》，《李鸿章全集》第5册《奏议五》，安徽教育出版社2008年版，第111页。

旁襄助,李鸿章于同治十二年(1873)十一月十九日上折请旨准将二品顶戴广东尽先补用道吴赞诚改留直隶,仍归原班尽先补用,以收臂指之助。① 不久,补天津道。光绪元年(1875)八月,升任顺天府府尹。光绪二年(1876)二月,因首任福建船政大臣、新任两江总督沈葆桢与署福建巡抚丁日昌奏称地方与船政事难兼顾,请于深谙算学的顺天府府尹吴赞诚、熟悉洋务的直隶津海关道黎兆棠二员中拣派一员来闽经理船政,旨命李鸿章据实奏闻。三月,清廷命吴赞诚开缺,以三品京堂候补督办船政事宜。任职船政期间,吴赞诚曾参与李鸿章、沈葆桢等商订《选派船政生徒出洋肄业章程》,并遵李鸿章旨意筹划留学生经费、船只、管带等事务。此时,李鸿章与左宗棠的海防、塞防之争激烈,吴赞诚极力支持李鸿章,争取闽省协饷能够供应淮军,还亲自过问添船置炮事项,李氏对他颇为欣赏。

光绪三年(1878)三月,福建巡抚丁日昌因病回省调理,所有台湾防务事宜由吴赞诚暂行接办。台湾海防应如何筹划布置,著与闽浙总督何璟、丁日昌筹商妥协,次第举行。台湾孤峙海中,环境险恶,福建官场视赴台为畏途。"赞诚以为抚番、招垦、开路诸要端,分营并进,非身莅不能周详,而后山卑南一带自内属以来,官吏罕至,番情无由上通,乃锐意亲行。"②五月,将省中船政事宜交由道员吴仲翔打理,吴赞诚首次渡台筹办防务,取道恒春以达卑南,历牡丹社红土坎、大猫狸诸险,舆骑不达,山谷陡绝,下临大海,攀藤扣石才得过。越二大溪,山水骤发,绝粮三日,掘山蕷充饥。雨过天晴,编藤筏而渡,继设悬桥以通文报。由于瘴湿交侵,当返回恒春时,随员皆病不能起,死亡过半,吴赞诚也卧病月余,始得以返闽。七月,上查勘台湾后山一带情形会筹应办事宜折。光绪四年(1878)四月初七,以候补三品京堂署福建巡抚。吴赞诚以病体未痊难胜署任请辞。不允。三四月间,台湾加礼宛、巾老耶两社"抗抚戕官",六月至八月间又相继发生

---

① 李鸿章:《奏留吴赞诚片》,《李鸿章全集》第5册《奏议五》,安徽教育出版社2008年版,第480页。
② 《安徽通志稿·吴赞诚传》(抄本)。

戕官害民事件。九月，吴赞诚再次渡台，督师深入，连战皆捷。遂由花莲港亲往岐莱等处，安辑后山原住民，考察山川，周览形势。复由台北赴台南巡防阅兵，建设垒堡，访求民间利弊，措置一一精妥。历月余始回闽省。以中风半身不遂，乞请开缺调养。吴赞诚兼理台湾海防后，两次渡海赴台，历尽艰辛，为保卫建设台湾做出了贡献。十月十四日，授光禄寺卿，仍署福建巡抚兼理船政。十月二十二日，旨允开福建巡抚缺，仍以京卿留办福建船政事宜，福建巡抚一职由河南布政使裕宽接任。光绪五年（1879）正月至闰三月，吴赞诚皆因两个月假期已满而病仍未痊愈，奏请开船政差使，均奉旨毋庸开船政差使，所有船政事务著交吴仲翔暂行代办。直到九月，三品卿衔前直隶按察使黎兆棠接办福建船政事宜，才得以开缺乞休。

为培养北方海军人才，直隶总督兼北洋大臣李鸿章决定在天津开办水师学堂。此时吴赞诚病体稍有康复，李鸿章于光绪六年（1880）七月奏请饬派前船政大臣光禄寺卿吴赞诚驻津督办水师学堂练船事宜。奉旨允准。八月，吴赞诚即于天津机器局河东一带勘定学堂地基，遴派局员绘图估料，克日兴工；一面酌定规条，招考学生入堂肄业。年底，回南就医，顺便赴沪选募学童，并在上海《申报》上刊登北洋水师学堂招生告示。督办天津水师学堂，事属草创，厘定规条，招募学童，筹议聘用严复等职员，购置训练船械等，尽心尽力，以造就近代海军人才。不久，旧疾增剧，不能转动，再次因病辞官。卧病三年，卒于光绪十年五月二十四日（1884 年 6 月 17 日），终年 61 岁。逝后，皖省为其奏请恤典，永安、德庆之民呈请祀名宦，皆未获准。直到光绪十五年（1889）三月，福建台湾巡抚刘铭传专折奏请在台湾建沈葆桢、吴赞诚专祠，并建议将吴赞诚事迹宣付史馆立传。[①]五月旨准沈葆桢在台湾建专祠，吴赞诚附祀。

吴赞诚尝曰："天赋人以精神原期有用，吾自分无安闲之福，虽劳

---

① 刘铭传：《请建沈葆桢、吴赞诚专祠折》，《刘铭传文集·奏议》卷6，黄山书社1997年版，第231页。

瘁奚辞!"①其为人"厚重寡言,性介而侠。其犯险赴难未尝退让,幸而获济,亦无矜伐之色"②。吴赞诚居官清廉,在广东时,上司因其屡涉险境,不辞劳苦,有意调他到广东肥缺顺德县以优酬之,而他任职年余即求去,上司"皆怪而笑"。天津海关道尤为天下美缺,李鸿章欲举荐他,他又固辞之。辞归后行李萧然如洗,子辈比同寒士,亦能晏然处之。这在当时的官场中是不多见的,因此时人"益重之"。

吴赞诚原配芮氏,无后;继室徐氏,子学廉、学庄、学恂,皆有操行,女4人。

张树声　张树珊③

张树声(1824—1884),字振轩,合肥县西乡(今属肥西县)人。先世于明时自江西迁合肥南乡,再迁西乡,居周公山下。父荫谷,府学生员,居乡有声望。道光二十六年(1846),邻境寿州民乱,入掠西乡,张荫谷急聚乡人,部以兵法,将乱民驱赶出境。张树声,县廪生出身,兄弟9人,居长,与二弟张树珊、三弟张树槐、五弟张树屏同为淮军将领。

咸丰三年(1853),太平军进入安徽,皖北捻众纷纷响应,江淮之间社会动荡,秩序大乱。家境殷实的张荫谷、张树声父子出资赈济贫

---

① 《安徽通志稿·吴赞诚传》(抄本)。
② 郑孝胥:《清署理福建巡抚光禄寺卿吴公家传》,闵尔昌纂录:《碑传集补》卷15。
③ 参见张树声:《张靖达公奏议》,清光绪二十五年刻本,台湾文海出版社1968年版;张树声:《张靖达公杂著》,清宣统二年刊本;马昌华主编:《淮系人物列传——李鸿章家族成员·武职》,黄山书社1995年版;金松岑:《淮军诸将领传·张树声、张树珊》,上海图书馆藏稿本;顾廷龙、戴逸主编:《李鸿章全集·奏议》,安徽教育出版社2008年版;张伟:《试论张树声》,《影响近代中国历史的安徽人》,黄山书社1994年版;朱孔彰:《中兴将帅别传》卷24下《张勇烈公树珊》,岳麓书社2008年版;《清史稿》卷416《张树珊传》;《清史列传》卷51《张树珊传》。

户,倡率团练,以捍卫桑梓,兼为官军声援。张家所捐积谷,多达数百石。稍后,翰林院编修李鸿章、刑部郎中李文安先后奉旨回籍办理团练,张树声听从父命,襄助李文安戎幕,偕弟张树珊、张树屏跟随李氏父子转战于庐州府属州县。咸丰五年(1855),李文安病死后,张树声兄弟转至六安练总、知府李元华麾下,并于咸丰六年(1856)一度协助清军克复庐州府、无为州、巢县、潜山、太湖等地。咸丰八年(1858),太平军再占庐州后,清理四乡团练,失去朝廷经制之师护卫的合肥西乡民团,岌岌可危,被迫修圩筑寨以图自保。是时,张树声筑堡于周公山下殷家畈,刘铭传筑堡于大潜山北,董凤高筑堡于大潜山南,唐定奎、唐殿魁兄弟筑堡于大潜山西南,周盛传、周盛波兄弟筑堡于紫蓬山北,解先亮、叶志超等筑堡于紫蓬山南,周世臣筑堡于紫蓬山东北,存粮储器,阻河为险,乡里归附者万余家,耕战各以时宜。于是,在六安、合肥交界地带,渐次形成了以大潜山、紫蓬山、周公山三山为中心的团练堡垒群,"百里之内,互为声援;贼来则战,去则耕;贼近则守,远则出击"①。诸练首"以武节相侪,快恩仇,务兼并,互为长雄",而张树声以诸生"周旋其间,用儒雅逊让为义"②,隐然成为诸圩之盟主,累功被保荐为同知。

咸丰十一年(1861)三四月间,在闻知两江总督曾国藩治军有法度、湘军屡胜太平军、李鸿章佐曾幕的消息后,张树声召集各团练首领密议出处,最后决定通过李鸿章争取与曾国藩取得联系。给李鸿章的信函由张树声起草,洋洋数千言,洞陈天下大势,暨同乡诸圩人士慷慨报国之意。四月二十三日,李鸿章致函曾国藩提到此事,并将原件附呈。曾国藩阅信后咤曰:"独立江北,今祖生也。"③是年底,曾国藩令李鸿章招募淮勇赴援下游。李鸿章深知合肥西乡团练可依靠,于是特邀张树声来安庆面商一切。经过张树声和刘秉璋的穿针

---

① 方濬颐:《周家口张勇烈公(树珊)祠碑》,《二知轩文存》卷33。
② 金松岑:《淮军诸将领传·张树声传》,上海图书馆藏稿本。
③ 张树声:《张靖达公奏议》卷首;黄书霖辑:《合肥李文忠公墨宝》,民国七年石印本;金松岑:《淮军诸将领传·张树声传》,上海图书馆藏稿本。

引线,居间联络,同治元年(1862)正月十五以后,首批招募的树(张树声)、铭(刘铭传)、鼎(潘鼎新)、庆(吴长庆)字4营陆续开到安庆集中。三月十三日,张树声带树字营乘轮开赴上海,与太平军作战。

同治元年(1862)七月,奉李鸿章委派张树声与吴长庆等回籍招募乡勇,计招树字1营、铭字2营、鼎字2营、庆字2营、开字2营,共9营。在沪之树字1营归张树珊统带。秋冬之际,募勇将成,适太平军李秀成、李世贤等部大举西上,图攻无为、庐州、和州、芜湖、宁国等地,曾国藩截留淮军新募9营,由张树声统5营守芜湖,旋调守无为州;吴长庆统4营守庐江,配合湘军防守。至次年春,所募之勇营陆续回沪。同治二年(1863)五月,击败江阴、无锡太平军援军,会同周盛波、滕嗣武等攻破麦市桥太平军营垒23座。奉旨:"江苏补用知府张树声,著免补本班遇有江苏道员缺出请旨简放并赏戴花翎。"八月,进扎张泾桥会攻无锡,大败太平军援军,赏给卓勇巴图鲁名号。十一月初二克复无锡,赏给三品顶戴。同治三年(1864)三月,太平军自常州、丹阳袭扰江阴、常熟,张树声自常州城下分兵1700人堵扎要口数处,断敌归路,著交军机处存记,候旨简用。七月二十七日克复湖州,以按察使遇缺提奏并赏给二品顶戴。湖州克复后,因冯子材镇江防军陆续裁撤,李鸿章于八月初五上奏,由张树声统领树字6营驻守镇江接防,十三日旨准。同治四年(1865)五月,钦差大臣曾国藩奏调淮军鼎、铭、树、盛字4军北上镇压捻军,并奏请以遇缺题奏按察使张树声借补江南徐海河务兵备道。闰五月,曾国藩奏陈"剿捻"方略,在安徽临淮、河南周口、江苏徐州、山东济宁等4镇驻扎重兵,划定防区,一处有急,三处应援。张树声驻徐州。十一月,升任直隶按察使。同治五年(1866)秋,奉令督队驻防大名,扼守黄河,防捻军渡河北上。同治六年(1867)夏,率队移扎山东张秋镇,把守河防。同治七年(1868)春,聚民团沿河筑长墙围困西捻军。西捻平定,宽免疏防属境失守之处分,复以直隶省城防守出力,交部优叙。

直隶地处京畿要地,因频年军务繁兴,刑案积压如山,"通省未结同治七年以前之案积至一万二千起之多"①,吏治疲乏,民生困顿,实由于此。张树声担任直隶按察使期间,积极协助直隶总督曾国藩整顿吏治、澄清诉案,起草《直隶清讼限期功过章程》15条,限期结案,并制定相应的奖惩措施,加上其办事认真,务实勤政,使得多年尘牍为之一清。同治八年(1869)三月,调山西按察使。曾国藩以直隶讼案最多,积压未办,臬司张树声情形较熟,清理甫有端绪,请暂留本任,旨准。九月署直隶布政使。同治九年(1870)七月,升山西布政使,寻护理山西巡抚。同治十年(1871)十二月,授漕运总督。同治十一年(1872)七月署理江苏巡抚,十月署理两江总督兼南洋通商事务大臣。同治十二年(1873)正月,实授江苏巡抚。丁忧去官,光绪四年(1878)服阕,入京见两宫,请停捐纳例,变通绿营,未被采纳。光绪五年(1879)正月,授贵州巡抚,未赴任。闰三月,调广西巡抚。命统领左江防营记名提督黄桂兰于越南谅山、高平等处酌留勇营,择要驻防。十一月,升两广总督。随时抄录西报披露的法越情况,分致黄桂兰、云贵总督刘长佑、广西巡抚庆裕等,告诫驻扎关外各营,严密布置,派招商局道员赴越南侦察法军军情,未雨绸缪;修筑炮台,仿造西洋蚊子船,认为民心可用,在广州设团练筹防局,添募壮勇,以加强广东海防;建西学馆,培养自强人才。

光绪八年(1882)三月一日,调署直隶总督。六月初九,朝鲜京城发生兵变,起义士兵攻占王宫,杀日本教官7人,焚日本使馆,大院君李昰应称国太公,自行专政。十八日,张树声接到清廷出使日本大臣黎庶昌的电报,知道了朝鲜兵变及日派兵船赴朝的消息,随即于二十日函商总署派提督丁汝昌、道员马建忠赴朝察看情势,二十六日约驻扎登州的广东水师提督吴长庆至天津商援朝鲜。二十九日,署理直隶宣化知府薛福成致书张树声,主张速援朝鲜,捕拿大院君李昰应,先于日本处理一切。张树声采纳了薛福成的建议。七月一日,丁汝

---

① 同治九年二月曾国藩奏,中国第一历史档案馆藏《朱批奏折》,法律类,审办项,第49卷。

昌自仁川回抵天津,报告朝乱情形,请派陆军。张树声命丁汝昌于次日赴登州转告吴长庆以处理朝乱机宜。四日,吴长庆率庆军6营自登州乘轮东渡,七日抵朝鲜南阳,十二日入汉城,十三日执大院君李昰应,次日送李至南阳海口,以军舰送往天津,旋搜捕乱党,旬日之间,祸乱平息,人心大定。日本屯兵海口,相顾错愕,狡谋不敢发。张树声于此事处变不惊,处置及时果断,挫败了日本欲趁乱控制朝鲜的阴谋,论功加太子少保衔。

光绪九年(1883)二月十七日,李鸿章因请假回籍葬母交卸北洋通商事务大臣关防,由张树声暂署。因法侵越南,南疆告急,六月,旨命李鸿章署理直隶总督兼北洋大臣;张树声回任两广总督,筹防备战。张树声闻令即行,购带哈乞开司、毛瑟枪、克虏伯过山炮,并奏调江南旧部提督吴宏洛淮勇5营同往。回到广东后,派人于沿海择要构筑新式炮台,致电外洋订购枪炮以及虎门等要塞所需军械,架设广州到龙州、广州到虎门与白土冈的陆路电线。针对朝内和议之声不时泛起,他上折主张通过驻法公使曾纪泽明告法国及其他各国,如法仍不悔悟,唯有撤去巴黎使馆,断交应战,并企望朝廷坚持定见,勿喜于小胜,勿忧于小挫,勿动摇于一二处之得失,要破釜沉舟,相持到底。光绪十年(1884)二月,法军攻占北宁,广西提督黄桂兰等败走太原,张树声自请严加议处。清廷以张树声职任兼圻,咎有应得,但究属鞭长莫及,改为交部议处。四月二十七日,因病情加重,张树声奏请开总督之缺,专治军事。获准后,张树声先是奉旨迅赴粤西,继而受命督师援闽,连续奔波,积劳过甚,于九月八日(10月26日)在黄埔行营病卒。弥留之际,上折主张加大改革力度,"夫西人立国,自有本末,虽礼乐教化,远逊中华,然驯致富强,俱有体用。育才于学堂,议政于议院,君民一体,上下同心,务实而戒虚,谋定而后动,此其体也。轮船、大炮、洋枪、水雷、铁路、电线,此其用也。中国遗其体而求其用,无论竭蹶步趋,常不相及。就令铁舰成行,铁路四达,果足恃欤?"恳请清廷"采西人之体,以行其用"。此遗折后由新任两广总督张之洞等代呈清廷。十月二十三日,清廷下旨恤其劳,著照总督例赐恤,将事迹宣付史馆立传,予谥靖达。

张树声著有《张靖达公奏议》8卷、《张靖达公杂著》1卷,编有《庐阳三贤集》16卷。长子云端,字华奎,进士,四川川东道;次子云林。

张树珊(1826—1867),字海柯。张树声弟。少读书,通大义,因感世变,习骑射,不复事科举制文。咸丰三年(1853)太平军入皖后,遵父命,与长兄树声在籍倡办团练,保卫桑梓。同邑刑部郎中李文安回籍办练后,往从之。咸丰五年(1855),会攻巢湖,以亲兵20人为先锋,大破太平军,遂以善战闻。后从六安练总李元华转战于无为、潜山、太湖等地。咸丰八年(1858),太平军再克庐州,新任安徽巡抚翁同书退往定远,失去清军的支持,合肥四乡团练危如累卵。张树珊兄弟认识到练勇散处可遏小寇不足御大敌,为自救计,乃筑堡于周公山下殷家畈,阻河环山以为险,陈玉成两次围攻圩堡皆败走,于是依附者众,远近来归者以万计。同里刘铭传、潘鼎新、周盛波、周盛传及董凤高等相率筑堡坞、存粮储械,守望相助,百里之内互为声援。咸丰九年(1859),以攻克霍山功升千总。咸丰十年(1860),解六安之围升守备。咸丰十一年(1861),以援寿州、克三河功升都司。是年底,李鸿章奉命招募淮勇,组军东援,兄张树声参与筹划,居间联络,募勇500相从,为树字营。

同治元年(1862)三月,张树珊与兄张树声、弟张树屏率树字营随淮军东援入沪,对抗太平军。入沪不久,张树声奉李鸿章委派回籍招募乡勇,张树珊以营官统带在沪之树字营。六月,因松江解围,沪防肃清,奉旨留于两江以都司补用。七月十五日,会同诸军克复青浦。八月,解北新泾之围,以游击尽先补用。九月,会诸军克嘉定,解四江口之围,以参将补用,赏悍勇巴图鲁名号。同治二年(1863)二月,率部夺取常熟附近的水陆要塞福山石城,常(熟)、昭(文)解围,以副将尽先推补。八月初一克复江阴县城,以总兵记名简放。十一月克无锡,以提督记名。同治三年(1864)四月克常州,赏正一品封典。十月,任广西右江镇总兵,仍率淮军树字等营驻守镇江。

同治四年(1865)四月,曾国藩出任钦差大臣,负责督师"剿捻",旋抽调张树珊、张树屏统带的淮军树字营至徐州大营为亲军。是年冬,奉调至河南周家口驻守。同治五年(1866),所部被定为游击之师,追捻于河南许昌、山东丰南、定陶、曹县、河南汝宁、湖北黄冈、枣阳等地。十二月,捻军走黄州、德安,张树珊率部疾进至德安,驻杨家河西岸,与扎营东岸之捻军相峙。十二月二十一日(1867年1月26日)渡河抢攻,遭捻军横截包围,力战而亡。清廷下旨准照提督阵亡例从优议恤,谥勇烈。

李鹤章[①]

李鹤章(1825—1881),本名章锬,字仙侪,号继泉,亦作季荃,别号浮槎山人。道光五年正月二十三(1825年3月12日)出生于合肥县东乡磨店(今属合肥市新站区)祠堂郢村,李文安第三子。26岁时补为县学生员,乡试不中,遂弃举业,究心经世之学。

太平军兴,江淮之间纷扰不已,李鹤章于咸丰三年(1853)在本籍倡办东北乡团练,部勒丁壮为乡团,练习兵事,保卫乡间,号称"保和团"。九月,因所办团勇均有成效,与文生蒯德模、廪生吴毓芬等11人一起受到朝廷奖勉。[②]是年,次兄李鸿章、父李文安先后奉旨回籍办理团练,李鹤章遂率数百人往随,在沿淮及庐州附近地区与太平军、捻军作战,屡战有绩。咸丰五年(1855)十月,随和春、福济、郑魁士、李鸿章、李元华等攻陷庐州府城,因功赏戴蓝翎。咸丰六年(1856)冬,叙克无为州功,加五品衔。咸丰七年(1857),援例以州同

[①] 参见《续修庐州府志》卷48《武功传三·李鹤章》;《清史稿》卷433《李鹤章传》;《清史列传》卷65《李鹤章传》;丁德照、陈素珍:《李鸿章家族》,黄山书社1994年版;张昌柱等:《李鸿章家族碑碣》,黄山书社1994年版。

[②] 《清实录》(咸丰朝)卷107,咸丰三年九月癸亥。

选用。咸丰八年（1858）七月，太平军陈玉成、李世贤等部再次攻占庐州府城，乡居被毁。李鹤章走定远，上书新任安徽巡抚翁同书陈言兵事，不为所用，乃驰去，辗转于江、浙间，亦无所就。适长兄李瀚章奉曾国藩委派赴江西总理报销总局，于是随往江西，后与次兄李鸿章同入曾国藩军幕。

咸丰九年（1859），李鹤章在曾幕管理文案，参预军谋，曾国藩激赏称为将才。咸丰十年（1860），因熟悉淮北情况，随湘军曾国荃部往攻安庆。稍后，长兄李瀚章出任江西吉南赣宁道，帮办团练事宜，李鹤章"往领赣勇四千助防剿"。咸丰十一年（1861）八月，湘军攻陷安庆，李鹤章在事有功，以知县留于湖北补用，并赏换花翎。同治元年（1862）正月，李鸿章招募的树、铭、鼎、庆字四营淮勇集合于安庆，仿湘军成规，定立营制，加上曾国藩调拨的春字营、济字营（后留驻池州）、开字两营、亲兵营两营、林字营两营、熊字营、垣字营，是为淮军最初13营。二月二十九日，曾国藩为李鸿章援沪饯行，李鹤章与李昭庆、陈鼐等作陪。李鸿章统兵乘轮入沪后，因淮军各营马匹轮船不能尽载，曾国藩命李鹤章绕道皖北，开赴上海，并致函临淮军钦差大臣袁甲三，经过之处代为照料。五月上旬，李鹤章携周盛波兄弟、吴毓芬兄弟等统带新募淮勇1000人、马队500骑，陆续经江北陆路绕淮扬里下河由海门渡上海，派充"统带江苏抚标亲军总办湘淮各营防剿事宜"。

七月十五日，李鹤章率抚标亲兵与程学启、滕嗣武等部会同华尔"常胜军"攻克青浦县城。旋分军还救北新泾，攻克嘉定县城，击退四江口太平军援军，特诏加四品衔，以知州用。十一月二十八日，接受常熟昭文太平军守将骆国忠、董政勤①等献城投降，乘势攻福山、许浦等要口。同治二年（1863）三月初九，守太仓州之太平天国会王蔡元隆诈降，李鹤章率骑至城下观察时中埋伏，腿受枪伤，几被活捉。十

---

① 骆国忠、董政勤等在咸丰四年时，曾充当义勇随李鹤章往攻临淮关"土匪"，因之反正。《续修庐州府志》卷48《武功传三·李鹤章》，第12页。

五日,会同戈登之洋枪队攻占太仓州城,大肆屠杀泄愤。五月十一日,李鸿章上奏称拟分三路攻打苏州,以李鹤章、刘铭传为中路由常熟进规江阴、无锡。八月初一,李鹤章与刘铭传、郭松林、黄翼升等水陆各部经过20余日激战,攻克江阴县城,太平天国守将广王李恺顺败走常州。李鹤章因功以知府补用,并赏加三品衔。十一月初二,与刘铭传、郭松林等攻克无锡、金匮,生擒太平天国潮王黄子隆父子,以三品衔知府再交军机处记名,遇有道员缺出请旨简放。同治三年(1864)四月初六,李鹤章与郭松林、刘士奇、刘铭传、黄翼升、杨鼎勋、周盛波、周寿昌、张树声、戈登等部,在李鸿章的指挥之下,三路进围,攻克常州,俘获太平天国护王陈坤书、佐王黄和锦等,赏穿黄马褂。李鹤章在淮军,犹如曾国荃之在湘军,皆以统帅介弟之亲,将兵独众,然李鹤章沉毅之性不如曾国荃,遇有艰阻,不能坚持。常州之役后,李鹤章被部将郭松林、杨鼎勋、刘铭传、张树声、周盛波等联合排挤出淮军营伍,①旋请假归籍调理。

九月,授甘肃甘凉道道员。同治四年(1865)正月,清政府命李鹤章率部前往甘肃镇压回民起义,李鹤章以该地僻处西北、荒凉贫瘠不愿前往。曾国藩写信给李瀚章,建议让李鹤章率部赴福建追击李世贤部残余,或可暂辍甘肃之行。因恐归闽浙总督左宗棠调遣亦望而却步。适僧格林沁被捻军击毙于山东曹州,清廷命曾国藩北上督师"剿捻"。李鸿章遂建言让李鹤章随曾国藩行动,借以联络淮军诸将。五月十三日,曾国藩附片奏陈已调甘凉道李鹤章办理行营营务处,请旨准开甘凉道缺。闰五月十二日,李鹤章至清江浦行营谒见曾国藩。未几,仍以伤疾交作,回籍休养,未再出山。

李鹤章既归隐,自号浮槎山人,时出游都会,兼营商业,贸迁有无,赢利巨万。行事豪侠仗义,于家乡善后要举,悉力倡办。如创立合肥各乡社仓、义学;重建文庙、武庙、文昌、城隍、火神各祠及考棚、

---

① 刘体智:《异辞录》卷1,中华书局1988年版,第43、55页。李鸿章则说李鹤章体弱多病,带兵实不相宜。参见李鸿章:《复杨制军》《致曾中堂》,《李鸿章全集》第29册《信函一》,安徽教育出版社2008年版,第368、371页。

书院;手定庐阳书院课章,延聘院长;重葺《庐州府志》;重修城乡各桥;遇灾荒之年则输谷赡养贫族。光绪五年(1879),因晋灾劝捐巨款,赏加二品衔。光绪六年十二月初三(1881年1月2日)卒于家,享年56岁。著有《浮槎山人文集》1卷、《半仙居诗草》4卷、《平吴竹枝词》1卷、《广名将谱笺注引证》4卷、《平吴纪实》4卷。

李鹤章原配李氏;继配周氏,合肥西乡举人周沛霖女,名世宜,幼读经史,尤爱陶潜、王维诗,著有《常昭城守纪事》《玲珑阁诗稿》;侧室石氏。有子4人:天钺,拔贡,官至江苏试用道,加按察使衔;经奎(殇);经羲;经馥,国学生,官至以道员记名简用。女3人,殇1人,长适分省补用道、同县张士瑜,次适安徽候补知府、江苏江阴沈定。

刘秉璋[①]

刘秉璋(1826—1905),谱名刘景贤,字希之,号仲良,庐江县人,道光六年四月十四日(1826年5月20日)出生。先世于明初自江西迁庐江,后为躲避战乱徙居邻邑合肥之三河镇(今属肥西县)。兄弟3人,刘秉璋居长。幼与同邑潘鼎新为总角之交,就学于潘鼎新的父亲潘璞。潘氏亦世居三河。道光二十五年(1845),刘秉璋与潘鼎新结伴入京,先住庐州会馆,既而移寓东单牌楼观音寺胡同观音寺,兼师李文安、李鸿章父子。两人因用功读书、足不出户而得李文安赏识。李鸿章考中道光丁未(1847)科进士后,李文安谓"吾儿新贵,可取资焉",两人"是后文字,皆就文忠是正矣"[②]。后冒顺天大兴籍应北闱乡

[①] 参见王闿运:《四川总督追谥文庄刘公碑铭》;朱孔彰:《刘尚书秉璋别传》,《清代碑传全集》,上海古籍出版社1987年版;刘体智:《异辞录》,中华书局1988年版;马昌华主编:《淮系人物列传——李鸿章家族成员·武职》,黄山书社1995年版;赵尔巽:《清史稿》卷234《刘秉璋传》;刘声木辑:《清芬录》卷2;刘声木:《苌楚斋随笔续笔三笔四笔五笔》,中华书局1998年版。

[②] 刘体智:《异辞录》卷1,中华书局1988年版,第3页。

试,刘秉璋迟潘鼎新两年,于咸丰元年(1851)中举人。

咸丰五年(1855)五月初十,刘秉璋经李鸿章进士同年、安徽舒城人孙观推荐,至徽州入督办皖南军务张芾军幕,对抗太平军。"徽郡屡濒于危而不破者,公之谋也,以劳叙知县。公知兵之名自此始。"[①] 咸丰九年(1859),张芾特令刘秉璋入京办理报销,兼应会试。咸丰十年(1860)考中庚申恩科二甲第八名进士,朝考一等,选庶吉士。咸丰十一年(1861)十月十九日,刘秉璋抵达安庆,时张芾因失军机已自劾去职,湘军克复安庆,两江总督曾国藩移建军府,广招人才。经李鸿章引见,曾国藩对刘秉璋大加器许,称赞"刘某气象峥嵘,志意沉着,美才也"[②]。时李鸿章奉命招募编练淮勇,刘秉璋在返乡后、赴京前积极参与此项活动:"是时创立淮军,粮饷未足,器械未齐,军服朴陋。淮勇自田间来,或为人所轻笑,先公(指刘秉璋)诫军士曰:'视吾等能战,谁敢侮之。'与李公运筹决策,选将练兵,以勤苦耐劳为尚,以朴实勇敢为先。"[③] 经刘秉璋联络的,主要是庐江团练头目吴长庆与同窗好友潘鼎新。

同治元年(1862)四月,散馆一等,授刘秉璋翰林院编修。此前一月,李鸿章已率淮勇乘轮船入沪。六月二十五日,署理江苏巡抚李鸿章专片奏调刘秉璋以编修随军,酌量委任。七月初九上谕允准。同治二年(1863)二月,刘秉璋会同潘鼎新、刘铭传等统带步队3000余人,并督催"常胜军"添调轮船大炮,攻克福山要隘,解常、昭之围。复驰往太仓帮同李鹤章料理出兵事宜,于三月十五日克复太仓州城。配合淮军作战的"常胜军"剽悍不驯,赖刘秉璋驾驭有方,调和诸将,多有臂助。李鸿章知其材可大用,命别募一军,称良字营,并指挥吴长庆部。五月,淮军拟三路进攻苏州,为防止杭州、嘉兴、湖州等地太平军"绕窜浦东,窥扑松沪",李鸿章调刘秉璋带所部7营扼扎洙泾,

---

[①] 朱孔彰:《刘尚书秉璋别传》,《清代碑传全集》,上海古籍出版社1987年版,第956页。

[②] 曾国藩:《曾国藩全集·日记一》,岳麓书社1987年版,第675页。

[③] 刘体乾等:《刘秉璋行状》,清光绪三十一年刻本。

与驻金山卫之潘鼎新、张堰之杨鼎勋联络一气,照顾后路。七月中下旬,刘秉璋会同潘鼎新、张遇春等移营攻破松江嘉兴交界之枫泾镇、嘉善县北之西塘镇,以侍讲遇缺提奏。十月二十日,由枫泾带队往攻嘉善城东6里张泾汇,腿受枪伤,裹创督战。十一月,张泾汇既克,平湖、乍浦、海盐、嘉善等地太平军守将纷纷具禀投降。同治三年(1864)二月十八日,会同程学启部攻克嘉兴府城,赏戴花翎。三月二十九日,奉旨补授翰林院侍讲。旋与潘鼎新率部自太湖东岸进扎,会同郭松林部、李朝斌太湖水师配合左宗棠部湘军攻湖州。七月二十七日克湖州府城,获赏振勇巴图鲁名号,遇有应升之缺开列在前。在湖州大钱口行营接奉补授翰林院侍讲谕旨,因在军营,循例由江苏巡抚李鸿章代奏谢恩折。旋迁右庶子转左庶子。翌年升侍讲学士。

　　刘秉璋以翰林从戎,深受曾国藩赏识,亦颇得李鸿章器重,在淮军中地位特殊。李鸿章曾对管理淮军粮台的鲁白阳说:"粮台何难于应付,惟李观察(鹤章)、刘学士(秉璋)不得罪焉可耳!"然其子刘体智亦记载,刘秉璋在淮军,与李鸿章"意见殊不能相惬",与淮军将领"气味不投"。太平天国失败后,曾国藩遣散湘军,仅留老湘营,欲招刘秉璋以领老湘营,常驻江宁为防军,遂派江南水师提督黄翼升持函去苏州见李鸿章,信中说:"将使之淬厉湘军暮气,我亦得日以老生常谈勖之,俾成栋梁之器。"李鸿章不置可否,私下对刘秉璋说:"往也,惟此老翁能致人于方面重任。"时李鸿章居拙政园,设宴招待黄翼升,值春初山茶盛放,说:"花如此丽,虽仆婢今日折一枝,明日摘一朵,究无损矣!"黄翼升退席后即收拾行装,刘秉璋问为何这么快就走,黄说:"昨日之言,公不闻与?已示意不欲公往,尚待言耶!"①

　　同治四年(1865)四月,曾国藩奉命督师"剿捻",于次年正月十四奏调刘秉璋来军营襄办军务。三月上旬,刘秉璋遵旨驰往宿迁,堵截捻军。四月,授江苏按察使。同治六年(1867)二月升山西布政使,均因在前线未及履任。刘秉璋率所部12营(包括良军2营、庆军6营、

---

① 刘体智:《异辞录》卷1,中华书局1988年版,第44、29、40—41页。

炮队1营、荣字2营、况文榜部1营)作为游击之师,转战于江苏、山东、河南、湖北等省。时捻军易步为骑,日夜疾驰,飘忽不定。淮军诸将苦于奔波,刘秉璋向曾国藩献守运河之策,作长墙于岸,限制马足,使不得渡,围之于一隅。曾国藩督师年半,师劳无功,李鸿章接任钦差大臣,指挥湘、淮诸军对捻作战。刘秉璋屡次恳求解除兵柄,李鸿章与之约俟军务完毕。东捻军进入胶东地区,刘秉璋与刘铭传、潘鼎新等屡向李鸿章献反守运河西堤、蹙捻于登莱海隅围而歼之之策,卒致奏效见功。十二月平定东捻军后,刘秉璋坚求卸勇,所部裁去数营,余11营交吴长庆统带。同治七年(1868)正月,西捻军突入直隶,京畿震动,旨命李鸿章迅赴直境援剿。时诸将因东捻荡平有功不赏纷纷求退,无人应命北上勤王,淮军内部不协,几有瓦解之势。此时刘秉璋已解兵权未去,密告李鸿章曰:"诸将谋去公,显而易见。惟琴轩究竟读书人,可激以义。"他转而又去游说潘鼎新:"吾辈道义之交,缓急顾不可恃耶!"潘鼎新乃率先应命北上,其余各将除刘铭传请假之外亦继起赴急,为李鸿章解决一大危机。七月,刘秉璋称病解职,开去山西布政使之缺。左宗棠曾邀其率部前往陕甘当西北路,并示意将奏请朝廷俾署晋抚,辞谢而止。归里后,在无为州购屋居住。逾年,丁父忧守制。

同治十一年(1872)六月,守制期满,奉旨入觐,授江西布政使。其治官事以综核见长,清理库款,盘查交代,追缴积欠,颇以廉洁能干著称。然每论洋务,则与鸿章意见相左。日本侵台引发清廷内第一次海防大讨论,李鸿章在《筹议海防折》中针对人才培养一条主张改革科举,另开洋务进取一格。刘秉璋首先站出来反对,极力维护传统的小楷试帖和八股时文,反对设立所谓"用夷变夏"的洋学局。同治十三年(1874)十二月,署理江西巡抚。光绪元年(1875)八月,升江西巡抚。光绪二年(1876)四月,以母胡氏年逾八旬兼患目疾,侍奉需人,奏请开缺终养。因江西地方紧要,朝廷倚畀方殷,旨命毋庸开缺。光绪四年(1878)七月,陈情获准,开缺回籍养亲。光绪六年(1880)正月,因在赣抚任内筹解左宗棠西征军饷出力,获赏头品顶戴。旋丁母忧守制。

光绪八年（1882），服阕起复，十二月授浙江巡抚。履任后就招降台湾逸盗黄金满，以安定人心。筹建杭州机器局，增修炮台，以加强海防。中法战事起，沿海沿江各省极力筹备防务，严行戒备。光绪九年（1883）十月，刘秉璋奏添募勇营暨海防情形，并请饬广东水师提督吴长庆带营来浙帮办。时吴长庆率师驻朝鲜。廷旨以直隶海防、朝鲜镇抚均关紧要，吴长庆不可远赴浙江。刘秉璋遂委派绍宁台道薛福成综理设在宁波的海防营务处，以宁波府试用同知杜冠英兼管宁镇海防营务处，与提督欧阳利见及统领杨岐珍、钱玉兴等布置防务。浙江沿海口岸纷歧，以宁波为最要，镇海又为宁波口门。基于此，于镇海沿海甬江口两岸修筑长墙30里，冲要之口埋伏地雷，周边山头设立炮台；用桩木排钉海口，购海船三四十艘装满石块，排沉桩缝之间，外放地雷百余，海滨要处亦埋水雷，防敌登岸；委托上海大北电线公司快速架设宁波至镇海间40里陆路电报线，及时沟通镇海与招宝山、金鸡山和梅墟这3处主要战场之间的联系。与此同时，薛福成、杜冠英还积极协调浙东地区参战的湘、淮两大派系之间的关系，使同心协力，共御外侮。光绪十年（1884）的除夕日，南洋水师援台之"南琛""南瑞""开济"3舰为避法舰驶至镇海口。追踪而至的法舰于光绪十一年（1885）正月十四进至镇海口外洋面，停泊在七里屿窥视口门。十五日、十七日，法舰"纽回利"号率3舰两次猛攻招宝山，企图击毁威远炮台，长驱直入，但均遭浙军开炮反击，遭受重创，最终逃离战场。二十七日再遥攻镇海口南岸的小港口炮台，亦未得逞。数日后，刘秉璋命钱玉兴组织敢死队，潜伏南岸清泉岭下，突袭法舰，连中五炮，伤敌颇多。此后法舰遥泊于金塘岛洋面，80多天不敢再靠近镇海口。直到中法议和告成，四月底法舰开始退往外洋，持续103天的镇海之役宣告结束。

光绪十二年（1886）五月，升任四川总督。上任伊始，即接手处理此前发生的重庆教案，搜捕惩治纠众械斗致伤人命的教绅罗元义、石汇等；英商轮船驶入川江，刘秉璋与之约定，撞损民船须全数赔偿；川绅暗中邀约洋商禀请开矿,刘秉璋提出弭衅、杜骗、防骗三要端;都江堰水利工程年久失修,刘秉璋主持补葺,由庄裕筠经办,仍用竹笼古法。在川督任十年,刘秉璋"以廉介勤俭倡全蜀官吏,禁绝馈献节寿一切世俗相沿之礼,故终其任无敢以生日祝庆为公言者"[①]。光绪二十年(1894)正月,因本年慈禧60诞辰,懿旨赏加刘秉璋太子少保衔。二月,御史钟德祥奏四川吏治蠹蚀污浊,列款纠参候选道徐春荣、署四川提督重庆镇总兵钱玉兴、直隶试用道叶毓荣等。钱、叶系刘秉璋奏调至川之员。受此牵连,刘秉璋因措施失当、任用非人遭部议革职,谕旨加恩改为革职留任。六月,暂行护理成都将军,兼署副都统。十月,奉旨开缺,另候简用。此前,刘秉璋以体弱多病6次疏请乞休,均邀慰留,至是复上疏乞退。旨命俟新督到任再行交卸。光绪二十一年(1895),因甲午战败,外国公使、教士气焰甚盛,各省教案屡见迭出。四川省城被毁教堂、医馆甚多,案情较重,教士在地方借机要挟,英使于京催办相呼应,认为刘秉璋一贯排斥西方,"日至译署,噪于恭、庆两邸前,请镌川督职"[②]。八月,旨命将刘秉璋革职,永不叙用。

归里后家居十载,其间曾有诏命其赴京豫备召见,但其以疾病不能行而辞。年迈势衰的李鸿章也曾为其复出而奔走不遑。刘秉璋对此颇为释然,曾自撰联曰:"人心不同,每为热肠忙里错;天鉴有赫,试将冷眼静中观。"光绪三十一年七月二十三日(1905年8月23日),因病辞世。追谥文庄。

刘秉璋"生平不治生业,无嗜好,唯喜读书。寻常奏议公牍,悉自己出,不假手于人。暇则与二三交友从事吟咏,兼肆力于古文。"著述甚丰,品类繁多,奏稿、函稿、电稿、批牍、诗文、小品、笔记、日记及政典、礼典、方舆等,凡24种,共190余卷。唯奏议选刊8卷,版及遗稿四笈为人攘为己有,后经其子体信竭力搜集,复编为《刘文庄公遗书》。

---

① 王树枬:《刘仲良宫保七十寿序》,刘声木辑:《清芬录》卷2。
② 刘体智:《异辞录》卷1,中华书局1988年版,第141页。

刘秉璋原配程氏，封一品夫人；侧室黄氏，以子贵，赠一品夫人。初无子，以弟之子贻孙为嗣，居长。后有五子：次子体乾，二品衔江苏补用道，娶太常寺卿李昭庆女；三子体仁，光绪丁酉科举人，分省补用知府，娶两广总督张树声女；四子体信，分省补用知府，娶广东水师提督吴长庆女；五子体智，户部郎中、大清银行安徽总办，娶咸丰丁未科状元、大学士孙家鼐女；六子体道，分部行走郎中，出继叔祖为嗣，娶闽浙总督卞宝第女。长女嫁李鸿章之子李经方，次女嫁同治壬戌科状元、礼部尚书徐郙之子徐迪祥。

刘盛藻[①]

刘盛藻(1828—1883)，字子务。道光八年九月初二(1828年10月10日)出生于合肥县西乡(今属肥西县)。兄弟二人，居长。世居大潜山北，土名小老家，发迹后迁六安张家店，建有刘大圩子。生员出身。少读书有气节，不求仕进，每究心兵书及经世之学，故屡试不售。甫弱冠家贫，以教读为生，族戚从游者甚众，族叔刘铭传就是其学生。咸丰七八年间江淮大旱，赤地千里，太平军、捻军又四出纷扰，室庐被焚的刘盛藻偕父母四处逃亡，途中与弟刘盛锦(字子标)为太平军所掳，太平军见其系读书人，不忍伤，令司文告之事，后与弟趁隙各自逃归，谋办团练以捍卫乡里。咸丰八年(1858)，筑堡于大潜山北清规寺，募团勇二三百人，以族中子弟为最多，与山之西刘老圩刘铭传部、山之东马埠寺李元华部互相联络，转战于六、合、舒交界处。咸丰十年(1860)秋，随刘铭传援寿州、守六安，经袁甲三奏保，获赏五品顶戴。

---

① 参见《先阁学公史传》《书先阁学公轶事》，民国六年修《刘氏宗谱》卷16，《肥西淮军人物》，黄山书社1992年版，第82—89页；朱孔彰：《刘阁学别传》，缪荃孙纂录：《续碑传集(三)》卷39，台湾明文书局1985年版。

同治元年(1862)春,李鸿章招募淮勇组军东援,刘盛藻随刘铭传之铭字营开赴上海。四月底起,参加攻克柘林、奉贤、南汇、川沙、金山卫等城,并在虹桥、四江口大败太平军援军,叙功以县丞选用,赏戴蓝翎。同治二年(1863)四月,克复江阴县属杨库汛城,以知县选用并加知州衔。八月初一攻克江阴县城,得以免选本班以同知留于江苏补用。十一月初二克复无锡金匮县城,著免补本班以知府补用,并赏给恒勇巴图鲁名号,赏换花翎。同治三年(1864)四月淮军攻下常州后,刘盛藻以道员补用,统带铭字左军5营。七月,率部驰抵安徽广德,追击太平军余部,旋克复广德州城。

同治四年(1865),刘盛藻随铭军北上镇压捻军,转战于山东、河南、安徽、湖北、江苏等地。同治六年(1867)正月,与东捻军大战于湖北尹隆河,铭军大败,损失惨重,铭字左军统带刘盛藻也因督队不力被拔去花翎、撤销勇号,责令"剿贼自效"[1]。东捻军失败后,得以赏还花翎、勇号。同治七年(1868)五月,以直隶提督刘铭传所部各营迭次"剿捻"出力,道员刘盛藻赏换法克精阿巴图鲁名号。旋因在直隶、山东与西捻军作战有功,以按察使遇缺提奏。西捻军失败后,铭军暂扎山东张秋迤北,兼顾畿辅南路,旨命刘铭传严饬刘盛藻将该军汰弱留强,妥为管束,并随时稽查游勇,以靖地方。同治八年(1869)春,刘铭传患病未愈开缺调理后,刘盛藻以"廉明精细,将士翕服"[2]受命接统所部,能做到"训练有素,军民安堵"[3],时人亦称他"治军整武,威惠兼施,军中不可多得之材"[4]。

同治九年(1870)四月,刘盛藻派赵宗道管带铭军8营,移扎保定。后天津教案发生,铭军移驻直隶沧州,拱卫京畿。旋由刘铭传统带铭军赴陕西镇压回民起义。是年冬,刘盛藻以亲老为念,陈情归

---

[1] 《清穆宗实录》卷196,同治六年二月戊戌。
[2] 《清穆宗实录》卷257,同治八年四月庚申。
[3] 朱孔彰:《刘阁学别传》,缪荃孙纂录:《续碑传集(三)》卷39,台湾明文书局1985年版,第12页。
[4] 刘秉璋:《刘尚书〈秉璋〉奏议》卷2,台湾文海出版社印行,第27页。

养。同治十年（1871）九月，刘铭传假归，以曹克忠代统铭军，不想铭军武毅右营士兵于同治十一年（1872）六月在陕西乾州发生哗变，有瓦解溃散之虞。李鸿章举荐"威惠廉正，军士翕服"①的刘盛藻前往陕西接统铭军，清廷旨准。八月二十五日，刘盛藻自籍启程，九月二十二日驰抵天津，与李鸿章商定机宜，十月初二由津启程赴陕，实力整顿，尽复旧规，遂稳住军心。同治十二年（1873），丁父忧。陕西巡抚邵亨豫奏奉上谕饬令刘盛藻将陕防事宜照常办理，俟甘境肃清再奏请回籍终制。同治十三年（1874）五月，因日本出兵侵台，旨命沿海各省筹办防务，李鸿章奏调刘盛藻迅统铭军马步各营移扎山东济宁，以备南北海防策应。

光绪元年（1875），刘盛藻补请守制，调养病躯，大有归隐之意。光绪五年（1879）九月，直隶总督兼北洋大臣李鸿章以刘盛藻"治军严整，操行朴实，兵事历练既久，吏治亦甚讲求，洵为文武兼备，不可多得之才"②，奏调赴津，十月授直隶大顺广道。光绪六年（1880），直隶长垣、东明等县黄河堤岸冲决，险工迭出，刘盛藻亲驻河干，督率修筑，工竣设官专管，筹款维护，造福一方。光绪九年（1883），署理直隶按察使。时因李鸿章回籍葬母，张树声署理北洋通商大臣，以刘盛藻明达大体，奏派总理北洋营务处，并充海防翼长。同年六月，授浙江按察使，十月十四日（11月13日）病逝，终年55岁。浙江巡抚刘秉璋与直隶总督李鸿章胪陈刘盛藻之功绩，奏请照军营立功后病故例，从优议恤。光绪十年（1884）十二月十一日特旨加恩晋内阁学士衔。

刘盛藻在军中小心谨慎，临事惧，好谋成，于铭军统帅刘铭传多所臂助，吴汝纶曾称"竹林济美，相与有成者"。其为人秉性恬淡，研求实际，乐善好施，曾仿刘铭传倡创肥西书院之举捐资设立育英学塾，又捐金于家乡设义庄、立义学，置田赡族，捐资助修京师安徽省馆

---

① 李鸿章：《密筹调员接统铭军折》，《李鸿章全集》第5册《奏议五》，安徽教育出版社2008年版，第175页。
② 李鸿章：《奏调刘盛藻片》，《李鸿章全集》第8册《奏议八》，安徽教育出版社2008年版，第463页。

与庐州试馆、庐郡文昌阁、六安棚场与奎星阁、直隶大名文庙等。治家、教子、居官之法,以张氏《聪训斋语》《澄怀园语》为宗旨。著有《河工禀牍》6卷。有子两人,长子刘朝骥,分部郎中;次子刘朝班,刑部湖广司主事。

袁宏谟[①]

袁宏谟(1828—1886),字荫普,合肥县西乡(今属肥西县)人。祖居将军岭袁家店,后迁紫蓬山北麓袁圩。兄弟3人,排行第二。读过几年私塾,因家贫辍学,与兄弟力田养亲。有一年灾荒,颗粒无收,宏谟与妹夫周盛传相商,忍痛将妹别嫁,得聘金共分,两家人因而得活。周盛传直到发迹后才将袁氏赎回完聚。太平军兴,赴江南投军,为李秀成部下,累功至将军,曾任太平军余杭守将。太平天国失败后回籍归隐,到离故居数里的紫蓬山西庐寺出家为僧,佛名通元,因在家排行老二,俗称袁二和尚。时西庐寺因屡遭兵燹,残破不堪,仅剩大殿3间。袁宏谟以弘扬佛法、恢复名胜相号召,四处奔走,募集资金,决心重修庙宇,收抚流亡,赈灾济贫。同乡已功成名就的淮军将领纷纷解囊相助,袁宏谟妹夫周盛传出资最多,捐银数千两、粮食数十石。同治十年(1871),西庐寺修复工程竣工,建房百余间,楼台殿阁焕然一新。是年,去芜湖广济寺向广惠长老学法。次年又去五台山朝拜、学法。同治十二年(1873)冬,在西庐寺正式开堂传戒,刊行"同戒录"。后移驻合肥城内明教寺,于光绪初年募资建成殿宇数十间,作为"西庐寺下院"。光绪九年(1883),北上取经,于京师取得《龙藏全经》一部,迎回西庐寺珍藏。返程路过广济寺时,邀请高僧虚腹来紫蓬山专

[①] 参见《肥西淮军人物》,黄山书社1992年版;《紫蓬山轶话》,安徽文艺出版社2004年版;《安徽辛亥英杰》,黄山书社2011年版。

门研究《龙藏全经》。光绪十年(1884),在西庐寺再次开堂传戒,并亲撰《西庐寺同戒录序》,记载历年修寺、取经之历程。次年秋,在明教寺登坛传戒,往贺者甚众,翁同龢、孙家鼐等题赠楹联。光绪十二年六月十二日(1886年7月13日),患病去世。因其修复庙宇、恢复合肥佛教的巨大功绩,被尊为"开山中兴第一世传灯祖",通称"中兴始祖",紫蓬山也被称为"庐阳第一名山"。

袁宏谟膝下无子,过继侄从仁为嗣。从仁有两子,长曰斗枢,原名先奎,字杓之,清末任合肥总团练长,在合肥光复过程中,成功说服合肥巡防营管带季光恩投诚,并恫吓庐州知府、合肥县知县等不要做无谓抵抗,促成合肥和平光复。庐州军政分府成立后,任革命军旅长,后任民国临时政府第十五师旅长,1913年被授予陆军少将加中将衔,1939年初组织民团抗日,9月,被安徽省保安司令部委以支队司令的头衔,率部在合肥地区活动,于1941年病故。

潘鼎新[①]

潘鼎新(1828—1888),字琴轩,庐江县人。世居合肥三河镇(今属肥西县)。父潘璞,因家境贫寒,以诸生授学童经。潘鼎新自幼随父读书,习兵法家言。道光二十五年(1845)与同乡、同学刘秉璋结伴入京,因"用功读书,足不出户"[②]得李鸿章父亲刑部郎中李文安赏识,在其帮助下更名入大兴县学。李鸿章考取进士后,两人又以李鸿章为师。道光二十九年(1849),潘鼎新应顺天府乡试,中举。次年应会

---

① 参见李鸿章:《李鸿章全集》,安徽教育出版社2008年版;马昌华主编:《淮系人物列传——李鸿章家族成员·武职》,黄山书社1995年版;金松岑编:《淮军诸将领传》,上海图书馆藏稿本。

② 刘声木:《苌楚斋三笔》卷6,第5—6页。

试，文已入选，因词气勃发，考官疑非冀土人士手笔，乃黜，[①]被挑取誊录，送国史馆，负责撰修大臣列传。后议叙知县。

咸丰三年（1853），太平军进入安徽。咸丰七年（1857），潘鼎新出京，参安徽大营军事，从军攻占霍山等地，擢同知。其父为练首，咸丰十一年（1861）正月率团勇进攻庐江县城，次月兵败，被太平军执至三河镇处死。潘鼎新请大府率乡团及诸子侄攻克三河镇，负父骸归，发誓报仇，在三河一带筑圩办练，与六安练总李元华关系密切。时曾国藩督师安庆，知可用，檄令依照湘军营制募练500人，编入淮军，为鼎字营。

同治元年（1862）三月，潘鼎新率部随李鸿章至上海，驻南汇之周浦镇。南汇太平军守将吴建瀛等迫于压力献城投降。五月初一、初五，潘鼎新与刘铭传等率部乘势收复南汇县城、川沙厅城。是月二十日奉上谕："丁忧候选同知潘鼎新，著俟服阕后，免选同知，以知府留于江苏补用。"六月二十一日，会同刘铭传部在华尔"常胜军"的配合下攻占金山卫城。二十五日，李鸿章上折称潘鼎新智深勇沉，由举人带勇打仗，久著战功，奏请其免补知府，俟服阕后遇有江苏道员缺出请旨简放，并赏戴花翎，即令统领浦东防务。七月初九旨准。

同治元年底至同治二年（1863）初，为救援被太平军围困之常熟、昭文，李鸿章令淮军进攻常、昭门户太仓，夺取常熟附近的水陆要塞福山石城。驻防浦东之记名道潘鼎新会同刘秉璋、刘铭传、张树珊等抽带陆军3000人，附搭轮船由海道绕赴福山"援剿"。二月十八、十九日，福山攻克，常、昭解围，潘鼎新升任江苏常镇通海道，以父丧未除改为署任。五月，李鸿章上《分路规取苏州折》，拟兵分三路进图苏州。同时为防止杭州、嘉兴、湖州等地太平军"绕窜浦东，窥扑松沪"，调潘鼎新带所部8营扼扎金山卫，以防浙西。七月中、下旬，奉命会同刘秉璋、张遇春等移营攻破松江、嘉兴交界之枫泾镇，嘉善县北之西塘镇，赏加按察使衔。十一月，浙西平湖、乍浦、海盐、澉浦等地太

[①] 刘体智：《异辞录》卷1，中华书局1988年版，第24页。

平军降于潘鼎新,经与刘秉璋协商,派营驻守,对降众分别遣留,攻克沈荡、新丰,适嘉善太平军降,遂前往会攻嘉兴。同治三年(1864)二月十八日,会同程学启部攻克嘉兴,奉旨交部从优议叙。五月,潘鼎新率军攻占胡溇、吴溇、南浔等地。未几,与刘秉璋率部自太湖东岸进扎,会同郭松林部、李朝斌太湖水师配合左宗棠部湘军攻湖州。晟舍为湖州屏蔽,极为险固,太平军凭河守御,力战不退,鏖战近二十日,于七月十三日克复,潘鼎新赏加布政使衔,赐号敢勇巴图鲁。七月二十七日克复浙江湖州府城,赏穿黄马褂。苏、浙既定,潘鼎新奉令率军回驻松江塘桥,就近节制青浦凤凰山英国教练枪炮各队即"常胜军"余部(余在榜、袁九皋分带)。潘鼎新在松江一面督同英国兵官哲贝操练洋枪炮队,一面潜心研究西方兵法。因守丧期满,十二月二十七日,李鸿章奏请仍将潘鼎新补授常镇通海道。

同治四年(1865)四月,捻军击毙僧格林沁于山东曹州(今菏泽)高楼寨,声势大张,京畿震动。五月初一,清廷命李鸿章拨派劲旅由海道赴津,援护畿辅。初九,李鸿章奏称布政使衔常镇道潘鼎新器识沉毅,勇略兼优,于洋人火器用法颇知究心,所部鼎字淮勇10营洋枪居多,内有开花炮队1营,炮位器具为中土难得之物,已令其率部北上。十六日又增调青浦凤凰山余在榜洋枪队1营随同北上。潘鼎新所部等在上海登船,于闰五月初在天津登陆,再由水路前往山东张秋一带扼要驻扎。余在榜洋枪队一营与潘鼎新一同驻守直隶、山东交界要地,听候调遣。后经钦差大臣曾国藩奏请,潘鼎新一军调赴济宁驻扎,仍兼顾曹州、考城一带,以固山东、直隶门户。此后,捻军在曹州、单县,潘鼎新派队截击。捻军至徐州,活动于丰县、沛县、铜山境内,曾国藩令潘鼎新出山东境夹击。八月二十二日,升任山东按察使。

同治五年(1866),潘鼎新奉曾国藩令在巨野一带沿河布防,旋改为游击之师,与捻军转战于郓城、巨野、菏泽等地。九月,奉曾国藩令与刘铭传、张树珊负责对付东捻军。李鸿章替代曾国藩专办"剿捻"事宜后,于同治六年(1867)二月调潘鼎新部由济宁赴河南之尉氏、扶沟择要驻扎。二月二十六日，潘鼎新升山东布政使。五月中旬，东捻自山东郓城至东平之戴庙过运河，突破运河东岸长墙，济南戒严。潘鼎新与刘铭传建议李鸿章反守运河西堤，冀蹙东捻于登莱海隅，再进扼胶莱河以困之。六月十二日，潘鼎新奉令移驻掖县之新河、潍河东岸，筑长墙，会诸军守之。七月二十日，东捻军击败山东防军王心安部，由海神庙渡潍河，胶莱防线溃散。山东巡抚丁宝桢将潍河不守诿咎于潘鼎新，李鸿章以潘鼎新汛地距失事处 40 余里，不应苛责，替其申辩。旋令鼎军由峄县、台庄进邳州、宿迁，防捻军入江苏境，坚守运河防线。九月初四，鼎军大败东捻军于海州阿湖镇。十月二十八日，鼎军复败赖文光部于海州上庄镇。十一月二十日，潘鼎新与郭松林、杨鼎勋部败东捻军于胶州小南沟，继会同刘铭传部败东捻于寿光南、北洋河与巨弥河之间。东捻平，清廷赏潘鼎新一品顶戴。

同治七年（1868）正月，西捻军突入直隶，京畿震动，清廷命李鸿章迅赴直隶"援剿"。时淮军诸将因东捻荡平纷纷求退，或乞假归，或求卸勇，在济宁聚讼不休，无人应命北上。潘鼎新较识大体，经刘秉璋劝说，首先应命带兵北援，由东阿渡黄河，袭西捻于饶阳城东门，追破之。张宗禹率西捻军走深州，集众围保定，进图易州，潘鼎新遣精锐出间道前击，败之。三月，西捻军南下，潘鼎新转战于浚县、内黄、南乐等地。西捻军走运河以东，李鸿章力主防运之议，潘鼎新等复建议守减河，以为沧州、青县、静海屏蔽，"减河之防，无瑕可蹈，自此捻股窜津无路，出运不能，盘旋高唐、临邑之间，不百日而全股殄歼"①。五月十三日，潘鼎新部在临邑大败捻军。六月初七，潘鼎新与郭松林率部败西捻于沙河，追抵商河城下，张宗禹中枪受重伤。六月十二日，鼎军逼捻军于老海洼及玉林镇、隆福寺绝地，四面皆水。二十八日，潘鼎新与刘铭传、郭松林等围歼西捻于山东茌平南镇，张宗禹知大势已去，投徒骇河，不知所终，西捻军失败。西捻之平，潘鼎新实为首功，获赏云骑尉世职，并赏换瑚松额巴图鲁名号。十月，进京陛见，

---

① 周世澄：《淮军平捻记》卷 9，台湾文海出版社 1967 年版，第 6 页。

奉旨发往左宗棠军营差遣，非所愿，请假三个月回籍省亲营葬。是月底，李鸿章与曾国藩等会商酌裁淮勇，潘鼎新部被裁去马队3营、步队8营，剩下7营6哨驻防山东济宁。次年初，所部因闹饷，全部遣撤。同治八年（1869）五月，李鸿章代潘鼎新奏请续假两月，并先开山东布政使本缺。同治九年（1870）三月，母病故，在籍守制。

同治十一年（1872）秋，潘鼎新服阕期满，由籍赴京销假路过天津，为李鸿章奏留，暂驻天津协助办理冬防，督率各营操防弹压。次年二月，复为李鸿章奏留，襄办与日本使臣换约事宜。四月十一日，李鸿章上《潘鼎新入都片》，称潘鼎新"识力沉毅，才具干练，军事固称熟手，吏治亦甚究心，兹丁忧起复，例应进京候简"。潘鼎新入京陛见后一直无缺可补，逗留徘徊，直至同治十三年（1874）始授云南布政使。光绪二年（1876）三月，云南巡抚岑毓英丁忧，旨命四川布政使文格为云南巡抚，未到任前，以布政使潘鼎新署理。九月，文格调任山东巡抚，潘鼎新升任云南巡抚。因与云贵总督刘长佑不协，于光绪三年（1877）八月奉命"来京另候简用"。因无缺可补，潘鼎新又请假回籍修墓。

光绪六年（1880）三月，中俄因伊犁交涉局势紧张，潘鼎新奉命前往直隶，随同李鸿章办理营伍事宜，坐镇天津新城。光绪七年（1881），伊犁议定，罢海防，潘鼎新乞归。光绪九年（1883）四月，法越事急，李鸿章奏请饬令前云南巡抚潘鼎新在沪帮办统筹全局事宜。五月初一，清廷命李鸿章仍回北洋大臣署任，筹备海防，并传知潘鼎新随同北来听候谕旨。不久，令潘鼎新署理湖南巡抚。

光绪十年（1884）二月二十一日，广西防务紧要，旨命潘鼎新克期起程，驰赴广西，督办军务。二十九日，清廷以北宁、太原失守，丧师辱国，拿问广西巡抚徐延旭，命潘鼎新署广西巡抚。三月十三日，潘鼎新自长沙启程，十七日实授广西巡抚。四月，潘鼎新至广西龙州，准备出关作战。十七日，李鸿章与法国水师总兵福禄诺签订《中法天津简明条约》，二十四日李鸿章致信潘鼎新，希望将军队"调扎近边，既免口舌，亦便整练"。后又电告两广总督张树声通知潘鼎新相机进止。潘鼎新虽然知道中法已经签订和约且法军即将进扎中越边境的消息,但一直未奉到清廷关于撤兵的上谕,进退两难。当法军进至谷松、屯梅,迫近谅山时,五月二十一日,潘鼎新致电李鸿章并总署请示办法,内有"一经见仗,败固不佳,胜亦从此多事"①之说,实为当时清廷决策者和战不定的写照。

闰五月初一,法军要求交出谅山,并枪杀清军联络官,时总署指示未至,驻守观音桥的清军发动反击,大败法军。史称观音桥事变或北黎冲突,该事件导致中法矛盾再次激化,战火重燃。冲突发生后,闰五月十五日,李鸿章致电潘鼎新称:"省三(刘铭传)自京回云,醇邸(指奕譞)面言,'当日尊处若先照约略退,再电奏亦无妨。'可知内意非必主战。"②但冲突前的五月二十五至二十九日,清廷接连颁旨谕潘鼎新倘法人有意挑衅,唯有决战;冲突后又传旨嘉奖,命潘鼎新、岑毓英合力进兵规复北宁。③清廷上谕与李鸿章的指示分歧明显,潘鼎新急电李鸿章质疑,二十四日,李鸿章复电:"前旨不准退扎,上意负气,亦不料胜仗后予以口实。今法责言正急,我辈当弥缝前事。"④当日,清廷命潘鼎新、岑毓英将北圻、保胜、谅山防军照约调回关内,于一个月内撤竣。

中法交涉无果,法军炮轰马尾船厂,七月初六,清政府下诏对法宣战,中法战争正式爆发。潘鼎新立即率军出关,进扎谅山。清廷促桂、滇军攻打北宁、太原,以期牵制台湾法军。八月十八日,广西提督苏元春、总兵陈嘉统领桂军在东路陆岸船头等地挫败法军。十月二十九日,为配合岑毓英滇军攻宣光,潘鼎新"饬各营进剿,以分敌势",桂军败法军于纸作社。年底,法国增兵越南,十二月二十九日,法军尼格里部攻陷谅山,潘鼎新退守镇南关。光绪十一年(1885)正月初

---

① 中国史学会编:《中法战争》第5册,上海人民出版社1957年版,第380页。
② 李鸿章:《寄龙州送潘抚》,《李鸿章全集》第21册《电报一》,安徽教育出版社2008年版,第177页。
③ 郭廷以:《近代中国史事日志》上册,中华书局1987年版,第739—740页。
④ 李鸿章:《寄龙州送潘抚》,《李鸿章全集》第21册《电报一》,安徽教育出版社2008年版,第186页。

三,旨命潘鼎新总领广西关外军务,冯子材帮办,促克复谅山。正月初九,法军攻陷镇南关,提督杨玉科等阵亡,潘鼎新独木难支,左肘受伤,退凭祥。十一日,法军焚掠镇南关,退回谅山。同日,潘鼎新致电李鸿章说"冯子材、王德榜二十八营飞催不至,掣肘万分"①,李鸿章据以上奏。前福建布政使王德榜系湘军宿将、左宗棠旧部;冯子材系两广总督张之洞所派,当时奉潘令守关左派站,顾东路。潘鼎新以镇南关失守诿过于人,冯子材等极为不满。十三日,旨命潘鼎新戴罪立功。

法军退出镇南关后,潘鼎新与两广总督张之洞商议,规划战守,将所属冯子材部萃军、王孝祺部淮军、王德榜部湘军、魏刚部鄂勇、苏元春部防军、方友升部桂勇进行整合,分隘扼扎,准备反攻。二月六日,提督冯子材、总兵王孝祺夜袭文渊州得手,从而打乱了法军的作战部署。七日、八日,法军两度进攻镇南关,冯子材、苏元春、王德榜等力战破之,法军退回谅山。镇南关大捷冯子材居首功,潘鼎新运筹帷幄之功亦不可没。战斗刚结束,张之洞即向潘鼎新发出贺电:"大捷欣贺!"②十日至十七日,冯子材等率军先后夺回文渊州、谅山、长庆府、屯梅、观音桥、谷松。镇南关大捷前夕,考虑到冯子材与潘鼎新关系紧张,两广总督张之洞、会办广东海防之彭玉麟于二月初六密电清廷请求把潘鼎新调离广西。清廷于二月初八下旨:"巡抚潘鼎新身为统帅,虽经临前敌,并受枪伤,惟未能策励诸军,力图堵御,实属调度乖方,潘鼎新著即行革职。"潘鼎新奉到该上谕为二月十五日,此时其正率军进驻谅山,思虑进一步调度进取,朝旨既下,潘鼎新只好交卸回里。行前,潘鼎新复书会同黑旗军在越南西线作战的唐景崧:"新一载徒劳,无裨时局,谅山一役,得失分明,朝廷仅予罢归,人俾生还故土,天恩高厚,图报无由,毁誉听之于人,是非断之于己,悠悠之口,

---

① 李鸿章:《急寄译署》,《李鸿章全集》第21册《电报一》,安徽教育出版社2008年版,第453页。

② 《张文襄公全集·电牍》卷2,台湾文海出版社1966年版,第19页。

何与身心。"①关于潘鼎新被革职,刘体智曾评说:"法越之役,身当前敌,料其终局归于和议,故不以兵事为意,致误军机,一蹶遂不复起,识者惜之。"②

潘鼎新被革职后,遭人弹劾,指其欺饰偾事、退缩媢嫉、营私误国,罪不容诛。清廷令署理广西巡抚李秉衡彻查。李秉衡于当年九月二十五日复奏,一一批驳澄清,并肯定其战绩。③ 光绪十四年(1888),总理海军事务衙门奏,报捐巨款人员,恳予奖励。五月初七,清廷发布上谕,奉慈禧太后懿旨,赏还潘鼎新原衔翎枝。潘鼎新于当年五月十三日(6月22日)病故。九月十六日,清廷从直隶总督李鸿章之请,予故前广西巡抚潘鼎新开复原官,入祀淮军昭忠祠。

潘鼎新著有《洋枪队大操图说》一册,刊刻于同治戊辰年(1868)。

郑国魁　郑国俊④

郑国魁(1828—1888),字克义,号一峰,合肥县撮镇(今属肥东县)人。幼家贫,少任侠,与弟郑国俊以勇力并称乡里。咸丰初年,因游手好闲、打架生事触犯祖训家规,杀死族长后潜逃江苏无锡,投奔巢县人、盐枭头目刘正宇(裕),被提拔为副手,共同管理无锡南局,即南码头。咸丰四年(1854),又因凶悍斗狠,酿成命案,潜离无锡,逃往苏南最大的私盐码头溧阳东坝镇,投入盐枭巨头皖人董小老大门下,管理河西码头。未几,刺死董小老大,夺取董氏家产,成为东坝码头

---

① 唐景崧:《请缨日记》卷8,清光绪十九年刊本,第19页。
② 刘体智:《异辞录》卷1,中华书局1988年版,第57页。
③ 李秉衡:《李忠节公奏议》卷2,台湾文海出版社1973年版,第17页。
④ 参见马昌华主编:《淮系人物列传——李鸿章家族成员·武职》,黄山书社1995年版;顾廷龙、戴逸主编:《李鸿章全集·奏议》,安徽教育出版社2008年版;《清史稿》卷416《郑国魁传》;《清史列传》卷56《郑国魁》;金松岑:《淮军诸将领传·郑国魁、郑国俊》,上海图书馆藏稿本;蔡冠洛:《清代七百名人传·郑国魁》,中国书店1984年版。

新霸主。随即从家乡叫来胞弟郑国俊、堂弟郑国模、堂侄郑光福等，广收门徒，迅速扩充至五六百人，掌管数十艘武装走私船，自江苏、浙江向两湖、江西贩卖私盐，成为远近闻名的盐枭巨魁。为寻求庇护，捐银 740 两获都司衔，并接受候补道史葆悠之招抚。咸丰十年（1860）三月，太平军攻占东坝，郑国魁率船队退至太湖湖面上游弋。太平军击垮清军江南大营后，钦差大臣督办江南军务之江宁将军和春逃往常州，太平军接踵而至。时在和春身边的史葆悠以犒银 800 两且允许扩军为诱饵，邀郑国魁相救。郑国魁立将所部改为义勇，扩充勇丁至 3000 人，携战船 200 号前往常州救援。和春逃离常州后，奉令改戍无锡。四月八日，太平军进军无锡，在高桥突遭郑部狙击，伤亡数千。十日，前后夹击，攻克无锡。郑国魁从无锡败退后，杀史葆悠，带领船队泛太湖来到苏州周庄。几经权衡，郑国魁决定投奔太平军。五月，派人到浙江嘉兴，与驻守该地的太平军佐将、朗天义、巢县夏阁人陈炳文接洽归义事宜，约在六月初率部归附，成为驻守太平天国苏福省的一支重要水师。在太平军中待了两个月后，于太平军进攻上海受阻之时乘机自苏州逃出，投降清军。署理江苏巡抚薛焕将其所部改编为良胜营，郑国魁仍以都司统之，扼守金山之洙泾、泖桥等处，归统带松沪水师之署江南提督曾秉忠节制。

同治元年（1862）三月十日，李鸿章统率淮军抵沪，接替薛焕为署理江苏巡抚，旋实授。包括郑国魁部在内的松沪防军，移交新抚统辖。李鸿章接手后，对曾秉忠部大加裁撤，保留了郑国魁部，编为魁字 3 营，"增战船，泊龙华"，建"为亲兵水师后营"[①]。九月，苏州、昆山、杭州、嘉兴等地太平军十余万企图进攻青浦、嘉定，围攻四江口，游击衔都司郑国魁及其部众身陷重围，因坚守功，著免补游击以参将尽先补用。同治二年（1863）四月克昆山、新阳县城，以副将留于江苏补用。淮军久攻苏州，太平军守将拟献城投降，郑国魁因在苏州太平军中待过一段时间，与其时业已是纳王的"盟兄弟"郜永宽等接上了

---

① 蔡冠洛：《清代七百名人传·郑国魁》，中国书店 1984 年版。

头。十月十八日深夜,在郑的安排下,程学启单舸会郜于阳澄湖上,达成密议。二十四日,郜等依议刺杀主张坚守的慕王谭绍光,当晚,郑国魁、郑国榜率 2 营入城弹压。二十六日,李鸿章、程学启设计诛杀郜等八降王,进入苏州城。事前与郜"焚香为誓,许以不死"的郑国魁并不知杀降计划,得知消息后,"涕泣坚卧,自谓负约,誓不居首功",并请来僧道,为郜等超度亡魂。苏州城克,郑国魁交军机处记名,遇有总兵缺出请旨简放,赏给勃勇巴图鲁名号。同治三年(1864)二月十八日克嘉兴,加提督衔。四月六日,克常州,奉旨交军机处存记,遇有总兵缺出先行提奏,并赏给从一品封典。不久,移守东坝。太平天国失败后,淮军部分营头被裁撤。十一月初五,李鸿章上《苏军征调分防情形折》,称十月间业已将记名提督郑国魁等所带各营分别裁撤,以节饷需。但作为抚标亲兵的"魁"字营则不在裁减之列。次年,李鸿章署理两江总督,郑国魁部更作为督标入驻金陵。

同治五年(1866)八月,李鸿章接替曾国藩为钦差大臣,进驻徐州,指挥"剿捻"。郑国魁率部随往,旋被派往峄县,驻防大泛口、丁庙闸等运河上的要隘。同治九年(1870)八月,李鸿章接替曾国藩为直隶总督,郑国魁率部随往天津。光绪元年(1875)四月,李鸿章上《调兵助剿奉省折》,派天津镇总兵陈济清带领马步 4 营往奉天清剿"边匪",举荐"朴实老练,谋勇兼优"的记名提督郑国魁接署。在署理天津镇总兵任上,郑国魁整顿营伍,捕诛"海盗",缉拿军中哥老会,颇为得力。光绪三年(1877)十二月十八日,在司、道、府、提、镇各员年终考核的密折中,李鸿章给署天津镇总兵郑国魁的考语是"晓畅戎机,镇静不扰"[①]。光绪四年(1878)十二月十九日,李鸿章在《考察勘胜专阃各员折》中,给郑国魁出具的考语是"晓畅军事,镇静不扰",恳请朝廷存记简用。光绪十四年(1888),郑国魁卒于署理天津镇总兵任上,终年 60 岁。

---

① 李鸿章:《司道府提镇各员年终密考折》,《李鸿章全集》第 7 册《奏议七》,安徽教育出版社 2008 年版,第 529 页。

郑国俊(1840—1907),字灼三。郑国魁弟。咸丰四年(1854)冬,郑国魁东坝发迹后,将其从家中招去,从此,随兄活动。同治元年(1862)四月,加入淮军,任亲兵水师营魁字营哨官。随兄参与镇压太平军、捻军,转战江苏、安徽、河南、山东、直隶等省,积功至记名总兵。光绪元年(1875),李鸿章奏准留直,酌量借补。光绪四年(1878),大沽前右营游击费荫魁病故,所遗系海疆要缺,驻守大沽海口炮台,专司操防,应以熟习洋枪炸炮口令步伐、布置合法者请补。八月二十九日,李鸿章奏称,郑国俊朴实勤奋,熟习洋操,布置合法,堪以借补大沽前右营游击员缺。[①] 光绪十四年(1888),兄国魁病逝,接统其众,任直隶大沽协副将。光绪二十六年(1900),率水师炮队攻打天津老龙头火车站、紫竹林租界。六月十八日,八国联军攻陷天津,直隶总督裕禄不欲行,郑国俊负之而出。光绪三十一年(1905)九月,升任江南狼山镇总兵官。光绪三十三年(1907)三月,调任浙江处州镇总兵官。未几,卒于任。

郑国榜[②]

郑国榜(1829—1884),字舟臣,合肥县撮镇(今属肥东县)人。兄弟5人,居长。父郑世才,富商。咸丰二年(1852)太平军远在湖南时,撮镇一带的绅富"为思患预防之计",就推举郑世才为头目,团练乡兵,为合肥东乡颇有名气的练首。咸丰三年(1853),李鸿章、李文安先后返乡督办团练。自此,在李氏父子的督带下,郑世才率国榜、

[①] 李鸿章:《郑国俊借补大沽前右营游击片》,《李鸿章全集》第8册《奏议八》,安徽教育出版社2008年版,第173页。

[②] 参见马昌华主编:《淮系人物列传——李鸿章家族成员·武职》,黄山书社1995年版;顾廷龙、戴逸主编:《李鸿章全集·奏议》,安徽教育出版社2008年版;《郑国榜事略》,《肥东文史资料》第3辑。

国忠、国谟、国祥、国栋5子，转战巢湖沿岸，并多次拯救李鸿章出险，与李家结谊甚厚。咸丰九年(1859)，郑世才病逝后不久，郑国榜率诸弟至江苏溧阳东坝投奔堂兄郑国魁，出任哨官。此后3年间，随郑国魁对抗太平军，旋降太平军，复叛而投奔清松沪水师。

同治元年(1862)四月，随松沪水师编入淮军，与郑国魁、郑国俊一起，管带亲兵水师后营魁字营。九月，四江口被围，把总郑国榜督师船苦撑15昼夜，迨援兵至围始解，免补千总以守备尽先补用。同治二年(1863)四月昆山之战，率水师炮船轰击夺路而逃的太平军，杀伤甚多。六月十四日克复吴江、震泽县城，蓝翎守备郑国榜被准以都司补用并赏换花翎。十月中旬进攻苏州城娄门外太平军营垒，被太平军击中左腮颊，枪子透骨。苏州城克，以游击尽先补用并赏加副将衔。旋统带魁字左营攻打常州西门，被太平军击伤右乳、右臂。同治三年(1864)四月攻下常州，以副将尽先补用，赏给精勇巴图鲁名号。随即移营东坝。十二月二十七日，李鸿章上《拣补苏省军营遗缺片》，奏请以有勇知方之补用副将郑国榜借补江宁城守营守备员缺。次年，李鸿章署理两江总督，郑国榜等率部作为督标亲兵，进驻金陵。

同治五年(1866)八月，李鸿章接替曾国藩为钦差大臣，进驻徐州，镇压捻军。郑国榜随郑国魁率部前往，在山东峄县设防。六年(1867)，以镇压东捻功，升记名提督，换花翎，赏一品封典。同治十三年(1874)，调充直隶总督督标行营中军。光绪五年(1879)，除统领直隶督标亲兵水师中营外，还兼办海防事宜。光绪十年(1884)死于营次，终年56岁。

郑国榜长弟国忠，总兵；次弟国谟，记名总兵衔江西抚标中军参将；三弟国祥，记名总兵、江苏松江城守营游击；四弟国栋，同知衔江苏即补知县。

吴长庆　吴保初[①]

吴长庆（1829—1884），字家善，号筱轩，又作小轩，庐江县南乡人，生于道光九年五月二十六日（1829 年 6 月 27 日）。先世于明末由泾县茂林迁居庐江鳌山。父吴良臣，学名廷香，字奉璋，号兰轩，优贡生，以学名行世。曾师事桐城派学者方东树，学文于戴钧衡、方宗诚、马三俊等，后在乡创办近思轩讲堂，开门授徒。吴长庆少时随父馆于外，因体弱多病，其父怜之不甚责以举业。数应童子试，终未录取。咸丰三年（1853）初，太平军入皖，庐江知县徐玆命吴廷香等办理团练，对抗太平军。咸丰四年（1854）九月太平军攻破庐江，吴廷香战死。清廷予以云骑尉世职。吴长庆袭世职，继其父统带团练，因庐江、三河为太平军据点，所部团练主要在舒城、合肥西南乡一带活动，归合肥西乡著名团首解先亮统带。

咸丰六年（1856）八月，吴长庆率练勇助江南提督和春部清军攻克庐江县城。咸丰七年（1857）八月，安徽巡抚福济命吴长庆督率合肥、舒城练勇，克舒城桃镇，击退上派太平军援军，升守备，九月克复舒城。次年，新任皖抚翁同书派吴长庆办理合肥东乡团练。咸丰九年（1859）春，署合肥知县英翰为避太平军追杀借解先亮圩堡为行署，遂将解部团练定为官团。是年，吴长庆与合肥西乡民团练首刘铭传、张树声等械斗被擒，赖英翰解围，得以保全。咸丰十年（1860），与外委解先亮大败陈玉成部太平军于合肥华子冈（花子岗）小河湾，赏加

[①] 参见夏冬波：《淮军名将吴长庆》，中国文史出版社 2007 年版；刘体智：《异辞录》，中华书局 1988 年版；马昌华主编：《淮系人物列传——李鸿章家族成员·武职》，黄山书社 1995 年版；《清史列传》卷 56《吴长庆传》；光绪《庐江县志》卷五；刘声木：《苌楚斋随笔续笔三笔四笔五笔》，中华书局 1998 年版；顾廷龙、戴逸主编：《李鸿章全集》，安徽教育出版社 2008 年版；《皖志列传稿》卷 7《吴长庆传》。

都司衔，换花翎。咸丰十一年（1861）八月湘军攻克安庆后，增兵三河，吴长庆与潘鼎新、王占魁等奉两江总督曾国藩命助攻，克之，曾国藩赠以"忠孝坚定，不可挠折"八字。三河之战后，以所部500人别为一营，名庆字营。李鸿章奉命招募淮勇，组军东援，经刘秉璋居间联络，吴长庆率部加入，于同治元年（1862）三月底乘轮驶抵上海。

入沪后，吴长庆率部协同各军克复柘林、南汇、金山、奉贤等城，同治元年（1862）五月参加松江解围战。叙功免补都司以游击留江苏补用。七月，奉李鸿章委派与张树声等回籍招募乡勇，计招树字1营、铭字2营、鼎字2营、庆字2营、开字2营共9营。募勇将成，适太平军李秀成、李世贤等部大举西上，图攻无为、庐州、和州、芜湖、宁国等地，一者取江北、皖南数郡之粮并输金陵；二者调动湘军曾国荃部，图解天京之围。十一月，李秀成部连陷含山、和州、巢县三城，但曾国藩不为所动，截留淮军新募9营，由吴长庆统4营守庐江、张树声统5营驻扎无为州，配合湘军防守。至同治二年（1863）三月，庐江境内太平军基本被肃清，事后叙功，吴长庆以尽先游击拟保参将。四月，吴长庆与王占魁、郑海鳌等率2营新募之勇由安庆到达上海。时刘秉璋已以翰林院编修投笔从戎加入淮军，吴长庆部庆字3营归刘秉璋指挥，与吴廷香交好的刘秉璋认为吴长庆缓急可恃，倚为心腹。

同治二年七月，随刘秉璋、潘鼎新、张遇春等攻克松江、嘉兴交界之枫泾镇、嘉善县北之西塘镇，李鸿章保奏尽先游击庐江解围案内拟保参将吴长庆免补参将以副将尽先补用，八月十二日上谕允准。十一月后，随队攻克嘉善城东要隘张泾汇、乍浦、平望、嘉善等城。同治三年（1864）二月，进攻嘉兴府城，带队径薄城下，左臂中弹，肘骨皆穿，犹奋臂拔桩下濠。嘉兴克复，交军机处记名，遇有总兵缺出请旨简放，赏给力勇巴图鲁名号，并准补缺后免骑射。旋往攻湖州、长兴等处，克之。同治五年（1866），随刘秉璋北上镇压捻军，以军功累保记名提督。同治六年（1867）底东捻军平定后，刘秉璋因病离营去职，所部良军、庆军15营，裁遣4营，剩余马步11营交吴长庆统带，继续在江苏、河南、山东、直隶等省与西捻军作战。同治七年（1868）七月，因西捻军败覆,著赏穿黄马褂,换瑚敦巴图鲁名号,并正一品封典。

同治七年(1868)八月,大部分淮军渡河南撤,吴长庆奉李鸿章命统亲兵数营暂留德州镇抚。十一月,李鸿章奏定留防淮军,吴长庆统步队8营、马队3营驻防徐州。同治八年(1869)夏,会同查办、妥慎平息鼎军闹饷哗变事件。漕运总督张之万奏称其办理此事有条不紊,请予奖叙,奉旨赏加一级记录二次。八月初六,两江总督马新贻上《记名提督吴长庆堪膺专阃请存记简放片》,称赞吴长庆熟谙韬略,驭军严整,驻扎地方兵民相安,于此次鼎军闹饷劝惩兼施,办理悉合机宜,请准存记,遇有江南提镇缺出,尽先简放。同治九年(1870),马新贻为加强江南防务,以吴长庆统步队8营移驻扬州、苏州等处,所部马队仍留防徐州、宿迁一带。十月,母亲新丧,例应守制,回任两江总督曾国藩奏准照军营例穿孝百日,仍管理营务,并招募湘勇3000人,请吴长庆教练洋枪队,为此写信给李鸿章,称赞吴长庆殷勤耐烦,深明洋兵秘奥,现请其来此专教洋枪队,将来湘军阵法或能步淮军后尘。

同治十一年(1872),移驻江浦,督率所部疏浚扬州仪征盐河。同治十二年(1873),移驻江阴。同治十三年(1874),日本武装侵略台湾,吴长庆增募4营2000人,筹办江防,修筑鹅鼻嘴、乌龙山、焦山炮台。光绪元年(1875)八月,升任直隶正定镇总兵。十二月十八日,新任两江总督沈葆桢上奏称,吴长庆统领庆字13营分扎浦口、江阴等处,于沿江一带情形最为熟悉,现在相度形势,建造炮台,该总兵胸有智略,洁己爱民,实为防营中不可少之员。[①] 奏准从缓赴任,仍留江苏统领防营。与吴长庆一起留下来的,还有原正定镇总兵、新任福建陆路提督唐定奎。是年,赴六合调查民众漕额过重问题,建议减轻江宁所属5县漕粮额赋,为沈葆桢所采纳。光绪二年(1876)六月,赴宁国查办建平教案(又称皖南教案,建平县属广德州,今郎溪县),查清原

---

① 沈葆桢:《实缺提镇现带防营请缓赴任折》,吴元炳编:《沈文肃公政书》卷6,文海出版社1967年版。

委,持平办理,沈葆桢据以审案,迅速平息争端。光绪四年(1878),督率士卒疏浚江浦黑水河、四泉河、玉带河,开挖朱家山河,用了两年时间,完成大半河工。后任两江总督左宗棠继续修建,终将此项水利工程完成。驻防江浦期间,除建造炮台、兴修水利之外,吴长庆还捐资收蓄耕牛以助农事,设厂赈济饥馑流亡,带领军队捕捉蝗虫,造福地方。

光绪六年(1880)正月,升任浙江提督。二月,奉旨进京陛见,准备履新。旋因署理两江总督吴元炳奏请暂缓赴任,吴长庆仍留江苏统带防营。时中俄因伊犁交涉关系紧张,清廷命沿海各省筹备海防。九月,奉旨前往山东,帮助山东巡抚周恒祺办理防务与练兵事宜。所部庆军抽调6营移防登州,余部由曹德庆统带留防江宁。十月,调任广东水师提督,未赴任。光绪七年(1881)四月,袁世凯来登州投军,吴长庆因与袁世凯嗣父袁保庆友善,遂留军中。光绪八年(1882)六月初九,朝鲜京城发生兵变,起义士兵攻占王宫,并杀死日本教官7人,焚毁日本使馆,大院君李昰应称国太公,自行专政。十九日,在天津之朝鲜使臣金元(允)植向津海关道周馥建议派兵定乱。此前一日,署理直隶总督张树声接到清廷出使日本大臣黎庶昌的电报,知道了朝鲜兵变及日派兵船赴朝的消息,随即函商总署派兵赴朝。吴长庆先后在登州、天津与北洋水师统领丁汝昌、张树声等商援朝鲜。七月初四,吴长庆率庆军6营自登州拔队,乘招商局轮船赴朝鲜,幕僚张謇、袁世凯及丁汝昌同行。初七日在朝鲜南阳登陆,十二日进驻朝鲜京城。十三日,与丁汝昌、道员马建忠执支持兵变的大院君李昰应,次日送李昰应至南阳海口,以军舰送往天津,旋搜捕乱党,擒获170人,局势大定。八月,清政府命吴长庆率所部留驻朝鲜,九月赏其三等轻车都尉。二十三日,派营务处同知袁世凯、提督朱先民为朝鲜练兵千名,号称新建亲军营。驻朝期间,当地银贱钱荒,百物昂贵,所部将弁士卒艰苦万状,却毫无怨言,皆因吴长庆不私货财,故缓急能以相谅,不避艰险,患难乐于相从。除训练新兵之外,吴长庆还率领士兵修桥铺路,扶危济贫,救灾恤丧,与朝鲜朝野人士颇为相得。

因法越事急，沿海戒严，光绪十年（1884）三月，通政使司参议延茂奏请饬调吴长庆一军移扎金州。时喘嗽之症日益严重的吴长庆已至天津与李鸿章商议驻朝庆军抽撤之法。四月初四，李鸿章上《议分庆军驻朝片》，驻朝庆军6营，由吴长庆统带3营（亲兵前营、中营、正营）撤回内渡驻防北洋；剩余亲兵左营、后营、庆副营共3营由记名提督吴兆有统带，并以分发同知袁世凯总理营务处，仍留驻朝鲜京城会办防务。五月十一日，吴长庆率亲兵庆字3营由朝鲜乘商轮驶抵奉天（今辽宁）金州刘家屯一带驻防。此后，因病情加重，经李鸿章奏准请假一月。闰五月二十一（7月13日）病死于金州军营。所部由黄仕林接统。六月，廷旨予故广东水师提督吴长庆照军营例优恤，并将战迹宣付国史馆立传；加恩予谥；准于立功地方建立专祠；赏伊子吴保初主事。寻谥武壮。七月，礼部转奏《朝鲜国王（李熙）请建祠疏》，清廷允准在朝鲜建立吴长庆专祠。十月，浙江巡抚刘秉璋奏准在嘉兴府城为吴长庆建立专祠。光绪十七年（1891）、二十三年（1897），清廷又从山东巡抚福润、两江总督刘坤一之请，准许在登州、江浦建立吴长庆专祠。

吴长庆在江苏统带防军期间，虑及中原兵事粗定，独海上时时不靖，乃大散资财，蓄他军散去宿将，广延四方之士，以备事变之来。时人说："光绪初叶，各行省文武大臣，能以采纳忠说敬礼士大夫著重于海内者，在粤唯张靖达公树声，在苏唯吴武壮公长庆。"①其幕府才俊称盛一时，著名者如南通张謇、泰兴朱铭盘等。吴长庆在军事训练之余，惟以经史自娱，澹泊寡营，雅歌不辍，拟之儒将，庶几无愧②。与其交游唱和者如金陵惜阴书院山长薛时雨、江阴凤池书院山长张裕钊、桐城名士孙云锦、诗文名家范当世等。尽管同光之际历任两江总督马新贻、李宗羲、沈葆桢、刘坤一等皆看重吴长庆，说可以委以重任，但吴长庆希望位列封疆以展其才的抱负终未如愿以偿。对此，刘体

---

① 张謇：《万物炊累室类稿序》，《张謇全集》卷5，江苏古籍出版社1994年版。
② 李鸿章：《为吴长庆请恤折》，《李鸿章全集》第10册《奏议十》，安徽教育出版社2008年版，第497页。

智道出了原委:"淮军将领,无不倚文忠(李鸿章)为重,惟武壮独自立异,结交朝贵以为攀援,罗致文人以通声气,然终不能至方面。"①

吴长庆原配俞氏,继配王氏。有子二人:长子吴保德(1863—1915),字念祖,号子恒,职贡生,袭三等轻车都尉兼云骑尉世职,分省候补道。次子吴保初。有女三人:长女吴保华适署理淮扬道刘钟麟长子刘翰翔,次女吴保善嫁李蕴章三子李经钰,三女吴保兰嫁刘秉璋三子刘体信。

吴保初(1869—1913),字彦复,号君遂,晚号瘿公。幼年随父在军营读书,与江南名士张謇、朱铭盘等多有交往,学问日进。光绪十年(1884)父吴长庆病卒于金州军营,吴保初因孝行得朝旨褒许,以荫生授主事,服满入都,分兵部学习,拜礼部侍郎宗室宝廷为师。因诗文有声,胸怀大志,卓尔不群,与谭嗣同(湖广总督谭继洵之子)、陈三立(湖南巡抚陈宝箴之子)、丁惠康(福建巡抚丁日昌之子),合称"清末四公子"②。光绪二十一年(1895),补刑部山东司主事,旋充贵州司主稿,兼秋审处帮办。光绪二十三年(1897),清廷下诏求直言,上《陈时事疏》,以亡国之说直告于皇上,希望朝廷怵危亡而谋富强。因刑部尚书刚毅压下不呈,愤然引疾南归。《陈时事疏》后在上海报纸全文发表,由是出名。戊戌变法失败后,谭嗣同等遇难,作《哭六君子》诗以悼并"为亡人讼冤"。光绪二十七年(1901)入京上《请还政疏》,请求慈禧太后归政于光绪皇帝,披沥直陈,言辞切直,当路忌之。此后寓居上海,与文廷式、康有为、梁启超等维新人士交好。光绪二十九年(1903)"苏报案"起,革命党人章太炎被捕入狱,亦设法营救。与袁世凯有兄弟之交,早先曾致书促其支持光绪皇帝实行变法,后又赠诗勉其"好建奇功答圣时",袁不采纳,赠以重金,保初亦斥而不受。

---

① 刘体智:《异辞录》卷1,中华书局1988年版,第38页。
② "清末四公子"的名目或有异说,汪国垣《光宣诗坛点将录》及《近代诗人小传稿》、王揖唐《今传是楼诗话》、胡先骕《四十年来北京之旧诗人》、陈声聪《兼于阁诗话》、高阳《清末四公子》,皆以此四人并举。

民国二年（1913）二月二十一日因风痹之症卒于上海。

吴保初工诗善文，著有《北山楼集》《未焚草》等，文章似两汉，诗学柳韦荆公，有劲气。吴保初原配黄裳，生二女：弱男、亚男；以兄保德之子世清（名炎世）为嗣，此即有名的庐江吴氏三兄妹。

周盛波　周盛传[①]

周盛波（1830—1888），字海舲，合肥县西乡（今属肥西县）人，生于道光十年六月二十九日（1830年8月17日）。先世居江西临川，明正德中始迁祖兴旺公周福德为避朱宸濠之难，自江右之瓦屑坝迁合肥，定居紫蓬山下，故名"山周"，传至周盛波已15代。兄弟6人，行三。家有田数顷，半耕半读，未有显宦。咸丰三年（1853）十二月太平军首克庐州，清地方官员檄令四乡办团抵抗，三兄周盛华性刚好武，集附近丁壮以保乡里。咸丰四年（1854），遭太平军攻击，六十墩故宅被毁，阖门百口只好寄居周氏公祠，复集丁壮数百人在周兴店筑圩抵抗太平军。咸丰五年（1855）二月，太平军破圩，三兄周盛华战死，周盛波力战突围，妻李氏被杀，怀中幼子家谦幸免于难，亲属练丁死者数十人。遭此重创，周氏兄弟心灰意冷，欲散练归农，后因乡亲父老之请、族长方策公资助，再在罗坝筑圩，乡民3000人昼夜运转筑墙掘壕，不三日而工竣。旋在朱家岗擒破圩仇人、太平军监军马千禄。咸丰六年（1856），带领团练随清军"剿贼"，复和州、来安。十月，随六安练总、知府李元华克复潜山、太湖。[②] 此后，或助战庐州，或协攻寿州，

[①] 参见周家驹编：《周武壮公遗书》，文海出版社影印本；马昌华主编：《淮系人物列传——李鸿章家族成员·武职》，黄山书社1995年版；金松岑：《淮军诸将领传·周盛波、周盛传》，上海图书馆藏稿本；顾廷龙、戴逸主编：《李鸿章全集·奏议》，安徽教育出版社2008年版；《清史稿》卷399《周盛波》；李鸿章《周盛波事迹折》、孙家鼐《周武壮公神道碑铭》，《肥西淮军人物》，黄山书社1992年版。

[②] 周家驹编：《周武壮公遗书·年谱》，台湾文海出版社影印本，第13—18页。

颇受福济、翁同书、袁甲三、多隆阿等安徽地方大吏与统兵大员赏识，至咸丰十一年（1861），办练已近十载，历大小296仗，擢升千总。是年底，李鸿章奉命招募、编练淮勇，曾招周盛波、周盛传兄弟至安庆。

同治元年（1862）春，李鸿章率淮军东援，周盛波带所募之勇由江北陆路绕道赴沪，充抚标亲兵营哨官，尽先守备。七月会攻青浦，八月合解北新泾之围，以游击尽先补用。九月初克复嘉定县城，下旬解四江口围，赏给卓勇巴图鲁名号。十月，所部被编为盛字营，充营官，归李鹤章节制。同治二年（1863）三月，克太仓州城，随李鹤章入城布置防守，统盛字正副营、亲兵前营移扎双凤镇东头。四月初，在双凤镇大败为解昆山之围来攻太仓的太平军。五月底在江阴、无锡之间的顾山、麦市桥等地，屡败欲救援江阴、常熟的太平军援军。六月十二日上谕："拟保参将游击周盛波以副将留于两江补用。"八月初一陷江阴，以总兵记名简放。率部进扎无锡之芙蓉山。十一月初二克无锡，俘太平军守将黄子隆父子，以提督记名简放，并赏给从一品封典。继攻常州。同治三年（1864）二月，与太平军激战于南门外，四月初六，李鸿章亲督各军猛攻，鏖战数时，周盛波带3营由小南门缺口爬进，生擒费天将。常州府城克复，十四日上谕："遇缺提奏提督周盛波交部从优议叙，并著交军机处存记，遇有总兵缺出先行提奏。"七月攻克安徽广德州城，赏穿黄马褂。十一月初，统所部9营自溧阳经由芜湖过江赴六安、霍山一带镇压太平军余部，后扎营皖豫交界之三河尖。

同治三年底至同治四年（1865）初，清廷先是命周盛波与刘铭传两军赴河南堵防捻军，继而命赴福建随左宗棠镇压太平军余部，均为李鸿章谏阻。同治四年（1865）四月，授甘肃凉州镇总兵。因僧格林沁部在山东曹州全军覆没，清廷急命曾国藩为钦差大臣，督师北上"剿捻"。曾国藩附片奏调淮军潘鼎新、刘铭传、张树声、周盛波四军北上镇压捻军。周盛波遂带队自六安启程赴徐州。适安徽布政使英翰军被捻军重围于雉河集，巡抚乔松年征调援师以解围，但各路援军畏惧捻军势力而踌躇不前。周盛波带队昼夜疾驰，越宿州，趋蒙城，直捣西阳集，进逼雉河集，大破北岸任柱部捻军，各路援军继至，立解雉河之围。九月，移驻归德。同治五年（1866）二月，进山东助剿，败捻于之巨野，追至武城、菏泽，又往来游击于徐州、宿州、颍州、寿州一带，大破牛落红于亳东白龙王庙，追至扶沟、鄢陵、许州。七月调回周家口，筑堤驻守，分兵迭解柘城、罗山围，复追捻入鄂，转战德安、安陆、黄州各地。李鸿章接任钦差大臣后，同治六年（1867）二月，周盛波驻防宿松，顾皖省门户；三月复入鄂，四月追至信阳，生擒捻首汪老魁等；五月入豫，直抵东境之运河；七月迎击赖文光部于济南、泰安、沂州，追入江苏境内。东捻平定，李鸿章论诸将战功，以直隶提督刘铭传排第一，福建提督郭松林等次之，凉州镇总兵周盛波等又次之。[①] 同治七年（1868）正月，李鸿章调盛军北上，追击西捻于临清、景州、德州、东昌、大名、内黄、清丰、南乐，六月会合各军灭西捻于山东茌平。奉旨照一等军功从优议叙，获福龄阿巴图鲁名号。

　　捻军起义被镇压后，李鸿章赴湖广任总督，调盛军驻防湖北。同治八年（1869）九月，周盛波以母老陈请回籍终养，获准。盛军由其弟周盛传统领。先是同治七年十一月，因河南巡抚李鹤年奏劾周盛波纵勇殃民，所部于上年（同治六年）五月间进攻河南唐县所属之少拜寺寨时惨毙多命，清廷将其革职，交李鸿章从严参办。李以"事起仓卒，尚非意料所及"[②]，免其科罪。同治九年（1870），李鸿章又上疏陈述周盛波多年来战功卓著，清廷复其原职。

　　光绪十年（1884），中法战争爆发后，周盛波奉李鸿章命在淮北选募新盛军10营赴天津备防。七月，巡抚衔督办台湾军务刘铭传上奏请饬提督周盛波赴台统办台南防务。未成行，仍往津防。次年正月到营，李鸿章奏准周盛波会统盛军各营，所有大沽、北塘海口前敌各军均令周盛波统领。五月，丁母忧，在营守制，弟周盛传回籍治丧。七月，署湖南提督。周盛波督率所部驻防天津，拱卫畿辅，屯田垦荒，

---

① 李鸿章：《生擒赖逆东捻肃清折》，《李鸿章全集》第3册《奏议三》，安徽教育出版社2008年版，第183页。

② 《清穆宗实录》卷257，同治八年四月庚申。

善用西法勤操利器，号为精锐。光绪十二年（1886）五月，醇亲王奕譞巡视北洋，考察海防，校阅周盛波所部时，嘉其精整，奏请懿旨将周盛波交部从优议叙。光绪十三年（1887）九月初三日，补湖南提督。光绪十四年（1888），随李鸿章出海巡视旅顺、大连湾、威海卫各口，指画形胜，备屯军，对北洋海防建设提出不少建议。后偶感风寒，触发旧疾，于十月初二（11月5日）卒于军。十五日，清廷下旨："予立功后积劳病故湖南提督周盛波照军营病故例优恤，战绩宣付史馆立传，安徽原籍及立功省分建立专祠，谥刚敏；旌表割臂疗亲提督周盛波子候补内阁中书周家谦。"

周盛波发妻李氏于咸丰五年（1855）为太平军所杀，继室吴氏，侧室韩氏、王氏；子5人：家谦，举人，郎中衔内阁中书，著有《盘庵诗钞》；家麟，附贡生，候补知府；家祜，二品衔候选道；家颐，家咸。

周盛传（1833—1885），字道林，号薪如，晚年自号北海老农，周盛波弟，生于道光十三年六月十八日（1833年8月3日）。咸丰三年（1853），随兄周盛华、周盛波在籍倡办团练，对抗太平军，升把总。同治元年（1862）春，李鸿章率淮军援沪，与四兄周盛波从行，同充抚标亲兵营哨官。旋回乡募勇。七月，扎营塘桥，进薄青浦城，一战而下，八月解北新泾围，九月克嘉定、解四江口围，以复青浦功擢守备，赏戴蓝翎。十月，带江苏抚标前营，为营官。旋奉札回籍募勇，同治二年（1863）正月成军赴沪。二月，以复嘉定及北新泾、四江口解围功擢游击，留两江补用。三月，会攻太仓，克之，擢参将加副将衔。八月初一攻克江阴，赏给勋勇巴图鲁名号。十一月克无锡县城，俘太平军守将黄子隆父子，擢总兵。同治三年（1864）四月克常州，交军机处存记，遇有总兵缺出先行提奏并赏加提督衔。六月，改抚标亲兵各营为传字营，统其众，仍随盛字营一道作战。七月，李鸿章密片保举堪任提督、总兵人员，记名提督周盛传名列其中。旋调驻溧阳，七月底会同铭军、盛军克广德，追击太平军于梅溪、吉安、孝丰、徽州之间。十二月初，移军六安，防堵自湖北袭扰英山、霍山之捻军。

同治四年（1865）四月，曾国藩受命为钦差大臣，调集湘、淮军镇压捻军。周盛传奉调赴徐、宿迎剿，行抵宿迁，又被派往济宁助战。五月十八日，漕运总督吴棠奏请周盛传驻桃源县，屏蔽清淮。闰五月初，又奉曾国藩调赴徐州，行抵邳州境内时，因安徽布政使英翰军被捻军围困于雉河集，安徽巡抚乔松年函请往援，于十五日自邳州发兵，二十四日抵宿州，二十九日由蒙城毁西阳集，进逼雉河集，六月初二解围，升提督。七月二十五日调赴亳州，未几赴豫，移驻归德。同治五年（1866），督率所部追击捻军于河南、山东、江苏、安徽境内，屡有战绩。李鸿章接任钦差大臣节制湘、淮各军后，周盛传与兄周盛波重归李鸿章调遣，为游击之师。同治六年（1867）二月奉调驻宿松，扼皖省门户。十五日，奉谕旨补授广西右江镇总兵职，四月，大败东捻军于信阳。东、西捻军平定后，同治七年（1868）七月初十奉上谕：周盛传著赏穿黄马褂。同治八年（1869）正月，李鸿章赴湖广总督任，召周氏兄弟统盛军随行。道经里门乞假省亲，母于太夫人命周盛波督队赴鄂，周盛传暂留侍奉，居家期间，捐资倡修周氏公祠以敦宗睦族，增拓紫蓬山禅院以存古迹，扩建住宅数十楹为奉亲教子之地。九月，兄周盛波归养，周盛传赴鄂代统全军。十二月，李鸿章奉命赴贵州镇压苗民起义，命周盛传裁马队，补步队，待发。同治九年（1870）二月，清廷又令李鸿章先行带兵入陕，对付回民起义。命周盛传增募马步各军，勋（杨鼎勋余部）、仁（唐仁廉部）4营并归节制。三月十九日由鄂启行，月底至河南周口。四月初二奉上谕：以平定西捻功，周盛传著赏换拉理巴图鲁。五月初抵潼关，旋渡渭水，抵同州，屯兵韩城，向李鸿章建言宜取宜川、洛川，先剿腹地再图边境。六月十一日进兵宜川，攻孔岩寨、老涧铺，随后于十梅沟、骡子梁、关家山、洛儿川等处围剿，不及一月即平。

时天津教案发生，法国以兵船相威胁，津门事棘，清廷急令李鸿章领兵入卫，周盛传奉檄即行。至山西平阳，"知款局可成"，遵旨缓进，遂就襄陵、临汾、洪洞、赵城诸邑暂屯操练。同治九年（1870）九月，移至山东济宁就粮运。十月抵达天津防次。时李鸿章已就任直隶总督，奉旨筹办海防，驻节天津，以函见招。周盛传遂轻骑赴津，奉令遍察大沽、北塘海口及天津各处形势，绘图以进，并多所建言。十一月返回济宁。同治十年（1871）初，李鸿章奏调盛军屯卫畿辅，二月，周盛传统军由东阿渡河抵沧州，驻军直隶青县、静海相交之马厂，令大沽协副将罗荣光加修炮台工事。五月，兄周盛波来营任事，周盛传回籍省亲。同治十一年（1872）十月，周盛传回营，周盛波离营归籍。

同治十二年（1873）二月，为加强天津海防，李鸿章根据周盛传的建议修筑天津新城，并命周盛传总其事。周盛传报捐所部20余营历年积欠饷项为购料之资，以大沽后30里明故城旧址为城址，督率所部弁勇助役兴工，以省雇募民夫之费。三月起庀材鸠工。为便于筑城，同治十三年（1874）二月末起又兴修新城至马厂道路140里，沿途每40里设一大站，每10里设一小站，皆置屋数楹，供打尖暂憩投宿，共设大站4所，小站11所。新城修筑历时两年余，凡有兴作俱参用外国新法，至光绪元年（1875）九月一律竣工，内外两城，大炮台3座，小炮台71座，统共用银55.4万余两。新城上蔽天津，旁控大沽、北塘；城内设义学、修街衢，招徕商贾，海滨荒陬，遂屹然为重镇。因修筑海口新城炮台尤为出力，十二月二十一日奉上谕：周盛传著交军机处另行存记，遇有提督缺出先行简放。早在当年六月，李鸿章就曾奏请清廷将广西右江镇总兵周盛传与天津镇总兵陈济清互调任职。

周盛传在督办新城之际，往来于天津、马厂之间，看到津南静海一带有空阔湿地100余里，"潮日两至"，欲模仿南方改为水田。经过勘察、测量后，周盛传决定开垦津南洼地"潦水套"（此即后来的新农镇，亦称小站）。同治十三年（1874）春，周盛传督率将士疏浚葛沽下引河20里，由杨辉村绕南而东通于城河，又于城东北、西北两隅置水闸两座，一引甜水，一去咸水，进行试垦，约得万亩，秋后略有所获。光绪元年（1875），留马队驻马厂，其余各营移驻潦水套，开始大面积屯垦。数年间，开河疏沟，修建桥闸，引甜去咸，成稻田6万余亩，所产稻米品质优良，"小站稻"在华北一带闻名遐迩。此举工程浩大，既有利于国计民生,又巩固了海防,深合古人"有事则兵,无事则农"之意。

周盛传统领盛军驻防天津期间,筑建新城、垦荒造田、兴修水利、挑挖河工、赈济灾民,于地方发展多所助益,然所部长期役作、屯垦,于操防多有疏懈,营、哨官并不督操。"哨官哨长脱靶后往往嘻笑自如,全无愧色"①;士卒对武器也不知爱护,枪支损坏甚多;克扣兵饷时有所闻,鸦片烟具也不断发现。周盛传为整顿营伍,加强操练,于光绪初年,连续颁发《严禁樵采谕》《讲求操防谕》《营弁操谕》《严整营规谕》《训将领谕》等告示,并编写《盛军训勇歌》进行传唱,对违犯营规者严惩。与此同时,在李鸿章的支持下,周盛传所部装备得到更新,后膛枪哈乞开司代替了士乃得枪,并拥有3营操克虏伯炮的独立炮队,"由是北洋军械为天下最"。周盛传也善于学习,"见新制必审其机括","熟知外洋军火得失",于光绪元年(1875)参照西法制定《操枪程式十二条》,对新式洋枪使用、维护诸法作了明确规定,李鸿章下令刊印通行全军。光绪四年(1878),周盛传率先请留学德国归来的查连标教习德国操法。②

光绪八年(1882)八月,升任湖南提督,九月初五,李鸿章以子牙河河工未就绪,上《奏留周盛传片》,疏请周盛传暂缓入都陛见。光绪九年(1883)三月,以法侵越南,旨命李鸿章赴广东督办越南事宜,周盛传上书力请率队从征,乃不果行。未几,李鸿章北上署理直隶总督兼北洋通商事务大臣,周盛传致力于天津防务,屡上书李鸿章,条陈战守事宜,多蒙采择。于山海关一带驻重兵,祈口海口派乐字营扼守,北洋布置颇为周密。身在天津的周盛传还非常关心前线安危,致函广西提督黄桂兰、旧部盛军记名提督杨安典(字尧臣,调任两广总督张树声麾下)以及铭军统领刘盛休等,提出建议,通报军情。中法战争期间,清廷决策和战不定,李鸿章也一味寄希望于列强调停,周

---

① 周盛传:《周武壮公遗书·外集》卷1,第20页。
② 李之渤:《周盛传》,马昌华主编:《淮系人物列传——李鸿章家族成员·武职》,黄山书社1995年版,第287页。

盛传则反对对法妥协,多次上书李鸿章,恳请带兵出战、救援台湾、驱逐法国官员与使节,并请李鸿章坚持定见,言战不言和。拳拳报国之心溢于言表。光绪十年(1884)七月,德国兵官受聘来津充当军事教习、教练水陆各营,受此启发,周盛传遂禀请李鸿章仿照西国武备书院之制,设立学堂,遴派德弁充当教师,挑选营中精健聪颖、略通文义之弁目到堂肄业,以期造就陆营将弁,为异日自强之本。李鸿章批准照办,于光绪十一年(1885)正月委派周馥办天津武备学堂。"此中国创办武备学堂之始,其议发自周武壮薪如盛传提军。……(淮军)各老将视之不重,后成就将才不少,如冯国璋、段祺瑞等皆是也。"①

光绪十一年五月,母于太夫人病故,周盛传请假回籍奔丧,六月初三抵里,哀痛过甚,触发旧伤,六月十四日(7月25日)病逝。谥武壮。有《周武壮公遗书》传世。

周盛传娶袁氏,即太平军将领袁宏谟胞妹。子二:长家驹,附贡生,江苏即补道;次家泽。

张遇春②

张遇春(?—1864),字山樵,巢县(今巢湖市)人。咸丰元年(1851)武举。咸丰初年,太平天国农民起义军进入安徽,张遇春在籍办团练,驻扎东关,与太平军、捻军对抗。翰林院编修李鸿章随吕贤基回安徽办理团练后,张遇春率练归其指挥,转战含山、巢县一带。咸丰八年(1858)十二月,李鸿章进入曾国藩幕府。张遇春将所部团练按照湘军营制改编为春字营,加入湘军,隶属于副将唐义训。咸丰

---

① 雷禄庆编:《李鸿章年谱》,台湾商务印书馆1977年版,第334页。
② 参见马昌华主编:《淮系人物列传——李鸿章家族成员·武职》,黄山书社1995年版;顾廷龙、戴逸主编:《李鸿章全集·奏议》,安徽教育出版社2008年版;王尔敏:《淮军志》,中华书局1987年版。

十年（1860），曾国藩移营祁门，张遇春即随唐义训前往，与太平军战于羊栈岭。次年，湘军攻克安庆，张遇春部自皖南调江北，与淮扬水师配合，任陆上之防。

咸丰十一年（1861）底，李鸿章奉曾国藩之命招募淮勇组军东援。张遇春率领的春字营原本系李鸿章旧部，此时已在安庆，曾国藩遂将春字营调拨给李鸿章，成为新军的领头羊。李鸿章写信给曾国荃说："敝部除张遇春一营外，均系新勇。"① 同治元年（1862）三月十七日，张遇春率领春字营 500 人由安庆开往上海，因系嫡系，隶属于江苏抚标。

同治元年（1862）五月，太平军为进逼上海围攻松江郡城甚紧，李鸿章一方面批饬洋将华尔会同松江知府等坚忍固守，一方面令参将张遇春及程学启、滕嗣武、张树声、吴长庆等进逼泗泾进行牵制。太平军陈炳文等部五六万人自松江进攻新桥淮军前敌营盘，蔓及法华、徐家汇之九里桥，越过淮军前线营盘十余里，直逼上海县城。李鸿章督淮军与太平军展开激战，二十一日，张遇春遇太平军于九里桥，首先冲锋，其子张志邦同春字营力攻中路。战斗中，其坐骑受伤落地，太平军噪拥而上，张遇春翻身拔刀砍倒逼近之敌，夺马跃上，张志邦斩取太平军军官首级，掷入太平军阵中，太平军万余人哄然骇退。此战太平军伤亡 3 千余人，松江解围，沪防肃清。六月初九上谕：副将衔署江苏抚标中军参将张遇春以副将补用，并赏加资勇巴图鲁名号。十二月初，淮军占领常熟后，李鸿章将张遇春部编为亲兵护卫营。同治二年（1863）正月，张遇春部已拥有 200 人的炮队，这是淮军正式成立炮队以为专门营伍之始，也是中国炮兵制度之发轫。② 七月，攻克嘉善县属枫泾、西塘两镇，八月十二日上谕：记名总兵张遇春著赏给一品封典。十月二十四日，苏州克复，十一月初四日上谕：张遇春著遇有总兵缺出尽先题奏，赏加提督衔。同治三年（1864）四月，张遇春

---

① 李鸿章：《复曾沅甫方伯》（同治元年二月初二日），《李鸿章全集》第 29 册《信函一》，安徽教育出版社 2008 年版，第 66 页。
② 王尔敏：《淮军志》，中华书局 1987 年版，第 97 页。

因旧伤发作而死。赠太子少保衔,世袭骑都尉兼一云骑尉。

毕乃尔①

  毕乃尔(Penell,生卒年不详),中文名字毕华清,法国军人,后归化中国,隶籍合肥。第二次鸦片战争时随法国侵略军来华。同治元年(1862)在上海投效淮军,派往刘铭传统领的铭字营教练枪炮,后管带铭军洋炮营。毕氏与另一洋教练吕加(Rhod)在铭字营教练洋枪、炸炮十分得力,使铭军对西人枪炮队法"尤为专擅,至为通国导师"。毕乃尔也与刘铭传情谊甚笃,跟随刘转战苏南镇压太平军,关系十分密切。同治二年(1863)四月,补用总兵刘铭传率铭字营与署江南水师提督黄翼升部淮扬水师合攻杨厍汛城,杨厍位于苏、常之交,为沿江著名险要之地,江阴、无锡各城皆恃其为屏蔽,太平军有2000余人踞守。二十一日,毕乃尔、吕加施放炸炮,轰倒城东北炮台丈余,次日又将北门月城轰倒数丈,杨厍城遂被淮军攻克。事后,李鸿章于四月二十八日上折,教习炸炮之法国人毕乃尔、吕加请酌给三、四品顶戴以示鼓励。②五月十二日奉上谕:教习炸炮之法国人毕乃尔、吕加,该抚(即李鸿章)所请酌给三、四品顶戴之处,是否愿隶版图,即著妥为办理。八月一日,随刘铭传等攻下江阴县城,十二日奉上谕:三品顶戴法国兵毕乃尔,自随营投效以来,即以冠带剃发,愿隶版图,教练枪炮极为得力,著赏加副将衔并赏戴花翎。十一月初二,随克复无锡金匮县城。③十四日奉上谕:铭字营教练枪炮副将衔毕乃尔,著以副将

---

① 参见马昌华主编:《淮系人物列传——文职·北洋海军·洋员》,黄山书社1995年版。
② 李鸿章:《克复江阴县属之杨厍汛折》,《李鸿章全集》第1册《奏议一》,安徽教育出版社2008年版,第288页。
③ 雍正四年,因无锡县人口、赋税繁多,分为无锡、金匮两县,西部为无锡县,东部为金匮县,两县共用一个县城。民国元年撤废金匮县。

补用。同治三年（1864）四月初六，随克常州府城，以总兵记名简放，并赏给法什尚阿巴图鲁名号。

毕乃尔在投效淮军之初，即自陈愿隶中国，并冠带薙发，学习汉文，旋于同治四年（1865）十二月具禀请示隶籍一事，奉李鸿章批示，愿隶何省何县，以便奏咨立案。毕乃尔因淮军统帅（李鸿章）、铭军统将（刘铭传）均系合肥县籍，平时在营所识亦多淮军将士，且在随军西上时曾路过庐州，"乐其风土敦庞，人情朴厚"，故情愿隶安徽合肥县籍。李鸿章因其"向慕华风，实出至诚不贰"，准其所请，并于同治五年（1866）正月二十五附片上奏："毕乃尔自同治二年冠带薙发，学为中国语言，旋又娶有妻室，势不能仍回法国，似应准如所请，以遂其归依圣朝之志，益坚其毕生效命之忱。"①

毕乃尔入合肥籍后，仍跟随刘铭传转战鄂、鲁、苏、豫等省，参与镇压捻军起义。同治五年（1866）正月攻克湖北黄陂后，毕乃尔以尽先总兵交军机处记名，遇有总兵缺出提奏补用，并赏加提督衔。三月随同刘铭传等淮军将领连败赖文光、任柱等于山东巨野、菏泽。十月，又相继败东捻军于江苏丰县、山东曹县。同治六年（1867）正月，随铭军在湖北安陆府京山尹隆河被东捻军击垮。后归隐合肥（一说战死）。毕乃尔娶中国女子为妻，在合肥置有田产，当地人皆呼其毕鬼子。死后葬于六安城南白塔寺乡，墓碑、柱表、供桌、拜台一应齐全，墓碑正面篆刻"毕大公之墓"，柱表刻有"合肥三怪"之一王尚辰题写的对联："异地借才，用夏变夷真杰士；同仇敌忾，摧锋蹈阵大功臣。"

---

① 李鸿章：《毕乃尔隶籍合肥片》，《李鸿章全集》第 2 册《奏议二》，安徽教育出版社 2008 年版，第 407 页。

丁寿昌①

　　丁寿昌(？—1880)，字乐山，合肥县人。家中孤子，自幼失恃，父子相依。少时就学，未得功名，为乡里塾师，果敢有才。咸丰三年(1853)，太平军进入安徽，江淮之间迭遭兵燹，庐州尤甚，于是聚集里中子弟，勒以兵法，实行团练，筑寨自保。从安徽巡抚福济克复庐州，叙劳绩以典史选用，并赏戴蓝翎。咸丰九年(1859)，随清军克六安州，升县丞。十一年(1861)，攻克巢县、含山、和州及铜城闸、雍家镇、裕溪口、西梁山各要隘，升知县。

　　同治元年(1862)，李鸿章督师援沪，随军转战苏南，因陷奉贤、柘林、南汇、川沙、金山等城，升同知、换戴花翎。次年，因解常熟、昭文围并克服福山、太仓等地，以知府留江苏补用。十一月，随道员潘鼎新攻浙江，克乍浦，代理乍浦同知，遣散降众数千。同治三年(1864)二月，随克嘉兴府城，著免补本班以道员留于江苏补用。六月攻湖州，战于晟舍镇，太平军守将凭河为险，丁寿昌填河拔桩，直捣中坚，破其两垒，遂克晟舍，加按察使衔，赏二品封典；十一月，移驻松江府之塘桥，改练洋枪，兼办洋务。同治六年(1867)，统军从直隶提督刘铭传北上镇压捻军，转战于湖北黄安、河南邓州、山东潍县、江苏赣榆等地，以道员简放，加布政使衔。同治七年(1868)初，铭军统领刘铭传因病请假回籍调理，所部铭军由丁寿昌在邳州代为操练。② 五月，

---

①　参见《清史列传》卷77《丁寿昌传》，明文书局印行，第18—19页；《清史稿》卷451《丁寿昌传》，第12557—12558页；光绪《续修庐州府志》卷34《宦绩传二·丁寿昌》，江苏古籍出版社1998年版，第611页；顾廷龙、戴逸主编：《李鸿章全集》，安徽教育出版社2008年版。

②　《清实录》(同治朝)卷230，"同治七年四月癸卯"条。《清史列传》卷77《丁寿昌传》记作："七年，刘铭传因病乞假，寿昌代统其军。"

赏西林巴图鲁名号。西捻平，以按察使记名遇缺题奏。

同治八年（1869），直隶总督曾国藩奏调丁寿昌赴直隶分统铭字马步全军兼驻扎保定之八营。同治九年（1870），天津教案发生，奉曾国藩命，率铭军4000人驰赴津、沽以备不虞。六月，以记名按察使署理天津道。九月，经曾国藩、李鸿章保奏，实任天津道。当时人心恐慌，谣言四起。丁寿昌处以镇静，抚循弹压，威惠兼施，属境安堵。天津、河间所属州县数遭水患，百姓荡析离居，丁寿昌在任5年，力筹赈恤，扶危济困，全活甚众，开河筑堤，兴利除害，百废俱举，远近感颂。以承办海运漕粮，赏一品封典。同治十三年（1874）十月，父亲去世，例应解职，士民拦路攀留；十一月，津郡绅耆李世珍等赴李鸿章行辕递禀挽留；十二月，御史李桂林奏，丁忧道员丁寿昌洁己爱民，舆情感戴，请破格留用，俟百日孝满留于直隶交李鸿章差遣委用。光绪元年（1875）正月十九，李鸿章奏请准许丁寿昌扶梓归葬，在籍终制。① 天津绅民为其立去思碑。

光绪二年（1876）六月，因李鸿章奏请，清廷命两江总督沈葆桢、安徽巡抚裕禄传知丁寿昌迅速航海赴津，交李鸿章差遣委用。光绪三年（1877）正月，驻防天津营勇哗变，事虽平息，考虑到天津为畿南重镇、地方紧要，所有弹压兵勇、抚绥地方必须有熟悉情形之人方能得力，旨命李鸿章即行咨调丁寿昌前赴天津差遣委用。三月初十，三年守孝期满的丁寿昌从合肥启程，四月二十七日行抵天津，直隶总督李鸿章委令总理营务处事宜，并派充海防翼长。因吉林武备吏治废弛已久，需材急切，署盛京将军崇厚、署吉林将军铭安奏调丁寿昌前往吉林任用，五月二十八日，李鸿章奏请留直差遣。② 八月初八，李鸿章上折称，布政使衔遇缺题奏按察使丁寿昌，识量深宏，才力沉毅，兵事、吏事皆擅，办事讲求实际，心精力果，足以振疲沓、任艰巨，奏请遇

---

① 李鸿章：《丁忧道员恳准终制折》，《李鸿章全集》第6册《奏议六》，安徽教育出版社2008年版，第219页。

② 李鸿章：《奏留丁寿昌片》，《李鸿章全集》第7册《奏议七》，安徽教育出版社2008年版，第363页。

有臬司缺出准以丁寿昌简放。①光绪四年(1878),署津海关道。六月,补直隶按察使。这一时期,华北地区发生了罕见的特大旱灾饥荒,史称"丁戊奇荒",河南、山西旱情尤重。丁寿昌筹集米谷,转运赈粮,统筹兼顾,不分畛域。以转运山西赈粮出力,经奉命稽查山西赈务的前工部侍郎阎敬铭、山西巡抚曾国荃保奏,交部从优议叙。光绪五年(1879),署理直隶布政使,以勤勉谨慎著称。十月,回直隶按察使任。光绪六年(1880)五月,病逝于任上。奉旨赠太常寺卿,事迹宣付史馆立传,准于天津建立专祠。

潘鼎立②

潘鼎立(？—1884),字豫轩,庐江县人,潘鼎新从弟。咸丰十一年(1861)在籍办理团练,同治元年(1862)加入淮军,编入潘鼎新部,三月随李鸿章赴上海,后为鼎字营营官。四月底起,随同潘鼎新等招抚南汇太平军守将、攻克川沙厅,解北新泾、四江口围。同治二年(1863),随同潘鼎新部克常熟附近的水陆要塞福山石城,攻占上海西南枫泾、浙江嘉善县北之西塘两镇,克复常熟、昭文,击散江阴、无锡大股太平军援军,又克浙江平湖、海盐两县城与乍浦、澉浦、玙城太平军营垒。十一月底,嘉兴太平军扑救海盐、平湖,在沈荡、新丰扎垒。鼎军唐宏成部先克沈荡,潘鼎新带队进攻新丰。新丰镇离平湖城18里,扼汊塘咽喉,为嘉兴、平湖要道。潘鼎立带队从南面迎头冲击,后自竹林庙一带抄攻,击溃太平军,克新丰。同治三年(1864)六月,淮

---

① 李鸿章:《奏保丁寿昌片》,《李鸿章全集》第7册《奏议七》,安徽教育出版社2008年版,第419页。

② 参见顾廷龙、戴逸主编:《李鸿章全集》,安徽教育出版社2008年版;马昌华主编:《淮系人物列传——李鸿章家族成员·武职》,黄山书社1995年版;《清实录(同治朝)》;钱勖:《吴中平寇记》;周世澄:《淮军平捻记》。

军与左宗棠部拟会攻湖州,蒋益澧屡次函商潘鼎新促攻晟舍,晟舍位于湖州东面,地处要隘,凭河数道,实为湖城屏蔽。潘鼎立率部先从中路攻其临河石垒,继负责攻晟舍中街及塘沿太平军营垒。七月十三日,潘鼎立等从北路猛扑,先夺利济寺卡,继扑总管堂营垒,受伤裹创鏖战,立破之。是役获胜后,副将潘鼎立著交军机处记名以总兵请旨简放。旋乘胜攻占湖州郡城。

太平天国运动被平定后,潘鼎立于同治四年(1865)随鼎军北上镇压捻军,转战于直隶、山东、江苏、河南等省,累功升至记名提督。同治六年(1867)二月初十,清廷授记名提督潘鼎立为安徽皖南镇总兵。时鼎军驻河南之尉氏、扶沟一带。同治七年(1868)七月,以东捻军荡平,直隶、山东等省一律肃清,赏总兵官潘鼎立等巴图鲁名号。西捻军失败后,八月二十五日,清廷命潘鼎新赴陕西左宗棠军营听候差遣,因非所愿,潘鼎新请假三个月回籍省亲营葬,所部鼎军经裁去马步11营后,所余步队7营6哨交由潘鼎立代统,驻山东济宁韩庄。

同治八年(1869)初,因潘鼎新请假回籍,左宗棠又称陕甘饷事窘迫,清廷欲遣散鼎军。鼎军勇丁因将次遣撤,索饷闹事,将驻扎处所铺户抢掠一空,潘鼎立亲往弹压,并调庆军前来相助,将为首抢掠之勇丁拿获正法,所部于当年七月遣撤完毕。九月十三日,清廷发布上谕:记名提督皖南镇总兵潘鼎立事先未能慎防,咎有应得,姑念事后尚能妥为遣散,著撤销记名提督,以示薄惩。[①] 同治九年(1870),潘鼎立赴皖南镇总兵本任。同治十年(1871)六月,因当涂拿获聚党起事之关汶湉,清廷予总兵官潘鼎立以提督遇缺提奏。事定,移驻宁国,巡缉操防,四境肃然,积功得一品封典。

光绪十年(1884),中法战争爆发,潘鼎新迁广西巡抚,积极备战,奏调潘鼎立募勇5营随行。潘鼎立召旧部、募新勇,于五月成军启程,师次广东省城。七月,触暑病故,旨命记名提督安徽皖南镇总兵潘鼎立照提督军营例优恤。光绪十八年(1892)四月,清廷从安徽巡

---

① 《清穆宗实录》卷266,同治八年九月辛巳。

抚沈秉成之请,予故安徽皖南镇总兵潘鼎立在本籍、宁国府及服官地方建立专祠。

李　胜[①]

李胜(？—1888),合肥县人。咸丰四年(1854),奉官府檄文在籍办理团练对抗太平军,转战含山、巢县、无为州等地,次年带练随同清军攻克庐州府城。

同治元年(1862)五月,随李鹤章统带新招募的淮勇两营从江北陆路绕道至上海,为抚标亲兵左营营官,隶属于总统淮军水陆各军李鹤章部。后所部别立为胜字营。是年,随同淮军各部攻克青浦、嘉定两县城,力解北新泾、四江口重围。同治二年(1863)初,会同程学启开字营、戈登"常胜军"等进攻太仓,身受矛伤三处,血战先登。克复太仓州城后,李鹤章统军留守,命李胜率亲兵前营与周盛波、周盛传统领的盛字正、副营移扎双凤镇东头,与毛家市桥、杜家桥为掎角之势。适太平军援军六七万众欲攻打太仓以解昆山之围。四月初,李胜率部在双凤镇战胜来援之太平军,攻毁顾山一带太平军营垒数十座。淮军围攻江阴日久,太平军从常州、苏州、溧阳、丹阳、无锡分道来援,众逾十万。李胜会同淮军各部与太平军鏖战数昼夜,遂于八月初一夜克复江阴县城。无锡之战,苏州之太平军数十万人攻大桥角淮军营盘,太平军洋将白齐文驾驶轮船,投掷开花炮助战。李胜随李鹤章战胜之,烧毁轮船,毙太平军中洋兵数十名,随即又战于茅塘桥、后宅、猴山、东亭等处,攻毁新安、望亭等处太平军营垒,于十一月初占领无锡。同治三年(1864)春,宜兴、溧阳、丹阳等地太平军十几万

[①] 参见李鸿章:《为李胜请恤片》,《李鸿章全集》第13册《奏议十三》,安徽教育出版社2008年版;马昌华主编:《淮系人物列传——李鸿章家族成员·武职》,黄山书社1995年版。

人进攻常熟、杨厍、福山,李胜率部由江阴南闸横趋焦垫,会合刘铭传、张树声等部,切断太平军归路,昼夜激战,大获全胜。四月,进攻常州,太平军凭城死守,炮弹如雨,淮军肉搏仰攻,死伤甚众,李鹤章在前敌督战,李胜奋勇大呼,各队竞进,遂克坚城。同治五年(1866)八月二十日,李鸿章会同江南提督李朝斌会奏,江苏尽先补用副将李胜打仗奋勇,营务谙练,堪以借补镇江营守备。

同治六年(1867),李胜随李鸿章北上对东捻军作战,转战湖北、河南、直隶、山东等省。同治七年(1868),又与西捻军战于饶阳、深州等地,捻军回走大名,突袭天津,李胜等绕道抄出捻军之前拦击,与淮军刘铭传、郭松林等部在山东茌平大败西捻军,积功升至记名提督,八月赏给赫勇巴图鲁名号。同治八年(1869)七月,追叙前功,赏正一品封典。

同治十二年(1873)七月,李胜以记名提督实任湖南绥靖镇总兵。光绪元年(1875),湖广总督李瀚章奉旨前往云南调查马嘉理被杀一案。李瀚章派李胜先期潜赴腾越一带,严密察访。光绪六年(1880),署理湖南提督。光绪十三年(1887)五月,翰林院侍讲学士龙湛霖奏参湖南地方官讳匿劫盗重案,署提督李胜贪劣营私、营伍废弛。后经大学士恩承、侍郎薛允升等查无其事,旨命毋庸置疑。光绪十四年(1888),因积劳过甚,触发旧伤,卒于提督署任。年甫逾六十。光绪十六年(1890)十月二十九日,李鸿章上《李胜请恤片》,称李胜起家义勇,身经百战,迭克名城,勇于任事,不避艰险,在绥靖镇总兵、署理湖南提督任内,整饬营伍,修利器械,调和将吏,军民畏怀,绰有古名将风烈,尤为湘人所称颂,请求将已故记名提督湖南绥靖镇总兵署湖南提督李胜照军营立功后积劳病故例从优议恤,并附祀各省淮军昭忠祠,以彰茂绩。十一月初二,清廷允准。

唐殿魁　唐定奎[①]

唐殿魁(1832—1867),谱名家桢,字荩臣,合肥县西乡唐松墩(今属肥西县)人。先世自明嘉靖时由江西迁来,祖父唐大经,骑射过人,为武庠生。父唐邦治,略通文墨,早逝。唐殿魁兄弟5人,行四,少负气节,有至性。咸丰三年(1853),太平军进入安徽,是年底攻占庐州府城,"舒、六一带皆贼薮,民不聊生"[②],唐殿魁率弟侄辈团集乡练,筑堡抵御,捍卫桑梓,且常率子弟数百人,与刘铭传部团练一起配合清军对太平军、捻军作战,一方赖以安全。咸丰十年(1860),随清军解寿州之围、救援六安,以功补把总升千总。咸丰十一年(1861)底,李鸿章奉命招募淮勇,唐殿魁随刘铭传等至安庆,加入铭字营。

同治元年(1862)春,唐殿魁随铭字营开赴上海与太平军作战,四月底起,先后攻占奉贤、南汇、川沙厅、金山卫等城,以守备尽先补用,并赏戴蓝翎。未几,署理江苏巡抚李鸿章以克复南汇等城唐殿魁尤为出力,保奏以都司尽先补用,并赏换花翎。六月奉李鸿章委派回皖添募铭字右营,九月成军。同治二年(1863)四月二十二日,淮军水陆联合攻打位于苏、常之的江阴县属杨厍汛城,唐殿魁督亲兵搭架浮桥,率队猛进,左腿受枪子伤,裹创复战,首先登城,以游击尽先补用,赏加振勇巴图鲁名号。八月初一,随李鹤章、刘铭传、郭松林等攻克江阴县城,以参将尽先补用并赏加副将衔。十一月初二,随队攻克无锡金匮县城,交军机处记名,遇有总兵缺出请旨简放。十月底,淮军进逼常州,唐殿魁奉刘铭传命与另一营官、副将黄桂兰,督率2营死守位于镇江、常州交界冲途的奔牛镇。太平军为贯通金陵后路,亦聚

[①] 参见宋学沂:《福建提督唐果介公行状》,《肥西淮军人物》,黄山书社1992年版,第141—145页;顾廷龙、戴逸主编:《李鸿章全集》,安徽教育出版社2008年版。

[②] 李鸿章:《唐殿魁神道碑》,《肥西淮军人物》,黄山书社1992年版,第138页。

集各路援军重围困裹,轮船炸炮并用,以争此地。被围半月有余,营墙坍塌,粮饷、火药皆尽,唐殿魁、黄桂兰只有死守待援。十二月十四日,刘铭传与郭松林、黄中元分三路来援,唐殿魁等待援军猛扑,冲出进攻,内外夹击,败太平军李秀成、李世贤、林绍璋等,焚毁"飞而复来"号炮船,追击10余里,连破太平军营垒30余座,奔牛之围立解。唐殿魁因此战尤为出力赏加提督衔。同治三年(1864)四月初六淮军攻占常州府城,生擒太平军守将护王陈坤书,唐殿魁以提督记名简放。七月,李鸿章附片密保,记名提督唐殿魁等谋勇兼备,训练严明,堪胜提督、总兵之任,请旨另行存记,先以总兵简用。

太平天国失败以后,铭军转而北上对捻军作战,当年十一月,李鸿章令为唐殿魁添募6营,编为铭右军。时铭左军5营归刘盛藻统带,刘铭传自统铭中军5营。同治五年(1866)正月,受钦差大臣曾国藩指挥,随刘铭传赴湖北对捻军作战,攻克黄陂县城,奉旨遇有提督缺出尽先简放。二月,浙江衢州镇总兵朱品隆乞假养亲,旨命唐殿魁接任浙江衢州镇总兵。八月,以江苏水陆各军分援安徽、浙江、福建等省,赏提督唐殿魁等正一品封典。同治六年(1867)正月,调广西右江镇总兵。时李鸿章已接替曾国藩出任钦差大臣,节制湘、淮各军督师"剿捻";东捻军也已自河南进入湖北,在麻城、钟祥、德安大败湘、淮军。湖广总督李鸿章商请湖北巡抚曾国荃派鲍超霆军自樊城东下,自派刘铭传铭军自宜城西上,两面夹击屯扎在湖北白口、尹隆河一带的东捻军,企图一举歼灭。刘铭传原与鲍超函约正月十五(2月19日)辰时一齐出兵,但其欲独揽战功,故提前于卯时发兵。铭军抵达尹隆河,捻军就在对岸,刘铭传留5营护卫辎重,亲率马、步15营分三路渡河攻击,刘盛藻任左路,唐殿魁任右路,刘铭传居中。捻军分三路迎战,任柱率马队猛扑铭军左翼,牛宏升直扑其右翼,赖文光攻其中路,并派一支骑兵绕过河袭击铭军后路,刘铭传急忙抽队回援。刘盛藻所率左翼5营首先败退,任柱率部也来攻击中路。唐殿魁统领的右翼在击退牛宏升的进攻后,急忙赶来救援中路,中路已溃不成军,陷入重围,唐殿魁与总兵田履安、副将李锡增等同殁于阵前,时年35岁。所部归其弟唐定奎接统。事闻于朝,清廷下诏,著照提督阵亡例从优赐恤,赠太子少保衔,赏骑都尉兼一云骑尉世职。同治七年(1868)二月二十九日,李鸿章上《唐殿魁请恤片》,旨准,予谥忠壮,交国史馆立传,于江苏、湖北暨安徽原籍各建专祠。

唐殿魁初娶宋氏,封一品夫人。继娶蒋氏。子唐治安。

唐定奎(1833—1887),谱名家祥,字俊侯,唐殿魁弟。唐定奎兄弟5人,行五,绰号"唐五肚子"。咸丰初年与四兄唐殿魁在籍办理团练对抗太平军,往来于庐州、舒城之间,乡里赖以保全。咸丰九年(1859)秋,协助清军踏平花子岗太平军营垒,初受安徽巡抚保荐。咸丰十一年(1861)冬,李鸿章奉命招募淮勇,与兄唐殿魁随刘铭传至安庆,编入铭字营。同治元年(1862)春,随李鸿章开往上海对太平军作战,九月回皖添募勇营,回沪后转战于苏州、常州一带及安徽广德州,无役不从。

太平天国失败以后,唐定奎从铭军受两江总督曾国藩指挥,北上对捻军作战,驻屯周家口。同治五年(1866)正月,随刘铭传攻克湖北黄陂县城,升为副将,赏戴花翎。十月,奉兄唐殿魁命回籍省亲。十一月,李鸿章出任钦差大臣,接替曾国藩督师"剿捻"。同治六年(1867)正月十五,铭军与东捻军大战于湖北尹隆河,唐殿魁战死。李鸿章令唐定奎接统唐殿魁所部铭右军6营,亦称武毅军。铭军在信阳地区休整数月后跟踪东捻军进入山东,十月二十四日,大胜东捻军于江苏赣榆,任柱被部下所杀,东捻军主力损失殆尽。此役,唐定奎誓欲为胞兄唐殿魁复仇,所部杀伤捻军最多。东捻军失败之后,经李鸿章奏保,唐定奎以提督记名简放。西捻军覆没,获赏呼敦巴图鲁名号。旋请假归籍养亲。

同治九年(1870)十月,清廷命刘铭传督办陕西军务,镇压回民起义。刘铭传调唐定奎统率铭武军赴陕。时唐定奎母新丧,乞请在籍守制,奏闻,旨命俟陕西军事撤防,再回籍终制。唐定奎赴陕后,所部驻扎华阴,"防剿"北山一带。同治十年(1871)四月,驰赴宝鸡,分军驻扎陇州、凤县，与延安防兵联络一气，兼顾陕西南路。西北军务告一段落之后，俄侵新疆，刘铭传不愿西行，急欲抽身求退，铭军部分归曹克忠接统，留驻陕西，唐定奎所部回驻江苏徐州。九月二十二日，李鸿章致函刘铭传说："唐定奎志趣尚坚，所带亦系整队，应令回驻徐州，以后执事（指刘铭传）虽不在营，曾相（指两江总督曾国藩）与我亦稍可放心。"足见其对唐定奎的重视。① 同治十一年（1872）三月，唐定奎请求回籍补行终制。李鸿章加以奏留，俟接替有人再如所请。

同治十三年（1874）三月，日本以琉球船民在台湾遭难为借口出兵入侵台湾。四月，清政府任命福建船政大臣沈葆桢为钦差办理台湾等处海防兼理各国事务大臣，统带轮船兵弁，以巡阅为名前往台湾查看。沈葆桢奏请调兵赴援，李鸿章奏称提督唐定奎所统现驻徐州之武毅铭字一军，素习西洋枪炮，训练有年，堪以派往。旨准。唐定奎即统带所部步队 6500 人，由徐州拔赴瓜洲口，分起航海赴台。七月，所部到达台湾之凤仙，择险分屯。唐定奎奉命归沈葆桢调遣，有人告诫说沈葆桢生性严谨，见者惴惴，作其下属很难，唐定奎说："沈公以实心治事，我以实心应之，事可成。"两人相见商讨军事，动合机宜，沈葆桢奏疏中有"臣与唐提督面谈，见其沉毅勇敢，深怀敌忾之心，其将领训练有方，其士卒深明大义"等语。② 在台期间，唐定奎督率将士加强战备，筑壕修垒，习阵练技，并深戒士卒不得扰及百姓。台地多瘴气，加之时疫流行，所部士卒多物故，唐定奎安抚备至，士气不衰。九月，中日签订《台湾事件专约》，此事告结。日军撤退以后，沈葆桢奏称唐定奎布置周密，纪律严明，日军敛戢，全台人心为之一定。光绪元年（1875）正月，清廷给予唐定奎穿黄马褂的奖赏。

为巩固台防，促进台湾山地开发，沈葆桢实施了开禁、开府、开路、开矿四大措施，而伐山开路与安抚后山原住民是首要任务。在南路，唐定奎亲督各军分道并进，连克竹坑、本武、内外狮头等社，移营

---

① 李鸿章：《复刘爵军门》，《李鸿章全集》第 30 册《信函二》，安徽教育出版社 2008 年版，第 330 页。

② 宋学沂：《福建提督唐果介公行状》，《肥西淮军人物》，黄山书社 1992 年版，第 142 页。

驻守，凡归顺者即给衣履酒食，宣示朝廷德威；设立招抚局，立约七条：遵剃发、编户口、献凶逆、禁仇杀、立总目、垦"番"地、设"番"塾；并建义塾一区，令各社送儿童入塾，习语言文字，学跪拜礼让。自此，南路大定。部下诸将，以积劳兼受瘴疠，相继病死者数人，士卒染瘴而死者不下千人，沈葆桢乃奏调所部内渡休养，七月，移驻扬州。八月初一，唐定奎补授直隶正定镇总兵。旋升福建陆路提督。其时沈葆桢任两江总督，正筹备江南海防，奏称唐定奎果毅朴诚，足当大任，驻军扬州纪律严明，屹然为江南重镇，十二月又奏准唐定奎暂缓赴福建陆路提督任，仍留江苏统领防营。光绪二年（1876）春，移驻江阴，分防靖江、宿迁一带，守卫江防要塞，督军操演，修筑炮台，和辑兵民。光绪九年（1883）九月，唐定奎因积劳过甚，伤病举发，右偏手足麻木，恳请去职，清政府未予批准。光绪十年（1884）二月，请假回籍医治。未几，法侵越南，沿海戒严，在清廷诏书催促下，唐定奎于八月力疾赴防，统带铭武各营，严密布防。中法签定和约后，唐定奎又乞假医病。光绪十二年（1886）十月，请准开缺，至上海就医。光绪十三年正月二十八日（1887年2月20日）卒于寓所，终年54岁。四月初七，直隶总督李鸿章与两江总督曾国荃联衔上奏唐定奎积劳病故，胪陈战绩，请旨优恤。初九，旨准唐定奎照提督军营病故例从优议恤，予谥果介，将其战功、事迹宣付国史馆立传，原籍及立功省份均建专祠。

唐定奎著有《戍余吟草》，驻军徐州时，曾创设金台文社，厚给膏火，以激励士人。驻江阴时，同乡举人宣紫诏、范彦瀛便道拜谒，言及庐州学宫祭器、乐器均已荡然无存，唐定奎请两位董治其事，先后捐白银11000两。家居时在乡设立义塾数处，奖掖后进；"捐田五十余担"，在巴山寺建茶亭，以济行人；捐资助修考棚、试馆、寺庙、桥梁，赈恤贫苦，周济孤嫠；族人无力成家者，为出资娶妇者十数家。

唐定奎娶妻解氏，子治隆，廪生。女四人，长适浙江按察使刘盛藻之次子、庠生、候选同知刘朝班；次适直隶候补道潘鼎琛之子、候选同知潘永龄；三许记名提督刘盛休之次子刘朝端；四许给福建台湾巡抚刘铭传之长孙刘朝仰。侧室王氏，生女一。

吴秉权[①]

吴秉权(1832—1881),谱名建勋,号平轩,[②]合肥县西乡(今属肥西县)人。兄弟6人,排行老五。生而孝友,幼从诸伯叔读书,虽勤奋苦读,却屡试不售,仅为监生。咸丰年间加入太平军,为李秀成部下。同治二年(1863)十一月十五日,潘鼎新部攻克浙江海盐玙城太平军石垒,吴秉权率部投降,加入淮军,隶鼎字营。[③]同治三年(1864)二月,参加攻占嘉兴之役。六月下旬移扎湖州城东30多里外的旧馆,会同太湖水师进攻湖州要隘晟舍镇,苦战两旬克之,手受枪伤,以功由同知衔候选通判赏加知府衔。继克湖州北门织里、复林等处太平军营,会诸军合围湖州。攀缘先登,七月二十七日克湖州府城。同治四年(1865)四月,僧格林沁阵毙于曹州,畿辅戒严,鼎军奉调入卫,吴秉权亦率所部航海赴津镇压捻军,八月晋秩同知并戴花翎。旋移驻山东济宁,驰援曹州,追捻于丰县陈庄,在离陈庄里许地方以洋枪、劈山炮设伏,自率零星骑兵诱敌,大败之。同治五年(1866)二月,曾国藩亲赴山东督战,深为引重,随谒曲阜圣庙、圣林。曾国藩巡阅各军时,尝驻节于吴秉权营中,吴秉权奉命前往郓城、濮州等地赈济黄河水灾。时捻军活动于山东之曹州、济宁,河南之陈州、开封、归德一带,来去飘忽不定,吴秉权率部转战于郓城、杞县油坊冈、武冈、沙窝、

[①] 参见吴鸿祺:《吴秉权行述》,《肥西淮军人物》,黄山书社1992年版,第179—184页;光绪《续修庐州府志》卷48《武功传三·吴秉权》;马昌华主编:《淮系人物列传·李鸿章家族成员·武职》,黄山书社1995年版;顾廷龙、戴逸主编:《李鸿章全集》,安徽教育出版社2008年版。

[②] 《续修庐州府志》卷48《武功传三·吴秉权》曰"号平甫"。参见吴鸿祺:《吴秉权行述》,《肥西淮军人物》,黄山书社1992年版,第179页。

[③] 参见吴鸿祺著《吴秉权行述》及《续修庐州府志》卷48《武功传三·吴秉权》,皆隐去此段史实。

朱仙镇、嘉祥、宁陵等处，叙功以知府遇缺即选，并赏三品封典。同治六年（1867）二月，由济宁追击捻军于河南尉氏、朱仙镇、陈留等地。不久，奉调参加河防，转战于胶东半岛登州、莱州、青州、沂州之间。九月以后，相继败东捻于邳州、房山、海州、日照、胶州小南沟。同治七年（1868）正月，张宗禹率西捻由陕西、河南间道入畿辅，全直隶震动。吴秉权奉调北援，总理鼎军营务处，转战于饶阳、保定、长垣、滑县、天津、沧州等地。在沧州督军凿开捷地坝堤，引运河水入减河，并召集乡团沿河北筑墙，实施河防。六月二十八日，茌平南镇一战，张宗禹投水死，西捻军覆败。吴秉权以功得赏绩勇巴图鲁名号。七月，诏以道员留于山东补用。

同治八年（1869）二月，请假回籍探亲。七月至宿迁处理鼎军裁撤资遣善后事宜。旋以父母先后病逝回乡守制。叙前功诏加按察使衔。同治十一年（1872）守丧期满，奉李鸿章委派办理天津赈务，悉心筹划，实惠及民，全活甚众。同治十二年（1873），总理天津海防营务处，兼理民事，"时与诸将领讲求训练暨西洋军火之优劣"[①]。不久，以会修天津新城，诏加布政使衔。光绪元年（1875）正月，督修大沽海口炮台、营垒，光绪三年（1877）十月告成。修筑北塘台墙、桥道，皆如所请。又购八寸口径克虏伯后膛钢炮，分置大沽、北塘新城，绘刊直隶沿海各口图说，以备海防之用。光绪四年（1878），奉命督办转运山西赈粮，并会办晋捐局务，捐运筹划，条理井然。山西巡抚曾国荃称赞其为监司中不可多得之才，奏请交军机处存记，疏入留中。光绪五年（1879）四月，山东巡抚周恒祺奏派其督办北运河挑修事宜，以便漕船渡黄河入运河。六月，总理山东水陆营务处。九月，督修东平戴村坝，疏浚河道百余里；修筑石坝3座，长百余丈，合土坝一，长80余丈，石矶垛2座，坝台4座，历时8个月始告竣工。光绪六年（1880）中俄交涉归还伊犁，几至决裂，周恒祺令吴秉权招募马步数营，名曰精健营，朝夕训练，以备海防。设立军械处，综理其事，力请购置林明

---

① 吴鸿祺：《吴秉权行述》，《肥西淮军人物》，黄山书社1992年版。

敦中针枪、呒啫士得马枪、克虏伯后膛钢炮等以资练习，"东省之用泰西利器者实自此始"。并兼办山东机器制造局。光绪七年三月二十三日（1881年4月21日）因病卒于任所。①

吴秉权长子照祥早卒，以胞弟秉衡三子鸿祺为嗣子；有女四，长女嫁淮军将领周盛传长子家驹，次女嫁周盛春（周盛传弟）四子家熙，三女嫁澎湖镇总兵吴宏洛孙道溥，四女嫁淮军记室黄瑞兰之子。

王芝生②

王芝生（1833—1894），号兰亭。道光十三年十月十九日（1833年11月30日）生于合肥县西乡高庙店（今属肥西县）。及长，随父居家务农，身材魁伟，时常习武，颇有韬略。咸丰十年（1860）以武童身份在籍办理团练，次年寿州解围出力，蒙保以把总尽先补用。同治元年（1862）投奔沪上，旋充刘铭传部铭字营哨长，参加攻克柘林、奉贤、南汇、川沙、金山、青浦各役，经署理江苏巡抚李鸿章保奏以千总尽先补用并赏戴蓝翎。同治二年（1863）七月，带领铭字后营攻打江阴县城，身先士卒，身受重伤。八月十七日上谕：守备王芝生著免补都司以游击尽先补用。同治三年（1864）四月，率队攻克常州府城，获准以副将尽先推补。后请假回籍养伤，九月伤痊回营。十月，因在军营吸食鸦片，违犯军令，经李鸿章奏参革职，留营察看。同治五年（1866）三月奉派在李昭庆军中委带忠朴左营，转战山东、河南、湖北等地一年有余，临阵奋勇，同治六年（1867）四月旨准开复原官，赏还花翎。同治

---

① 《续修庐州府志》卷48、《淮军志》第173页、《肥西淮军人物》第177页均云："八年卒于山东防次。"此据《吴秉权行述》。
② 参见顾廷龙、戴逸主编：《李鸿章全集》，安徽教育出版社2008年版；秦经国主编：《清代官员履历档案全编》第5册，华东师范大学出版社1997年版；中国第一历史档案馆编：《光绪朝朱批奏折》第42辑，中华书局1995年版。

七年（1868）奉上谕著交军机处记名，遇有总兵缺出尽先简放，并赏给爱星阿巴图鲁名号。同治九年（1870），奉命管带铭军武毅中军左营调驻陕西宝鸡防剿回民起义，同治十年（1871）冬回驻徐州，同治十二年（1873）因旧疾复发请假回籍。同治十三年（1874）福建陆路提督唐定奎调赴扬州行营委办营务，随至江阴督工兴筑炮台。光绪十三年（1887）秋小角山洋式炮台工竣。光绪十五年（1889）四月两江总督曾国荃在《遴保将才疏》中称，记名总兵王芝生老于战阵，智勇兼全，临事持以镇定，足当一面，为陆路将领中最为出色之员，能胜任实缺提督、总兵之职。① 光绪十八年（1892）三月奉调渡台。因澎湖镇总兵吴宏洛呈请告养回籍省亲，五月二十九日，经福州将军兼闽浙总督希元、福建台湾巡抚邵友濂联名保奏，王芝生署理澎湖镇总兵并统领宏字营全军，六月六日接印任事。

　　澎湖乃孤悬海岛，为全台门户、南北洋关键要区，王芝生在任期间整饬兵勇，勤加训练，并据地势择要布防，海陆兼顾。时任"全台营务处总巡"的胡传曾历时半年考察全台防务设施及训练情形，其在澎湖要塞所见详载于《台湾日记与禀启》。澎湖土地贫瘠，又因多风少雨、潮汐侵蚀，百姓多种杂粮为生，垦殖不易。光绪十九年（1893），澎湖咸雨为灾，在地方官府劝谕下，官绅民合捐银3000两（其中王芝生独捐银300百两，宏字营官弁兵勇共捐银924两），为社仓资本与修理旧有仓廒之费，以备荒年赈济，"至是而澎湖义仓始成"②。而在此前一年的八月，英国商船"博卡喇"号自上海起航经香港返英途中，在海上遭遇飓风，至澎湖附近触礁，船员及乘客共125人殉难，获救者仅23人。王芝生与当地民众合力施救，为幸存者提供衣食、药品，捞起金银货物值钱十余万两。这一救助海难的义举经《申报》《字林西报》等报道后，在朝野、国内外产生了不小的影响。英国政府派台南领事官为特使备礼致谢，香港绅商亦备洋枪一支敬酬其乐善好施之

---

① 曾国荃：《遴保将才疏》（光绪十五年四月二十日），《曾国荃全集》第2册《奏疏》，岳麓书社2006年版，第488、489页。
② 连横：《台湾通史》下册，台湾商务印书馆1983年版，第391页。

德（乘客中有香港弹子会即板球运动员）；福建台湾巡抚邵友濂与闽浙总督谭钟麟在奏折中称赞其"柔远敦睦，调度有方"，"恩信远孚，谋略兼备"，为沿海镇将中不可多得之员。光绪十九年正月，因救护海洋失事英国商轮，予署福建澎湖镇总兵王芝生仍以总兵记名遇缺请简。七月，清廷调温州镇总兵周振邦为澎湖镇总兵，十一月二十五日王芝生交卸澎湖署篆，赴部引见。光绪二十年（1894）八月，以提督衔总兵统领沪尾水陆各军，十五日（9月14日），因积劳成疾、伤发病故于军营。清廷下旨从优议恤，诰授建威将军。

李昭庆[①]

李昭庆（1835—1873），本名章昭，或作章钊，字子明，又字眉叔，号幼荃。道光十五年五月三十日（1835年6月25日）出生于合肥县东乡磨店（今属合肥市新站区）祠堂郢村。李文安第六子，国学生。

李昭庆少通经史，博学能文，持躬端正，文字得雄直气，曾师从颍上教谕王福永。咸丰三年（1853），次兄李鸿章、父李文安先后奉旨回籍办理团练，李昭庆年未弱冠，备闻父兄之教，已隐然有揽辔澄清之志。后捐资以员外郎从戎。咸丰八年（1858），太平军再克庐州，乡居被毁，合家随长兄李瀚章迁居江西，又随次兄李鸿章、三兄李鹤章入曾国藩幕府。曾国藩认为李昭庆之沉毅英练不亚于其诸兄。

同治元年（1862）二月二十九日，曾国藩为李鸿章统兵赴沪饯行，李昭庆与李鹤章、陈鼐等作陪。五月初三，曾国藩奏保李瀚章等前往广东随同左副都御使晏端书办理厘务。八月十九日，李昭庆与李瀚章同至上海。李瀚章随后赴粤，李昭庆则被李鸿章留下，在军中帮

---

① 参见《续修庐州府志》卷48《武功传三·李昭庆》；《清史稿》卷433《李鹤章弟昭庆传》；丁德照、陈素珍：《李鸿章家族》，黄山书社1994年版；张昌柱等：《李鸿章家族碑碣》，黄山书社1994年版。

忙，后奉派回安徽招募勇丁。是年冬，太平天国为解天京之围，派兵过江进攻皖中、皖南，以迫使曾国藩调动天京围师回援，并图取庐州、和州、宁国等地米粮。在皖中，曾国藩另调湘、淮军守巢县、庐江，以李昭庆统领新募淮军5营专防无为州城，击败太平军对王洪春元部。同治二年（1863）五月，李鸿章命李昭庆添募淮勇3营，搭乘轮船赴沪，是为护军营。七月，李昭庆会同刘秉璋、潘鼎新等攻克嘉善之枫泾、西塘，遂占松江。淮军各部攻打苏州、无锡时，李昭庆移军常熟，固守后路。同治三年（1864）正月二十四，程学启会同潘鼎新、刘秉璋等分五路进攻嘉兴，员外郎李昭庆负责攻打北门外秋泾桥一路，破之，派两营驻守。稍后，丹阳、常州等地太平军沿江东下，分围江阴、无锡、常熟三城，以迫使淮军北撤常州之围、南缓嘉兴之攻。常熟守军单薄，程学启添派李昭庆所部两营从嘉兴赶至常熟助守。李昭庆亦于二月十五日赶至常熟城内，次日，与黄翼升、郑国魁分三路出剿，解常熟之围。三月初，与李鹤章、黄翼升、郭松林等四面兜剿退至杨厍一带的太平军。四月，巢县人张遇春因旧伤发作而亡，所部春字5营归李昭庆统领。旋因痰咳病发辞军事。太平天国平定，赏戴花翎。

同治四年（1865）四月，旨命曾国藩北上督师"剿捻"，以李鸿章暂署两江总督。因捻军非淮军不能消灭，而淮军非李鸿章兄弟不能统率，五月十三日，曾国藩附片奏陈已调甘凉道李鹤章办理行营营务处，令李昭庆赴营差遣。并称拟在徐州添募马步各队，将楚勇、淮勇之风气推而行之北方，李昭庆似可胜训练之任。闰五月二十一，曾国藩奏陈镇压捻军方略，设临淮、周家口、徐州、济宁四镇，各驻重兵，互相呼应，而以候选郎中李昭庆训练马队，合以僧格林沁旧部，同为游击之师。因李鹤章不久即离开军营，曾国藩专借淮军之力，欲让李昭庆赞襄左右，借以联络淮军诸将。九月初，李鸿章致函曾国藩，提及李昭庆智略粗具，但其历练未深，难耐艰苦，性情也稍刚褊，请随事开导。

同治五年（1866）二月，诏命李昭庆率领马队赴豫协剿。四月，与周盛传、刘铭传等追击捻军于丰沛、宿迁之间。时所部除了新练马队

8营2000人外,另有亲军泉字营2营、忠朴营4营、鸿字营2营、熊字营2营,共18营,以8营防韩庄,10营驻济宁。曾国藩督师"剿捻"无功,十一月初一,清政府命李鸿章为钦差大臣替代之。李昭庆部扩编至19营,称武毅军。善庆、温德勒克马队8000人,均曾归其指挥,驰逐于湖北、安徽、山东、河南等地,然不奏功。同治六年(1867)十二月十一日,赖文光率东捻军余部突过六塘河防至扬州,为淮军华字营统领吴毓兰所擒。李允抢渡运河西走安徽天长、来安。李昭庆派余思枢率部追及盱眙自来桥(今属明光市),李允等300余人至旧县(今属明光市)向李昭寿投降。李昭庆论功擢盐运司。东捻平后,淮军诸将领纷纷求退,同治七年(1868)春节时,在济宁聚讼不休,李昭庆坚求"卸勇",不再带兵。李鸿章不得已只好接受李昭庆之请求,遂移病旋里。

七月,马新贻移督两江后,因所辖防军将卒多为昭庆旧部,于是疏调其襄治军事,李昭庆以病不受禄,只是隔月去军营一次。同治十一年(1872),入觐京师,旧疾复发,返津养病。同治十二年六月初三日(1873年6月27日),病故于天津,年38岁。著有《从戎日记》5卷、《小琅环馆试帖诗》2卷、《补拙斋诗文集》等。

李昭庆原配郭氏(1834—1891)。子四:经方,举人,邮传部左侍郎,出继李鸿章;经榘,荫生,江苏候补道;经叙,优贡生,分省补用道;经翊,诸生,道员,出继李凤章。女四:长适淮扬海兵备道兼按察使衔度支部左参议吴学廉,次适候补四品京堂、同县蒯光典,三适户部郎中、浙江余杭邵颐,四适江苏候补道刘体乾。

卫汝贵①

卫汝贵(1835—1895),字达三,合肥县人。同治初年加入淮军,隶属于周盛波、周盛传兄弟统领的盛字营,②参与镇压太平天国农民起义军、捻军,积功累迁至总兵,赏一品封典。同治九年(1870),以提督分统盛军右军援陕镇压回民起义。未几,天津教案发生,随盛军开赴直隶,为拱卫京畿之师。光绪十年(1884)中法战争爆发后,因津防紧要,李鸿章命周盛波回淮北选募新军10营赴天津备防。是年底,新募各营抵津,周盛波因母老暂缓启程,李鸿章奏派提督卫汝贵暂行统带,驻小站训练。光绪十一年(1885)、十四年(1888),盛军统领周盛传、周盛波相继病故,统领无人,李鸿章令卫汝贵、贾起胜会统盛军。旨授卫汝贵甘肃宁夏镇总兵,未赴任,仍留津防。光绪十七年(1891)十二月,以直隶水灾办理河务赈务出力,赏头品顶戴。光绪十九年(1893)正月,贾起胜改派天津营务处;六月,旨命服阕总兵卫汝贵仍为甘肃宁夏镇总兵官,留北洋军营带队,总统盛军。

光绪二十年(1894)甲午战争爆发后,卫汝贵奉命统率盛军13营6000人赴援朝鲜。盛军分三批进发,卫汝贵率第一批6营乘船至大东沟,由陆路转赴朝鲜,六月二十四日抵达义州,七月初四抵平壤。后两批盛军也相继赶到朝鲜,以右军正营、右营2营驻守安州,其余11营进扎平壤。卫汝贵本人则驻平壤南门外,与毅军统领马玉昆共守城南地区,并分兵防守平壤城西南长墙及城西地段。不及一月,河

---

① 参见《清史稿》卷462《卫汝贵传》;马昌华主编:《淮系人物列传——李鸿章家族成员·武职》,黄山书社1995年版;戚其章:《甲午战争史》,上海人民出版社2005年版;《清实录》(同治朝、光绪朝)。

② 《清史稿》卷462《卫汝贵传》记载为:"从刘铭传征捻,累迁至副将,晋总兵。"考虑到淮军的私属性及日后卫汝贵能接统盛军,此处从《淮系人物列传——李鸿章家族成员·武职》第290页"随周盛波兄弟加入淮军"的说法。

南道监察御史易俊即奏参卫汝贵恇怯无能、性情卑鄙,且平日克扣军饷、不得兵心,此次统军经过牛庄一带地方不胜骚扰等。① 此奏虽多望风捕影之谈,如卫汝贵统带的营数(系13营而非18营)、行军路线(从未经过牛庄一带)均有误,但还是引起了朝廷的重视。加上盛宣怀派往朝鲜的亲信洪熙亦不时告状,致使李鸿章数次致电卫汝贵申诫。八月十六日,日军向平壤发起总攻,城南战场首当其冲。坚守船桥里南岸的盛军3营与毅军1营拼死防守,卫汝贵则乘机率盛军传字正营两哨过江作战,并命分统孙显寅率军死拒乘船渡江强行登陆之日军左翼,将其击退,破其包抄计划,此战日军将校以下死者约140名,伤者约290名,日军第九混成旅团遭受重创,被迫后撤。日军野津道贯中将亲率第五师团主力进攻城西,卫汝贵分盛军一部协同芦榆防军死力拒守。但在城北的激战中,奉军统领左宝贵中弹牺牲,日军遂突破玄武门之外门。平壤清军统帅叶志超召集诸将会议,提出暂弃平壤,清军冒雨撤退,在日军伏击下最终溃不成军。

平壤溃退后,因叶志超谎报军情在前,奏章纷纷集中攻击卫汝贵,如据翰林院编修丁立钧等35人所呈代奏的吏部尚书麟书、广西道监察御史高燮曾、江西道监察御史陈其璋、福建道监察御史安维峻,罗织的罪名越来越多,包括遇敌先逃、驻军平壤恣意冶游、所部士卒奸淫抢掠、克扣军饷8万两、所部哗溃致使前往弹压的营务处盛星怀(盛宣怀之弟)被杀,等等。② 清廷于九月十一日命帮办北洋军务四川提督宋庆确查;未等宋庆复奏即于十月五日降旨:将卫汝贵革职拿问,交刑部治罪,著宋庆派员押解来京。十一月十五日,宋庆针对卫汝贵被参各情一一复奏,除对盛军军纪略有责言之外,其余各条均予澄清。然清廷为杀一儆百,提振士气,仍屡次降谕催解。十二月十一日,卫汝贵由盛京将军裕禄派员押解至京,收禁于刑部。二十一日,

---

① 《清实录》(光绪朝)卷346,光绪二十年八月丁未;《清光绪朝中日交涉史料》卷19,故宫博物院文献馆编印1932年版,第14页。

② 参见戚其章:《甲午战争中最大的一桩冤案——卫汝贵被杀案考析》,《安徽史学》1990年第1期。

清廷根据刑部拟结,发布上谕:"已革总兵卫汝贵平日待兵刻薄寡恩,毫无约束,此次统带盛军,临敌节节退缩,贻误大局。并有克扣军饷、纵兵抢掠情事,罪状甚重,若不从严惩办,何以肃军律而儆效尤。卫汝贵著依律论斩,即行处决。"①当日(1895年1月16日)下午四时,卫汝贵被押往菜市口,在刑部尚书薛允升监刑下斩决。

卫汝贵是甲午战争期间唯一被朝廷处斩的实授总兵,对于卫汝贵被杀一案,不少学者认为系冤案。戚其章认为,据刑部上报,卫汝贵之罪状有三:一、"临敌退缩,以致全军溃败";二、"克扣军饷";三、"纵兵抢掠"。卫汝贵所统盛军纪律不严,事诚有之,然不能说就是"纵兵抢掠"。至于前两条,更是莫须有的罪名。在平壤之战中,卫汝贵指挥盛军在西、南两个战场激战,重创敌人,坚守阵地,是有战功的。其过有二:一是未能整饬军纪;二是不曾反对叶志超撤出平壤的错误决定。但若全面衡量,他还是功大于过的。②

刘铭传③

刘铭传(1836—1896),字省三,自号大潜山人。道光十六年七月二十七日(1836年9月7日)出生于合肥县西乡大潜山下的井王村四房郢(今属肥西县铭传乡)。父亲刘惠,母亲周氏,以耕织为生,生有

---

① 朱寿朋:《光绪朝东华录》,中华书局1958年版,第3531页。
② 戚其章:《甲午战争史》,上海人民出版社2005年版,第116页。廖宗麟:《卫汝贵被杀是一桩冤案》,《安徽史学》1991年第4期;陆方:《卫汝贵》,马昌华主编:《淮系人物列传——李鸿章家族成员·武职》,黄山书社1995年版,第290—294页。有学者认为卫汝贵被杀虽有朝廷主战派、主和派政争,对日作战全线溃退,朝廷要"杀一儆百"等原因,但归根结底还是他自己平日待兵寡恩所致。张剑:《卫汝贵是被冤杀的吗?》,《探索与争鸣》2011年第12期。
③ 参见《清史列传·刘铭传传》;《皖志列传稿·刘铭传传》;《淮军诸将传》,上海图书馆馆藏稿本;《李鸿章全集·奏议》;刘铭传:《刘铭传文集》,马昌华等点校,黄山书社1997年版;马昌华主编:《淮系人物列传·李鸿章家族成员·武职》,黄山书社1995年版。

六子,铭传最幼。因幼患天花,脸上留有麻点,绰号"六麻子"。

刘铭传小时候上过几年私塾,塾师是长他几岁的族侄刘盛藻,只是其秉性顽钝,诗书难教。11岁时,父亲刘惠病故,两年后,大哥、三哥又相继去世,家境日渐困顿。兄长成家分居,刘铭传与母亲周氏生活在一起。学业无成,为了生活,在春耕秋种之余,少年刘铭传偷偷加入了贩私盐团伙,往来于寿州正阳关与皋城、六安之间。咸丰二年(1852),刘铭传迎娶大其6岁的六安枣树甸程家圩程礼仁之女,此后一改旧习,发奋读书,于医药、六壬奇门、占卜、风水、五行家言皆有涉猎,尤好兵家言,善权谋形势。尝以为古之兵家皆视治兵列阵为末技,其正者则在治理国家,"故雅不以武功自震襮,尤殚精经世之务"①。曾登所居大潜山上而慨叹曰:"生不封爵,死不赐谥,非大丈夫也。"

咸丰三年十二月十六日(1854年1月14日),太平军攻克庐州,一个月后又攻占六安。合肥四乡士绅地主纷纷筑堡修寨,团练自卫,也有一些土豪借机强取豪夺,祸害乡里。一日,某大土豪来到刘家,责备其未能按时供给粮饷,厉声斥骂后,骑马扬长而去。适值刘铭传自外归来,得知此情,怒对诸兄长说:"大丈夫当自立,怎能受此侮辱?"徒手追上土豪,要求决一死战。土豪看了一眼,狂笑着说:"小子也敢挡我的道!我给你刀,能杀我你就是壮士。"铭传暗喜,手拿长刀,突袭土豪斩之。乘其马,提其头颅,登高振臂大呼曰:"土豪残害乡邻,吾今斩之。能跟随我的,定当捍卫桑梓,保全乡里。"②当即响应者数百人,推他为长。于是,刘铭传倡团筑堡,开始了团练生涯。当时的合肥西乡西接六安,南连庐江、舒城,百数十里间,寨垒相望,团练林立,著名的团练头目除刘铭传之外,还有张树声兄弟、周盛传兄弟、唐殿魁兄弟等。他们除对抗太平军、地方盗贼之外,平时为争夺有限的资源也互争雄长,时有攻战。刘铭传在险恶的环境中养成了

---

① 程先甲:《刘壮肃公家传》,《刘铭传文集》,黄山书社1997年版,第529页。
② 陈澹然:《书刘壮肃公碑阴》,《刘铭传文集》,黄山书社1997年版,第541页。

横霸习性,常率人强筹粮款,甚至打家劫舍。他曾在六安麻埠、合肥官亭等地行劫,甚至有抢劫舅舅家的劣迹,一度被乡邻视为土匪头子。咸丰六年(1856)夏,江淮之间因旱成灾,颗粒无收。西乡金桥镇上有个叫吴二鬼的富室,囤积居奇,激起众怒。刘铭传带人哄抢了吴家粮食,并烧毁吴家典当。官兵久缉无获,又索资不得,遂火烧其家而去。其母周氏遭此恐吓,当晚去世。刘铭传将母亲安葬在位于老宅子东南向六里开外的井王旱庄,并在此安营扎寨,此地处于六安、合肥交界,村子在合肥境内,行政属六安管辖,号称"飞地"。

咸丰八年(1858)七月,太平军再克庐州,合肥知县英翰弃城逃往合肥西乡,被刘铭传拒之门外。英翰含恨上告刘铭传反叛。由于六安知州邹筍有意保护,未加深究,刘铭传感其不杀之恩,此后多随官兵出境作战。咸丰九年(1859),率队随六安举人李元华屡败太平军、捻军,并攻下六安州城,因功由安徽巡抚福济保奖千总并赏五品顶戴。咸丰十年(1860),自备饷糈,带练勇救援寿州,先后参加寿州、六安解围之役,在金桥阻止了太平军陈玉成部的进攻,经督办安徽军务大臣袁甲三、两江总督曾国藩保奏,加都司衔。

同治元年(1862)初,李鸿章奉命招募淮勇赴援上海,通过张树声联络合肥团练。元宵节过后,刘铭传与张树声、潘鼎新、吴长庆各率团练至安庆,是为淮军最初的铭、树、鼎、庆字四营。

淮军初至上海,扎营上海城南。同治元年(1862)四月十五日李鸿章接受署理江苏巡抚官印后进扎南汇县周浦镇。稍后李鸿章率淮军会同英法洋兵进攻浦东,都司衔千总刘铭传率铭字营与太平军初次接战,四月二十二日进占距离周浦18里之杭头,复追至新场,兵临南汇城下。与同知潘鼎新招抚南汇太平军守将吴建瀛、刘玉林、方有才,收编为6营,于五月初一日收复南汇县城,经李鸿章札委署理南汇营都司。随又击退由金山卫、川沙来攻的太平军,于五月初五收复川沙厅城。二十日上谕:"以都司留于江苏补用,赏加游击衔。"六月二十一日克复金山卫城,浦东肃清,七月初九奉上谕:"都司刘铭传著免补游击,以参将仍留江苏补用,并赏给骠勇巴图鲁名号。"嗣因游勇滋事，枪杀奉贤知县，李鸿章奏参失察，受到革职留任的处分。后以击退谭绍光部太平军，破野鸡墩、解四江口之围等功，于十月十二日开复暂行革职处分，以副将尽先推补。

太平军弃攻上海后，淮军由守转攻，进图苏南。同治二年（1863）二月十八日，夺取常熟附近的水陆要塞福山石城，常熟、昭文解围，因功以总兵补用。旋率部协助洋枪队攻占太仓、昆山，又会同黄翼升部淮扬水师主攻江阴县属杨库汛城，四月二十二日攻克，统带营伍就地驻扎，图攻江阴。因新授狼山镇总兵王吉在彭玉麟营中管带水师，一时难以到任，五月十一日，李鸿章会同两江总督曾国藩，奏请以果毅坚劲、勇略兼优的补用总兵刘铭传就近署理狼山镇总兵（二十四日旨准）。五月二十二日、二十三日屡败由无锡、江阴来援的太平军，奉谕遇有总兵缺出尽先提奏请旨简放。八月初一，刘铭传率部与松、树、盛字营及亲兵诸营攻克江阴，因功以提督记名尽先简放。随即进驻江阴、常州、无锡三处交界之青旸镇，合攻苏州。十月二十四日，太平军守将郜永宽等叛降，苏州城克。十一月初二，率部与李鹤章、郭松林、周盛波等攻克无锡，赏头品顶戴。旋督军进攻常州，由羊头桥间道奇袭奔牛镇，太平军守将邵小双降。刘铭传令邵率部扼守丹阳，自己则带队攻打常州小北门大土城，克之。时太平军为牵制进攻常州的淮军，袭击奔牛镇，刘铭传回援，大败之。李秀成复以"飞而复来"号轮船载兵来争，刘铭传率部力战，击毁其轮船，攻破其垒数十，奔牛围解。淮军围攻常州，刘铭传头受枪伤，裹创再战，于同治三年（1864）四月六日攻克常州，因功赏穿黄马褂。在常州太平天国护王府内，刘铭传意外地获得一件国宝——西周青铜器虢季子白盘。六月十六日，浙江巡抚曾国荃率湘军攻陷天京。太平天国幼天王、干王等出逃，刘铭传奉命跟踪追击，克浙江湖州、安徽广德，并驻军广德、建平（今郎溪县）一带。八月十三日，旨命刘铭传出任直隶提督。

刘铭传初率铭字营入沪仅500人，在苏南、皖南、浙西与太平军作战的三年时间里，通过回乡募勇、招降纳叛等方式不断扩充实力，并聘请法国人毕乃尔、吕加等洋兵教练洋枪、洋炮，所部铭军已发展为步队左、中、右三军16营，水师2营，总兵力达8千人，拥有洋枪4000余支，成为淮军劲旅。

太平天国失败后，刘铭传转而参加对捻军作战。同治三年（1864）十一月初，刘铭传奉命自广德、建平（今郎溪）北上，赴六安、霍山一带驻防。甫抵六安，因捻军由南到北趋鲁山，进图黄河、汝河，廷旨催刘铭传赴河南。李鸿章于十二月十九日奏称刘铭传所部均用外洋军火，异常笨重，难于转运，暂难赴豫，其实质是不愿将淮军主力交给时任前敌主帅的僧格林沁调遣。谕旨又命刘铭传赴闽归左宗棠调遣，镇压太平军余部。同治四年（1865）正月二十九，李鸿章奏称刘铭传部现扎皖豫交界之三河尖，离苏已千余里，若再调回由苏赴闽，必劳师乏众、耽误军情；豫省捻踪飘忽靡常，仍应暂留该军驻淮河上游以资扼堵。三月遵曾国藩调遣，由六安经临淮前往徐州、宿迁一带堵截捻军。四月二十四日，清政府王牌军科尔沁亲王僧格林沁部在山东曹州（今菏泽）全军覆灭，僧格林沁毙命，清廷震怖。刘铭传也因未能速赴直隶、救援不力受到革职留任处分。曾国藩受命赴山东督师"剿捻"，旋出任钦差大臣督办直隶、山东、河南三省军务，节制三省旗绿各营及地方文武员弁，因所部湘军大部分被裁撤，只好借助淮军镇压捻军。五月，刘铭传率所部铭军作为主力随往，驻扎山东济宁，在长沟镇与陈国瑞部"私斗"，并假借曾国藩名义调僧格林沁旧部托伦布马队归自己指挥。曾国藩准备上折严劾，李鸿章为其多方辩解。捻军擅长马术，作战方式不同于太平军，以流动作战为主，来去飘忽不定。为避免被动追击、疲于奔命，闰五月二十一，曾国藩奏陈"剿捻"方略，改"武力追剿"为"分头拦截"，以河南周家口、安徽临淮、江苏徐州、山东济宁四重镇为老营，各驻重兵，多储粮械，一处有急，三处往援。先以刘铭传部驻守周家口，追逐捻军于周家口附近的瓦店、南顿，渡沙河、奔睢州，解扶沟围。稍后，曾国藩腾出刘铭传部，专作游击之师。

在与捻军作战过程中，刘铭传采纳幕僚朱景昭意见，向曾国藩提出了组建马队、"以捻制捻"方略。自此淮军开始大力发展马队。到同治六年（1867），铭军已拥有马队13营，战马3500多匹，几乎占淮军马队的半数。刘铭传还建议采取"聚兵防河"的战略，利用黄淮间地理形势，以黄、运、淮、贾鲁、沙河为界，沿河修堤筑堡，实施围堵：自周家口以下至槐店扼守沙河，自周家口以上至朱仙镇扼守贾鲁河，由曾国藩派兵设防；自朱仙镇至汴梁黄河，挖濠守之，由河南派兵设防；自槐店以下至正阳关仍守沙河，由安徽派兵设防；正阳关以下淮河，由曾国藩派水师与皖军会防，试图将捻军逼走于西南山多田多之处。同治四年（1865）十二月，率师援鄂，同治五年（1866）正月二十八攻下湖北黄陂，以功复职。又转战颍州、巨野、曹县等地，给捻军以重创。六月，曾国藩依照刘铭传"扼守河南沙河之议"，奏请于豫、皖两省择地设防，试图阻止捻军西进，铭军修筑了朱仙镇以下河防堤墙。八月十六日，捻军冲毁离开封10余里的卫河堤墙，经陈留东走，四天后由兰封、考城进入山东曹县、菏泽境。九月初，攻山东运河堤墙不下，折而西走，中旬突进河南中牟，正式分军为东、西捻军①。刘铭传率部会同潘鼎新部，鼎军一路尾追至山东汶上境内，再自山东至河南，转战梁山、郓城、菏泽、曹县、考城、杞县、陈留等地。两旬之间，往来一千六七百里。十月二十六日，大败东捻赖文光、任柱于山东曹县。东捻走河南归德，进抵陈州周家口，曾国藩大营戒严。十一月一日，旨命"剿捻"失败的曾国藩回两江总督本任，以江苏巡抚李鸿章为钦差大臣，节制湘、淮各军，督师"剿捻"。西捻军在张宗禹、邱远才等带领下西进入陕，与陕甘回民军相互配合。李鸿章主要对付以赖文光、任柱为首的东捻军。

  正如刘铭传根据数年经验所总结的那样：捻军每于冬春之际，豫无所掠则入鄂；秋夏之际，鄂无所掠则入豫。同治五年（1866）十一月十六日，东捻军自河南入湖北，破麻城，走黄陂、孝感、云梦。十二月初六日、二十一日，分别在湖北钟祥、德安（今安陆）大败淮军，重伤提

---

① 关于捻军何时何地分为东、西捻军有三种说法：同治五年九月十三日在河南中牟；同治五年九月十五日在河南许州（今许昌）；同治五年九月十二日于河南陈留、杞县。

督郭松林,击毙右江镇总兵张树珊。刘铭传率部自宋河追至京山,与湘军鲍超部会合,铭军驻京山下港,鲍超霆军驻臼口。双方约定同治六年正月十五(1867年2月19日)辰时进兵,围歼尹隆河一带的捻军。当日,刘铭传争功心切,不顾唐殿魁规劝,违约提前于卯时发兵。天色迷蒙,但见捻军大队在河对岸,刘铭传自恃火力强大,留5营护辎重,亲率15营分三路渡河进击。岂知捻军早有准备,并设下了埋伏。捻军先派一支部队抄铭军后路,然后分兵三路迎敌,任柱挡铭军左军,牛宏升挡右军,赖文光挡中军。铭军左翼刘盛藻部较弱,首先溃败,渡河而逃。任柱乘胜率部协助赖文光围攻刘铭传的中军。唐殿魁见状,急率铭军右军前来救援,捻军也分兵截击,唐部溃败,唐殿魁等毙命。两翼溃散,刘铭传率中军左冲右突又不得破围,中军亦溃,与僚属纷纷舍弃冠服,逃至废窑,坐以待毙。绝望之际,鲍超率部践期而至,势如风雨,大胜捻军,铭军得救。次日,鲍超派人将铭军丢弃的军械辎重及刘铭传的顶冠等送至铭军驻地。此举使刘铭传备感难堪,全无面子,恼羞成怒之余竟耍起无赖,一面参劾左路统领刘盛藻轻敌浪战,一面倒打一耙,诬称鲍超违约误期,将战败的责任转嫁给他人。李鸿章轻信刘铭传之词,据以上奏。湘军统帅曾国藩此时已离开前线,曾国荃因不明军情而有"捻军任(任柱,与铭军交锋者)强赖(赖文光,与霆军交锋者)弱故霆军胜而铭军败"之误奏,左宗棠也因鲍超不愿随其入陕有意抑制而从旁构煽。鲍超因此而受到严旨谴责,抑郁成疾,愤而求去,所部霆军作为湘军劲旅之一不久即被裁撤,部分马队由唐仁廉统带纳入淮军体系,归潘鼎新指挥。事后,曾国藩虽曾致函李鸿章、曾国荃指出二人轻信人言,并对鲍超驰书慰解,但就整个事件来说,为维护湘淮、曾李两家关系,湘军统帅曾国藩兄弟对于刘铭传之颠倒功过、李鸿章之祖刘抑鲍是故作懵懂,甚且曲意迎合。

尹隆河之役,铭军损失大半,在信阳地区休整了数月。东捻军先胜后败,亦遭重创,在鄂皖交界盘旋多日后,于同治六(1867)四五月间自湖北入河南、山东就食。五月十二日,捻军自山东郓城突破运河防线进入东平,五月底六月初进入山东半岛的潍县、平度、莱阳、烟台、海阳、即墨等处。刘铭传率部一路追击,向李鸿章提出了"防守运河,进扼胶莱之议",并与潘鼎新会勘胶莱河道形势,合铭、鼎、奇、凤四军与山东防军先后赶筑长墙,该墙北起夏店,南至柳口,长达280余里,使东捻军陷入胶莱河、黄河、运河、六塘河之间的包围圈。七月二十日,东捻军在莱州海神庙击败王心安部山东防军,抢渡潍河,突破胶莱河防线,西走潍县。旋于月底自日照入江苏赣榆,攻宿迁运河防线不下,于九月中旬自邳州复入山东郯城、峄山。十月十七日,刘铭传大败赖文光、任柱于潍县安丘之交,东捻军精锐损失殆尽。二十四日,再败东捻于江苏赣榆,东捻首领之一任柱为部下潘贵升(已被刘铭传收买)所杀。十一月十三日、二十九日,大败赖文光于潍县、寿光间,寿光海滨弥河与洋河之间。十二月十一日,赖文光在扬州瓦窑铺被俘就义,东捻军失败。刘铭传以"剿捻"功居第一,获三等轻车都尉世职。因积劳成疾,腿肿不能乘骑,请假回籍调养。同治七年(1868)春,西捻军自河南突入直隶、山东,一度逼近天津,京师戒严,清廷急命在家休养的刘铭传赶赴前线总统前敌马步各军。六月八日,刘铭传行抵东昌铭军老营,调齐旧部,会同各军追击西捻于盐山、沧州、德平等地,西捻军受到重创,最后陷入黄河、运河、徒骇河之间的狭长包围圈。六月二十八日,茌平南镇冯官屯一战,西捻军全军覆没,张宗禹投徒骇河,不知所终。刘铭传晋一等男爵。西捻事平不久,刘铭传即请假回六安州就医,所部交由刘盛藻统带,驻扎山东东昌、张秋一带。养病期间,刘铭传在合肥西乡旱庄北约300米处择址兴建刘老圩,圩基包括水面占地约6公顷。是年十二月,旨催其入京陛见、速赴直隶提督本任。刘铭传接旨后曾至武昌向湖广总督李鸿章面陈病情,李鸿章遂于同治八年(1869)四月初九日据情代奏暂缓陛见。

在跟随曾国藩、李鸿章镇压捻军的过程中,刘铭传统领的铭军不断发展壮大,兵力已达1.5万人,而且步、骑、炮兵种齐全,装备悉改西式,成为一支近代化军队。同治九年(1870)十一月十六日上谕,直隶天津、江苏上海及刘铭传军营均练习枪队、炮队,步伐尚为整齐,号令尚为严肃。其教演之法,著各省自行咨取章程照办,总期实事求是,变疲弱为精强。陈澹然对此评论说:"观此(即前上谕内容)知西人枪炮队法,惟淮军独精,公军(即铭军)尤为独擅,至为通国导师。"①

同治九年(1870)五月,天津教案发生。清廷谕直隶总督曾国藩赴天津查办案件,持平办理,并于六月二十七日、七月十一日两次下旨命刘铭传兼程北上,赴直隶统带铭军以备缓急。八月十六日,刘铭传驰抵沧州军营,积极备战,主张与法国侵略者决一雌雄。天津教案结束后,应召赴京陛见,十月四日受命督办陕西军务,许以"专折奏事"。十一月六日,统兵到达西安,配合左宗棠镇压陕甘回民起义,任后路防守,兼保粮道畅通。十八日,移驻乾州。旋分兵驻守缠金、宝鸡、陇州、凤县等地,派兵搜剿北山马厂一带零星回民起义军。同治十年(1871)四月二十四日,遵旨密陈左宗棠军情,谓其虽克复回民大本营金积堡,但所部兵将堪战者稀,诸将星散,迁延数月,不计虚縻,无进剿之期,"贼势未衰,兵气已散","叛勇降回犹恐变生意外"②。此折引起左宗棠忌恨,左、刘从此交恶。七月九日,以秦、陇间兵警渐息,奏请赏假三个月回里就医,所统40营除谭仁芳部7营屯驻陕南防守之外其余撤回。旋因俄国出兵侵略新疆,七月十七日旨命其统兵由乾州绕兰州之北,由甘州、凉州、肃州一路出关,为收复新疆各城之计。七月二十五,刘铭传奏陈所部步兵多、器械重,勇营多江、皖之人,不耐寒,远行塞外恐有中途溃散之虞,因此暂难出关;复以头风病发、坐卧难安,恳请赏假三个月离营调养。八月初七旨命刘铭传即在肃州屯扎,毋庸出关,赏假一月在营调养。一月病假期满,刘铭传于九月初九日再次上奏请续假三个月回籍调理,并附片密荐曹克忠接替自己职务。十六日,旨准。在淮军统帅李鸿章看来,刘铭传宿疾未痊是真,难与左宗棠相处因而不愿客军西行也可以理解,但接二连三

---

① 刘铭传:《刘铭传文集·奏议》卷1《出处略》,黄山书社1997年版,第9页。
② 刘铭传:《遵旨密陈左宗棠军情片》,《刘铭传文集·奏议》卷1《出处略》,黄山书社1997年版,第15页。

上折请辞,任性孤行,置淮军影响于不顾,实在是大失所望。九月二十二日去函婉转指出其性急难耐,不能"坚忍",并说:"大丈夫生世,血性义气不可一日磨灭,否则入魔道矣。"①同治十一年(1872)二月,因曹克忠、王家璧先后奏参其移交所部兵勇时办理乖方,刘铭传受革职处分。六月初六夜,铭军武毅右营在陕西乾州发生哗变,溃散200余人。曹克忠对铭军不熟悉,加上作风粗糙、抚驭失当,不能服众,铭军有瓦解遣散之虞。七月二十八日,旨命李鸿章筹划撤回、安插驻陕铭军。鉴于刘铭传不可能再视师,李鸿章只得推荐刘盛藻替代曹克忠接统,从而使铭军渡过了一场危机。同治十三年(1874),因慈禧四旬万寿,加上陕西巡抚邵亨豫受李鸿章之托出面奏请,十月二日,旨命刘铭传开复原官,但他仍赋闲休养。

刘铭传赋闲期间,曾将刘老圩重新修治一番,于正厅背面钢叉楼后修建了一座四面环水、石桥相通的盘亭,专门安放虢季子白盘;另在六安麻埠九公山下营建刘新圩;倡议捐资在西乡设立"肥西书院",捐款续建巢湖姥山文峰塔;修祠堂、设义庄,置族田以敦宗睦族,赈恤灾民。平时或与人围棋赋诗饮酒消遣时光,或游历江南与文人名士交谈处友。吴汝纶、马其昶、薛福成、陈宝琛、徐润等具有洋务改良思想的知名人士皆为其座上客。他还喜欢购置和阅读西方报刊译作和中国史籍,研究中外得失,"独酒酣太息敌国外患,辄孤啸不忍言"②。其时,一般士大夫正沉溺于歌颂太平、结朋党争、抵制西法,刘铭传却说:"非罢科举,火部案,辟西校,拔真才,不出十年,中国将不可问!"③这期间,他将镇压太平天国、捻军期间的文稿付之一炬,仅留下督办陕甘军务奏议4卷。

光绪六年(1880),中俄交涉归还伊犁,几至决裂。在张之洞、李鸿章等先后建言下,清廷决定再次起用刘铭传。十一月应召入京陛见,上《筹造铁路以图自强折》,认为铁路不仅有利于漕运、赈务、商

---

① 李鸿章:《复刘爵军门》,《李鸿章全集》第30册《信函二》,第330页。
② 陈澹然:《刘壮肃公神道碑》,《刘铭传文集》,黄山书社1997年版,第536页。
③ 陈澹然:《刘壮肃公神道碑》,《刘铭传文集》,黄山书社1997年版,第538页。

务、矿务以及厘捐、行旅等,于军事尤为重要;主张当前应借洋债先修京师至清江的贯穿南北的干道。谕令李鸿章、刘坤一等议复。李鸿章上《妥筹铁路事宜折》,赞同刘铭传的主张,并建议朝廷任命刘铭传督办铁路公司。然而,此议遭到翰林院侍读学士张家骧、光禄寺少卿刘锡鸿等一大批守旧大臣的反对,未被清廷采纳。刘铭传知事不可为,遂忧郁而归。

　　光绪十年(1884),中法战争爆发,军情危急。三月二十六日,旨命刘铭传入京陛见,以资任使。接到谕旨后,刘铭传于五月二日自家乡启程,二十日抵天津,小住数日,二十九日入京。西太后召见,谕令筹议整顿海防事宜。闰五月初二上《遵筹整顿海防讲求武备折》,反和主战,呼吁上下一心,始终不懈,卧薪尝胆,奋发图存。针对时局,奏陈有关整顿海防、讲求武备十条。闰五月初四,清廷赏刘铭传巡抚衔,督办台湾事务。刘铭传抵京次日,法国方面挑起了"北黎冲突"(又称观音桥事件),三天后,法国政府电令头等水师提督孤拔率东京分舰队北上与提督利士比率领的中国、日本海域分舰队联合行动(两个月后在两者合并的基础上组建法国远东舰队),孤拔统领,利士比副之,准备"在必要时夺取抵押品"。所谓"抵押品"就是法国酝酿实施的"据地为质"的"担保政策",即占领中国一两个口岸以索要巨额赔款。法国的起初计划是占据福建的福州和台湾的基隆,后考虑到占领福州会引起西方国家的反对,改为攻毁福州马尾船厂,占领基隆港口及其附近的矿山为先,次及旅顺、威海卫。刘铭传就是在这种危急形势下被派到台湾的。

　　闰五月十二,刘铭传请训陛见。两日后抵天津,与李鸿章会商台湾防务。李鸿章对刘铭传临难渡台、孤身无助、难控台军非常担忧,要求其留在天津帮办军务,刘铭传义无反顾,受命即行。办妥枪械军饷事宜后,于闰五月十八率由刘盛休营中挑选的陆操、炮队、水雷教练134人,旧部提督王贵扬等将领十余名,配齐子弹的毛瑟后门枪3000杆,乘轮南下上海,继续筹划饷械接济事宜。旋乘坐"海晏"号轮秘密离沪,闰五月二十四抵达基隆,查勘炮台,周历数日,于闰五月二十八移驻台北府城。刘铭传入台后,立即开始筹划台湾防务。据情报分析,法军的主要进攻目标为基隆和沪尾(今淡水)海口,基于此,刘铭传从台湾所处地理位置及实际情况出发作出部署。一是确定北部为全台防御的战略重点。调整原来重南轻北的兵力部署,将全台划分为数个防区,分兵设将,各负其责,北部由他与提督曹志忠负责。二是填塞沪尾港口,改建、增修基隆、沪尾炮台,配备炮队和水雷。三是饬封煤窑,严密防守各商埠和产煤地区,断绝法军接济。四是设台湾军械粮饷总局于上海,台北、台南两府分设支应局,后路设转输局,以保障军需后勤供应。五是协调湘、淮,全台防军原有40营,包括驻防台北的曹志忠部6营、孙开华部3营,防守台南的台湾兵备道刘璈部31营,多属湘系。湘、淮军间不协已久,刘铭传从大局出发,以诚待人,激励将士团结奋战。六是以台保台、力争外援,包括举办团练,强化保甲,招募土勇,劝捐筹集粮饷,并向清廷请求增调劲旅、增拨军械和饷银。

闰五月底至六月初,全权大臣曾国荃与法国驻华公使巴德诺之间的谈判因法国无理要求而告破裂。孤拔奉法国政府命令,破坏基隆防御工事并占领基隆煤矿。六月十四日,利士比率4艘战舰驶至基隆海口,要求交出港口和煤矿,否则次日晨将攻击炮台。六月十五日辰刻起至午时,法舰猛轰基隆炮台达4小时之久,火药房及炮台前壁被击毁。刘铭传亲往督战,因火力太弱难撄其锋,乃决定诱之陆战,遂下令退守后山。各营连夜赶修要隘工事,并将八斗煤矿机器移至后山,用水淹没煤井,焚毁厂房及余煤,以免资敌。法军陆战队登陆,占二沙湾东侧山头。十六日,法军四五百人登陆,据山而阵,俯攻近海之曹志忠营垒以进逼后山。刘铭传命章高元与邓长安东西夹击,先偷袭山头法军成功,毁其炮,复与曹志忠围攻敌军,敌大溃,死伤百余人,残部退回舰上。基隆初战获胜。七月三日,法军突袭马尾,击沉"扬武"等7舰,轰毁船厂,福建水师全军覆灭,台湾失去大陆依托,成为孤岛。七月六日,清廷下诏与法国宣战。八月十一日,法国远东舰队司令孤拔命副司令利士比率4舰进攻沪尾,自率10舰攻打基隆。十三日,孤拔率部按预定计划向驻守基隆的清军发动进攻,打响第二次基隆战役,利士比则率舰停泊沪尾港外,配合孤拔的军事行动。次日,法军摧毁沪尾岸上防御工事,准备登陆作战。沪尾连发三书告急。基隆距台北府城60里,中间重峦叠嶂;沪尾距台北府城仅30余里,且无险可阻,沪尾不保,台北必亡。于是,刘铭传下令撤守基隆驰援沪尾,基隆失守。"诸将以为方战胜而退军非计,有叩马泣谏者,公按剑叱曰:'吾计已决,罪谴吾自当之。有违令者斩!'诸将乃不敢复言。"①撤退途中,经过板加,当地民众不明真相,"怒而围之,捉爵帅(刘铭传)发,由轿中拽出肆殴,且诟之为汉奸、为懦夫"②,亲兵欲弹压,为刘铭传制止。八月二十日,法军600余人分成5个连,配备2个鱼雷艇班在沪尾登陆,猛攻清军阵地。岸上清军共8营约4000人,孙开华带3营守南路,章高元、刘朝祜率4营守中路,土勇张李成1营守北路。鏖战两个小时,法军登陆总指挥波林奴下令撤军,至下午1时,法军陆续登上小艇离开海滩,战斗结束。此役清军伤亡约300人,法军伤亡六七十人。③ 法军在沪尾吃了败仗后,不敢再作军事冒险。九月二日,孤拔下令自五日起封锁台湾海口。清廷也命南北洋、两广之曾国荃、李鸿章、张之洞等迅速筹拨兵勇、军火、粮饷接济台湾。十一日,旨命刘铭传为福建巡抚,仍驻台湾督办军务。

法军虽然占据了基隆,一方面士兵因水土不服、为瘴气所侵生病者数以百计,法政府只好从非洲派兵增援;另一方面,法军困守市区,因煤矿、存煤被毁,补给困难,加上台地地形复杂,偶有争战也是互为胜负。因台湾海口被封,内地接济艰难,兵疲饷乏,刘铭传也只能勉强苦守,无力大举反攻。中法双方处于争夺拉锯的对峙状态。直至光绪十一年(1885)四月二十七日,《中法新约》在天津订立,法军遂全

---

① 刘朝望:《书先壮肃公守台事》,《刘铭传文集》,黄山书社1997年版,第547页。
② 伯琴编:《法军侵台档》,文海出版社印行,第217页。
③ 刘铭传在《敌攻沪尾血战获胜折》中称斩首25人,枪毙300余人,敌军溺海者七八十人。法方的说法是阵亡9人,失踪8人,受伤49人。相关考证见黄振南:《关于淡水之役的几个问题》,《海峡两岸纪念刘铭传逝世一百周年论文集》,黄山书社1998年版,第77—80页。

部撤离台湾。刘铭传领导的抗法保台战争宣告胜利结束。其间,湘军将领、台湾道刘璈因忌恨刘铭传,纠合营务处记名道员朱守谟诬告李彤恩谎报沪尾军情以致基隆弃守,借以中伤刘铭传,并诉之新任督办福建军务的左宗棠。左宗棠挟嫌报复,以纠参李彤恩为名行弹劾刘铭传之实,刘铭传则力辩其非,并具折严劾朱守谟、刘璈。左宗棠一怒之下再参刘铭传失地辱国。这一系列争斗与奏劾持续了一年多的时间,最终以刘璈被革职流放黑龙江、李彤恩获准返台差遣宣告结束。

光绪十一年(1885)五月初九日,法军退出基隆。刘铭传曾于六月五日奏请开巡抚缺,专办台防。二十三日,旨命闽浙总督杨昌浚兼署福建巡抚,刘铭传专办台湾善后事宜。而中法战争结束后,清廷又发起了第二次海防大讨论,对于七省藩篱、南洋门户的台湾岛的海防战略地位和重要性有了进一步的认识。九月五日,旨命成立海军事务衙门,同日设台湾行省,改福建巡抚为台湾巡抚,常川驻扎,福建巡抚事由闽浙总督兼管。刘铭传被任命为首任台湾巡抚,有关分省事宜责成与闽浙总督杨昌浚会商,奏明办理。光绪十二年(1886)六月十三日,两人联衔上《遵议台湾建省事宜折》,提出具体办法16条,主要有:台、闽必须联成一气,巡抚名称为"福建台湾巡抚";学政由巡抚兼管,台地生员文武乡试归福建汇考;旗后、沪尾海关改归巡抚监督;选址建造省城(彰化桥孜图);添设藩司、布库大使、司狱各一员;调整行政区划、设职添官;设澎湖镇,与台湾两镇总兵统归巡抚节制,等等。光绪十三年(1887)八月十七日,再上《台湾郡县添改撤裁折》。台湾原仅设一府三县,至光绪初年已增设为台湾、台北2府,台湾、凤仙、嘉义、恒春、淡水、新竹、宜兰、彰化8县,澎湖、鹿港、基隆、埤南、埔里社5厅。此次调整,增设台湾府、台东直隶州,台湾、云林、苗栗3县,花莲港增设州判一员;裁鹿港厅;原有之台湾府改为台南府,台湾县改为安平县。至此,台湾省下辖3府1州11县5厅,奠定了后来台湾行政区划的基本格局。

台湾孤悬海外,兵燹之余,百废待兴。刘铭传自光绪十一年

(1885)九月首任台湾巡抚至光绪十七年(1891)四月辞职获准,卸任离台,五年零八个月的时间里一直致力于台湾的治理与建设,其目的是"使台地之财,足供台地之用,不须取给内地,而后处常处变,均可自全"①。其施政举措略有数端。

整顿营伍,加强海防。废除绿营旧规,整顿兵勇,汰弱留强,聘请洋教习教练西式阵法,并严定营规,整肃军纪。全台守军除镇标练兵不计之外,只留35营,全部改用洋枪,以15营防守台南及澎湖,15营防守台北及宜兰,其余5营分防中路新竹、嘉义、彰化一带;在台北设团练总局,各府、县设分局,各乡设团,分段自卫。全台设防重点,一是面对日本的台湾北部,一是通向大陆的咽喉澎湖列岛。奏请将澎湖守将由副将升格为总兵,于妈宫地方凭海筑城,改建西屿东西两炮台,在金龟头、大城北新建两炮台。除澎湖之外,又在基隆、沪尾、安平、旗后四海口兴建6座新式炮台,装备阿马士庄新式后膛钢炮31尊及沉雷、碰雷。奏请在英德订购铁甲快船4艘,专备台澎防务使用。并创办军工企业,自行生产枪炮子弹与火药、水雷,在台北设有机器局,在台北、台南分设火药局,在基隆与沪尾设水雷局、水雷营。刘铭传一直对日本侵华野心存有戒备,台湾防务即以日本为主要假想敌。"尝登沪尾炮台东望日本,欷歔感发曰:'即今不图,我为彼虏矣。'"②光绪十七年(1891)初,海军衙门总理大臣醇亲王奕譞去世,户部奏请海军十年毋增炮舰。时奉旨帮办海军事务的刘铭传闻知,"则顿足叹曰:'人方盗我,我乃自抉其藩,亡无日矣。'"③

安抚原住民。为促进岛内社会稳定和民族融合,加速内山资源开发与经济发展,刘铭传视开山"抚番"为头等大事。于淡水大科崁设抚垦总局,自己兼任抚垦大臣,以在籍太仆寺卿林维源为帮办,下设抚垦局及分局,颁布"抚番"章程,采取以抚为主、攻心为上、先礼后

---

① 刘铭传:《法兵已退请开抚缺专办台防折》,《刘铭传文集》,黄山书社1997年版,第27页。
② 马其昶:《刘壮肃公墓志铭》,《刘铭传文集》,黄山书社1997年版,第534页。
③ 陈澹然:《刘壮肃公神道碑》,《刘铭传文集》,黄山书社1997年版,第539页。

兵、恩威并用的方针,自光绪十一年(1885)十月底至光绪十三年(1887)三月,先后招抚内山土著居民880多社,受抚原住民丁壮15.8万余人,开辟道路数百里,得可垦田园数十万亩。至光绪十五年(1889)春,已实现"全台生番一律归化"[①]。对于受抚的原住民,刘铭传除了给予物质奖励,派员向他们传授农业知识、教其耕作之外,还于各地抚垦局下设义塾,办学堂,开设汉文、官话、台话、起居礼仪等课程,教育原住民儿童,定期带他们到市街上去观摩风俗人情,消除其顽犷之气,推进其汉化速度。并希望通过这些原住民儿童来影响其父兄,以达到由一人而人人、由一家而家家、由一社而社社的教化目的。

丈田清赋,改革税则。台湾的田赋征收存有诸多弊端,如田园久未清丈,田地开辟日多而粮课未见增长,私垦隐匿者多,赋税征收南重北轻,百姓负担较之内地未见减轻,等等。光绪十二年(1886)四月,刘铭传奏请丈量台湾田亩,改定赋则,进行清赋。于台湾府、台北府设清赋总局,订立清丈章程五条,从内地选调厅、县杂佐30余人分派富有经验的人员赴台,会同各县士绅,先行会查保甲,再逐田清丈。此项工作受到了当地豪绅大户的抵制,刘铭传对此毫不手软。光绪十四年(1888)九月平息了王焕、施九缎为首的规模较大的反抗事件。至光绪十五年(1889)底清赋"全功告成",此次清理工作共查出台湾田亩数为400多万亩,较前溢出数倍;清赋后,粮额年征银、随征补水平余银及官庄租额共计白银67.4万余两,较旧额增加49.1万余两。与此相应,他改革了赋税制度。光绪十二年(1886)三月三十日,台湾开始停收船货厘金,改收百货厘税。除鸦片照旧抽收高额厘金、米粮免税之外,对一切出口百货及陆路贩运均按成本百元抽厘五元,岁入达40万两。

举办近代化事业。近代工矿业方面,从光绪十二年(1886)起,刘

[①] 刘铭传:《全台生番归化匪首就擒请奖官绅折》,《刘铭传文集》,黄山书社1997年版,第164页。

铭传先后设樟脑局、磺务局以实行脑、磺专卖,于台北机器局内设伐木局进行木材加工,设煤油局以生产煤油,设盐务局以整顿盐务、剔除陋规,设金矿局管理民间采金事宜、抽收厘金,设官银局铸造银圆。基隆煤矿在中法战争期间被迫自毁停产,战后虽采取各种方式恢复和发展生产,但效果不佳,至光绪十五年(1889),刘铭传决定让英商承办,草签合同期为20年,但被清廷否决。次年秋,刘铭传再次提议以"官一民二"方式与国内商人合办,矿务一切事宜由商经营,官不过问,遭到朝内守旧派的激烈反对,因此受到革职留任处分。

交通运输方面。建省之初,刘铭传就奏请铺设由福建到台湾的水底电报线,以加强台湾与大陆的通讯。光绪十二年(1886)设电报总局于台北,委张维卿为总办。两年后,台湾水陆电线敷设竣工,水线由台北、沪尾接至福州的川石,由澎湖接至台南安平;陆线由台南取道彰化,与台北基隆、沪尾两线相连。水陆线全长1400余里。陆线除丁日昌时代所设台南、安平、旗后3个电报局外,增设澎湖、彰化、台北、沪尾、基隆等局;水线则设川石(福州)、沪尾、澎湖和安平四个水线房,以专职管理。光绪十四年(1888),参照内地海关邮政设施,废除旧式驿站,设邮政总局于台北,于各地设支局,发行邮票,办理公文及民间信件的邮递。次年,颁发邮政章程及条目,规定所有官民信函都凭邮票收送传递;官用邮票不收费(即公文免费),商民信件按重量及路途远近收取邮资,每贴票一张,收钱20文。当时全台邮路以台北为中心,有南北两条,南线为台北至中坜、竹堑城、后垅、大甲、彰化、张熙厝、嘉义、茅港尾、台南、凤山、枋寮、枫港、恒春;北线为台北至基隆、顶双溪、宜兰。除北路顶双溪至宜兰城一站距离为92里之外,其余各站距离均在30里至60里之间。此外,台湾还置有两艘邮轮定期往来于台湾与大陆之间,办理岛内与福州、上海、广州、香港等地的邮政业务。光绪十三年(1887)三月,上《拟修铁路创办商务折》,获准后不久,即在台北成立全台铁路商务总局,总司其事。当年六月,台北至基隆段铁路在台北大稻埕破土动工,经锡口、南港、水转脚、八堵至基隆,沿线开凿狮球岭隧道一座,搭建铁木桥20余座,于光绪十七年(1891)十月竣工通车，全长 28.6 公里。此为台湾有铁路之始。而台北至台南段铁路因工程异常艰巨、经费紧张等原因，只修至新竹，自光绪十四年(1888)五月开工，至光绪十九年(1893)正月竣工通车，全长 78.1 公里，设车站 10 座，修建包括长 448.06 公尺的淡水河铁桥在内的大小桥梁 50 余座。为振兴商务，发展对外贸易，刘铭传于光绪十二年(1886)在台湾、新加坡设立招商局，招徕内地、华侨商人来台投资，向英国订购"斯美""驾时"两艘汽轮，专门从事远洋运输。同时，辟台北淡水城外大稻埕为商埠。光绪十三年(1887)设全台商务总局(也称铁路商务总局)，兼办铁路与轮船航运，设立轮船公司，以"斯美""驾时"航行上海、香港、新加坡、西贡、吕宋等地，以台湾原有之"伏波"与"万年青"，北洋拨给之海镜船，自购的"威利""威定""飞捷"等船往来沿海及东南各省，大大拓展了台湾与外界的经济联系与交往。

医疗、教育、市政建设方面。光绪十二年(1886)，在台北设立官医局并附设官药局，聘请西医主诊，免费医疗。次年又设台北医院，专门医治兵勇之病。为提高台地民众素质，一方面在各地兴办书院、儒学、义学、官塾，推进大众教育；另一方面则积极倡导新式教育，培养掌握西学的专门人才。光绪十三年(1887)在台北大稻埕六馆街创设西学堂，延聘英国人布茂林、丹麦人辖治臣为洋教习，并配置汉文教习 4 人，开设英文、法文、史地、测绘、算术、理化、制造等课程，至光绪十七年(1891)，共培养 60 多名学生。十六年(1890)设电报学堂于电报总局内，首期招生 10 余名，以台湾西学堂毕业生及福州船政学堂的电信生为学生，培养电信技术人才。市政建设方面，大力扩建改造台北城，使其成为近代化都市。光绪十二年(1886)劝导富绅林维源、李春生出资合建千秋、建昌二街。光绪十四年(1888)设立兴市公司，修建台北城内石坊、西门、新起等街道，安装自来水，于巡抚与布政使衙门、机器局及各大街道均安装电灯；在台北及基隆、沪尾、安平等口岸设立清道局，专门负责清理街道。次年，购置第一架蒸汽碾路机，铺设道路，从上海引进一批人力车和马车，行驶市区。

光绪十七年（1891）四月二十三日，刘铭传因病获准辞职返乡。甲午战争期间，清廷多次诏令其复出，因病未能应命。光绪二十一年十一月二十八日（1896年1月12日）病逝于六安麻埠九宫山下的刘新圩，终年60岁。谥壮肃。

刘铭传才兼文武，著有《刘壮肃公奏议》《盘亭小录》《行间余事》《大潜山房诗抄》《大潜山房诗抄补遗》等。曾国藩曾为其诗集作序，认为其诗作风格劲悍，如其用兵："横厉捷出，不主故常。"

刘铭传妻妾九人，结发妻程氏病逝于光绪二十四年（1898）秋，享年72岁。子女八人，长子盛芬，嫡出，优廪生，三品衔直隶候补道，光绪二十年（1894）病逝，36岁；次子盛芸，嫡出，拔贡，袭三等轻车都尉世职，光绪三十二年（1906）卒，41岁；三子盛荗，庶出，附贡生，民国十年（1921）卒，50岁；四子盛芥，庶出，举人，光绪二十四年（1898）卒，23岁。长女，嫡出，适两淮候补盐大使程志怀；次女，嫡出，适张树珊长子浙江候补道张云逵；三女，庶出，适薛时雨次子分部候选主事薛葆桎；四女，早殇。

丁汝昌[①]

丁汝昌（1836—1895），原名先达，字禹廷，亦作雨亭，号次章。道光十六年十月初十（1836年11月18日）出生于庐江县北乡石嘴头（今庐江县石头镇丁家坎村）。丁家世代务农，家境贫寒。丁汝昌出生仅数月其母向氏因病亡故，7岁入私塾读了三年书便被迫辍学，出

[①] 参见《潜川（庐江）丁氏宗谱》，民国十一年木刻版；陈澹然：《江表忠略》卷3《程学启列传》，光绪庚子年冬月刊于长沙，台湾明文书局印行；戚其章：《丁汝昌》，《清代人物传稿》下篇第一卷，中华书局1986年版；马昌华主编：《淮系人物列传——文职·北洋海军·洋员》，黄山书社1995年版；《清实录》（光绪朝）；陈诗：《庐江文献初编·丁汝昌传》，1946年编印。

外帮人放牛、放鸭,闲时也摆过渡船。15岁时父亲病故,成为孤儿,为求生存,从族叔学制豆腐,以石磨、推杵为伴,整日劳作不止。咸丰三年十二月(1854年1月),太平军占领庐江。后参加太平军,①随太平军驻扎安庆,为桐城人程学启部下。咸丰十年(1860),湘军水陆合围安庆,程学启带队扼守安庆北门外石垒,屡挫对手,曾国荃用桐城乡绅孙云锦之计加以策反。咸丰十一年(1861)二月十九日②夜,程学启率丁先达等数十人前往集贤关湘军训导、曾国藩季弟曾贞干军营投降。丁先达改名为丁汝昌。七月十三日,程学启、丁汝昌等充当前导,攻破安庆北门外太平军营垒3座,献从城西马山挖地道攻北门之计。八月一日,地雷轰发,程学启等爬城攻入,安庆被湘军攻占。程学启升任游击,赏戴花翎;丁汝昌升任千总,为程学启部哨官。

因上海官绅至安庆乞师援沪,李鸿章奉命招募淮勇组军东援,湘军统帅曾国藩特拨程学启开字二营等归李鸿章指挥。同治元年(1862)三月,程学启、丁汝昌等随李鸿章自安庆乘轮船前往上海。据《庐江文献初编·丁汝昌传》记载,是年秋,丁汝昌与刘铭传部共同参加四江口之战,因作战骁勇,被刘铭传看中,调入铭字营,仍充哨官,统亲兵100人。然而直至太平天国起义失败,依然声名不显,职衔低微,官方文献中鲜有记载。也就是在那年即同治三年(1864),据说因避"丁(钉)在庐(炉)上"之讳,举家迁出庐江,卜居巢县南乡高林(现为巢湖市散兵镇)汪郎中村。

太平天国战事结束后,丁汝昌随刘铭传北上镇压捻军。同治四年(1865)十月、十二月,在河南扶沟、湖北黄陂拦击捻军,为铭军分统刘盛藻属下,官阶都司,黄陂攻克后,奉旨以游击尽先补用,并赏给副

---

① 丁汝昌参加太平军的时间仍无从查考。参加的方式或曰被掠入伍(陈诗:《丁汝昌传》,《庐江文献初编》,1946年编印),或曰主动投入(调查资料,参见戚其章:《走近甲午》,天津古籍出版社2006年版,第319页)。

② 一说咸丰十一年四月间,李鸿章:《为程学启请恤折》,《李鸿章全集》第1册《奏议一》,安徽教育出版社2008年版,第477页。

将衔。① 同治六年（1867）十月，铭军追击捻军至江苏赣榆，击毙捻军首领任柱。事后李鸿章保奏作战有功人员，副将衔尽先游击丁汝昌赏加协勇巴图鲁汉字勇号，并以参将补用；同治七年（1868）七月，西捻军平，淮军汇案奏保，丁汝昌擢总兵加提督衔。②

同治九年（1870）十月，刘铭传奉旨督办陕西军务，配合陕甘总督左宗棠镇压陕甘回民起义。同治十年（1871）初，铭军移驻陕西乾州后，记名总兵丁汝昌与蒋希夷等各率马队百余名，分往延安、定边一带察看地势。九月，铭军统领刘铭传以"头风肝气"加剧再次奏请回籍养病，获准后即交卸营务于年底离营，所部铭军交由前甘肃提督曹克忠接统。旋因曹对铭军不熟悉，加上作风粗糙、抚驭失当，致铭军武毅右营于同治十一年（1872）六月间哗溃。稍后，李鸿章奏请以铭军宿将刘盛藻赴陕接替曹克忠统领铭军，妥撤回南。九月下旬，驻防长武铭军统带、总兵丁汝昌向李鸿章禀报了甘军杨世俊所部马队溃变一事。陕西巡抚邵亨豫因此提出，铭军必须留镇陕西。署陕甘总督穆图善亦请将总兵丁汝昌、副将潘万才所带铭军马、步8营暂缓遣撤。清廷遂谕准铭军暂缓议撤，饬令刘盛藻剋日赴陕接统。约在同治十二年（1873）底，刘盛藻自乾州至邠州（今彬县）检阅所部铭军，适逢地方倡议劝捐重修大佛寺，刘盛藻"允以淮军独任其举，即饬营务处阎观察光显、丁提督汝昌、潘协戎万才、刘参戎学风偕予董其事以监修"，于同治十三年（1874）二月庀材鸠工，"洗其尘而扫其苔，倾颓者振兴之，塌落者筑砌之，东边新建官厅三间焕然为之一新"③。据《监修大佛寺官员及董事绅民各工匠姓名碑记》，丁汝昌当时的全称官衔、勇号为"钦加提督衔遇缺题奏总镇统领铭右全军协勇巴图鲁"。

---

① 曾国藩：《奏报援鄂铭军克复黄陂县城及自徐抵邹折》，《曾国藩全集》第9册，岳麓书社1994年版，第5221—5224页。

② 周世澄：《淮军平捻记》卷6、卷10，上海古籍出版社1995年影印本，第11页、第8页。

③ 陕西邠州直隶州知州吴钦所撰《重修大佛寺碑记》，详见常青：《彬县大佛寺石窟所见清提督丁汝昌事迹铭记》，《文献》1997年第4期。

当修葺一新的大佛寺渐次落成时,七月,铭军奉调离陕,移往济宁、徐州一带驻防。此后,不知因何缘故,丁汝昌亦步刘铭传、刘盛藻后尘,离开军营回籍赋闲数年。

丁汝昌家居数年,资财耗尽,颇为郁闷。继配魏氏系湖北安陆府钟祥县太学生魏湘清三女,出身书香门第,安慰丁汝昌说:"家有薄田数亩,足以饱腹,大丈夫建功立业,自有时也,姑待之。"①光绪三年(1877),左宗棠正指挥大军收复新疆,戎事方殷,是年秋丁汝昌接到兵部公文后赴京,十一月二十一日蒙慈禧太后召见一次,奉旨发往甘肃差遣。丁汝昌对发往甘肃差遣心有不甘,遂在回籍筹措盘缠途经天津时请李鸿章设法转圜,终以伤病复发为借口呈请兵部准其暂缓赴甘,就此留在天津。

日本侵台事件发生后引发第一次海防大讨论,海防问题渐受重视。光绪元年(1875)四月,李鸿章奉命督办北洋海防事宜。光绪五年(1879),清政府从英国订购的"镇东""镇西""镇南""镇北"4艘炮船来华,北洋军舰渐多。海军初创,统领需人。十月十六日,李鸿章奏请将记名提督丁汝昌留于北洋海防差遣:"查该提督丁汝昌干局英伟,忠勇朴实,晓畅戎机,平日于兵船纪律尚能虚心考求。现在筹办北洋海防,添购炮船到津,督操照料,在在需人。且水师人才甚少,各船管驾由学堂出身者,于西国船学、操法固已略知门径,而战阵实际概未阅历,必得久经大敌者相与探讨砥砺,以期日起有功,缓急可恃。臣不得已派令丁汝昌赴'飞霆'等炮船讲习一切,新到各船,会同道员许钤身接收。该提督颇有领会,平日借与中西各员联络研究,熟练风涛,临事或收指臂之助。"②派充炮船督操。光绪六年(1880),李鸿章奏派丁汝昌率管带林泰曾、副管带邓世昌等,去英国督带订购的"超勇""扬威"两艘快船回国。光绪七年(1881)十月,因带船回国、巡海出力,丁汝昌赏换西林巴图鲁勇号,并获正一品封典。

---

① 丁应涛:《诰授一品夫人魏夫人事略》,《潜川丁氏宗谱》,民国十一年木刻版。
② 李鸿章:《奏留丁汝昌片》,《李鸿章全集》第8册《奏议八》,安徽教育出版社2008年版,第503页。

光绪八年(1882)六月,朝鲜京城发生壬午兵变,起义士兵与民众击毙亲日的闵妃集团大臣数人及日本军事教官堀本礼造,焚烧日本公使馆。日本公使花房义质逃回长崎。日本政府决定派遣军舰作交涉后盾,胁迫朝鲜签订不平等条约,如谈判失败,即大举出兵。作为朝鲜的宗主国,清政府于六月二十四日批准了署理直隶总督张树声的派兵计划,命丁汝昌率"威远""超勇""扬威"等舰驶往朝鲜,以观察和防止事态的进一步发展。六月二十六日,丁汝昌与候选道马建忠率军舰自烟台前往朝鲜,次日抵达朝鲜仁川,日本海军少将仁视景范已乘铁甲舰"金刚"号先期到达。丁汝昌于七月一日乘"威远"舰速回天津,报告朝鲜情形,请派陆军。次日,奉张树声命自天津赴登州,转告广东水师提督吴长庆处理朝鲜事件相关机宜。七月七日,丁汝昌率"威远""日新""泰安""镇东""拱北"等船舰,载吴长庆所部淮军6营3000余人抵朝鲜南阳。十二日,吴长庆率军入驻汉城郊外,丁汝昌续到,即派队进驻城内。十三日,丁汝昌与提督吴长庆、道员马建忠等执大院君李昰应。使日本的干涉计划未能完全得逞。八月三日,接替周盛传实任直隶天津镇总兵。二十九日,李鸿章呈递《奏保丁汝昌马建忠片》,称记名提督新授天津镇总兵西林巴图鲁丁汝昌,久历戎行,才明识定,前往英国督带快船回华,创练水师,讲求西法,能耐劳苦,此次扬威域外,足张国体。[①] 九月一日,清政府赏丁汝昌穿黄马褂。

光绪十年(1884)十月,朝鲜发生甲申政变,以金玉均、洪英植为首的新党(开化党)在日本的支持下发动流血政变,挟持国王,宣布十四条政纲。二十四日,清廷命李鸿章将调援台湾(时中法战争已爆发)的北洋水师快船"超勇""扬威"调回,派丁汝昌统率赴朝,会同驻朝防营提督吴兆有等相机定乱。十一月六日,丁汝昌统兵轮三艘及总兵方正祥陆兵五百自旅顺驶抵朝鲜马山浦。甲申政变很快即被袁世凯率驻朝清军镇压。光绪十一年(1885)三月二十日,因英国欲占

---

① 《李鸿章全集》第10册《奏议十》,安徽教育出版社2008年版,第102页。

据朝鲜巨文岛，丁汝昌奉命率"超勇""扬威"两船前往该岛查看。是年十月，在德国定造的两艘钢面铁甲舰驶抵天津大沽，丁汝昌与津海关道周馥登船验收，换挂中国龙旗，命名为"定远""镇远"。这是当时远东最为坚猛的大兵船，也是北洋水师的中坚力量。光绪十二年（1886）四月，醇亲王奕譞会同李鸿章、善庆等自天津至旅顺、威海卫、大沽巡阅南北洋轮船、水陆营操练并视察炮台，事毕，天津镇总兵丁汝昌等著交部议叙。

光绪十二年（1886）七月，李鸿章命丁汝昌与英人水师总兵琅威理率"定远""镇远""济远""超勇""扬威""威远"等舰赴朝鲜釜山、元山、永兴湾等处操练，并巡查洋面。不久，李鸿章又派吴大澂等勘定吉林东界，命丁汝昌率"定远""镇远""济远""威远"等舰至海参崴，进船坞修理，然后折赴长崎，留"超勇""扬威"2 舰待吴大澂事毕回国。七月初十，到达长崎。日本自朝鲜壬午兵变之后，对中国北洋水师的发展深为疑惧，即以中国为假想敌，大力扩展海军。七月十六日，中国水兵放假，相率登岸观光，日本警察蓄意行凶，袭击徒手的中国水兵，造成中方死 5 人，重伤 6 人，轻伤 38 人，失踪 5 人。琅威理力请对日宣战，丁汝昌未予采纳，主张通过法律程序解决问题。由于丁汝昌的审慎处理，避免了事态进一步恶化。丁汝昌赠日人宫岛诚一郎的诗中，有"同合车书防外侮，敢夸砥柱作中流"①之句，意在规劝日本当局勿仇视中国，应珍惜中日两国悠久的传统友谊。

光绪十三年（1887），清政府命地方督抚物色将才，以备任用，分别保奏。七月二十日，李鸿章递交《保举将才折》，天津镇总兵丁汝昌亦列名其中。十月末，琅威理率领在英、德两国订购的"致远""靖远""经远""来远"4 艘快船驶抵厦门，统领水师提督丁汝昌前往验收，随在厦门过冬，次年三月驶抵大沽。至此，北洋海军始具规模。光绪十四年（1888）六月，台湾后山昌家望社原住民爆发动乱，围攻卑南总兵张兆连防营。七月十九日，丁汝昌率"致远""靖远"两快船到台湾援

---

① 中岛真雄：《对支回顾录》下卷，日本原书房 1936 年版，第 1466 页。

阜南。八月十六日,会同总兵吴宏洛、万国本等部陆营攻克吕家望社。事毕,赏一品顶戴。

光绪十四年(1888)八月,清政府定北洋海军官制,在威海卫择地建造水师公所,或建提督衙署。九月初九日,总理海军事务大臣奕譞奏准《北洋海军章程》,标志着北洋水师正式成军。十一月十五日,海军衙门根据李鸿章的提名,奏准以北洋水师记名提督直隶天津镇总兵丁汝昌为海军提督(后赏加尚书衔)。根据丁汝昌的建议,在威海卫设立刘公岛水师学堂,培养海军驾驶人才;在大沽、旅顺水雷营内设水雷学堂,培养施放鱼雷人才;在山海关设立武备学堂,在威海卫设立枪炮学堂,培养各级将领。光绪十七年(1891)五月底,应日本之请,率定远、镇远等舰赴日本马关、神户、横滨等地访问。九月,以历年办理海军出力,予海军提督丁汝昌等优叙。光绪二十年(1894)正月,以本年慈禧太后六旬庆辰,赏加尚书衔。二月,应新加坡总领事黄遵宪请,率北洋舰队赴马六甲、槟榔屿巡历。

光绪二十年(1894),朝鲜爆发了东学党起义,政府军节节败退,被迫向清朝乞援。日本亦不断诱使清政府出兵朝鲜。清廷于五月初派直隶提督叶志超、太原镇总兵聂士成率部赴朝。李鸿章认为日本绝不会先行开衅,所以一开始并未积极备战。而日本政府则不断增兵,蓄意制造事端,寻找借口挑起战争。五月十九日,日本政府发出"第一次绝交书",强硬表示:断不能撤现驻朝鲜之兵。已率"镇远"等舰赴仁川的左翼总兵林泰曾认为战争一触即发,而仁川泊船战守均不宜,电李鸿章主张驻牙山备战守。李鸿章转询丁汝昌意见。二十六日,丁汝昌电李鸿章,认为水陆添兵必须大举,若零星调兵赴朝,有损无益,请求将停泊朝鲜之"镇远"等3军舰调回,等到陆军大队出发时,海军亦派大队,并力拼战,与日军决一雌雄。李鸿章同意,"镇远"等舰遂回威海备战。因日朝情事已将决裂,光绪帝严责李鸿章身膺重寄,熟谙军事,断不可意存畏葸,令迅筹进兵事宜。李鸿章这才开始增派军队援朝,于六月十四日命总兵卫汝贵统盛军马步6000人、提督马玉昆统毅军2000人由海道分进平壤、义州,总兵左宝贵率奉军4000人由陆路进驻平壤。

六月二十一日,李鸿章雇用英国商船"爱仁""飞鲸""高升"号,运送仁字营2000余人赴朝鲜牙山,以增援叶志超。命丁汝昌派"济远""广乙""威远"3舰护航。丁汝昌原主张派海军大队前往,并令海军主力战舰都升火待命,并得到李鸿章首肯。丁汝昌率9艘军舰正候令启碇,忽传俄、英两国要出兵问罪日本的消息,李鸿章认为派海军大队已无必要,急电丁汝昌仍由"济远""广乙""威远"3舰护航。六月二十三日,日军在朝鲜丰岛海面袭击北洋海军战舰"济远""广乙",丰岛海战爆发。六月二十六日,日军在成欢驿袭击聂士成部,聂士成败退公州。七月初一日,中日正式宣战。

早在战争爆发前,侍郎志锐于六月十五日奏参丁汝昌不率舰扼守仁川,实是将"险要之地拱手而让之外人"的"首鼠不前,意存观望,纵敌玩寇"的表现,光绪帝降旨李鸿章,要他对丁汝昌随时留心体察,毋得疏忽,致误事机。战争爆发后,又有官员攻击丁汝昌护航不力,有意避战,要求交刑部治罪。光绪帝批阅奏章时大怒,指责说:"丁汝昌不能战,靡费许多饷何益?"七月三日,命李鸿章察看丁汝昌有无畏葸纵寇情事,倘若必须更换,并将接统之员妥筹具奏。两日后,李鸿章复电总理衙门为丁汝昌辩护,认为局外责备,恐未深知局中苦心,海军仿效外国,事理精奥,绝非未学者所能胜任。且临敌易将,古人所忌。军机处于是决定暂行缓议。

七月六日,清政府命丁汝昌率海军各舰巡守大同江口,以保障平壤运路。丁汝昌遂率战舰10艘出洋,于十日抵大同江口。十一、十二日,接连派船至大同江海域铁岛、海洋岛附近洋面巡逻,均未发现日舰。原来日本舰队根据间谍报告,趁北洋舰队远洋巡逻,倾巢而出,连续袭扰威海卫,在大连海面游弋,并散布谣言,制造运兵登岸的假象,其目的在于制造声势,以牵制北洋海军,使其不敢开往远洋,以便日舰纵横海上。日本这一着果然奏效,清廷命李鸿章饬丁汝昌速赴山海关一带截击,以防日军登陆。李鸿章也命丁汝昌等返航威海,并电嘱丁汝昌:此后海军大队必不远出,有警则兵船应全队迎击。因此,丁汝昌率海军巡逻,只得循近海而行。

七月十四日,丁汝昌率舰赴秦皇岛、山海关一带巡缉,二十三日清廷谕丁汝昌,称威海、大连、烟台、旅顺等处为北洋要隘、大沽门户,海军各舰应在此数处往来梭巡,严行扼守,不得远离,勿令一船闯入,倘有疏虞,定将丁汝昌从重治罪。是日丁汝昌回威海卫。李鸿章也据此制定了"保舰制敌"的战略。

七月二十五日,广西道监察御史高燮曾奏请更换海军提督,河南道监察御史易俊奏请治丁汝昌之罪。于是,军机处第二次讨论处理丁汝昌的问题,翁同龢、李鸿藻首先发言,认为不治丁汝昌之罪,公论未孚,决定将丁汝昌革职,戴罪自效。额勒和布认为不宜过于峻急,主张令李鸿章保举接替人选后,再行降旨。孙毓汶提出宜发电旨,不必明发上谕,翁同龢均不同意。七月二十六日,朝廷明降谕旨:"海军提督丁汝昌着即行革职,仍责令戴罪自效,以赎前愆;倘再不知奋勉,定当按律严惩,决不宽贷。"七月二十七日,又有电旨给李鸿章,认为日本船只屡窥海口,海军防剿统将亟须得人,丁汝昌畏葸无能,巧滑避敌,难胜统带之任,严令李鸿章于海军将领中遴选可胜统带之员,于日内复奏,不得再以临敌易将、接替无人等词曲为回护,致误大局。七月二十九日,李鸿章呈递《复奏海军统将折》,奏称丁汝昌迭被弹劾,屡蒙谕旨查询,当此军事紧急之时,丁汝昌果有迁延避敌情事,亟应随时严参,断不敢稍涉徇护。北洋海军可用者,只有"镇远""定远"铁甲舰2艘,为日本船所不及,然而质重行缓,吃水过深,不能入海汊内港;其次是"济远""经远""来远"3舰,时速仅十五六海里;此外各船,愈旧愈缓。日本军舰可用者共21艘,其中有9艘是光绪十五年(1889)后分年购造,最快者时速23海里,次者,时速也在20海里上下。近年部议停购船械,自光绪十四年后,我军未增一船。丁汝昌及各将领屡求添购新式快船,李鸿章仰体时艰款绌,未敢奏咨渎请,应当躬任其咎。倘与日本军舰驰逐大洋,万一挫失,即赶紧设法添购,亦缓不济急,唯有不必定与拼击,只在渤海内外游弋,作猛虎在山之势,日本尚畏我铁舰,不敢轻易争锋。日本海军防护仁川,防我海军袭其陆军后路,与我防护北洋各口是情况相同的。因此决计以保船制敌,不敢轻于一掷。海军功罪,应以各口能否防护、有无疏失为断,不应以不量力而轻进转相苛责。丁汝昌在镇压太平军、捻军时期曾经大敌,迭著战功;统带水师,屡至外国,颇有阅历,情形熟悉,目前海军将才尚无出其右者。各将领中,如总兵刘步蟾、林泰曾等,阶资较崇,唯系学生出身,平日操练是其所长,未经战阵,难胜统率全军之任,况且,他们与丁汝昌共同行动,功罪也相同,若提督以罪去官,总兵以无功超擢,也无以服众。于是,八月一日光绪帝又降旨:"丁汝昌暂免处分,着李鸿章严切戒饬,嗣后务须仰体朝廷曲予保全之意,刷新精神,尽心防剿。"①

八月十五日,日军进攻平壤,高州镇总兵左宝贵等阵亡。十七日,平壤陷落,叶志超、卫汝贵等败走,死伤2000余人。丁汝昌率"定远""镇远""济远""靖远""致远""经远""来远"等舰,自大连护送刘盛休部铭军援平壤,到达大东沟。日本舰队为了夺取制海权,正寻机与北洋海军决战。八月十八日上午,日本军舰"吉野""松岛""高千穗"等12艘组成的联合舰队在大东沟附近的黄海海面与护送援军完毕启碇返航的北洋舰队遭遇,黄海海战爆发。北洋舰队以10舰抵抗日本联合舰队12舰,在吨位、人员、船速、火力、舰龄等方面皆逊于日本,然士气旺盛,莫可名状。② 开战不久,丁汝昌即受重伤,仍拒绝进舱休息,裹创后继续坐在甲板上督战,激励将士誓死抵御,不稍退避。③ 海战自12时50分始,至下午5时30分,日本舰队首先撤离战场,鏖战4小时40分。在激战中,日本旗舰"松岛"号以及"比睿""赤城""西京丸""吉野"皆受重创,死伤官兵600余人;北洋舰队亦损失严重,"致远""经远""超勇""扬威"4舰沉毁(广甲触礁后亦毁),死伤

---

① 李鸿章:《复奏海军统将折》,《李鸿章全集》第15册《奏议十五》,安徽教育出版社2008年版,第405—407页;马昌华主编:《淮系人物列传——文职·北洋海军·洋员》,黄山书社1995年版,第280—281页。

② 《马吉芬黄海海战评述》,《海事》第10卷第3期。

③ 《直隶总督李鸿章奏请优恤大东沟海军阵亡各员折》,《中国近代史资料丛刊·中日战争》第3册,上海人民出版社1957年版,第135页。

官兵千余人。余舰退回旅顺。此役北洋海军虽然损失较大,但并未完全战败。然此后为了保存实力,躲入威海卫港内,黄海制海权遂被日本海军掌握。

八月二十二日,清廷电令李鸿章,丁汝昌因患伤病,海军提督由右翼总兵刘步蟾暂行代理,一俟稍痊,仍行接统。九月二十日,北洋舰队在旅顺修理之后,丁汝昌率舰移泊威海卫。十月初,以旅顺、大连吃紧为由,李鸿章命丁汝昌带舰驰往,壮陆军声威。丁汝昌见旅顺已不可久留,退回威海卫。十月十九日,因近日旅顺告警、统带师船不能得力,清政府革去丁汝昌尚书衔,摘去顶戴。前两日,"镇远"舰进威海卫港时又不慎为水雷浮标挤伤进水,已不堪出海任战,北洋舰队仅余"定远""靖远""来远""济远"等舰,已难以成军。十月二十四日旅顺陷落,日本海军在渤海湾获得重要据点,从此北洋门户洞开,北洋舰队只能困守威海卫港内。二十九日,清政府以丁汝昌救援旅顺不力,将他革职,暂留本任,以观后效。在威海防军布置方面,其又与陆军主将戴宗骞产生矛盾。戴宗骞提出无论日军在何处登陆,以抽调绥巩军队驰往剿捕为重,宁力战图存,绝不坐以待困,而将威海炮台防守事宜交丁汝昌掌管;丁汝昌致书戴宗骞,反对其不守炮台而出战。十一月二十一日,清政府指责丁汝昌畏葸迁延,节节贻误,怯怯无能,罪无可逭,决定将他拿交刑部治罪。次日命李鸿章遴选海军统帅。刘步蟾等致电李鸿章,请其设法挽转,请求清廷收回成命。李鸿章奏称丁汝昌经手要务过多,请暂缓交卸,俟遴选得人,再行具奏。二十五日,威海形势紧急,清廷命海军提督即著刘步蟾暂行署理。丁汝昌仍遵前旨,俟经手事件完竣,即行起解。

丁汝昌虽然集各方面的责难于一身,处境十分困难,仍力求振作,与诸将领筹商水陆战守事宜,"表率水军,联络旱营,布置威海水陆一切","总期合防同心,一力固守"①。制定"水陆相依"方案,使船舰和炮台相依相辅,共同防守,注意日军抄袭炮台后路。李鸿章和清

---

① 戚其章:《丁汝昌》,《清代人物传稿》下篇第1卷,中华书局1986年版,第80页。

政府都同意这个方案。他还抱定船没人尽的决心,开战前即将海军文卷全部妥送烟台,以防不测。

旅顺既失,清廷害怕日军进攻京津,派员赴日求和。日本大本营却改变作战计划,决定先进攻山东,以大山岩大将为"山东作战军"司令官,命联合舰队司令官伊东祐亨协同陆军,攻占威海卫,消灭北洋舰队。十二月二十五日,日军在山东荣成县龙须岛登陆。进攻威海卫前夕,日军曾以联合舰队司令伊东祐亨海军中将的名义,致书丁汝昌,劝其举舰投降。丁汝昌接书后毫不动摇,决心死战到底,对家人说:"吾身已许国!"并将伊东来书上交李鸿章以明心迹。

光绪二十一年(1895)正月初五,日军集中兵力进攻威海卫南帮炮台,丁汝昌登"靖远"舰,率炮舰支援岸上守军,发射排炮,毙其左翼司令官旅团长大寺安纯少将,日军也死伤累累。由于众寡悬殊,南帮炮台失陷,次日威海卫北帮炮台守军自行将炮台轰毁,北帮炮台亦陷。刘公岛终成孤岛,北洋舰队困守于威海卫港内。

正月初八,日军修复威海卫南帮炮台,并于北岸架炮,与日舰水陆夹攻北洋舰队。十一日,"定远"舰遭日本鱼雷艇偷袭,中雷进水,被移至外侧浅滩作炮台用,丁汝昌将督旗移至"镇远"舰。丁汝昌派水手潜往烟台与登莱青道刘含芳联系,希望能派陆军来解围。一些洋员却密谋投降,威海水陆营务处提调牛昶炳与之勾结。十三日,鱼雷艇管带王登云率鱼雷艇13艘、汽船2只从威海北口逃走。在洋员和牛昶炳唆使下,一些士兵鼓噪哗变,鸣枪过市,声言"向提督乞生活"。洋员泰乐尔、瑞奈尔等劝丁汝昌"姑许乞降,以安众心"。丁汝昌说:"我知事必出此,然我必先死,断不能坐睹此事!"并出示安抚,称"援兵将至,固守待援"①。

十五日,日本大小舰艇40余艘排列于威海港外,在南北两岸炮火支持下,欲从南口冲入。丁汝昌登"靖远"舰迎战,击伤日舰2艘,

---

① 姚锡光:《东方兵事纪略·海军篇》,《中国近代史资料丛刊·中日战争》第1册,上海人民出版社1957年版,第71页。

"靖远舰"也中炮搁浅,丁汝昌欲与船同殉,被水手救上。

十六日,洋员与牛昶炳继续煽动士兵闹事,其乘机劝降,遭丁汝昌严词拒绝。十七日,丁汝昌获悉山东巡抚李秉衡已由烟台移军莱州(今掖县),知援军无期,下令突围,洋员及牛昶炳等均不应允。"使人将'镇远'用水雷击沉,亦无应者。"① 一些兵痞还在洋员与牛昶炳的指使下,掏出兵器威胁丁汝昌。丁汝昌无可奈何,决定自杀捐躯,并命牛昶炳将提督印截角作废,以防有人盗印降敌,牛昶炳佯允之。当晚饮鸦片,延至次日(2月12日)晨7时辞世。丁汝昌死后,牛昶炳等盗用其名义向日本舰队司令伊东祐亨投降,并将主降的责任推给了丁汝昌。清政府据此认为丁汝昌"既降而死,朝旨褫职,籍没家产"。直至宣统二年(1910)三月冤情才得到昭雪,以力竭捐躯情节可悯,开复故提督丁汝昌原官原衔。民国元年(1912),灵柩始归葬于无为县西乡小鸡山梅花地。

叶志超②

叶志超(1838—1899),字冠群,号曙青,合肥县西乡(今属肥西县)人,生于道光十八年二月初三(1838年2月26日)。兄弟3人,行二。幼读书,父母双亡,因贫辍业。咸丰年间,加入同乡解先亮部团练,每战勇冠其曹。同治元年(1862)春,李鸿章率淮军入沪与太平军作战。叶志超妻弟孙益孝与树字营统领张树声为中表亲,经其说合,叶志超至上海投军,编入树字营,受到张树声的器重,委充树字前营

---

① 易顺鼎:《盾墨拾余·魂北魂东杂记》,《中国近代史资料丛刊·中日战争》第1册,第117页。

② 参见《清史稿》卷462《叶志超传》;马昌华主编:《淮系人物列传——李鸿章家族成员·武职》,黄山书社1995年版;顾廷龙、戴逸主编:《李鸿章全集》,安徽教育出版社2008年版;唐贤绰:《叶志超家传》,《肥西淮军人物》,黄山书社1992年版,第168页;廖宗麟:《实事求是地评价平壤之役中的叶志超》,《安徽史学》1989年第3期。

帮带，旋升营官。随队攻克苏州、常州、太仓、湖州等十几处城池，无役不从。同治五年（1866），改带树军马队新左营，随刘铭传镇压捻军，积功升为总兵。六年（1867）底，在淮城与东捻军作战受伤，仍奋击获胜。十二月十一日，赖文光率东捻军突围至扬州，为淮军道员吴毓兰擒获，李允等率残部退往安徽来安、天长。叶志超率马步队追至天长，败之于汊河。东捻平，赐额图浑巴图鲁勇号。同治七年（1868），率队在河南南乐，山东德州、平原等地与西捻军作战，积功升提督。

同治九年（1870），叶志超上书李鸿章，请求解甲终养，不允。八月，李鸿章继曾国藩出任直隶总督，办理北洋军务，叶志超被委为马队统领，驻保定，杨岐珍、李振斋、唐懋斋分任营官。光绪初年，署理正定镇总兵，率练军守天津新城，为大沽后路，拱卫海防。光绪二年（1876），率练军步队加筑东明黄河南岸新堤。光绪四年（1878）底，李鸿章上《考察（记名提镇）堪胜专阃各员折》，叶志超名列其中，李鸿章对其出具的考语是"果毅有为，骁勇敢战"。后驻防山海关，修筑山海关炮台，李鸿章奏称其优于智略。光绪九年（1883）六月，实授正定镇总兵。光绪十四年（1888）十月，湖南提督周盛波病故于军中，盛军统领乏人接替。李鸿章派叶志超前往视师，考虑以其代统。叶志超至小站巡视毕，发现很难找到合乎要求的周氏子弟来接统该军，回来向李鸿章建议以合肥人贾起胜、卫汝贵分统盛军。李鸿章接受了其建议，对其更加看重。光绪十五年（1889）十一月，升任直隶提督。光绪十七年（1891）十月，热河朝阳金丹教教民起义，叶志超率精锐出古北口，赴平泉"督剿"，与聂士成、左宝贵、潘万才等率淮练各军连克建昌、榆树林、沈家窝馆、贝子庙、下长皋、乌丹等地，不一月，擒获教首，全数肃清。清政府赏叶志超穿黄马褂，并云骑尉世职。其子叶御璜奉命办理热河被扰四属平泉、建昌、朝阳、赤峰的善后事宜。旋以热河灾歉捐资赈恤，清廷予直隶提督叶志超议叙并其妻孙氏建坊。是年，叶志超于山海关防营分设学堂（山海关武备公所），挑选弁兵一体肄业。王士珍、卢永祥、田中玉、鲍贵卿等，都是该学堂毕业的学生。

光绪二十年(1894),朝鲜爆发东学党起义,电请清廷出兵帮助镇压。五月,李鸿章派直隶提督叶志超、太原镇总兵聂士成率淮练军2000余名,分别自山海关、大沽口航海赴朝,于牙山登陆。日本立即派军7600余人进驻汉城。东学党起义平息,清廷主张立即撤军,日本却拒绝撤军,蓄意发动战争,清廷命李鸿章速筹战备。因日本不断增兵赴朝已达万余,率部孤悬牙山的叶志超于六月初九致电李鸿章,提出三策:速添水陆大军来朝,叶部由牙山前进,择要扼扎此为上策;派商船来牙山将我军撤回,知照日本同撤,彼若不依,秋初再图大举,此为中策;守此不动,实为下策。十四日,李鸿章电呈进兵部署:派卫汝贵统盛军6000余人、马玉昆统毅军2000人从海道分进平壤、义州;左宝贵统奉军4000由陆路进平壤;叶志超一军由牙山移扎平壤。

六月二十三日,中日战争爆发,日本海军在丰岛偷袭成功。二十七日,日军偷袭成欢驿,聂士成战败,与叶志超等自公州向平壤撤退。七月初一日,中日宣战。李鸿章向清政府转呈仁川英国领事的信函,称成欢驿之战"叶军屡胜,倭死二千余人,叶兵死二百余人"。清廷信以为真,于初三日颁旨嘉奖,赏银2万两。

当时,开赴朝鲜的清军共有南北两路。南路为叶志超、聂士成部及六月二十二日"爱仁""飞鲸"两轮运抵牙山的援兵,共3800余人,于七月下旬北撤到平壤;北路为卫汝贵部盛军、马玉昆部毅军、左宝贵部奉军、丰升阿部奉天练军和吉林练军,约13000人,于七月初九左右全部开抵平壤。清廷曾认为,有叶志超部以少胜多的战绩在前,南北两军合力夹击汉城大可驱逐在朝日军。鉴于驻扎平壤诸军为数较多,须派员总统,以一事权,而淮军宿将刘铭传病重不能出山,湘军宿将刘锦棠因病去世,考虑到前敌诸统领中叶志超官阶最高,到达朝鲜较早情况熟悉,在屡获"胜仗"的真相未被捅破的情况下,清廷于七月二十五日命直隶提督叶志超统领驻扎平壤诸军,所有一切事宜,仍随时电商李鸿章,妥筹办理。叶志超在未接到此项任命以前,已致电盛宣怀转达李鸿章,说自成欢驿之役以后,倏得头眩心跳之症,恳请开缺辞去直隶提督之职,回津就医。李鸿章未同意;接到任命后又以

"望浅才庸,难当此重任,深惧指挥未协,督率乖方,贻误大局"为由致电力辞。清廷复电,毋许固辞。

八月初一,叶志超就职视事。在平壤的清军投入战斗者约1.4万人,而入朝日军有5万人,派去攻打平壤的约3万人,人数较清军为多。叶志超要求添兵至4万人,李鸿章答以"现我续调各营难遽齐集,望诸君尽此兵力,同心奋勇,出奇制胜"[①]。八月十三日,日军开始进攻平壤,叶志超指挥南门守军击退日军。十四日,日军切断平壤电线,占顺安,切断平壤清军的后路。清军虽连日血战,杀敌数千,仍难敌日军的进攻。十六日,日军四路围攻,左宝贵战死,叶志超与众将商议,撤出平壤,以免全军覆没。叶志超等退安州,走义州,于九月初二退出朝鲜。平壤战败,清廷并未议处叶志超,于九月初三下令撤去其职,所部交聂士成按统。后因御史弹劾,清廷决定拿问叶志超,先行革职,李鸿章请将叶志超留营效力,清政府不许。光绪二十一年(1895)正月,叶志超被械送京师,下刑部审判,定为斩监候。后赦归。二十四年十二月十六日(1899年1月27日)卒,终年61岁。

叶志超原配孙氏,封一品夫人。继配戴氏,封一品夫人。侧室高氏。孙氏生2子,长子叶御璜,字殿选,号少青,会办北洋制造局,历任芦榆淮练马步水陆各军营务处兼转运事宜、广东水师学堂总办,官至二品衔广东即补道;次子叶御璋(字文达)。叶志超又收长兄志英之次子叶御亮(字光荣)为继子。

---

① 李鸿章:《寄平壤叶总统及各统领》,《李鸿章全集》第24册《电报四》,安徽教育出版社2008年版,第300页。

刘盛休①

　　刘盛休(1840—1916),字子征。道光二十年九月初三(1840 年 9 月 28 日)出生于合肥县西乡(今属肥西县)。兄弟 2 人,居次。咸丰年间,随族叔刘铭传在乡办理团练。同治元年(1862)春,加入铭字营随淮军开赴上海,对抗太平军。连年征战,随军攻克江苏之川沙、柘林、太仓、昆山、荆溪、江阴、宜兴、福山、杨厍、枫泾等城镇,及浙江之平湖、乍浦,积功升副将。具韧劲、有胆略,颇受刘铭传器重。同治四年(1865),北上镇压捻军。时曾国藩任钦差大臣,设四重镇分头拦截捻军,以刘铭传部驻河南周家口。刘盛休随铭军迭破捻军于瓦店、南顿,解扶沟之围。同治五年(1866)正月,攻下湖北黄陂县城,升总兵,赏健勇巴图鲁名号。捻军被镇压后,升记名提督,赏法克精阿巴图鲁名号,加一品封典。

　　同治九年(1870)十月,刘铭传奉命督办陕西军务,到陕后,饬令提督刘盛休等 14 营进扎乾州,吴宏洛等 9 营分扎耀州。同治十三年(1874)五月,因日本出兵侵台,刘盛藻统带铭军马步各营赴山东济宁驻守,以备南北海防策应。光绪元年(1875),刘盛藻补请守制,刘盛休接统铭军。当时铭军除唐定奎部 13 营赴台、吴宏洛部 5 营赴上海吴淞口驻扎之外还有 10000 多人,"久在行间,多私为盟会相结纳"。刘盛休"时颁训勇歌以劝导之","且习知兵久佚,则骄惰生"②,力行兵工之政。铭军先后驻防直隶、山东境内,在东明挑筑黄河南堤,在寿

---

　　① 参见郭骏声:《清故河南河北镇总兵刘公子征家传》,民国六修《刘氏宗谱》卷 16,《肥西淮军人物》,黄山书社 1992 年版,第 89—91 页;顾廷龙、戴逸主编:《李鸿章全集》,安徽教育出版社 2008 年版。

　　② 郭骏声:《清故河南河北镇总兵刘公子征家传》,《肥西淮军人物》,黄山书社 1992 年版,第 90 页。

张挑浚张秋运河,在沧县兴济镇则督挑减河,在廊坊葛鱼城镇督修永定河,民享其利。光绪四年(1878)底,李鸿章上《考察(记名提镇)堪胜专阃各员折》,刘盛休名列其中,李鸿章对其出具的考语是"朴实沉毅,调度有方"。光绪六年(1880)三月,李鸿章遵旨密筹京畿一带防务,称统铭军分驻山东张秋之刘盛休朴实勇干,深得军心,已调其北移静海之唐官屯,借浚河为名,就近调遣。光绪十年(1884),中法战争爆发,沿海布置防守,刘盛休率铭军步队10营、亲兵马队1营赴台湾永平。光绪十三年(1887)正月,由永平移驻大连湾,刚抵达防区,即巡视各要隘,力谋战守之具,先后修筑大连海口、三山岛、黄家山、徐家山、老龙头等十余座炮台。七月,直隶总督李鸿章遵旨保举将才。奉旨,刘盛休等均著交军机处存记。十二月,授其河南省南阳镇总兵。光绪十五年(1889)八月,调河南南阳镇总兵刘盛休为河北镇总兵官,仍驻守大连湾一带。光绪二十年(1894)正月,因本年慈禧太后六旬庆辰,赏戴双眼花翎。

甲午中日战争爆发后,因平壤告急,八月,刘盛休率铭军4000人搭乘招商局轮船,在北洋舰队的护送下自大连湾启程前往中朝边界大东沟,拟登陆后直趋义州、安州以接应前敌。但其时平壤已被日军攻陷,撤回国内的盛军、毅军、奉军、东北盛字练军等在鸭绿江边与铭军、自旅顺新调来的4营毅军、黑龙江将军依克唐阿部13营会合集结,构筑鸭绿江防线,以江边重镇九连城为中心,左起虎山、长甸城,右至安东县,筑炮台营垒数十。各营归帮办北洋军务宋庆节制。九月二十六日,山县有朋率领的日本第一军在安平河口潜渡,击败副都统倭恒额部,突破清军鸭绿江防线。二十七日又趁雾在虎山附近搭桥过河,虎山守军马金叙、聂士成部与敌军力战,尽力堵御,宋庆督毅军宋得胜、马玉昆部增援,并命近在咫尺的九连城铭军统领刘盛休赴援,然"铭军仅凭垒施炮,几番令其接应,仅至爱(叆)河岸,未过河"[①]。

---

① 《北洋大臣转宋帮办来电》,故宫博物院文献馆编印:《清光绪朝中日交涉史料》(1878)卷23,北平,1932年刊,第13页。

虎山失守，是夜，刘盛休带领铭军弃城而走，退至岫岩。九月底，日本第二军开始在辽东半岛花园口登陆，金州失陷，大连、旅顺危急，李鸿章电令刘盛休率部由盖平前进就近策应。十月初八，清廷下旨著李鸿章饬令刘盛休回津，另有差遣，所部铭军即归宋庆统带。经过李鸿章的疏通，次日复下旨谕"刘盛休带铭军，不能为毅军后继，力战却敌，殊属畏葸无能。兹既行抵半途，难令折回，即著刘盛休赶紧前赴金州一带助剿，倘再有玩误，定按军法从重惩办"①。十五日，刘盛休统军至复州界内，旋又退扎熊岳。李鸿章斥问刘盛休为何撤退，并警告他："宋庆不日可到，望速申军令，严赏罚，鼓士气，如屡退缩国法难容。"此时的李鸿章已有意将铭军交宋庆兼统，令其察酌妥办。十月十七日，日本第二军逼攻旅顺，二十日宋庆率毅军、铭军攻金州，以牵制攻旅顺日军，铭军出力者固不乏人，逃散者又复不少，刘盛休无法约束，事后刘以腿伤复发向李鸿章请假。十一月二十六日，李立即准假，并撤去其统领职务，委姜桂题接统铭军。

　　刘盛休归里后，与兄刘盛儒晨夕侍奉老母以悦亲心，暇则究心图史，尤酷嗜鲁公真迹，朝夕临摹，间作擘窠书，颇得其精髓。1916年8月22日卒于里，享年76岁。

　　刘盛休原配解氏，封一品夫人，侧室5人，有7子9女。

---

① 《清德宗实录》卷351，光绪二十年十月初九日。

聂士成[①]

聂士成(1840—1900),字功亭,合肥县北乡岗集(今属长丰县)聂家祠堂人,生于道光二十年十月十六日(1840年11月9日)[②]。兄弟3人,行二。少负勇略,为人豪侠仗义。咸丰九年(1859),由武童投效钦差大臣袁甲三部临淮军。同治元年(1862)四月,随队攻克庐州,叙功奖外委。八月,随军攻克湖沟、浍北捻军据点,补把总,加五品顶戴。十一月,袁甲三因病开缺回籍,所募练勇多被裁撤。同治二年(1863),聂士成赴上海,加入淮军,隶属刘铭传部,克太仓镇洋、昆山新阳、吴江震泽,擢守备;再克江阴、无锡,升都司。同治三年(1864)四月,克常州,迁参将。复随铭军统领刘铭传追击太平军余部至皖南广德州、浙江湖州。同治五年(1866),清廷追叙淮军分援浙、皖、闽三省战功,以副将补用。太平天国失败后,聂士成随铭军北上镇压捻军,同治六年(1867)十一月,受赏加力勇巴图鲁名号。同治七年(1868)五月,以总兵交军机处记名简放,并赏给一品封典。西捻平定,以提督交军机处记名简放。

同治九年(1870),聂士成以两江补用记名提督调赴直隶办理海防。同治十二年(1873),任武毅右军前营管带,随铭军前往陕西平定回民起义,隶属骆国忠部。军务肃清后,随铭军驻防山东济宁一带。

---

① 参见周馥:《提督聂忠节公传》,《秋浦周尚书(玉山)全集》,台湾文海出版社印行;《清国史·新办国史大臣传·聂士成列传》,嘉业堂钞本《清国史》(十一),中华书局1993年版;《聂士成履历片》,秦经国主编:《清代官员履历档案全编》(六),华东师范大学出版社1997年版;马昌华主编:《淮系人物列传——李鸿章家族成员·武职》,黄山书社1995年版;聂士成:《东辅纪程》《东征日记》;《清史列传·聂士成》卷61;金松岑:《淮军诸将领传·聂士成》(上海图书馆藏稿本);顾廷龙、戴逸主编:《李鸿章全集·奏议》,安徽教育出版社2008年版。

② 丁希宇、刘奎:《聂士成朝觐及出生日期考》,《历史档案》2014年第4期。

光绪二年(1876),率部加筑东明黄河南岸新堤,土木之用,必实必廉,修筑之劳,必久必固。光绪四年(1878)十二月十九日,李鸿章上《考察堪胜专阃各员折》,记名提督聂士成名列其中,李鸿章对其出具的考语是"久临大敌,畅达戎机"①。光绪八年(1882),随铭军刘盛休部历年办理直隶河工出力受保奖,随带加三级。

光绪十年(1884)八月,法军攻陷基隆,全台告急,刚到台湾不久的巡抚衔督办台湾军务刘铭传电乞援军。聂士成闻讯,慷慨请缨,率领从驻防直隶的盛、铭两军中抽调出的870名精壮,于十二月初七乘船从山海关启航,渡海援台,十三日夜抵台东之卑南。次日,勇弁饷械全数到岸。当地民众咸呼天兵又至。光绪十一年(1885)正月,聂士成率部经过长途跋涉,进抵台北,即驰往台北孔道六堵策应,扼险与法人相峙,"奋摩敌垒,连战克捷"。中法签订和约后,援台各军陆续撤回。聂士成亦撤回直隶芦台防地,所带弁勇多因台地瘴气熏蒸、水土不服而丧,聂本人也因疽生于颈,几死。六月,奉旨以总兵交军机处记名遇有海疆总兵缺出请旨简放。

光绪十三年(1887),聂士成至天津,适驻防旅顺的庆军统领吴兆有于四月病故,将委派替人。与聂交情笃厚的津海关道兼总理北洋沿海水陆营务处周馥,向李鸿章密荐聂士成为庆军营,遂前往旅顺,后担任亲兵新左营管带官,参与旅顺要塞的修建与镇守。光绪十七年(1891)四月,李鸿章赴旅顺检阅海军及海防基地,奏报聂士成数年间操防得力及建设旅顺军港之功,九月,赏加头品顶戴。不久,调回直隶,统芦台淮、练诸军。十一月,率部参与镇压热河朝阳金丹教起义,攻克起义军据点敖罕贝子府、下长皋等处,擒斩起义军领袖杨悦春等,赏穿黄马褂。十二月,接替杨玉书接统驻芦台淮、练军各营,计统领芦台淮军武毅副中、老前2营,兼统古北口练军前、右、后3营。光绪十八年(1892)三月,热河全境平定,因功赏换巴图隆阿巴图鲁勇

---

① 李鸿章:《考察堪胜专阃各员折》,《李鸿章全集》第8册《奏议八》,安徽教育出版社2008年版,第292页。

号。五月，实授山西太原镇总兵，仍驻芦台。光绪十九年（1893）秋，奉派巡视东北边疆。率武备学堂学生张祖佑、鄢玉春、冯国璋，从芦台出发，经吉林、齐齐哈尔、瑷珲至海兰泡，沿黑龙江东岸至漠河，入俄境经伯力、双城子、海参崴抵吉林珲春；再从珲春经宁古塔、三姓、三岔口入朝鲜，游汉城、仁川、平壤，至次年四月入丹东返回，历时8月余，行程2.3万多里，游历凡经过要隘，皆用西法绘图立说，山川扼要、关隘形胜了如指掌；于东三省边防建设、荒垦、矿采、税收等及与沙俄、朝鲜邻境形势多有认识和建言，写成《东辀纪程》4卷。

  光绪二十年（1894）春，朝鲜爆发东学党起义，请清廷派兵协助镇压。经李鸿章奏派，聂士成挑选芦防马步900余名，自大沽乘船渡海援朝，初五抵牙山海口登陆，进扎牙山县城。初九，派弁兵百人带通事、持告示前往全州招抚义军，赈济灾黎。旋退出全州，回驻牙山。东学党起义平息，日本拒不撤军，并不断增兵朝鲜，蓄意发动战争。六月二十三日，即丰岛海战的当天，日军混成旅团长大岛义昌率4000余人迫牙山，时驻牙山清军为聂士成部、叶志超部及后续增援来朝的江自康部共3800余人。二十四日，经叶志超同意，聂士成率3营移驻成欢驿，分扎要隘。因情报极不准确，以为来犯日军有两三万人，故二十六日叶志超至成欢与聂士成议战守时，聂士成告以"海道已梗，援军断难飞渡，牙山绝地不可守；公州背山面江，天生形胜，宜驰往据之。战而胜，公为后援；不胜，犹可绕道而出"①。叶志超采纳了该建议，率所部500人前往公州，仍留1营驻守牙山，使得本就不多的兵力更加分散。二十七日，日军进攻成欢驿，因众寡悬殊，清军败退，聂士成率部突围退往公州，后又绕道至平壤会合大队人马。此战，清廷赏聂士成刚勇巴图鲁名号。

  八月十七日，平壤失守，叶志超等退至安州。奉派回国募兵的聂士成因中途接旨亦返回安州，建议叶志超收集散队，扼守安州，深沟

---

① 聂士成：《东征日记》，中国史学会编：中国近代史资料丛刊《中日战争》第6册，上海人民出版社1957年版，第9页。

固垒以待。叶不听,率残部一路北撤至鸭绿江边,聂士成只得随大队人马过江,所部芦台防军驻扎在安东与九连城之间。九月三日、十五日,清廷下令撤去叶志超、卫汝贵的总统、统领职务,所部各军交聂士成接管统带。帮办北洋军务、前敌诸军总统宋庆只将叶志超部交由聂士成统领,卫汝贵部改由新补重庆镇总兵吕本元和前重庆镇总兵孙显寅分统。从朝鲜撤回之军加上续调各部,共3万余,散布在西起海岸东至鸭绿江上游长甸城附近的沿江数十里的防线上。聂士成率芦榆等军驻虎山栗子园一带。九月二十六日,日本第一军向清军鸭绿江防线发起攻击,突破安平河口后,于次日三面扑向虎山。扼守虎山东侧的聂士成与守在山顶的总兵马金叙配合,在宋得胜、马玉昆各部支援下,与日军鏖战6个钟头,直至主帅宋庆及各路清军皆后撤,才放弃阵地突围。日军侵占九连城、安东(今丹东市)。

虎山失守,聂士成与宋庆、吕本元、孙显寅等皆退至凤凰城,因凤凰城无险可守,宋庆遂设防于辽阳东路第一险要摩天岭。聂士成守御摩天岭、石佛寺,吕本元、孙显寅驻扎岭前之甜水站、连山关一带。十月十四日,日军进犯摩天岭的前关连山关,吕本元率盛军马队出战,因寡不敌众失守,聂士成驰救不及,退扼山巅,布疑兵,坚持十数日,成功阻止日军前进。十月二十五日,清廷授聂士成为直隶提督。二十七日夜,聂士成密约盛军接应,冒雪亲率数百骑,乘敌不备夺回连山关。十一月九日,收复分水岭。于是,聂士成命各部分扎分水岭、连山关、甜水站、老虎岭、齐家崴,辽阳东路防守益固。十四日,聂士成与依克唐阿部反攻凤凰城失利,回扼分水岭。与此同时,日军因在辽阳东路争夺战中未达到预期目的,转而进攻辽阳南路。

十一月二十二日海城失守,辽阳危急,李鸿章电令聂士成回军设法夹击海城日军。聂士成认为摩天岭系辽、沈门户,不宜轻弃,而吕本元、孙显寅等又不敢肩负起留守摩天岭的重任。前敌营务处周馥、盛京将军裕禄、吉林将军长顺、辽阳知州徐庆璋等均担心聂士成军撤后摩天岭危殆。于是,聂士成电复李鸿章、宋庆,说明万难回撤情形,仍留守摩天岭。十二月七日,聂士成电禀李鸿章、宋庆,请求率精骑千人直出敌后,往来游击,多方袭扰,使日军首尾不得兼顾,以救辽阳,未获允准。十五日,裕禄电告聂士成,即将反攻海城,望主动出击配合。次日,聂士成即率马步千余人,过通远堡、大甸子、金家河,直逼雪里站。吕本元、孙显寅、耿凤鸣、江自康等亦派队前来相助,在陡岭子、土门岭成功伏击日军,此后,日军坚守雪里站不敢出。聂士成指挥的摩天岭保卫战,使日军由东路进犯辽、沈的计划遭到失败,粉碎了日军"取奉天度岁"的美梦,也创造了甲午战争中成功进行积极防御的范例。"自是,中外皆钦其名。"①

光绪二十一年(1895)正月,日军攻陷威海卫南北两岸炮台,北洋舰队危如累卵,旋告覆灭。初九,李鸿章以北塘、滦州一带空虚,调聂士成回驻芦台,以固畿辅门户。正月十四清廷从宋庆、吴大澂之请,聂士成仍留摩天岭;正月十五复从李鸿章之奏,命聂士成速拔队入关,令按察使陈湜率福寿军10营填扎摩天岭。盖因聂部能战,故各方力争。摩天岭防务诸事稍作布置后,聂士成于正月十八启程入关回直隶。二月一日接署理直隶总督兼北洋大臣王文韶咨文,著即接印视事。次日至津,谒李鸿章、王文韶后赴直隶提督任,仍驻芦台。所部成为津沽北路游击之师,津沽各海口防营并归其总统。旋遍历滦州、乐亭至津沽各防仍回芦台整备。闰五月,总统淮军30营驻扎津沽。甲午战后,清廷上下在练兵方面总算达成共识。督办军务处令聂士成编练直隶地区剩余淮军各部,于十一月组成新的武毅军30营,一律改用西法操练。是年,创办开平武备学堂,第一期招收学员200名,由武毅军的步兵、炮兵中考选,学制三年。光绪二十三年(1897)五月,入都觐见。十月,奏请随营设立武备学堂,考试优等学生,恳准扣满三年奏保一次,以示鼓励。

光绪二十四年(1898)八月戊戌政变后,清廷开始集中兵权,命军机大臣荣禄管理兵部事务兼练兵大臣、节制北洋海陆各军。十月,荣禄奏准设立武卫军,以聂士成部武毅军驻芦台为前军,董福祥部甘军

---

① 费行简:《近代名人小传》,台湾明文书局1985年版,第375页。

驻蓟州为后军,宋庆部毅军驻山海关为左军,袁世凯部新建陆军驻小站为右军,自募万人驻南苑为中军。其中聂士成部武卫前军官兵连长夫约2万人,采用德国陆军营制,分设步兵、骑兵、工程兵、辎重兵等兵种;聘用德国教官,采用德式装备,配备有最新锐的毛瑟步枪、马克沁机枪。十二月,直隶提督聂士成奉命总统直隶淮、练各军,节制全省绿营。光绪二十五年(1899)十月,再次抵京朝觐,赏紫禁城骑马。

光绪二十五年(1899)九月,义和团运动兴起于山东,次年大范围蔓延至直隶境内。团民仇视外洋事物,沿途捣毁铁路、焚烧电线。聂士成部奉旨保护京津一带卢保、津卢等电线、铁道,与义和团时有冲突发生,互有死伤,遭到义和团及支持义和团的朝中权贵的忌恨,为此屡遭御史弹劾,所部弁勇遭拳民擒杀,房屋被烧之事时有发生。而清廷对义和团政策剿抚不定,使得京畿一带局势难以控制,最终招致西摩尔联军北上及八国联军入侵。光绪二十六年(1900)四月,各国驻华公使商计调兵入京保卫使馆。五月十四日,英国海军提督西摩尔率英、德、俄、法、美、日、意、奥等国联军2000人自天津进向北京,沿途与义和团接战。十七日,以洋兵千余又将来京,旨命聂士成军调回天津铁路地方,拦阻洋兵北上。时津防空虚,聂部十多营不足万人,分守在城西南广仁堂、南门外海光寺南机器局、紫竹林租界东北侧、老龙头车站,以及北仓、军粮城等处。二十一日,联军攻占大沽炮台。二十五日,清廷下诏与各国宣战,命各省召集义民成团,借御外侮。当日,聂士成部与各国联军在北仓苦战四小时,次日又战于天津西沽武库,六月五日再战于陈家沟。初七,直隶总督裕禄与聂士成、浙江提督马玉昆等会商,联合张德成、曹福田两团拳民,分路进攻终日紫竹林租界。初八晨,聂军从城南迁回到租界西南,竟终日炮轰,进至马厂、八里台等地。初九,除以5营留守之外,将驻守芦台的武卫前军全部调来天津,分扎海光寺、陈家沟等地,与马玉昆所统武卫右军一道,围攻紫竹林、天津机器局等处。罗惇曧《拳变余闻》曾记载:"(聂军)奉命攻天津租界,血战十余次,租界几不支。西人谓自与中国战,无如聂军悍者。拳匪恨士成,甚诋聂军通夷,朝旨又严督之。士成愤甚,谓上不谅于朝廷,下见逼于拳匪,非一死无以自明,每战必亲陷阵。"六月十三日(7月9日),当聂率部与联军鏖战之际,清廷却以旬日以来该提督并无战绩,且闻该军有溃散情况,实属不知振作为由,将聂士成革职留任;并严令其督所部各营,迅将紫竹林洋人剿办,并速恢复大沽口炮台,以赎前愆,如再因循,致误戎机,定将该提督照军法从事,决不宽贷。是日凌晨,英、法、美、日、俄五国侵略军近万人扑八里台、跑马场聂军阵地。聂士成闻讯自小营门率部往援,冲至八里台桥附近,陷入重围。枪林弹雨中,聂士成两腿均受枪伤,仍复持刀督战,又被敌枪洞穿左右两腮、项侧、脑门等处,脐下寸许被炮弹炸穿,肠出数寸,登时阵亡。

光绪二十六年(1900)六月十四日,直隶总督裕禄奏陈聂士成死事经过,并请赐恤。十五日,清廷颁谕著开复处分,照提督阵亡例赐恤。光绪二十八年(1902),因署理直隶总督袁世凯奏请,清廷追赠聂士成为太子少保,照提督阵亡例赐邮,国史馆立传,准于立功省份、死事地方及原籍建专祠,谥忠节。天津为纪念这位爱国将领,将八里台桥改名"聂公桥",桥畔树碑"聂忠节公殉难处",两边佩联曰:"勇烈贯长虹,想当年马革裹尸,一片丹心化作怒涛飞海上;精忠留碧血,看此地虫沙历劫,三军白骨悲歌乐府战城南。"

聂士成虽系武将,却也粗通文墨,颇通史书,有《东辖纪程》《东征日记》传世。子宪藩,字维成,日本振武学校毕业生,民国八年至十年(1919—1921)曾任安徽省长。

李经方①

　　李经方(1855—1934),字伯行,号端甫,咸丰五年六月初六(1855年7月19日)出生于合肥县东乡磨店(今属合肥市新站区)祠堂郢村。李昭庆之长子。同治元年(1862),李鸿章年已40,膝下无子,于诸兄弟子,独看重经方,遂过继为嗣。同治三年(1864),嫡子李经述出生,李鸿章仍以经方为嗣子,呼之"大儿"。李鸿章出任直隶总督后,李经方随侍津署,做举业功夫。弱冠补府学廪生。光绪三年(1877)十二月,李鸿章致函泾县举人洪汝奎,托其代聘名师教授李经方、李经述。此前,李经方已暗随朱静山、白狄克学习英文。次年九月,曾纪泽出京赴驻英法公使任,途经天津时曾与李经方叙谈,勉其精研英语,并劝李鸿章延师教之。

　　光绪八年(1882)八月,李经方乡试中举,捐资以知府分省补用,但并未赴外省候补,而是留在北洋大臣衙门,随李鸿章襄办外交事宜。光绪十二年(1886),会试落第,经驻英公使刘瑞芬奏调,赴伦敦任使馆参赞,并于当年夏季挈眷赴任。光绪十五年(1889)二月十五日,自英国返抵天津,数日后入都应会试,再次落第,于八月返抵伦敦。光绪十六年(1890)闰二月,自英国回津,准备参加会试。三月,在京奉李鸿章命向醇亲王奕譞面禀从奥商伦道呵贷款三千万修建关东铁路事。四月初四,谒见翁同龢谈洋债事,"盖三千万之议创于彼也"②。是月,因亲家杨崇伊③任会试分校官,回避未入闱应试,以道员指分江苏。七月二十五日,旨命候补道李经方出任出使日本国大臣,

---

① 参见《清代人物传稿》下编第6卷,辽宁人民出版社1990年版;《淮系人物列传——李鸿章家族成员·武职》,黄山书社1995年版;《李鸿章家族》,黄山书社1994年版。
② 翁同龢:《翁同龢日记》第5册,陈义杰整理,中华书局2006年版。
③ 杨崇伊之子圻娶李经方之女,故两人为儿女亲家。

以接替黎庶昌。十二月初,东渡日本。使日期间,李经方与日本朝野关系十分密切,①曾请于驻地大阪一处添设副理事官,并奏调试用同知郑孝胥充随员兼驻地副理事官。后又以箱馆事务渐繁,奏请添设副理事官,在彼专驻,以资保护。光绪十七年(1891)四月初,俄太子在日本遇刺,欧洲报纸盛传中俄合作机会成熟。初十,李经方在神户谒见俄储,转达清廷慰问电旨。六月,生母郭氏卒,由李鸿章电总署代奏请旨,拣员接替。二十四日,诏命记名知府汪凤藻署理出使日本大臣,李经方著赏假百日,回籍治丧,假满即行回任。光绪十八年(1892)三月,奏请添派学习日文翻译,于使馆增设两员,各口理事署增设一员,照出洋学生章程一例请奖。六月,清廷任命翰林院编修汪凤藻为出使日本钦差大臣。八月,李经方返抵天津。

光绪二十年(1894),甲午战争爆发前夕,未亲行阵的李经方通过心腹佘昌宇相继给盛宣怀、李鸿章写信,欲争督办朝鲜军务之职,未果。是役,清政府战败,被迫与日本议和。光绪二十一年(1895)正月十九,旨命李鸿章为头等全权大臣与日本商议和约。二十四日,李鸿章致电自日本议和归来之张荫桓,请代筹聘熟悉公法条约而又有智略文笔者襄助,张荫桓举荐美国前国务卿科士达、李经方及徐寿朋。二十九日,李鸿章电告李经方已奏明让他随侍办公,并嘱赴沪与张荫桓、科士达面商和议事宜。二月初三,李经方抵沪。十八日,李经方作为参议,与参赞罗丰禄、马建忠、伍廷芳、徐寿朋、于式枚,顾问科士达等随李鸿章乘德国商船离津赴日。二十三日抵日本马关,与伊藤博文等会议谈判。二十八日在第三次会谈散会后,李鸿章在赴住所途中遭日本浪人行刺,枪伤左颊骨,旋照会伊藤博文,由李经方代表接受议和条款。三月十二日,清廷授李经方为全权大臣,与日方谈判。二日后,伊藤博文威迫李经方,限次日就议和条款作诺否之确切答复。二十三日,中日《马关条约》签字。

---

① 杨裕南:《李经方》,《清代人物传稿》下编第 6 卷,辽宁人民出版社 1990 年版,第 164 页。

四月二十四日，诏命李经方前往台湾会同日本派出大臣商办交割事宜。李鸿章代李经方辞交割台湾之命，不许。五月初七，李经方自沪启程赴台，科士达、马建忠、伍光建、卢永铭等从行。初九，所乘德国商船"公义"号驶抵淡水海面。因当地人民反割台斗争正盛，李经方一行不敢离船登岸。初十，与日本代表桦山资纪在停泊基隆口外的日本军舰"横滨丸"号上举行会晤，并签署《交接台湾文据》。次日离台，抵沪后称病，不愿进京复命。

俄国联合法、德两国干涉还辽成功，清廷视俄为救星，朝内刘坤一、翁同龢等重臣颇主张联俄以结强援。适俄皇尼古拉二世加冕典礼在即，清廷于光绪二十一年（1895）十二月二十七日发布太后懿旨，改派李鸿章为正使往贺。光绪二十二年（1896）正月十三，李鸿章上《使俄谢恩折》，并附《李经方随往片》，请准李经方随行襄助。二月十五日，李经方等随李鸿章自上海启程。三月十八日到达彼得堡。二十二日，俄皇在皇村行宫接见李鸿章时，忆及李经方奉旨赴神户慰问事。二十五日，俄皇以回宫验收礼物为名，秘密接见李鸿章，令带李经方作翻译传话，不使他人闻知，会谈在中国东北修筑铁路问题。俄之目的是扩张其势力至中国东北地区，而以中俄军事互助密约为诱饵。四月二十二日，李鸿章率同李经方、李经述、罗丰禄等至俄国外交部，与罗拔诺夫、维特互看双方的全权谕旨，复核约文，各自画押盖印。此即《中俄密约》，正式名称为《御敌互相援助条约》。此后，李鸿章先后访问德国、荷兰、比利时、法国、英国、美国、加拿大诸国，李经方一直随行陪同。八月二十七日，返抵天津。

光绪二十六年（1900），八国联军入侵北京，慈禧携光绪帝逃往西安，授李鸿章为全权大臣，与列强谈判停战议和。八月二十一日，李鸿章离沪北上，留李经方在上海晤俄国专使乌克托木斯基。李经方建议俄国专使重贿李莲英，促使慈禧早日返京，遭到俄方拒绝。① 光

---

① 杨裕南：《李经方》，《清代人物传稿》下编第 6 卷，辽宁人民出版社 1990 年版，第 167 页。

绪二十七年（1901）九月二十七日，李鸿章病死于北京。遗疏入，伊子记名道李经方著俟服阕后以道员遇缺简放。光绪二十八年（1902）四月，清廷以李鸿章灵柩回籍有期，伊子李经方以四品京堂候补，命其在上海参加工部左侍郎盛宣怀与英人马凯关于通商条约的谈判。是年，李经方在庐州书院的旧址上兴办庐州中学堂，以原书院学产租息及李家私人资助为办学经费，兴建西式楼房校舍，收纳府属学生。两年后学堂开学，李经方任监督即校长。光绪三十一年（1905），经皖籍士绅吕佩芬等奔走联络，商部允准安徽筹款自办铁路，以候补四品京堂李经方总办安徽铁路，负责招股、勘路、购地、兴工等事宜。六月，李经方等拟定《安徽全省铁路招股章程》，成立"商办安徽全省铁路有限公司"，下设芜湖铁路总局，开始修筑芜湖至广德铁路。光绪三十三年（1907）三月二十五日，旨命李经方充出使英国大臣。李经方遂辞去安徽铁路公司总理，举荐前任广西巡抚李经羲接任。宣统二年（1910）八月，卸任驻英公使。十二月，调任邮传部左侍郎。邮传部管辖邮电交通各项事务，中国邮政却长期被外国人把持。经过多番交涉，宣统三年（1911）五月，邮政与税务司分离，改归邮传部，仍以法国人帛黎为总办，李经方兼任邮政总局局长。辛亥革命后被罢官。

民国元年（1912），李经方居上海，为宗社堂尽力。1916年，李经方与李经迈将于式枚拟稿、李鸿章亲笔改定之函牍影印行世，书名《李文忠公尺牍》。1917年，在张勋复辟期间，李经方与李经迈鼓吹复辟甚力。复辟失败后，李经方蛰居大连，终日"闭门读《易》自晦"①。1934年病死于大连。终年79岁。著有《安徽全省铁路图说》1卷。

李经方原配刘氏，继配张氏，侧室何氏、傅氏、陈氏、李氏。子三人：国焘，英国剑桥大学经济科毕业，曾任上海邮政局局长等职；国熙，保举知县，曾在海光寺机器局供职；国休，二品荫生。女四人：分适户部福建司员外郎、江苏常熟杨圻，候选知府、安徽庐江潘定谟，候

---

① 贾熟村：《李经方》，马昌华主编：《淮系人物列传——李鸿章家族成员·武职》，黄山书社1995年版，第51页。

选县丞、安徽庐江吴遹昌，中书科中书、安徽庐江刘济生。

蒯光典[①]

蒯光典（1857—1911），字礼卿，一字季述，合肥县人，生于咸丰七年五月十五日（1857年6月6日）。蒯德模第四子。幼颖异，8岁能诗，其父官江苏，所结识师友多江南名士，如冯桂芬、俞樾、管礼耕、王颂蔚、叶昌炽等，见闻日广，声名日起。同治十三年（1874），蒯光典随父至四川夔州知府任所。适张之洞视学蜀中，遂拜入门下。

光绪八年（1882）乡试中举，光绪九年（1883）连捷成进士，选庶吉士。三年后散馆授翰林院检讨。光绪十四年（1888）充贵州乡试正考官。光绪十五年（1889）任会典馆图绘总纂，以新法规划，所成之地图精密度、准确性远胜从前。光绪二十年（1894），京察一等，交军机处记名以道府用。七月，清廷对日宣战，蒯光典进呈《上德宗皇帝书》，全文1.5万余字，首斥和议之非，认为对日只有"以久持之而已"。继而提出七点主张：不可言利、整顿绿营、速练海军、弭内患、兴商务、定则例、清仕途。对三十余年来办洋务"是非靡定"的局面多有不满，于当时政治利病及改革图治之方条分缕析。光绪帝阅后称善，传旨嘉奖，然终未能付诸实践。战事不利，时局不堪，不欲居京，遂请假南归。

光绪二十年（1894）十月，因刘坤一北上主持兵事，两江总督一职由湖广总督张之洞署理。蒯光典遂进入两江幕府，主办机要文案，规划江南财政，岁入增至百万，并建议创立自强军，募集良民，授以兵略，以御侮定乱，为张之洞所采纳。光绪二十一年（1895）十一月刘坤

---

① 参见《清史稿》卷452《蒯光典传》；蒯光典：《金粟斋遗集》，台湾文海出版社1969年版。《金粟斋遗集》卷首录有陈三立《候补四品京堂蒯公神道碑》、马其昶《候补四品京堂蒯君墓志铭》、冯煦《蒯礼卿京卿传》、程先甲《先师蒯礼卿先生行状》。

一回任两江总督后,受聘主讲尊经学院,以朴学教授诸生。其间,回任湖广的张之洞多次就书院、学堂事宜与蒯光典函电相商,并于光绪二十二年(1896)十二月十八日,电饬"楚材"兵轮自金陵迎接蒯光典至武昌,出任两湖书院西监督。光绪二十三年(1897)夏,蒯光典制定《新定两湖书院学规课程》,规定书院以5年为满,课程除经学、史学、舆地、算学之外,并设有博物、化学、天文、测量等学科;改变传统书院以课艺为中心的教学模式,引进西式学堂每日上堂、分班宣讲的方法,采用分班教学、登坛讲授的新体制代替课艺或辑书;传统课程经、史、地、算需兼习,停止课卷,诸生考核须凭分数,由分教"随时面加询考"决定,等等。改章以后的两湖书院,既不同于以往期于专经博古的经古书院,亦有别于当时培养专门人才的自强学堂(武备学堂)等,略带有新式学制下中小学基础教育的意味。① 两湖书院新旧体制之争加上学统分歧、学识异趣、地域之见,使得蒯光典与讲中学之东监督梁鼎芬互不相能,影射攻讦,②积怨日深,以致怒掌其颊。十二月,蒯光典返回两江。

光绪二十四年(1898)入京,以会典馆图绘总纂任上劳绩,擢升道员。时朝廷内维新、守旧两派势同水火,蒯光典知内变不可免,遂急图改任外官。因久居江宁,谙熟江南风土人情,政俗利弊,得以候补道分发江苏。两江总督刘坤一奏派其管理全省各学堂事务兼领商务局。戊戌政变发生,新政遽停,前所规划被迫终止,出任江南高等学堂总办。旋因言语切直,触忤来金陵筹办武卫军事的大学士刚毅,后者即议裁高等学堂。蒯光典力争不能得,拂衣而去。刘坤一为解其事,派蒯光典清丈盐城樵地。樵地,故盐场苇荡,原为盐场灶户煎盐用苇柴之地。受任年余,得可耕地7.5万顷。未几,朝廷有废除光绪、立端王载漪子溥儁为大阿哥之诏(史称己亥建储),劝说刘坤一当力争,并代拟奏章,最终,废立事中止。刘坤一曾说:"吾三度两江,可引

---

① 陆胤:《清末两湖书院的改章风波与学统之争》,《史林》2015年第1期。
② 蒯光典为李鸿章侄婿,而梁鼎芬早先参劾李鸿章被罢。二人之间的讪骂可参阅刘成禺《世载堂杂忆》中"两湖书院血湖经"条,中华书局1962年版,第70—71页。

为师友者,蒯某一人而已。"光绪二十七年(1901),领正阳关督销局,岁增销官引百数十万。光绪二十八年(1902),张之洞总督两江,以江南财政匮乏,需用不足,议增货厘。蒯光典谓增新厘则病商,不如整顿盐课。张之洞乃奏称蒯光典为江南治盐第一,督办正阳既有成绩,请其主持仪征淮盐总栈,以3年为期。蒯光典抵任后,以轮船驻金山、焦山、三江口,次及沙漫洲,辅以兵艇,严缉私枭。3年下来,增销盐引10余万,岁增课厘银150余万。更增募缉私兵队,训练成劲旅,又于十二圩设学堂,建工厂,遂隐然为江防重镇。因办理盐务出力,廷旨两度予以奖叙、命交军机处存记。光绪三十二年(1906),升任淮扬海道,加按察使衔。平反冤狱,惩恶抑奸,增修运河堤坝,凡事关民生者,无不亲为。建言淮海灾区宜宽筹赈金,及时放赈,不使流离失所;不宜设粥厂使灾民麇集,花费既大,且易滋生闹事、传染病暴发等弊端,与布政使继昌所议不合,会奉檄入都参议改定官制,遂去任。后江北赈事款绌而费糜,一如光典言。

光绪三十四年(1908),出任欧洲留学生监督,携眷属赴伦敦。见留欧学务无纲纪,乃悉心考究,制定规章。诸生不乐受约束,群起訾謷。郁郁不乐,岁余谢病乞归。在英伦,暇时究心欧西政教礼俗,俾资中国变法之用。宣统元年(1909),由北欧经西伯利亚回国,途径莫斯科,停留数日,拜访托尔斯泰并晤谈,以普及教育、公共卫生为救国良策,托氏深表赞同。回京后奉旨以四品京堂候补。随即,学部奏留在本部丞参上行走兼京师督学局局长。未到任,请假回江宁省亲。宣统二年(1910),国内主张速开议院、行责任内阁之声腾播上下,蒯光典驳斥当时言宪政者之谬误,谓宪法精义在"监督"二字,政府社会须互相监督,中国当采用英国议员政府制度,不可袭取德、日两国宪法。因成《宪法演说录存》,遍示在京诸友人,复筹划教育普及规定、全国卫生法令,请学部奏行。[①] 是年春,南洋劝业会在新加坡开办,农

---

① 严寿澂:《从改善民生、革新行政到议员政府、普及教育——蒯光典政治思想述论》,《近代史研究》2006年第2期。

工商部奏请蒯光典为审查提调。十二月初九(1911年1月9日)以微疾卒于江宁,年五十有四。次年八月,归葬合肥。

蒯光典有《金粟斋遗集》行世。其治学兼综汉、宋,但主张为学之根本,以六书、九数为枢纽,依据小学来贯彻各种学术,治六书则必求义类以旁通诸学,识双声以明假借;治小学则专宗戴震、段玉裁,推崇以声训求义类的方法;言经学则务考名物制度;而其所兼治的"宋学",实乃王守仁、王畿、罗汝芳一派心学。对于新近传入之西学,亦能破除隔阂,摒弃中西新旧之见,以治汉学之法,推类以治一切学问,会通中西。同乡刘体智以为其"学识宏通,吾乡人士,近代以来,殆无以加焉"[1]。

蒯光典原配韩氏,早卒。继娶李昭庆次女。侧室郑氏、王氏。子四:孝先、受先、彦先、秀先,均在英国完成学业;女一。

---

[1] 刘体智:《异辞录》,中华书局1997年版,第143页。

第四章

现当代

张士珩[①]

张士珩(1857[②]—1917),字楚宝,号癹(韬)楼、潜亭、冶山居士,晚年自号因觉生,合肥县东乡(今属肥东县)人,李鸿章外甥。先世自江西迁居合肥。累世经商,主要经营粮食加工与茶叶贸易,为合肥巨富。祖父张纯,咸丰元年(1852)举孝廉方正。父亲张绍棠,咸丰初年在籍办理团练,同治年间应李鸿章之招率部加入淮军,官至提督。张绍棠祖母是李鸿章祖姑母,原配又系李鸿章长妹,亲上加亲。李家经济拮据之时,常奔走称贷,李鸿章兄弟求学之资、婚宦之需,张家周济颇多。[③] 张士珩母亲,李鸿章在家书中称为"益妹",生于道光八年(1828),卒于同治六年(1867)二月初六。张士珩兄弟3人,长兄张席珍,淮军在苏南镇压太平军时进入李鸿章幕府,管理军械,光绪十六年(1890)病死于北洋军械所,官至候补道。次兄张士瑜。

张士珩10岁时母亲病故,20岁左右寓金陵,筑室冶山之侧,与汪梅村、孙琴西、秦伯虞、陈雨生、顾石公、邓熙之诸先生为师友,通舆地辞章,尤习兵书。乡试中举后,于光绪十四年(1888)参加礼部会试不中,遂留在李鸿章幕府,以军功劳绩累保至花翎二品衔分省补用道。时李鸿章创建北洋海军,北洋军械局最为紧要,贵池人刘含芳主持其事最久,赴旅顺主持港坞工程局后,张士珩之长兄张席珍继任。光绪十六年(1890),张席珍病殁,张士珩遂以道员总办北洋军械局,得一

---

① 参见金天翮:《皖志列传稿》卷7《张士珩传》;陈先甲:《清授光禄大夫四品卿衔张公墓表》,《民国人物碑传集》,团结出版社1995年版,第259—260页。

② 张士珩的生年未见记载,据陈先甲撰《清授光禄大夫四品卿衔张公墓表》,张士珩"民国六年(1917)正月卒于津寓。年六十一",以虚岁推之,当生于1857年。

③ 李鸿章:《诰封一品夫人亡妹张夫人家传》,《李鸿章全集》第37册《诗文》,安徽教育出版社2008年版,第50页。

新式军械,必考辨其形质、度数,研求写放,穷幽洞微,名与含芳垺。①

光绪十八年(1892)三月十一日,因热河"教匪"肃清,李鸿章奏请奖叙出力人员,附片奏保张士珩,称其在北洋当差有年,留心时务,于西洋各国新式枪炮、子药、器械均能认真考究,辨别精良与粗劣;于此次热河之役,解运军械神速,劳绩与前敌作战诸将无异,且该道经济阃通,才猷远大,军事吏事历练颇深,实为文武兼资之选,请予特旨简擢。

光绪二十年(1894),中日甲午战争爆发后,淮军、北洋海军相继失利,李鸿章遭台谏交章弹劾,张士珩亦未能幸免。八九月间,江南道监察御史张仲炘奏参张士珩主管的军械局置买军械器多窳败,不堪使用者甚多;吏科掌印给事中余联沅等人连续参奏张士珩盗卖军火,而且主要卖给日本人,得银数十万两,并与日本间谍石川伍一案有牵连。清政府命两江总督张之洞等设法密速查拿提审,按律惩办。回籍奔丧的张士珩闻讯投案,收押研讯经年,查无确据,光绪二十一年(1895)九月,以玩视防务被革职。

罢官后的张士珩,归卧金陵冶山下,扩建昔日所营竹居,筑弢楼其中,以诗酒自晦。光绪二十七年(1901)二月,以捐助陕赈,旨命复已革分省补用道张士珩原官。光绪二十八年(1902),经山东巡抚周馥奏请,掌山东学务处、参谋处及武备学堂。光绪三十年(1904),署理两江总督兼南洋大臣周馥与直隶总督兼练兵大臣袁世凯会奏,以张士珩主办江南制造局。张士珩主管江南制造局6年,制造枪弹数量逐年增多,并能自制强酸。光绪三十三年(1907)八月,以创办武备学堂出力,旨命山东补用道张士珩交军机处存记。十二月又因为筹助巨款,赏给一品顶戴。宣统三年(1911)正月,因创办江南制造局炼钢枪子药水等厂出力,赏加四品卿衔。

武昌起义胜利后,陈其美等于1911年11月3日在沪发动起义响应,并自率敢死队攻打江南制造局,张士珩督卫兵防御,誓以死守。上海光复后,张士珩遁居青岛,建宅于曲阜路,与徐世昌为邻,栖心学

---

① 金天翮:《皖志列传稿》卷7《张士珩传》,第39页。

道,遍游二崂诸胜。1915 年 3 月 21 日,袁世凯任命张士珩为造币总厂监督,至次年 4 月因病去职。1917 年正月卒于津寓,年 61。

张士珩少简穆,善读书,弱冠时从金陵名士汪士铎游,乃肆力文章,为文朴茂刚健,一涤屠弱庸滥之习,尤工简牍。张佩纶曾称赞张士珩:"论文具有根柢。合肥(指李鸿章)姻戚中,此为通人。"① 著有《弢楼文集》3 卷、《竹居录存》,辑有《竹居先德录》1 卷,以上三种为《续修四库全书总目提要》所著录。还著有《竹居外录》1 卷、《竹居小牍》10 卷、《明湖语录》6 卷、《冶山居士读书随记》、《虞初荟蕞》4 卷、诗集《崂山甲录》。晚年尤嗜佛老,言道术,颇自喜,有《元和篇》《易行录》等道学著作,曾积极参加德国人卫礼贤在青岛组织的尊孔文社,帮助其将老子的《道德经》译成德文,并写成《老子与道教》一书。

张士珩原配刘氏,先张士珩卒,生男继霈,殇,女二:长适川东都督刘朝望,次适法部郎中李国燕;侧室某,生男继垔,国务院主事。

李经羲②

李经羲(1859—1925),字虑生,号仲仙,亦作仲宣、仲轩,别号悔庵,晚号蜕叟。咸丰九年二月十七日(1859 年 3 月 21 日)出生于合肥县东乡磨店(今属合肥市新站区)祠堂郢村。李鹤章第三子。光绪五年(1879)优贡生,朝考一等第六名,以知县用。因报效海军巨资奖道员。光绪十三年(1887)闰四月初四,选授四川永宁道。次年十二月生母周氏卒,在籍守孝。光绪十七年(1891)三月,以捐助巨款赈灾,命丁忧在籍道员李经羲服阕后记名简放。服丧期满,任湖南盐法道、

---

① 张佩纶:《涧于日记》(三),台湾学生书局 1965 年版,第 1610 页。
② 参见马昌华主编:《淮系人物列传——李鸿章家族成员·武职》,黄山书社 1995 年版;刘绍唐主编:《民国人物小传》第 5 册;郭廷以编著:《中华民国史事日志》,台湾"中央研究院近代史研究所"1979 年版。

署湖南按察使,总办湖南厘金盐茶局务。光绪二十一年(1895)九月,有人奏参李经羲在署臬司盐道任上执法营私,授意属员刑逼勒供、敷衍完案,经湖南巡抚陈宝箴查无实据,免于处分。光绪二十三年(1897)五月任湖南按察使,光绪二十四年(1898)七月升任福建布政使,当年十二月转任云南布政使。光绪二十七年(1901)三月,擢广西巡抚。一月后调任云南巡抚。光绪二十八年(1902)四月,因陈奏失辞被免职。十二月,贵州巡抚邓华熙乞休开缺,清廷赏李经羲三品顶戴署理贵州巡抚。光绪三十年(1904)四月调任广西巡抚。云南、广西地处西南边陲,也是英、法觊觎之地,李经羲任职期间,又逢清廷推行新政,政要边情、洋务吏治,件件均关紧要。处理遗留教案,开办铁路矿务,兴办罪犯习艺所,整顿警察,裁汰旧勇,招练新军,举办随营速成学堂,资送学生出洋分门学习实业等项工作逐步开展,颇有政声。

光绪三十一年(1905)九月,李经羲因病去职。光绪三十三年(1907),经安徽巡抚恩铭奏请,劝募皖北义捐,筹款逾40万;复经李经方推荐,总理安徽铁路矿务,九月又因病开去差使。宣统元年(1909)正月十九,复出任云贵总督,筹设滇越铁路巡警,委龚心湛督理,与法驻滇交涉委员宝如华订警章13章;议开滇蜀(云南至四川重庆)、滇桂(云南至广西百色)铁路,以整顿交通兼防御法人;遵章设学于滇省各府,划全省为五区,每区设模范中学及初级师范各一堂。宣统二年(1910)九月,在立宪派组织发动第三次国会请愿活动之际,李经羲通电各督抚征求先设内阁以立主脑、开国会以定人心之意见。经其倡议、组织,①二十三日,东三省总督锡良、湖广总督瑞澂等联名电请清廷立即组织内阁,定明年开设国会。十二月,奉派和东三省总督锡良、直隶总督陈夔龙、两江总督张人骏、湖广总督瑞澂与宪政编查馆大臣商订外省官制。

宣统三年(1911)武昌起义爆发。九月初九,云南昆明第19镇协

---

① 李振武:《李经羲与国会请愿运动》,《学术研究》2003年第3期。

统蔡锷、前讲武堂总办李根源等发动重九起义,次日革命军攻占军械局及总督衙门,李经羲避入谘议局,其子李国筠被捕。他随即写信给云南都督蔡锷、军政部总长兼参议院议长李根源:一、可杀不可辱;二、保护其眷口回籍;三、亦愿为之尽力办事。蔡、李以旧属情谊,礼送出境,遂携眷住上海。①

　　1913年2月,李经羲与王芝祥、孙毓筠、于右任、李书城、王人文、林述庆、章士钊、陆建章等在北京组织"国事维持会",调解立法与行政,中央与地方,政党与政党之冲突。12月,袁世凯任命李经羲为政治会议议长(政治会议名为政府咨询机关,实为袁对抗国会之机构)。1914年1月,袁世凯根据政治会议停止国会参众两院现任议员职务的议决,宣布解散国会,特设"约法会议",重订约法。李经羲兼任"约法会议议员资格审定会"会长。5月26日,根据约法会议制定的《参政院组织法》,参政院成立,政治会议乃停止。李经羲出任参政院参政。10月7日出任审计院院长。1915年1月1日,李经羲与赵尔巽、梁敦彦等被袁世凯授为中卿。12月18日,登上帝位的袁世凯发布申令,旧侣(黎元洪等7人)、耆硕(王闿运、马良)、故人(李经羲等4人)均勿称臣;20日,申令以徐世昌、赵尔巽、李经羲、张謇为"嵩山四友"。1916年6月6日,袁世凯病故,副总统黎元洪就大总统任。据《大公报》报道,黎就任后曾电请李经羲、熊希龄、汪大燮等来京面商要政。1917年5月2日,经参议院、众议院通过,特任李经羲为财政总长。时总统黎元洪与国务总理在中国是否参加一战等问题上矛盾激化,23日免去段祺瑞国务总理职,由外交总长伍廷芳暂代。25日,因游说徐世昌、王士珍出山不成,黎元洪向国会提出以李经羲为国务总理组建新内阁,26、27日参议院、众议院相继通过此项任命。但在天津赋闲的李经羲,自觉无力应对乱局,一直怯于进京任职,曾三辞国务总理之职。

　　6月1日,黎元洪召安徽督军张勋入京,共商国是。次日张勋复

---

① 刘绍唐主编:《民国人物小传》第5册,传记文学出版社1981年版,第129页。

电以解散国会为调停条件。黎元洪被迫下令解散国会,但解散国会的命令须由总理副署,伍廷芳不肯副署而辞职,李经羲尚未到任,12日特以步兵统领江朝宗暂行国务总理,当即副署解散国会命令。14日,李经羲与张勋一起到达北京。24日,特任李经羲兼财政总长。25日,李经羲就国务总理职,到院接任视事。但在此前后,奉天督军张作霖、安徽省长倪嗣冲、粤桂督军陈炳焜、谭浩明等皆明确反对李经羲组阁。7月1日,张勋在北京拥戴溥仪复辟,黎元洪避居日本使馆。次日,黎元洪电请副总统冯国璋暂代大总统职务,特任段祺瑞为国务总理,准李经羲免职。4日,段祺瑞在天津附近之马厂誓师,讨伐张勋;李经羲出京,通电历述张勋入京调停及发动复辟等情况,承认自己躬与其事,该受重诛,证明张勋造恶构乱,无论对于何方,皆罪不容诛。① 1925年9月18日,李经羲卒于上海。其长于诗文、公牍文字,有奏稿、诗集若干卷。

李经羲原配赵氏。长子国松,举人,曾任度支部军饷司郎中、庐州中学堂监督、安徽谘议局议长、合肥商会会长;次子国筼,举人,曾任广东、广西巡按使,参政院参政。

雷震春②

雷震春(1864—1921),字朝彦,生于合肥。幼时随父母迁居宿县城关,全家依靠父亲磨菜刀、剪子维持生计。成年后到宿县城内一家丝店当学徒,工作之余常混迹于赌场。1880年,雷震春因将外出讨账得来的钱在赌场输光,害怕店主和父母责骂,逃离宿县,投入淮军庆

---

① 贾熟村:《李经羲》,《淮系人物列传——李鸿章家族成员·武职》,黄山书社1995年版,第54页。

② 参见张学继:《袁世凯幕府》,中国广播电视出版社2005年版;戴兴华:《雷震春》,《皖系北洋人物》,安徽人民出版社1993年版。

字营。1882年7月,雷震春随吴长庆赴朝鲜镇压"壬午兵变",与袁世凯相识。1885年,考入天津北洋武备学堂学习。1888年毕业后,被袁世凯调往朝鲜担任教习。1895年12月,袁世凯在天津小站编练新建陆军,雷震春任工程营队官。1899年12月,袁世凯署理山东巡抚,雷震春率军赴山东镇压义和团运动。后任直隶通永镇总兵、保定将弁学堂总办、奉天巡防营务处总办、江北提督等职。一度因贪污军饷被革职,后返回宿城。1911年10月武昌起义爆发后,雷震春在宿县组织"保安军",自任总司令。1912年3月,任河南护军使。1913年7月,雷震春被袁世凯任命为北洋陆军第七师师长。率部镇压国民党"二次革命",配合其他北洋军攻陷南京。1914年春,雷震春任北京政府军政执法处处长,授震威将军。1915年袁世凯谋划称帝时,雷震春是帝制派军人中的中坚分子,被袁世凯封为一等伯。1917年7月,雷震春积极支持参与张勋复辟,被任命为陆军部尚书。张勋复辟失败后,雷震春被讨逆军抓获,并作为复辟要犯判刑,后经曹锟作保特赦,寓居天津租界,1921年在天津病逝,享年57岁。

张广建[①]

张广建(1864—1938),字勋伯,合肥城郊大圩人。幼读私塾,屡试不第。光绪年间入淮军聂士成部为军佐,后保举知县,分发山东。受到山东巡抚袁世凯器重,累升为布政使。1911年,代理山东巡抚。1912年3月,调任顺天府尹。1914年,调任陕甘筹边使,行至定西,改任甘肃都督兼民政长。

1914年,张广建到兰州就职后,一面加强自己的力量,一面削弱

---

① 参见王椿堂:《张广建》,《皖系北洋人物》,安徽人民出版社1993年版;唐正熹:《张广建之死》,《合肥文史资料》第5辑《合肥人物》。

甘军的力量。他委任亲信吴中英为军务厅厅长，把自己带来的一个混成旅扩编为新建左、右两军，以吴攀桂为左军统领，驻扎兰州城拱星墩，以吴桐仁为右军统领，驻扎临洮。又精选江淮地区精壮千余人，编成卫队3营，以孔繁锦为统领，驻扎督署。还扩充各县地方警备队，以皖人郑元良为警察厅长，统领全省警务。同时聘请皖籍名流许承尧、蒯寿枢、龚庆霖、孔宪廷等人入甘担任要职，逐渐控制了甘肃军事、政治和财政大权。

1915年底，袁世凯称帝，张广建积极支持，不仅上表拥戴，而且将省城万寿宫装饰一新，率领僚属入内庆贺，被袁世凯封为一等子爵，即在省城西北旧举院内修建了一等子爵府邸。袁世凯称帝失败病死后，他又率文武官员在万寿宫内举行追悼仪式。1917年7月，张勋复辟，张广建购置花翎红顶，准备易服推戴。

1917年11月，中华革命党人师世昌奉孙中山之命来甘肃发动护法运动，联系同盟会会员、甘肃政法学校校长蔡大愚和一些新建右军下级军官，取得了回军首领马安良的支持，准备举兵起义推翻张广建的统治。但起义消息被张广建侦知，张广建出动大批军警，甘肃护法革命迅速被镇压。

1919年五四运动在北京爆发，兰州各校学生组织示威游行，宣传抵制日货，反对北洋卖国政府。张广建出动军警镇压，逮捕学生数十人。甘肃旅京同乡会会长董子尚、副会长张锦堂等人，联络在京同乡，发起倒张运动。他们以旅京同乡会名义，致电甘肃各镇驻军将领马福祥、陆洪涛、裴建准、吴攀桂等，痛陈张广建祸甘罪状，鼓励各镇将领起兵驱张，又呈请北洋政府撤去张广建甘肃督军兼省长职。但甘籍国会议员秦望澜与张广建关系密切，又因谋取同乡会会长落选，乃密将同乡会活动情况报告张广建，致使倒张运动无果而终。

张广建经过这次事件，知道自己在甘肃的统治并不稳固，于是将大批财物交给亲信，用竹筏水运出去。没想到此事被宁夏护军使马福祥侦知，派兵将财物全部扣留，并电请张广建公布甘肃财政收支情况。1920年7月，直皖战争爆发，皖系失败，张广建失去靠山，甘肃省又再次掀起倒张运动。12月,回族护军使马福祥、镇守使马麒、马麟,汉族镇守使裴建准等,联名通电指斥张广建仇视回教,侵吞公款,宣布与其脱离关系。张广建知道这次非走不可了,乃密保陇东镇守使陆洪涛继任甘督,并将亲信孔繁锦任命为陇南镇守使,然后带着家眷仓皇逃离了甘肃。

张广建离开甘肃后,便回乡定居合肥城内。1938年6月,日军逼近合肥城,张广建随乡人逃难,在舒城县境内,被原有宿怨的舒城保安大队长赵某以"汉奸"罪名拘留,押送至舒城县政府。后虽被县长陶若存无罪释放,但其又气又恼,一病不起,不久便去世了,享年74岁。

万福华[①]

万福华(1865—1919),字绍武,合肥县人。同治四年(1865)出生于合肥东乡长临河镇万胡村。9岁丧父,稍长入药店当学徒。学徒期满,经同乡龚照屿推荐入官银号任职,不久被荐至滦州任铁路分局总办,候补知县。光绪二十一年(1895)母丧,辞职扶柩归里。居乡期间,受龚家之邀主持整顿合肥逍遥津一带的龚氏庄园豆叶池。后在广东、福建地方盐务局任职。其间曾弃官游历川、楚、湘、粤诸省,暗结志士,倾向维新。戊戌后,渐有志于反清革命活动。光绪三十年(1904),在南京与章士钊、俞大纯等组织暗杀团,谋刺南下搜刮财富的户部侍郎铁良,未果。辗转长沙、上海,于沪上与同乡吴旸谷等创办民新学校,继续反清革命活动。曾对他人说:"欧美革新,无不从暗杀起,今中国无其人也,有之请自福华始。"

---

① 参见安徽省文史研究馆、安徽省政协文史资料委员会编:《安徽辛亥英杰》,黄山书社2011年版,第130—135页。

1904年冬,前广西巡抚王之春潜入上海,该员1899—1901年在安徽担任巡抚期间大肆出卖矿山,1902年担任广西巡抚时,又欲以全境筑路权与开矿权为代价借法国驻越南军队镇压会党起义,激起拒法运动,遭革职。此次来沪,又散布出让东三省联俄谬论,激起公愤。万福华乃与刘师培、章士钊、吴旸谷、陈自新等密议除之。遂假借与王相熟的吴保初名义下帖,诱王之春至英租界四马路金谷香番菜馆赴宴,陈自新负责刺杀。11月29日晚,王之春应约来到酒楼,却未见吴保初,顿生疑惑,匆匆离开。急迫之中,在楼下负责接应的万福华开枪射击,然而枪屡扣而不发,为闻讯赶来的英租界巡捕抓获,判监禁10年。柳亚子闻此义举,感慨不已,作《闻万福华义士刺虏臣王之春不中,感赋二首》曰:"君权无上侠魂销,荆聂芳踪黯不豪。如此江山寥落甚,有人呼起大风潮。""一椎未碎秦皇魄,三击终寒赵氏魂。愿祝椎埋齐努力,演将壮剧续樱门。"1906年,万福华又以煽动越狱加判10年。辛亥革命后,经多方人士营救,万福华于1912年12月7日获释。1913年至北京,被袁世凯聘为经济实业顾问。1914年,极论帝制之害,不被袁氏采纳,遂远避东北边陲的绥芬河地区,以"阅边委员"身份,经营阜宁屯垦公司,办垦务,开商埠,建学校,筑道路,遗爱在民。1916年,黎元洪为大总统,招其至北京,主办实业。1918年徐世昌继任总统,主张南北和谈,万福华与蔡元培等发起"全国和平联合会",奔走于京沪之间。因旧疾复发,于1919年10月15日去世。蔡元培赠送挽联:"实行任侠,蒙难不改初衷;渴望和平,临殁犹有遗憾。"

段祺瑞[①]

段祺瑞（1865—1936），原名启瑞，字芝泉，晚号正道老人，合肥人，北洋皖系集团首领，民国时期著名军政人物。

段家祖籍江西饶州，自明末北迁英山，清初九世祖段本泰再迁寿州南乡保义集。清道光年间，曾祖父段友杰移居六安太平集。六安太平集紧邻合肥西乡，祖父段佩与合肥西乡的刘铭传、张树声、周盛波等联办团练，后加入合肥东乡李鸿章创建的淮军，段佩以军功累保提督衔记名总兵，被赐励勇巴图鲁名号，授荣禄大夫、振威将军。1868年，父段从文暂迁寿州炎刘庙。1870年，段家迁移合肥西乡城西桥大陶岗定居，并在当地购置了百余亩土地。

1865年3月6日（清同治四年二月初九），段祺瑞出生于六安太平集。5岁时随父母移居合肥西乡大陶岗，7岁时被祖父段佩带往江苏宿迁铭军直属马队任所。1879年，段佩病逝，14岁的段祺瑞哭护灵柩归葬合肥。安葬完祖父后，他到大陶岗北十余里的侯大卫庄续读私塾，一说他又返回宿迁军营做杂役。1881年，他投奔在山东威海驻军中任管带的族叔段从德，被安排在军营中任哨书。1882年，段从文去威海看望儿子，返回合肥时，在离家只剩二三十里的西七里塘，被歹徒杀害。次年母亲范氏因悲伤过度亦去世。

[①] 参见吴廷燮：《段祺瑞年谱》，中华书局2007年版；胡晓：《段祺瑞年谱》，安徽大学出版社2007年版；周军主编：《皖系北洋人物》，安徽人民出版社1993年版；黄征、陈长河、马烈：《段祺瑞与皖系军阀》，河南人民出版社1990年版；周俊旗、汪丹：《段祺瑞真传》，辽宁古籍出版社1997年版；季宇：《段祺瑞传》，安徽人民出版社1992年版；李新、孙思白主编：《民国人物传》第1卷，中华书局1978年版；文斐编：《我所知道的"北洋三杰"王士珍、段祺瑞、冯国璋》，中国文史出版社2004年版；宋路霞：《段祺瑞家族访谈录》，《江淮文史》2006年第3—4期；胡晓：《近20年来大陆段祺瑞及北洋皖系研究述评》，《安徽史学》2010年第6期。

1885年,段祺瑞考入天津武备学堂炮科,1887年以优异成绩毕业。1888年,段祺瑞被李鸿章选派赴德国军校学习,并进入克房伯炮厂实习。1890年回国,先后任北洋军械局委员、威海随营武备学堂教习。1896年初,段祺瑞被袁世凯调到天津小站,帮助编练新建陆军。他担任炮队统带兼炮队随营学堂监督,与徐世昌、王士珍、冯国璋等袁世凯重要僚佐,具体主持编纂《编练章制》《战法操典》《训练操法详晰图说》等练兵典籍。1899年,段祺瑞随袁世凯武卫右军开赴济南,镇压义和团运动,后又参与镇压直隶景廷宾起义,被袁世凯保奏以知府加三品衔,兼武卫右军各学堂总办。1903年底,清廷成立练兵处,袁世凯任会办大臣,段祺瑞任军令司正使,加副都统衔。1905年和1906年,清廷在直隶河间和河南彰德举行了两次大规模秋操演习,段祺瑞在秋操演习中任北军总统官。秋操演习前后,段祺瑞先后任北洋陆军第三、第四、第六镇统制,并督办保定北洋陆军各学堂,还担任了会考陆军留学毕业生主试大臣。1908年11月14日和11月15日,光绪皇帝和慈禧太后先后去世,3岁的溥仪继位为宣统皇帝。溥仪父亲载沣以摄政王监国,袁世凯因为戊戌旧账和权势过大等问题,被清廷罢官,遣回原籍河南彰德。段祺瑞受袁世凯罢黜事件影响,被剥夺在直隶的北洋兵权,外放江苏清江浦任江北提督。

1911年10月,武昌起义爆发后,清廷指挥不动北洋军,被迫重新起用袁世凯,并任命段祺瑞为第二军军统,令他率领第二军前往湖北镇压革命。11月,袁世凯在北京就任国务总理后,令段祺瑞署湖广总督,并调任他为第一军军统兼领湖北前线各军。12月,南北议和会议在上海召开。议和会议上,南方代表坚持以清帝退位作为先决条件,孙中山才能将中华民国临时大总统位让给袁世凯。段祺瑞以军事实力鼎力支持袁世凯谋取民国总统,对清廷和革命党人不断施加压力。当时清室皇族对清帝退位问题犹豫不决,一些少壮亲贵则坚决反对。1912年1月26日,段祺瑞率北洋将领46人致电清廷,要求明降谕旨,宣示中外,立定共和政体。2月5日,段祺瑞又率第一军将领致电清廷,要求清帝立即退位,否则将率全体将士入京,与清室王公剖陈利害,并迅速将第一军司令部从湖北孝感北迁至河北保定。2月12日,隆裕皇太后以宣统皇帝名义,颁发退位诏书,绵延260多年的清王朝就此宣告终结。

1912年2月15日,南京临时参议院推举袁世凯接替孙中山,任中华民国临时大总统。2月17日,袁世凯任命段祺瑞署陆军总长。3月29日,国会参议院通过唐绍仪内阁名单,段祺瑞任陆军总长。1913年5月,段祺瑞任代理国务总理兼陆军总长,根据袁世凯的命令,调兵遣将,镇压国民党发动的"二次革命"。12月,段祺瑞奉命前往武汉,署理湖北都督,很快将副总统兼湖北都督黎元洪逼出鄂境,并极力铲除南方革命党人的影响,将湖北纳入了北洋派势力范围。1914年2月,段祺瑞兼领河南都督,指挥河南、湖北、安徽三省军队,镇压白朗起义。5月,袁世凯创设陆海军大元帅统率办事处。段祺瑞任办事员。6月,袁世凯在北京设立将军府,授予段祺瑞为建威上将军,兼管理将军府事务。后袁世凯企图当皇帝,段祺瑞态度消极,称病辞职。1916年3月22日,袁世凯在南方护国军的压力下,被迫取消洪宪帝制,仍称大总统,并任命段祺瑞为参谋总长。4月,又任命段祺瑞代替徐世昌任国务卿,并兼任陆军总长。

1916年6月6日,袁世凯称帝失败,郁闷病逝后,副总统黎元洪继任总统,段祺瑞以国务总理执掌北京政府大权,幕僚长徐树铮任国务院秘书长,鼎力辅佐段祺瑞的统治。由于受国内外各种因素的影响,段祺瑞与黎元洪的合作是不愉快的,在人事安排、宪法制定、中国参战、对南方态度等一系列国务问题上存在分歧,并逐渐发展成激烈的"(总统)府(国务)院之争"。1917年5月23日,黎元洪下令免去段祺瑞国务总理职务,段祺瑞愤然离京赴天津,并发表声明,不承认黎元洪的免职令,鼓励北洋各省督军武力倒黎。黎元洪在情急之下,邀请驻防徐州的北洋老将、安徽督军张勋进京调停。张勋率10营辫子军进京,借调停之名,于7月1日上演了一场拥清废帝溥仪复辟的闹剧,并迭下伪谕,气焰嚣张。7月3日,段祺瑞在天津马厂组织"讨逆军",自任总司令,并发表讨伐张勋通电。在"讨逆军"的强大攻势下,

"辫子军"不堪一击,四处溃逃,张勋于7月12日避入荷兰使馆,复辟闹剧很快收场。7月14日,段祺瑞返回北京,重新执掌中央政权。黎元洪被迫辞去总统职务,段祺瑞派靳云鹏赴南京,迎接副总统、江苏督军冯国璋进京任代总统,段祺瑞仍然担任国务总理兼陆军总长。8月14日,北京政府宣布加入协约国,对德国宣战。段祺瑞此时宣布中国参加第一次世界大战的目的,主要是看到德国败局已定,协约国胜利在望,希望一战后中国能以战胜国身份,赢得一些国际声誉,争取一些国家利益。然而,段祺瑞借"参战"之名,向日本大量借款,巩固皖系统治,也是不争的事实。

1917年7月,段祺瑞平定张勋复辟后,以"三造共和"的功臣自居,拒绝恢复《临时约法》和旧国会,并且采纳梁启超"改造国会"的建议,召集临时参议院,准备另组新国会。这一系列举措受到了南方政权的强烈反对。1917年7月,孙中山举起护法运动的旗帜,从上海率海军军舰南下广州,联合桂、滇等省实力派,成立护法军政府,与北京政府分庭抗礼。段祺瑞没有妥协,决定调集北洋军,武力征服南方。1917年8月,段祺瑞任命傅良佐为湖南督军,吴光新为长江上游总司令兼四川查办使。计划北洋军控制湖南和四川后,从湖南进攻两广,从四川进攻云、贵,在数月内平定南方。然而段祺瑞的武力统一政策,没有得到代总统冯国璋的认同,北京政府不仅出现了新的"府院之争",而且出现了"直皖之争",袁世凯死后北洋派内部皖系和直系两大派别的矛盾,逐渐公开化、尖锐化。

1917年11月14日,倾向直系的征湘军司令王汝贤、副司令范国璋,突然在湖南前线通电主张停战议和,并主动退守岳阳,湖南督军傅良佐在南军进攻下仓皇逃离长沙。征湘计划失败,征川计划也不顺利。11月16日,段祺瑞被迫提出辞去国务总理和陆军总长职务。然而皖系并没有善罢甘休,12月3日,徐树铮等人在天津召开北方省区代表会议,决定继续对南方用兵,由曹锟和张怀芝率第一、第二路军夹攻湖南。直系大将曹锟领衔主战,主要缘于段祺瑞提出选他为副总统的许诺。12月18日,冯国璋任命段祺瑞为参战督办,令免王士珍陆军总长职务，由皖系干将段芝贵继任。1918年2月，徐树铮截留陆军部外购的日本军械，交给张作霖装备奉军，引张作霖奉军入关助皖倒直。3月23日，代总统冯国璋被迫恢复段祺瑞的国务总理职务。4月，段祺瑞亲赴武汉等地视察，督促北洋军加紧征南。然而此时征南第一路军总司令曹锟的态度发生了变化，主要是因为段祺瑞令皖系亲信张敬尧任湖南督军，同时传闻北京政府拟调徐树铮接替曹锟的直隶督军，段祺瑞对曹锟的副总统许诺也不一定能兑现。所以在段祺瑞主持召开的汉口军事会议上，曹锟和几个月前天津会议时的态度反差较大，对征南战争消极懈怠，同时格外偏袒直系将领，建议对冯玉祥既往不咎，撤销对王汝贤、范国璋的处分，让陈光远官复原职等。曹锟的得力干将吴佩孚则在湖南前线按兵不动，并与南方政权秘密谈判，连续发出罢战主和的通电。征南第二路军总司令张怀芝受曹锟影响，态度也开始消极起来。

　　1918年，段祺瑞见直皖分裂已难以避免，便利用参战督办的身份，聘请日本顾问，购买日本军械，抓紧编练嫡系部队参战军（后改名边防军），共编成三个师、四个混成旅。1918年5月，段祺瑞派靳云鹏和徐树铮等人，与日本秘密签订了《中日陆军共同防敌军事协定》和《中日海军共同防敌军事协定》。为了加强皖系的统治力量，段祺瑞还委派徐树铮、王揖唐等人，组织"安福俱乐部"，操纵选举了"安福国会"。1918年9月，"安福国会"选举北洋元老徐世昌为总统。徐世昌上台后，并没有走皖系对南方的主战路线，而是调和各方意见，其主导思想与冯国璋的主和路线相去不远。1919年2月，南北和会在上海开幕，由于双方代表意见分歧较大，和谈破裂，和平无望。5月，中国政府在巴黎和会上的失败，引发了五四爱国运动，曹汝霖、章宗祥、陆宗舆的亲日卖国行为，激起青年学生和广大民众的愤怒，段祺瑞和皖系的统治受到严峻挑战。6月，徐世昌令徐树铮任西北筹边使兼西北边防军司令。徐树铮在北方的权力扩张，引起曹锟和张作霖的不安，遂启后来直、奉联手制皖的局面。

　　1920年1月，曹锟向北京政府转呈吴佩孚坚决要求撤防北上的电报,拉开了直皖交恶的序幕。2月,段祺瑞拟以吴光新代替赵倜任河南督军,阻断吴佩孚北归之路,但徐世昌不同意吴光新督豫。4月,曹锟在保定召开八省反皖联盟代表秘密会议。5月,吴佩孚率第三师和王承斌、阎相文、萧耀南3个混成旅开始北撤。段祺瑞一面电令湖南督军张敬尧迎头截击,一面电令长江上游总司令吴光新火速赶赴岳州支援。但张敬尧内部矛盾重重,又面临南军兵临城下的危险,不敢贸然开战,吴光新部也遭到直系湖北督军王占元的阻击。6月,吴佩孚率直军主力全部撤回中原。直系联合各方反皖力量,提出解决时局办法,主要有改组安福系内阁,撤换王揖唐北方和谈总代表,解除徐树铮边防军总司令,解散安福国会等。7月4日,徐世昌令免徐树铮西北筹边使和西北边防军总司令职,引起皖系不满。7月9日,段祺瑞胁迫徐世昌令免曹锟、吴佩孚职务。7月10日,段祺瑞以边防军为主体,组织"定国军",自任总司令,徐树铮任总参谋长,段芝贵、曲同丰等分任各路军指挥。直系则针锋相对,成立"讨逆军",曹锟任总司令,吴佩孚任前敌总司令,王承斌、曹瑛等分任各路军指挥。7月14日,直皖战争爆发。两军在涿州、固安、松林店、高碑店、杨林等地激战。随后奉军从东线助直攻皖。7月17日,直军大败边防军第一师,师长曲同丰被俘,西路军总指挥段芝贵逃回北京,徐树铮指挥的东路军亦开始溃败,皖军败局已定。7月19日,段祺瑞让徐世昌发布"停战令",自请罢免本兼各职,解散定国军。曹锟和张作霖控制了北京政权,皖系骨干被免职通缉,边防军被收编遣散,安福俱乐部被解散,皖系势力遭到了沉重打击。

1920年7月,直皖战争皖系战败后,段祺瑞避居天津日本租界寿街,开始吃素念佛,表面上赋闲静养,实际上仍然密切关注形势,等待时机,准备复出。当北京政坛直、奉系因为争夺权益出现尖锐冲突,奉系在第一次直奉战争中落败,退回关外后,段祺瑞派段芝贵到东北联络张作霖,又派徐树铮到南方联络孙中山,试图与奉系和国民党结成反直"三角同盟"。1923年2月,吴佩孚、萧耀南残酷镇压京汉铁路工人罢工,制造震惊中外的"二七"惨案;同年10月,曹锟以重金收买国会"猪仔议员",当上了臭名昭著的贿选总统。直系的这些劣迹受到国内舆论的普遍谴责,也为奉、皖系和国民党联合倒直提供了契机。1924年9月,第二次直奉战争爆发,直系将领冯玉祥受反直"三角同盟"策动,联络胡景翼、孙岳,在关键时候突然发动政变,囚禁总统曹锟,控制北京城,将所率部队改称国民军,通电拥戴段祺瑞为国民军大元帅,电邀段祺瑞、孙中山进京共商国是。奉系张作霖和不少省份的军政实力派也纷纷表示拥戴段祺瑞出山组织新政府。

1924年11月24日,段祺瑞在北京就任临时执政,在就职宣言中表示:"誓当巩固共和,导扬民志,内谋更新,外崇国信。"根据《中华民国临时政府制》,临时执政是为了避免北京政府以往多次的"府院之争",将总统、总理权力集于一身,并且不受贿选国会监督。临时执政表面权力很大,实际上段祺瑞此时并无多少实权,直皖战争已经把皖系的老本几乎输光了,北京政府的实际控制权掌握在张作霖奉系和冯玉祥国民军手中。由于段祺瑞宣布"外崇国信",表示尊重帝国主义在华的既得利益,以换取西方列强的"承认",与孙中山提出的废除不平等条约主张截然不同,段祺瑞预备召开的"善后会议",与孙中山主张召开的"国民会议",性质和内涵也相差甚远,因此段祺瑞上任不久主持召开的"善后会议",受到了国民党的坚决抵制。1925年3月12日,孙中山在北京病逝。在中央公园举行公祭时,段祺瑞听信左右劝阻,以脚疾突发不便行礼为由,未亲自到场主祭,引起国民党人强烈不满。4月,为解决执政府财政困难,同时为关税会议扫清障碍,段祺瑞指示财政总长李思浩、外交总长沈瑞麟与法国代表签订协议,解决金法郎悬案。希望能获得被海关总税务司扣留的2300多万两关余,没想到却被法国人算计,损失较重,引起舆论大哗。5月,上海发生震惊中外的"五卅惨案",在全国反帝爱国运动的影响下,段祺瑞执政府在外交上表现出较为强硬的态度,并派出代表团赴沪,与各关系国代表进行交涉谈判。10月,段祺瑞派出代表团,与英、美、日、法等12国代表,在北京召开关税特别会议,希望能解决关税自主问题。

1925年12月，段祺瑞公布《修正中华民国临时政府制》，增设国务院，令许世英为国务总理。冬，国民军趁奉军将领郭松龄倒戈反对张作霖之际，出兵占领了天津。奉系与直系在"反赤"名义下联合进攻国民军，并宣布与执政府断绝关系，段祺瑞疲于应付，无所适从，几欲下野。1926年初，奉军与国民军在天津交战，日本军舰公然炮轰大沽口，并与英、美等八国发出通牒，威逼国民军撤退。3月18日，国民党和共产党组织北京学生和各界群众在天安门举行集会，坚决反对八国通牒。会后结队赴执政府请愿，要求面见段祺瑞和总理贾德耀，在答复段、贾不在执政府的情况下，请愿群众与卫队发生激烈冲突，卫队向群众开枪，死伤一百多人，造成震惊中外的"三一八"惨案。鲁迅当时撰文称这一天是"民国以来最黑暗的一天"。惨案发生后，段祺瑞反诬爱国学生和群众是"暴徒"，通缉徐谦和李大钊等爱国活动组织者，激起社会舆论的普遍谴责。4月，国民军放弃天津，退守北京。9日晚，国民军京畿警卫总司令鹿钟麟，派兵包围执政府和吉兆胡同段宅，段祺瑞和皖系要人逃入东交民巷。4月20日，段祺瑞在失去奉、直、国民军实力派的支持下，宣布辞职下野，并令署国务总理胡惟德摄行临时执政职权，带着一批皖系骨干及家属离京赴天津，从此退出北京政坛。

1926年4月，段祺瑞下野退居天津，起初住在日租界须磨街魏宗瀚公馆，与王揖唐公馆正对门。他自称"正道居士"，早上起来礼佛诵经，早饭后王揖唐便过来，帮他整理编选历年来的诗文，准备刊印一部《正道居集》。午睡后照例是下围棋，晚上则是打麻将。麻将桌上，大家关心的主要倒不是牌局，而是时局，段祺瑞和幕僚们仍然希望有朝一日重返政坛。9月，皖系分子四处活动，与张作霖、吴佩孚、孙传芳、阎锡山等北洋实力派联络，图谋恢复段祺瑞政府，共同对付国民革命军的北伐。1927年秋，在载沣醇王府内，段祺瑞与溥仪会晤，协商合作事宜。由于溥仪不肯放下皇帝的架子，段祺瑞又持执政之傲气，双方言语不睦，不欢而散。1928年春，在奉系即将退回东北的混乱时期，段祺瑞曾派姚震数次拜访日本驻华公使芳泽，幻想通过日人的帮助,在北京重组段祺瑞政府,抵挡国民革命军的北伐,维持北洋军阀的统治地位。鉴于当时的政治形势,日本对段祺瑞的复出意图未予支持。1930年,段祺瑞迁居天津英租界47号路。中原大战时期,日本特务头目土肥原贤二在华北策划所谓"北洋派大同盟",拉拢原北洋派的旧军阀参加,以段祺瑞、吴佩孚为领袖,以反对蒋介石和国民党为幌子,目的是制造华北混乱局势,以便日本帝国主义从中渔利。1931年"九一八事变"后,土肥原贤二双管齐下,同时拉拢溥仪和段祺瑞,准备选择其中一人在东北组织傀儡政权。由于段祺瑞注重名节,有所顾虑和警惕,加上皖系内讧,日本人便把目标锁定在清废帝溥仪身上。1932年,土肥原贤二又拉拢段祺瑞出面组织华北傀儡政权。段祺瑞邀请陈炯明北上"联日倒蒋",由于国民党的干扰,加上皖系意见分歧,日本人的这一阴谋没有得逞。此后蒋介石又采取各种手段,阻止段祺瑞附日,对国民党政权造成威胁。段祺瑞亦逐渐认识到留在北方,被日本人利用,处境危险,晚节不保。

1933年1月,段祺瑞下定决心,离津南下,蒋介石派出专车专使赴天津迎接,又率领国民党军政要员和保定军校校友会、安徽同乡会代表等,在南京举行了隆重的欢迎仪式。段祺瑞谢绝蒋介石留居南京的建议,以探望女儿为名,乘车转赴上海,初居福开森路世界学社,后迁居霞飞路陈调元公馆,生活费用由南京国民政府提供。1934年夏,段祺瑞应蒋介石邀请,前往庐山牯岭避暑近三个月。其间安徽省主席刘镇华前来探望,并邀其回皖观光省亲。段祺瑞婚后数十年未归故里,欣然欲往,但陪同者段宏纲等考虑他年事已高,体弱有疾,怕他经不起旅途舟车和人情往来的劳顿,所以婉言劝阻,段只好作罢。1936年秋,段祺瑞患肠胃疾病,久治不愈,11月2日,病逝于上海宏恩医院。11月5日,南京国民政府令予举行国葬。12月7日,段祺瑞灵柩在段宏业、吴光新、龚心湛等人护送下,由专列送往北京,暂厝西山卧佛寺,后葬在西郊白石桥二弟段启勋的墓旁。1949年新中国成立后,移葬北郊清河镇。1963年秋,章士钊、李思浩、曾毓隽等人将段祺瑞遗骨重新安葬在西郊香山附近的万安公墓。"文革"中墓被损毁,现墓为段家后人重修,与夫人张佩蘅合葬。

段祺瑞一生显赫,段氏家族也是合肥名门望族。段祺瑞掌权后,请人将合肥老家城西桥的段氏祖先墓地,重新修缮,立有石碑和石人石马,种了不少柏树。段祺瑞居长,有两弟一妹。大弟段启辅,不通文墨,主要留在合肥,管理照应一些段家事务,乡人称其为"段二大人",其长子段宏纲长期跟随在段祺瑞身边。二弟段启勋,早年随段祺瑞到北京,后被送往日本士官学校,毕业回国后,曾任陆军第二镇参谋官、奉天参谋处总办、宪兵学堂总办、井陉正丰煤矿总经理等职。段启勋的孙子段开龄留学美国,获得哲学博士学位,后长期在美国高校教授风险管理、保险学、企业管理等课程,并在美国多家大企业和保险公司担任顾问。他是台湾保险法的主稿人,并且在大陆多所高校讲学,为祖国培养了一批具有国际水平的精算师。他还多次来合肥老家访问讲学。妹段启英,嫁给合肥人陈志义,育有三子八女,长子陈宗友曾当过旅长,她丈夫亡故后便长期住在段公馆,兄妹感情甚好。

段祺瑞初娶江苏宿迁举人吴懋伟的女儿吴氏,这门亲事是祖父段佩驻防宿迁时订下的。段祺瑞与吴氏生有一子一女。长子段宏业,号称民国"四大公子"之一,早期不喜政治,游手好闲,吃喝嫖赌,围棋堪比国手。段祺瑞任临时执政后,段宏业是皖系"太子派"的名义领袖,1927年二叔段启勋病死后,接任井陉正丰煤矿总经理。长女段宏淑,后嫁给李鸿章幼弟李昭庆之孙李国源。吴氏弟吴光新,是皖系骨干成员,早年从日本陆军士官学校毕业后,历任北洋第三镇管带、第二十师师长、长江上游总司令、陆军总长、陆军训练总监等职。段祺瑞任临时执政后,吴光新是皖系"国舅派"的领袖人物。1900年吴氏在济南病逝后,段祺瑞续娶袁世凯养女张佩蘅,张佩蘅是陕西泾阳人,祖父张芾曾任江西巡抚,父亲张瀛在山东时与袁世凯义结金兰,后随袁甲三"剿捻"时阵亡。段祺瑞与张佩蘅生有4个女儿。大女儿段式彬,嫁给合肥人张道宏,张道宏毕业于美国西点军校,曾任松江警察局长,后移居美国;二女儿段式巽,嫁给袁世凯胞弟袁世普孙子袁家鼐；三女儿段式筠，嫁给银行家奚东曙，夫妻均曾留学美国；四女儿段式荃，嫁给傅澍苍，傅澍苍是湖南人，曾留学美国，做过许世英和章士钊的秘书。段祺瑞还娶了5个姨太太。大姨太陈氏进段府在张佩蘅前，没有留下子嗣；二姨太边玉润，保定人，生有一女段式梅；三姨太刘氏生有一子段宏范，很早随母亲离开段家，新中国成立后当过工人；四姨太亦姓刘；五姨太李氏，没有留下子嗣。

唐启尧①

唐启尧（1865—1958），谱名唐远华，字冀庭，合肥西乡丰乐镇（今属肥西县）人。祖父唐行易，父亲唐思征，世耕为业。唐启尧兄弟3人，他是老三。长兄唐远庵务农，二兄曾是诸生，任补选训导，后随唐启尧至任所管理内务。

唐启尧出生时，家境一般，少时父兄辛劳供其读书。因淮军之兴，唐氏家族中，有几个因武功而授官职，乡人以武为荣。唐启尧稍长即在读书之余兼习武艺。成年后与同乡左氏结婚，婚后在乡学教书谋生。

1888年，他投靠任记名提督的堂兄唐远友，在台湾兵轮上当书记。1891年，刘铭传辞职回乡，随去淮军部将陆续内渡，唐启尧也随众返乡。甲午战争之前，日本出兵朝鲜，祸及东北。唐启尧闻讯辞别家人，随唐远友北上至山海关。唐远友病故，唐启尧接统所部，英勇抗敌，因军功被保荐巡检加五品衔。

袁世凯在天津训练新军，唐启尧投袁世凯的武卫右军任先锋官。不久被聂士成调任武卫前军习文案。八国联军进攻天津，聂士成阵

---

① 参见陈锡银：《唐冀庭》，《皖系北洋人物》，安徽人民出版社1993年版；金艮：《唐冀庭》，《合肥文史资料》第5辑《合肥人物》。

亡，武卫前军溃散。唐启尧再投已任山东巡抚的袁世凯，被委任为山东缉捕营管带。1901年，李鸿章病逝，袁世凯署直隶总督，唐启尧任新编警察正巡官。袁世凯成立陆军第三镇时，调唐启尧任第三镇管带，后任第三镇执法官，又保奏升调直隶知州。

1906年，吉林将军达桂奏调唐启尧去东北任参谋处总办，筹建督练公所。1907年，徐世昌任东三省总督，任命唐启尧为吉林兵备处总办兼领一协，会办吉林全省防军，统率马、警、步、炮等军40余营。朱家宝任吉林巡抚时，在军事上多倚重唐启尧。

1910年，朱家宝调任安徽巡抚，奏调唐启尧任安徽兵备处总办兼参谋教练官。唐启尧在任期间，整顿防军，开办陆军小学、警察学堂、军官讲武堂，被赏加副都统衔。1911年辛亥革命爆发后，各省纷纷宣布独立。11月8日，安徽宣布独立，推安徽巡抚朱家宝为安徽都督，唐启尧留任维持秩序。朱家宝去职后，1911年冬，吉林都督陈昭常邀请唐启尧北上，任吉林省督练公所参议官，授少将衔。

1912年底，外蒙古活佛哲布尊丹巴在沙俄政府的策动下，宣布独立，建立"大蒙古国"。唐启尧在吉林都督陈昭常支持下，联合东三省出兵会剿，并派出使臣劝导，在数月间迫使外蒙取消独立。此后唐启尧出任伊兰兵备分巡道兼交涉委员，他整饬军政，兴学垦荒，捕盗安民，修好睦邻，励精图治，政绩显著。

1915年，袁世凯调唐启尧任总统府侍从武官。秋，接任直隶左巡防队总领官。后晋授陆军中将衔，嘉奖四等文虎章。1916年，蒙古巴布托布本部叛乱，唐启尧以察哈尔察东镇守使统领防军，配合察哈尔、绥远、热河都统，进行会剿，次年叛乱剿平后，特授振威将军。

1917年，段祺瑞任命唐启尧为安徽宣慰使，负责安徽裁兵屯垦事宜。不久调任安徽淮泗道尹兼安徽第五混成旅旅长，又任皖北"剿匪"司令。唐启尧派人勘查沿淮荒芜地区及洪泽湖周边地区，制订规划，准备开垦。但因时局不安，内战不休，他的开垦规划无法付诸实施。后解甲还乡，赋闲田园。

1932年，吴忠信任安徽省主席，经张治中推荐，任命唐启尧为皖西七邑专署善后专员,负责赈灾及维持地方治安。后又被特任国民政府参议院参议。唐启尧因年事已高,不久又回乡赋闲。

日军侵占合肥后,他曾一度入川避难,抗战胜利后,举家还乡,曾倡议五修唐氏宗谱,捐资兴建唐氏宗祠。1948年冬,唐启尧赴南京子女处居住。后应同乡故友张治中邀请,唐启尧定居北京。1958年逝世,享年93岁。

唐启尧有四子三女。长子唐光霁,保定军校二期毕业生,官至国民政府军政部少将高参;次子唐光霞,保定军校三期毕业生,后任桂系师长;三子唐光霍,同济大学毕业,后在北京任工程师;四子唐光霓,四川大学毕业,后定居海外;二女儿系张治中弟媳,张本禹的妻子。

段芝贵[①]

段芝贵(1869—1925),字香岩,出生于合肥南乡义城集,后举家迁居合肥城内杏花村。父亲段有恒,曾在合肥县衙当差役,有三子,长子段少亭,次子段芝贵,三子段谷香。

段芝贵幼读私塾,后到李鸿章家族在合肥开设的义和当铺做学徒。后到天津,投奔在盛军后营担任帮带的族叔段日升。1885年,段芝贵考入天津武备学堂。后由驻日公使李经方(李鸿章子)保荐,入日本士官学校学习。1892年,段芝贵回国,在军械局任职。1895年,段芝贵投入袁世凯新建陆军,先后任稽查队先锋官、步队左翼第二营管带、营务处提调等职。1900年,段芝贵率部参与镇压义和团,被袁世凯保举为道员。不久,调任督练处总参议,授副都统衔。1902年

[①] 参见周海平:《段芝贵》,《皖系北洋人物》,安徽人民出版社1993年版;袁家宾、于培文:《段芝贵效忠袁世凯小记》,《合肥文史资料》第7辑。

后,历任直隶军政司参谋处总办、天津南段警察局总办、北洋陆军第三镇统制等。

1906年底,慈禧太后决定将东北改为行省制,派清室贝勒载振携徐世昌等出关考察。载振是军机大臣庆亲王奕劻的儿子,父子俩当时气焰熏天,掌握着不少重要官职的保奏升迁大权。当载振一行途经天津时,袁世凯特意安排在直隶总督府下榻,并命段芝贵带人负责接待。段芝贵大摆宴席款待载振,并招来名伶演戏助兴。当时天津十分走红的坤伶杨翠喜亦到场献艺,她亭亭玉立,姿容丰丽,歌喉婉转,表情细腻,载振为之倾倒,赞不绝口。陪坐一旁的袁世凯看在眼里,立即召来段芝贵面授机宜。段芝贵心领神会,以权势加重金,威胁加利诱,很快把杨翠喜送进了载振行馆。袁世凯见杨翠喜事办妥,在载振离开天津前,将拟好的东三省督抚等要职名单,交给载振转致奕劻,段芝贵的名字自然亦在其中。1907年4月,清廷公布东三省官制及其要员名单。段芝贵任东三省军务处总办,旋擢升黑龙江布政使,署理黑龙江巡抚。1910年,军机大臣瞿鸿机对奕劻父子的贪腐素怀不满,遂鼓动御史赵启霖以杨翠喜贿案弹劾段芝贵,慈禧太后当即下令免去段芝贵在东北的职务。

1911年10月武昌起义爆发后,清廷重新启用袁世凯,段芝贵亦得以复出,任武卫右军右翼统领。1912年民国成立后,段芝贵改任拱卫军司令官和察哈尔都统。1913年7月,段芝贵被任命为江西宣抚使兼第一军军长,率拱卫军进攻江西,镇压"二次革命"。后被袁世凯任命为湖北都督,授彰武上将军。1915年8月,段芝贵被授予镇安上将军,督理东三省军务兼奉天巡按使。但奉军张作霖等将领对段芝贵不买账,遂派兵在段芝贵将军署外鸣枪警告。段芝贵在东北没有多少根基,知道自己很难降服张作霖等地方实力派,只得悄悄离开奉天返回北京。

段芝贵回到北京后,便协助袁世凯长子袁克定策划筹办帝制复辟事宜。1915年8月下旬,在"筹安会"成立的同时,段芝贵以召集人身份,联络数十名北洋军警要人,秘密召开会议,在事先准备好的"赞成君主"簿上签名,并替没有参加会议的北京警察厅内外各区区长、各军队旅长以上长官、拱卫军团长以上长官代为签名。段芝贵还以镇安上将军名义,会同内务总长朱启钤、税务督办梁士诒、农商总长周自齐、参政张镇芳、军政执法处长雷震春、步军统领江朝宗、京师警察总监吴炳湘、拱卫军军需长袁乃宽等人组成一个领导班子,作为策划操作复辟帝制活动的中枢机构。1915年9月19日,段芝贵联合14省将军,呈请袁世凯早登大位。又伙同梁士诒等人成立"全国请愿联合会",发动请愿,制造"民意"。当时,张勋不支持袁世凯称帝,段芝贵联合不少北洋将领致函劝说;冯国璋也不支持,段芝贵派人去南京游说;段祺瑞更不同意,段芝贵与袁克定密派军警对其进行监视。袁世凯公开表示称帝后,成立了登基大典筹备处,以朱启钤为筹备处长,实际上仍由段芝贵、袁克定总揽负责。在登基大典筹备会议上,与会者讨论洪宪御宝时,有主张采用总统印改制,有主张采用清廷玉玺式样。段芝贵偕江朝宗去故宫,向清废帝溥仪索取了玉玺,又向清宫索取了銮仪卫林和遏必隆刀以及宋元书画、名瓷珍器等。当袁世凯最后下定决心称帝时,便把布置朝贺仪式的重任交给段芝贵,并叮嘱他要选个黄道吉日举行典礼。1915年12月13日(阴历十一月初七日)上午,段芝贵发出通知,即日在居仁堂举行洪宪皇帝朝贺典礼,要求原总统府、政事堂官员、各部司局长以上官员、各军队师长以上长官等,依次进入居仁堂朝贺行礼。12月23日,段芝贵被袁世凯封为一等公爵。

  1916年6月6日,袁世凯称帝失败后,在忧惧中病逝。段芝贵为了逃避诛讨,很快投靠了国务总理段祺瑞,成为北洋皖系首领段祺瑞的重要幕僚。1917年7月,张勋借北上调停之机,拥戴溥仪复辟帝制。段祺瑞在天津马厂组织讨逆军,段芝贵被任命为讨逆军东路总司令。段祺瑞重掌北京政权后,段芝贵被任命为京畿警备总司令。1917年12月,段芝贵被任命为陆军总长,积极支持段祺瑞对南方用兵,镇压孙中山组织领导的护法运动,并且在北洋派内部的直皖之争中,站在段祺瑞为首领的皖系一边。

1920年7月,直皖战争爆发。段芝贵被段祺瑞任命为"定国军"西路军总司令兼京师戒严司令。7月14日,直皖两军在京畿附近交火,激战于涿州、高碑店、琉璃河一带,皖军开始攻势颇盛,直军东线曹瑛部溃退至天津附近。段芝贵曾亲临前线督战,并将司令部设在专用火车上,巡回于涿州、琉璃河一带。专车上除了军用品及厨师、随员外,还配有提供大烟枪、麻将牌等休闲娱乐的包厢。7月17日,张作霖率奉军入关,助直倒皖。直军西路总指挥吴佩孚亲率精锐,突入涿州、高碑店一线,包围皖军西路前敌总指挥曲同丰的指挥部,曲同丰等高级将领被俘。加上天时不利,连降暴雨,皖军后援交通断绝,军心涣散,斗志全无。段芝贵乘坐的专车也遭到直军突袭,他慌乱中下车逃跑,借着夜色东躲西藏,最后逃回了北京。段芝贵逃走后,西线皖军群龙无首,迅速溃败。曲同丰部或投降,或被歼,或溃散。东路皖军徐树铮部、湖北皖军吴光新部以及其他地区的皖军也毫无斗志,一败涂地。7月20日,段祺瑞自请免去本兼各职,避居天津日租界。7月23日,直、奉军阀进驻北京。8月3日,总统徐世昌下令解散皖系"安福俱乐部"。8月4日,直、奉军阀控制的北京政府,下令通缉徐树铮、段芝贵等皖系祸首。徐树铮、段芝贵等皖系政要逃入东交民巷外国使馆区避难。不久,段芝贵等皖系骨干又分批潜逃出北京。1925年3月,段芝贵在天津去世,享年56岁。

龚心湛[①]

龚心湛(1869—1943),原名心瀛,字仙舟,合肥县人,生于同治八

[①] 参见刘长林:《龚心湛传略》,《安徽著名历史人物丛书》第2分册《政界人物》,中国文史出版社1991年版;田戈:《龚心湛》,《皖系北洋人物》,安徽人民出版社1993年版;龚安芸:《龚心湛》,《合肥文史资料》第5辑《合肥人物》;戴健:《声名煊赫的"合肥龚"(二)》,《江淮文史》2004年第5期。

年四月二十二日(1869年6月2日)。父龚照璧,在乡务农,家境一般。龚心湛兄弟7人,行三。8岁时只身赴沪,投靠时任上海道台的三伯父龚照瑗,随其子龚心铭、龚心钊读家塾,又同入国学馆。龚心铭、龚心钊后来走的是传统科举功名之路,分别于1892年和1895年考中进士,而龚心湛因仰慕西学中途改攻英语,1890年从金陵同文馆毕业后,被派往驻英使馆,任驻英特命钦差大臣薛福成的随员。薛福成4年任满,继任者恰好是龚照瑗。龚心湛年轻好学,办事干练,深得薛福成、龚照瑗的赏识。北洋舰队组建过程中,订船和借款等事宜,多由龚心湛具体经办。而龚心湛跟随薛福成、龚照瑗出访诸国,包括递交国书、参加盛典、贸易往来、国事谈判等,知识才能和实践经验不断提高。1896年10月,根据清廷旨意,龚心湛协助龚照瑗在英国使馆诱捕了孙中山,成为轰动一时的事件。

1898年,龚心湛随龚照瑗返国。经广东布政使岑春煊保荐,以知府衔晋京陛见,分发广东省任命。当时李鸿章任两广总督,由于李、龚两家都是合肥望族,并且有世交,李鸿章父亲李文安进京参加会试时,家境不好,龚家曾经资助过他,所以李鸿章发迹后,对龚家子弟颇为关照。龚心湛到广州后,李鸿章马上任命他为广州知府兼洋务局会办。当时广州府有一条不成文的规矩,在赋税收入项下,有五至十万两白银,归知府私人处理,而龚心湛个人分文未取,全部用作地方公益事业经费,颇受好评。还有一次广州番禺科考,汪兆鋐、汪兆铭(汪精卫)兄弟同时应试,考卷阅改后,汪兆铭第一,汪兆鋐第二。但当时主考官循"长幼有序,嫡庶有别"的古训,认为排名应该兄先弟后,嫡先庶后,就把汪兆鋐排到汪兆铭前面。但番禺县令为汪兆铭抱不平,就请知府大人龚心湛评理。龚心湛毕竟留洋多年,对这些古训和旧章法并不看重,他认为还是应该看卷子,唯才是举,结果汪兆铭名列榜首。1901年,李鸿章去世后,谭钟麟(谭延闿父)继任两广总督。谭钟麟出身翰林,讲究公文辞藻,龚心湛每有呈文均苦心磨炼,细致推敲,自然得到谭钟麟的赏识。1906年,皖人周馥任两广总督,委任龚心湛为督办边防,署钦廉兵备道。1909年,李经羲(李鸿章侄)

任云贵总督，奏调龚心湛任临安开广道兼蒙自关监督。后升任云南提法使，未及视事，辛亥革命爆发，龚心湛匆匆离开云南，避居青岛。

1912年，龚心湛蛰居青岛期间，一度经济拮据，生活困难，同居青岛的老上司周馥，让他去找自己的儿子周学熙想办法，周学熙时任北洋政府财政总长。经周学熙推荐，是年底，龚心湛任中国银行汉口分行行长。后任武昌造币厂厂长。1913年，龚心湛被推举为安徽省议员。1914年初，出任安徽赈抚局督办，署安徽国税筹备处处长兼财政司司长。5月，财政司改为财政厅，龚心湛任安徽财政厅厅长。龚心湛督办安徽赈务时，曾视察各地灾情，认为水利失修是致灾的主要原因，提议创设水利局，岁拨省税，复筹盐款，从治滩水入手，整修河湖堤坝，减轻灾害损失。1915年初，龚心湛调任广东省财政厅厅长，兼任采金局总办。尚未到任，又被北京政府任命为财政部次长兼盐务署督办。袁世凯图谋称帝时，全国经界局督办蔡锷潜赴云南发动护国起义，袁世凯令龚心湛兼代经界局督办。袁世凯称帝后，龚心湛辞职，寓居天津。袁世凯死后，黎元洪就任大总统，龚心湛被推为参议院议员。这一时期，皖系军阀实际操纵北京政权，龚心湛虽然不是北洋军人出身，但由于周学熙的提携，其地位在北洋政府逐渐上升，与段祺瑞往来密切，也是徐树铮的座上客，因此成为安福系的重要成员。1918年11月，龚心湛被任命为安徽省省长。1919年1月，龚心湛接替曹汝霖任财政部总长兼币制局督办。当时北京政府财政困难，龚心湛整日被索薪索饷者包围，穷于应付，心力交瘁。一次，陆军总长靳云鹏让龚心湛一次付给军饷300万元，龚心湛无法筹措，二人发生激烈口角，又屡次在国务会议上争执，几乎酿成武斗，龚心湛负气辞职出走天津，后经段祺瑞出面劝说，他才返回北京就职。为了缓解财政困境，龚心湛在总统徐世昌支持下，采取了一些措施：一是裁减军队和行政机关办事机构；二是增加新税种；三是实行统一银币，限定各种纸币、有价证券印刷办法，发行国库券；四是向外国借债。

1919年五四运动爆发后，北洋政府处于内外交困的境地。内阁总理钱能训不得已提出辞呈，围绕继任总理人选，经过一番明争暗斗,龚心湛成为较为合适的缓冲人选。6月,徐世昌任命财政总长龚心湛暂代国务总理。龚心湛任代理国务总理后,并没有掌握多少实权,一方面他要依靠皖系撑腰,所以把徐树铮请到国务院,并专门为徐树铮设立办公室,以便遇事随时请教;同时邀请段祺瑞经常出席国务会议,发表指导性意见。另一方面他要得到总统徐世昌的支持,避免过去的"府院之争",所以遇事也要经常向徐世昌汇报和请教。龚心湛在任代理国务总理的3个月期间,主要做了几件事。一是应付山东群众请愿。1919年6月21日,山东省7个团体85位代表齐跪新华门外,当时大雨滂沱,代表们也泪如雨下,坚决要求政府惩办卖国贼,拒签《巴黎和约》,收回山东权益,否则绝不撤离。龚心湛出面接见山东代表,双方经过数天的协商和对话,龚心湛在请愿书上批示,部分满足了请愿代表的要求。二是协调王揖唐为北方议和总代表。北方议和总代表朱启钤辞职后,围绕安福系提出的王揖唐人选,议论纷纷,虽然大总统徐世昌同意,但北方直、奉系及南方军政府都不同意。龚心湛以总理名义致电各方,为王揖唐说好话,为安福系争面子。同时代表总统徐世昌,将北方议和总代表证书颁给王揖唐。三是帮助皖系和奉系解决吉林问题。张作霖就任东三省巡阅使后,大力扩充奉系的地盘,但吉林督军孟恩远亲近直系,不愿意被张作霖收编。而皖系为了拉拢奉系反对直系,决定把吉林交给张作霖。龚心湛按照段祺瑞、徐树铮的意见,召开国务会议,宣布孟恩远为惠威将军,令其来京任职。孟恩远以种种借口待在吉林就是不走,张作霖准备用武力解决问题,龚心湛采纳鲍贵卿的意见,再次召开国务会议,同意孟恩远带一师一旅移驻直鲁边境,以总司令名义负责剿匪。孟恩远虽然失去地盘,但仍保有兵权,在奉系的威逼下,不得不同意离开吉林。四是释放五四运动领袖陈独秀。1919年6月11日,陈独秀在北京新世界娱乐中心散发传单,被警察逮捕。消息传来,各界人士纷纷要求释放陈独秀,安徽省长吕调元也致电要求开释陈独秀。龚心湛与陈独秀虽同属安徽人,却没有什么交情,思想和主张也差异较大,但考虑到陈独秀的影响力,不便过久关押,以免引发新的风潮,给当局带来麻烦,因此同意释放。9月16日,陈独秀在"具结"后被当局释放。

1919年9月,龚心湛在纷纷攘攘的外交、内政以及各派政治势力的矛盾冲突中,感到不堪重负,难以支撑,同时觉得由于缺乏实力做后盾,正式组阁没有多大希望,代理下去恐怕凶多吉少,于是决定辞去代理国务总理职务。龚心湛辞职后,回到天津定居,因闲居无聊,又从事经济活动,并出任周学熙移交的中国实业银行总经理。1924年10月,第二次直奉战争时,冯玉祥发动北京政变,囚禁直系大总统曹锟,与奉系张作霖等实力派,拥戴段祺瑞重新出山。段祺瑞入京任临时执政后,任命龚心湛为内务总长。清废帝溥仪被冯玉祥国民军赶出紫禁城后,清室善后委员会与清室人员在处置故宫等清室财产问题上产生矛盾,冯玉祥支持清室善后委员会,段祺瑞和张作霖支持清室人员,龚心湛和内务部则扮演了中间协调的角色。1925年冬,国民军进驻天津等地,段祺瑞为摆脱困境,筹谋改组临时政府,增设国务总理一职,在以后的许世英内阁和贾德耀内阁中,龚心湛皆任交通总长。1926年"三一八"惨案后,龚心湛随临时执政段祺瑞、国务总理贾德耀一起辞职。

1926年4月,龚心湛辞职回到天津后,再度与周学熙合作,从事实业活动。天津为北方实业中心,其中周学熙创办的企业最多,实力最为雄厚。这些企业包括官办、官商合办和私人集资的企业,其股东多是北洋军阀、官僚、盐商和地方富绅,企业内部矛盾重重,风波不断。但很多人和龚心湛有旧交,龚性情温和,善于理财,为人又不专横,可以出面缓冲各种争端。如启新洋灰公司董事会存在着安徽系和河南系的派系斗争,龚心湛进入董事会,却能超然于两派系斗争之外。1926年,周学熙聘请龚心湛出任启新洋灰公司经理,由于龚心湛受到周学熙的器重,逐渐成为天津实业界颇具实力的人物。他先后担任通益味精公司董事长、启新洋灰公司董事长、耀华玻璃公司总董、开滦矿务局议董长、江南水泥公司常务董事,并在大陆银行、中孚银行、永宁水火保险公司等任董事。龚心湛晚年致力于社会救济工作。1937年"七七"事变后,大批难民聚集天津,龚心湛积极筹款赈济,并组织伤病难民救济会,招集医生进行治疗。1939年,天津遭遇水灾,市郊均成泽国,龚心湛在开滦矿务局设立临时医院,收治急症灾民。龚心湛晚年还致力于教育事业。南开大学、天津工商学院和耀华中学等学校,皆推举龚心湛担任董事或董事长。其中天津工商学院系天主教会所办,抗战中期,该校与罗马教廷失去联系,财源告竭,行将停办,龚心湛挺身出任董事长,捐赠巨款,多方募集,苦心维持。龚心湛晚年还笃信佛教。启新洋灰公司总秘书徐蔚如是著名的佛教学者,龚心湛受其影响,对佛教产生兴趣。徐蔚如在天津创办佛教刻经处和功德林,举办讲经法会,重修大悲禅院,龚心湛皆给予赞助,并担任功德林首任林长。日本侵占华北后,网罗北洋军政人员组织汉奸政权。1940年3月,汪精卫在南京建立伪中央政府,原设在北京的伪临时政府改称华北政务委员会,日本人威逼利诱龚心湛出任委员长,遭到龚心湛的拒绝,转而启用王克敏、王揖唐,后来龚心湛只挂了个咨询委员的虚衔。与此同时,周学熙、龚心湛所经营的北方工商企业,成为日军吞并强占的对象。如江南水泥公司的电机、钢磨被日本轻工业株式会社拆走,启新洋灰公司被日人实行军管。为了争取权益,龚心湛以七旬高龄,亲往北京与日方交涉,结果不仅一无所获,还遭到日方的训斥侮辱。龚心湛返津后遂一病不起,1943年2月病逝,享年74岁。

罗开榜[①]

罗开榜(1872—1933),谱名法榜,字仲芳,合肥东南乡城山罗村(今属肥东县)人。父母皆终生务农。罗开榜兄弟4人,大哥罗法仁、

---

① 参见张广余:《罗开榜》,《皖系北洋人物》,安徽人民出版社1993年版。

二哥罗法宪、四弟罗法正皆在乡务农。

罗开榜幼读私塾,与表弟吴纫礼关系较好。1889年,罗开榜和吴纫礼一起步行到山东刘公岛,参加北洋海军。次年,又一起考入威海水师学堂。1895年毕业后,又一起被保荐到天津水师学堂深造,两人皆受到校长萨镇冰赏识。

1898年,罗开榜任海军提督衙门军需官,后升任军需长。1912年民国成立后,调任陆军部军需司司长。1919年11月,任陆军部次长,授陆军中将衔。1920年5月,总统徐世昌令海军总长萨镇冰代理总理,罗开榜代理陆军总长。1920年7月,直皖战争皖系战败,罗开榜随段祺瑞等皖系政要避居天津。后受段祺瑞委派,与贾德耀等人暗中联络冯玉祥反直。1924年10月23日,冯玉祥发动北京政变,囚禁直系总统曹锟,与奉系张作霖,电请段祺瑞出山主政。段祺瑞派罗开榜为代表,先行赴京与冯玉祥面商具体事宜。1924年11月,段祺瑞进京,就任临时政府执政,任命罗开榜为执政府高参。1926年4月,段祺瑞被迫下野后,罗开榜也随段祺瑞退隐天津。1933年,罗开榜在天津病逝,享年61岁。

龚积炳[①]

龚积炳(1872—1934),字伯衡,生于合肥北郊。兄弟姐妹7人,龚积炳为长子,自幼帮助父母分担家务,劳作之余,随父亲龚厚庵读书识字。外祖母见他好学上进,资助他入邻村私塾读书。年方弱冠考中秀才。1901年,参加会试,考中辛丑科举人。后到山东东昌府任职,参与治理黄河。1905年,在山东参加同盟会,并考入山东法政学堂深造。毕业后任山东省高等审判厅厅丞,后任山东省提法使、山东

---

① 参见姚怀然、周海平:《龚积炳》,《皖系北洋人物》,安徽人民出版社1993年版。

省盐运使。

1911年辛亥革命爆发后,山东巡抚孙宝琦被推举为山东都督,龚积炳被任命为山东省财政厅厅长。1913年,龚积炳改任山东省司法筹备处处长、山东省内务司司长。1914年2月,袁世凯任命高景祺为山东省民政长,高景祺到任前由龚积炳先行代理。5月,袁世凯任命蔡儒楷继高景祺为山东省民政长,蔡儒楷到任前仍由龚积炳先行代理。6月,任命龚积炳为山东省东临道尹。1915年,袁世凯为复辟帝制,接受日本"二十一条",龚积炳对袁世凯的卖国行径有所了解,主动与革命党人取得联系,协助革命党人在山东策划武装起义。1920年,龚积炳改任济南道尹,大力推行新政。1923年,龚积炳任山东省财政厅厅长。由于公开抵制直系向山东省摊派50万两贿选经费,被曹锟罢官,回乡赋闲。

1924年10月,冯玉祥发动北京政变,总统曹锟下台,龚积炳又被启用,回山东青岛任职,不久再任山东省财政厅厅长,重掌财权,由于政绩较突出,曾获一等嘉禾勋章。11月,国务总理黄郛免去熊炳琦山东省省长一职,熊炳琦离任后由龚积炳暂行监护。1925年2月,临时执政段祺瑞任命龚积炳为山东省省长。3月,孙中山在北京逝世,龚积炳赴京参加悼念,返回济南后,又组织山东省各界人士举行追悼大会。

1925年4月,段祺瑞在奉系胁迫下,任命张宗昌为山东省军务督办,调原督办郑士琦为安徽省军务督办。龚积炳与郑士琦是故交,二人主政山东,配合默契。现在奉系将山东划为势力范围,不仅谋取了山东省军务督办,也开始觊觎山东省省长一职。龚积炳心灰意冷,决心弃官退隐。1926年初,他辞去山东省省长职务,携家眷离开济南,寓居天津。临行前,张宗昌送上一大笔财物,龚积炳没有接受,以示洁身自爱。龚积炳到天津后,张作霖多次邀请他到北京任职,但是龚积炳对仕途已经厌倦,对奉系也没有多少好感,婉言谢绝了张作霖的邀请。1934年,龚积炳在天津病逝,享年62岁。

龚积炳生前对佛学颇有研究,家藏佛经多卷,他为官多年,较为清廉,不贪不占。其弟妹子女在他的教育影响下,都能自食其力,奋发进取,有些还参加了革命工作。如四弟龚意农,1939年参加革命,1942年加入中国共产党,多年来一直担任党的领导工作。妹妹龚夕涛,为孙立人原配夫人,1939年参加革命,担任淮南抗日根据地妇抗领导工作。女儿龚维懿,1939年参加新四军,新中国成立后担任轻工业部工艺美术总公司副总经理。

郑士琦[①]

郑士琦(1873—1935),字蕴卿,祖居合肥东乡响导(今属肥东县)南北份村。祖父郑怀仁一生在乡务农,父亲郑有儒为淮军将领,官至游击、副将衔,母亲周氏。

郑士琦从小随父在外读书生活。1895年,考入长沙江南陆军学堂学习。1898年毕业后,在江南自强军中任职。1904年后,转入北洋陆军第五镇任队官、管带,驻防山东。1910年,升任第五镇炮五标标统。

1911年辛亥革命爆发后,改任陆军第五师炮五团团长,随第十旅旅长张树元驻防潍县、淄川、博山等地。1914年7月,张树元晋升为第五师师长,即推荐郑士琦继任第十旅旅长。1916年6月,袁世凯死后,郑士琦随张树元投靠到段祺瑞皖系军阀门下。1919年五四运动爆发后,时任山东督军的张树元,因镇压爱国运动,造成济南血案,被北京政府免去山东督军和第五师师长职务,郑士琦继任第五师师长。

1920年7月,直皖战争爆发,郑士琦为保存实力,采取了观望态

---

① 参见王其杰等:《郑士琦》,《皖系北洋人物》,安徽人民出版社1993年版;张广余、郑吉周:《郑士琦》,《合肥文史资料》第5辑《合肥人物》。

度。1922年4月,总统徐世昌为了拉拢非直系的军阀势力,以制约直系军阀的逼宫,任命郑士琦为山东军务帮办。1923年5月,震惊中外的山东临城火车劫案发生后,山东督军田中玉受到舆论谴责,被迫下野,郑士琦被任命为山东军务善后督理(相当于山东督军)。

1924年初,直系为加强中央集权,下令地方巡阅使、军务督理一律不得再兼任师长,师长一职由陆军部派人接任。郑士琦被免去第五师师长,由旅长孙宗先接任。1924年10月,第二次直奉战争爆发后,郑士琦被直系任命为直鲁海疆边防军总司令。

1924年10月,冯玉祥发动北京政变后,郑士琦于11月1日宣布山东"武装中立",实际上是武力倒直。他一面派兵北上到马厂、沧州一带,并且截断黄河铁路大桥,以阻止吴佩孚军假道山东南下;一面派兵南下炸毁利国驿到韩庄之间的津浦铁路,以阻止江浙直系援吴军的北上。同时在济南拘押了附直的山东省省长熊炳琦,以合肥同乡龚积炳代理山东省省长。

1924年11月,冯玉祥、张作霖、卢永祥等实力派推举段祺瑞为临时执政府执政,郑士琦通电拥护段祺瑞为临时执政。奉系实际控制北京政权后,一改当初战后退回东北的诺言,决心称霸中原,进军江南,位于战略要地的山东自然划入了奉系的势力范围。

郑士琦没有多少实力做后盾,在张作霖和奉系的软硬兼施下,只能一退再退。1924年11月28日,允许奉系张宗昌部一旅二营进入济南。12月10日,宣布取消山东"中立",允许奉军过境南下。1925年元旦,郑士琦、龚积炳率军政大员在济南车站迎送张宗昌、卢永祥宣抚军南下。

1925年4月,张宗昌驱逐直系江苏督军齐燮元,占据江苏之后,张作霖马上将矛头对准了山东,借"鲁人治鲁"为名,提出以张宗昌(张宗昌为山东人)取代郑士琦,继任山东督理,改派郑士琦为安徽督理。4月24日,临时执政段祺瑞在奉系的逼迫下,令调郑士琦为安徽督理,免去王揖唐的安徽军务督办兼职,专任省长,张宗昌继任山东督理。

1925年5月7日，张宗昌不等郑士琦离开山东，即宣布接任山东督理。并且不许郑士琦将第五师带出山东，还派兵将郑士琦的第七旅胡翊儒部包围缴械遣散，将旅长胡翊儒扣押在济南，郑士琦的部将第四十七旅旅长施从滨在威逼利诱下也投靠了张宗昌，而皖军又在宿县夹沟一带阻止鲁军南调。尽管段祺瑞一再来电催促，郑士琦因为没有亲信部队护卫，不敢贸然赴皖就职，终于心灰意冷，辞职赴天津寓居。1935年，郑士琦在济南病逝，享年62岁。

郑士琦有3个弟弟，大弟郑士彬在他手下任团长，二弟郑士铭和三弟郑士钰在家乡务农。郑士琦有三房夫人，正室沈氏，偏房商氏、陈氏。长子郑庆荣，次子郑庆华。

吴炳湘①

吴炳湘（1874—1930），字镜潭，合肥南乡吴老圩人。武卫前军随营学堂毕业，曾任武卫前军军门巡捕、东三省转运局提调、直隶省淮军营务处总办、县丞等职。1911年11月，山东巡抚孙宝琦在革命党人压力下，宣布山东独立，张广建、吴炳湘、聂宪藩等人，则以武力迫使孙宝琦宣布取消山东独立，撤销临时政府。不久，袁世凯任命张广建为山东巡抚，吴炳湘为山东巡警道兼山东省警卫队马步营统领。

1913年10月，吴炳湘被调到北京任京师警察厅总监。1916年6月，袁世凯称帝失败病死后，吴炳湘投靠同乡段祺瑞，成为皖系骨干成员之一。1917年7月，吴炳湘被张勋逼迫参与复辟事宜，并被清废帝溥仪下诏任命为民政部左侍郎。段祺瑞讨逆军总司令部在天津成立时，吴炳湘派京师警察厅政务处长常朗斋到天津找到陈文运，请他转告段祺瑞，自己是反对帝制的，如果讨逆军进京，他将配合行动。

---

① 参见汪德俊：《吴炳湘》，《皖系北洋人物》，安徽人民出版社1993年版。

段祺瑞平定张勋复辟，重新出任国务总理后，再度任命吴炳湘为京师警察厅总监。

1919年北京五四运动爆发，国务总理钱能训奉大总统徐世昌之命，召开内阁紧急会议，商量对付学潮的办法，吴炳湘与京畿警备司令段芝贵、步军衙门统领李长泰等人主张采取强硬措施，镇压学生运动。1919年6月，吴炳湘兼任漕运局总办。1920年1月，兼任京都市政总监。1920年7月，直皖战争爆发，皖系失败后，吴炳湘被免去本兼各职。1924年11月，段祺瑞出任临时执政，重新任命吴炳湘为京师警察厅总监。

1925年6月，段祺瑞改任吴炳湘为安徽省长并暂兼安徽督办。吴炳湘到任后，为了巩固自己的地位，将阻止他就职的安徽宪兵司令程文沅以"密谋不轨"的罪名，羁押军法处候审。10月，安徽地方军阀倪朝荣等人逼走安徽督办姜登选后，吴炳湘失去奉系军事靠山的保护，在内外反对势力的交逼下，辞去省长职务，离皖回京，不久开始了经商生涯。在经商期间，还当了几天的京师警察总监。1926年4月，国民军在奉、皖、直系的进逼下，再度发动政变，试图推翻执政府，京城秩序混乱。为了维护北京治安，王士珍等北洋元老组成京师临时维持会，推吴炳湘为京师警察总监。1930年，吴炳湘在北平去世，享年56岁。

吴纫礼[①]

吴纫礼（1874—1963），字佩之，合肥东南乡六家畈（今属肥东县）人。1889年秋，吴纫礼与表兄罗开榜结伴赴山东威海，加入北洋海军。1890年春，与罗开榜一起考入威海水师学堂。系统地学习了格

[①] 参见田仁：《吴纫礼》，《皖系北洋人物》，安徽人民出版社1993年版。

致、数学、海图、测量、星象、洋文等课目。

1896年春毕业后,因成绩优异,又被送入天津水师学堂深造,受到校长萨镇冰的器重。1897年,北洋水师重建,萨镇冰参与主持并兼"海圻"号舰管带,调吴纫礼为"海圻"号舰协长。1901年,升为"海圻"号舰大副。1903年,萨镇冰出任广东水师提督,吴纫礼跟随萨镇冰,巡游南海,出访印度洋、地中海、大西洋和欧美、南洋诸国。

1905年,吴纫礼离开海军,转入保定陆军学堂,初在教训处,继为英、法文总教习,后担任陆军速成学堂和陆军大学监督。专意于军事教育工作,培养造就了一批军事人才。1908年12月,参加宣统皇帝溥仪登基大典。

1909年,调往清政府海军处供职,任军械司司长。曾奉命去英国购买战舰十余艘。1912年中华民国成立后,吴纫礼长期在北京政府海军部供职。1924年10月至1926年4月,海军总长杜锡珪基本上没有到执政府任职,海军部部务由海军次长吴纫礼代行总长主持工作。

1926年4月,临时执政段祺瑞下野后,吴纫礼亦退居北京西城毛屋胡同私宅。1928年,南京国民政府成立后,吴纫礼曾挂名海军部参议。后携家眷闲居芜湖辅德里。1936年,夫人王运兰病故,国民政府令芜湖县拨款3000元治丧,蒋介石等国民党要人或送挽联,或赠匾额。

1937年抗战爆发后,吴纫礼离开芜湖,举家辗转大西南,后蛰居贵州青德乡下。抗战胜利后,海军司令陈绍宽派一艘小轮船将吴纫礼全家送回合肥老家。吴纫礼在六家畈出任养正小学校长,为家乡教育事业尽心尽力。

新中国成立后,吴纫礼曾致函中央人民政府副主席李济深,表示愿为人民海军建设奉献力量。1954年,他被安排为安徽省政协委员。1963年,吴纫礼在合肥老家去世,享年89岁。

王揖唐[①]

王揖唐(1877—1948),原名王志洋、王赓,字慎吾,合肥东南乡六家畈(今属肥东县)人。父亲是秀才出身,以教书为生,家境一般。父亲去世后,王揖唐继承父业,教书为生。1904年,王揖唐参加晚清最后一次科举考试,考中进士。同科登第的有谭延闿、沈钧儒、商衍鎏等人。王揖唐中进士后,入翰林院,授庶吉士,住在安徽会馆。不久,他以新进士身份,拜在晚清重臣徐世昌门下,频繁进入徐府请安,得到徐世昌的赏识,被荐授兵部主事,又保荐他去日本学习军事。

1904年10月,王揖唐进入日本东京振武学校学习。因为是匆匆来日,并未系统补习日语,所以语言不通,人地生疏。而他又以自己是进士和兵部主事身份来日留学,常常有高人一等的感觉,因此同来的中国留学生与他的关系都比较疏远。留学期间,他经常上书清廷练兵处,同袁世凯、徐世昌等要人联系频繁,报告日本政治、军事、经济等各项情况,提出一些意见和建议。他还参加了由杨度组织的留日学生总会,并担任安徽省分会职员长。1906年,王揖唐从东京振武学校毕业,被分发到金泽炮兵第九联队实习。按照日本军营规定,初入伍者为二等卒,需要接受新兵操练。王揖唐本系一介书生,吃不了苦,经常逃避出操,屡遭教官的叱骂和体罚,一次竟被日本军曹一脚踢倒。他愤而退出军营,改入法政大学学习法律,刚入学不久,听说徐世昌已被任命为东三省总督,遂请中国驻日公使李家驹代其向清廷申请退学,获准返国。

1907年秋,王揖唐回国后,正赶上清廷搞"考验游学毕业生试",

---

① 参见姚怀然:《王揖唐》,《合肥文史资料》第5辑《合肥人物》;田戈:《王揖唐传略》,《安徽著名历史人物丛书》第2分册《政界人物》,中国文史出版社1991年版;文斐编:《我所知道的伪华北政权》,中国文史出版社2005年版。

被赐武进士及第,所以他后来常常以"中西学兼具的双料进士"自诩。不久,他被徐世昌调任东三省督练处参议。以后渐升为吉林营务处会办、吉林陆军第一协协统、吉林兵备处总办等职。1909年,王揖唐随军机大臣戴鸿慈出访欧洲。作为赴俄答谢使一等参赞,他接受了沙皇授予的"宝鼎勋章",又参加了德皇加冕庆典,考察了欧洲大陆的军事政治制度和铁路交通运输状况。

1912年2月,清帝逊位后,袁世凯执掌中华民国军政大权,王揖唐通过徐世昌这层关系,很快成为袁世凯的亲信。5月,袁世凯为对付同盟会,在上海成立了共和党,王揖唐为该党干事,积极为袁世凯控制国会效力。1913年,王揖唐任参议院议员,在袁世凯的授意下,重建统一党,分散国民党的势力。后又积极促成共和、民主、统一三党的合并,成立进步党,与国民党相抗衡。1914年3月,袁世凯在镇压国民党"二次革命"后,下令解散国会,废除《中华民国临时约法》,实行新制定的《中华民国约法》,王揖唐任约法会议议员、总统府谘议官。5月,袁世凯为了修改大总统选举法,成立了参政院,王揖唐任参政院参政。在袁世凯筹备复辟帝制期间,王揖唐作为吉林巡按使,写给北京的公文均仿效帝制款式,上有"恭呈御览""臣跪拜"等字样。袁世凯称帝后,封王揖唐为一等男爵、陆军中将加上将衔。1916年3月,袁世凯在护国运动的逼迫下,宣布取消洪宪帝制,仍称大总统,王揖唐任内务总长。

1916年6月,袁世凯众叛亲离,忧惧而死。段祺瑞出任国务总理兼陆军总长,执掌北京政府军政大权。王揖唐转投段祺瑞门下,与徐树铮领衔组织"安福系",帮助皖系操纵国会选举。据说段祺瑞任国务总理不久,曾想把兼任的陆军总长让给王揖唐,王十分高兴,但王揖唐相当迷信,随即找到北京有名的算命先生"懒佛"预卜吉凶。"懒佛"告诉他虽然是武途出身,也万不可再掌兵符,否则怕有杀身之祸,干文差则前途无量,贵不可言。王揖唐随即打消了就任陆军总长的念头。1917年7月,段祺瑞平定张勋复辟,将总统黎元洪赶下台,授意徐树铮、王揖唐等亲信幕僚,网罗官僚政客操纵国会选举。王揖唐等人遂在北京西城安福胡同,设立了一所豪华宽敞的"安福俱乐部",作为段派及接近段派议员聚会和政治谋划的场所。"安福俱乐部"的核心人物是徐树铮、王揖唐、曾毓隽、王印川、光云锦、臧荫松等一伙皖系政客,他们经过周密策划,采取金钱收买、政治分赃、指定圈名等不法手段,操纵新国会的选举。1918年8月,以"安福系"议员占多数的"安福国会"成立,王揖唐、刘恩格任众议院正、副议长,梁士诒、朱启钤任参议院正、副议长。"安福国会"成立后,王揖唐等皖系政客本来准备选举段祺瑞为总统,但由于以冯国璋为首的直系军阀不合作,再加上南方护法政府的反对,段祺瑞的总统没有当成。王揖唐四处活动,终于选出各方面都能接受又是自己恩师的徐世昌当总统。

1918年11月,徐世昌以总统名义发布停战令。1919年2月,南北议和会议在上海召开。北方总代表为朱启钤,南方总代表为唐绍仪。后朱启钤辞职,几经周折,北方改派王揖唐接任总代表。9月,王揖唐兴冲冲离京赴沪,前去拜访南方总代表唐绍仪,没想到遭到了唐绍仪的冷遇,拒绝会见他,当时上海报纸戏称:"王揖唐,唐不揖王!"王揖唐知道人言可畏,遂以重金买通有关报馆,制造上海各界"热烈欢迎"他的新闻,并把这些报纸寄回北京,粉饰自己,混淆视听。9月22日,孙中山约见王揖唐,在谈话中严厉斥责段祺瑞违法乱纪,指出北方应当立即恢复旧国会,否则和平局面难以实现。王揖唐自然做不了主,段祺瑞也不会轻易接受孙中山的主张,南北和谈陷入僵局。王揖唐南下时带了几十人的卫队,到上海后住进有名的哈同花园,那里岗哨林立,戒备森严,但后来在哈同花园内还是发现了一颗尚未引爆的炸弹,好出风头的王揖唐不寒而栗,从此深居简出,不再见客,议和之事也不了了之。

1920年7月,直皖战争爆发,皖系失败。段祺瑞引咎辞职,直系控制了北京政府,并下令通缉查办皖系祸首徐树铮、曾毓隽、段芝贵等人,王揖唐也在通缉名单中,被迫逃往日本避难。1924年9月,第二次直奉战争爆发。王揖唐从东京潜回天津,等待时机复出。10月,冯玉祥发动北京政变,推翻直系曹锟政府,驱逐溥仪出宫,电邀孙中山北上共商大计,同时与奉系张作霖等实力派,邀请段祺瑞出山组织临时政府。11月,段祺瑞在北京就任临时执政。王揖唐也随之复出,任外交委员会和专门委员会委员。

1924年11月底,段祺瑞任命王揖唐为安徽省省长兼督办军务善后事宜。王揖唐主皖不到五个月就被迫下台,主要是因为安徽军务帮办倪道烺为争夺安徽统治权,一心要赶走他。倪道烺是倪嗣冲胞侄,在安徽军政界根基很深,他联络苏皖宣抚使卢永祥,动用皖军五个混成旅反对王揖唐。王揖唐虽然是皖人,但主要是在外面做官,在安徽并没有多少势力,而且这时的段祺瑞也只是个名义元首,对安徽的影响力有限。王揖唐在安徽斗不过倪道烺,不得不辞职下野,避居天津日租界。

1926年4月,段祺瑞因"三一八"惨案下台,携带家眷到天津做寓公。王、段两家住对门,王揖唐经常到段宅走动,帮助段祺瑞整理编辑历年来撰写的诗文,准备刊印《正道居集》。同时王揖唐撰写《今传是楼诗话》,在《国闻周报》上连载,后由《大公报》社结集出版。他还到处宣传自己专意于佛学研究,实际上仍然密切注视时局的变化,等待机会复出。

1931年"九一八事变"后,日本着手在东北建立"满洲国"。开始拉段祺瑞出山组织伪政府,并派特务头子土肥原贤二秘密会见段祺瑞,商谈东北问题,并答应支付500万元作为活动经费。王揖唐无意中得到这个消息,觉得日本人不该瞒着他拉段,便同姚震一起去找土肥原贤二理论,并把这个秘密计划捅给天津《大公报》,土肥原贤二感到段祺瑞的内部不和,态度也不明朗,难以合作,转而利用溥仪组织伪政权。与此同时,隐退闲居香港多年的陈炯明,看到"九一八事变"以后全国掀起的抗日反蒋形势,以为重登政治舞台的时机到来,亲赴天津拜见段祺瑞,企图在华北联日倒蒋。此番段、陈合作,曾毓隽出力最多,王揖唐心里不舒服,故意把内情泄露出去。蒋介石知道情况后,派人重金贿赂王揖唐,破坏段、陈合作,并许诺王揖唐事成后,以上海关监督为酬报。于是王揖唐极力劝说段祺瑞南下投蒋,段祺瑞从保全名节考虑，也不愿投日当汉奸，而且留在北方自然凶多吉少。蒋介石又派专使北上天津，迎段祺瑞南下，段祺瑞终于下定决心离开北方南下，王揖唐也随段祺瑞到了南京。蒋介石对段祺瑞执弟子礼甚恭，送段祺瑞前往上海定居，每月特拨2万元生活费。但蒋介石对王揖唐不冷不热，也不提上海关监督的许诺，王揖唐恼羞成怒，一气之下跑到日本去活动。日本人对他破格给予隆重接待，使他感激涕零。这时，他还不敢公开当汉奸，只是把在日本访问情况写成《东游纪略》一书寄呈蒋介石。1935年12月，王揖唐就任冀察政务委员会委员。冀察政务委员会是南京政府对日妥协政策的产物，名义上隶属行政院，实际上受日本人控制。

1937年"七七事变"后，日本为建立华北伪政权，由华北特务机关头目喜多诚一物色代理人人选，喜多诚一嘱意于靳云鹏、吴佩孚、曹汝霖三人，但三人都不愿意干，乃派人去上海请王克敏北上主持。12月14日，伪临时政府在北京怀仁堂成立。王克敏任行政委员会委员长，汤尔和任议政委员会委员长，王揖唐任常务委员兼赈济部总长。与此同时，梁鸿志在日本海军当局的支持下，在南京成立了维新政府。1938年9月，两个伪政府在北京合并，双方各派委员三人组成。临时政府派出王克敏、王揖唐、朱深，维新政府派出梁鸿志、温宗尧、陈群。10月，王揖唐任内政部总长。1940年3月，以汪精卫为首的伪国民政府在南京成立，王揖唐任考试院院长。

1940年6月，王揖唐重回北京，任华北政务委员会委员长兼内务总署督办。王揖唐在同王克敏的明争暗斗中，终于攫得伪华北政务委员会的最高职务。他死心塌地地为日本人效劳。在短短的3年时间里，王揖唐在华北搞了5次强化治安运动，杀戮大批爱国志士和无辜群众；主持"新民会"，配合日军的思想战，对华北人民实施奴化教育，强化日伪在华北的法西斯统治；重新部署和整编"华北治安军"，配合日军的侵华战争，大肆屠杀抗日军民；掠夺华北资源，出卖华北的经济利益，抓捕大量民夫给日军作劳役。由于王揖唐"卖国有功"，颇受日本主子欣赏，不仅委以重任，而且邀请他到日本访问，接受日本天皇的召见。王揖唐曾写诗致谢日本天皇："八纮一宇沐仁风,旭日荣徽逮藐躬。春殿从容温语慰,外臣感激此心同。"完全是一副汉奸的嘴脸。

1943年2月,汪伪政权对英、美宣战,日本企图把华北民众的注意力引向英、美,缓和中日民族间矛盾,并把华北建成后方兵站基地,达到他们以战养战的目的。日本主子认为王揖唐在华北三年来的所作所为,虽然对大日本帝国功不可没,但也激起了华北民众的强烈不满,已经不能再指望他完成建设后方兵站基地的任务。因此决定免去王揖唐的职务,由朱深继任。

王揖唐下野后,曾约集曹汝霖等多位名流致函日军华北最高指挥官冈村宁次,保释被日军逮捕的国民党北平地下党部负责人许惠东、严宽、董洗凡等人出狱,这是王揖唐等人根据对政治局势的判断,在给自己找退路。抗战胜利以后,国民党政府开始肃奸。1945年10月,军委会北平行营主任李宗仁通知军统局局长戴笠,立即逮捕华北高级汉奸。戴笠在北平西城兵马司胡同汪时璟家,用宴请方式逮捕了一批高级汉奸。日本投降后,王揖唐即托病住进中央医院,所以逃脱了这次逮捕。

1946年春,河北高等法院根据军统局华北办事处马汉三的移送书,将王揖唐依法拘留,进行侦查审理。在狱中,王揖唐先以病势严重、不能说话为借口,拖延到法庭接受审判;继而又以"主审官何承焯也是汉奸,岂有小汉奸审大汉奸之理"为由,在法庭内外制造了一场轰动全国的大新闻;还努力从记忆中搜寻自己在抗战期间做过的"好事",来减轻自己的罪责,并让一些故旧亲眷疏通关系,向国民政府求情说项。总之,他想尽办法,拖延时间,希望能等到大赦,免于一死。如此这般,王揖唐的汉奸案一拖就是两年多难以结案。但是,1948年9月,南京最高法院的终审判决,仍然同意河北省高等法院的意见,维持死刑判决并立即执行。9月10日,最后的判决书送达王揖唐手中,他面色惨白,浑身颤抖,嘴里不停地喊着"请总统开恩",被行刑队拉出北平姚家井监狱特囚室,执行枪决。而第二天9月11日就是他71周岁生日。

吴中英　吴光杰[①]

吴中英(1879—1938),字霖生,合肥东南乡六家畈(今属肥东县)人。祖父吴鼎安在本地经营小染坊,家境一般。父亲吴敦仁因病早逝,母亲方氏贤淑能干,勤俭持家。吴中英是老大,有两个弟弟、一个妹妹,他从小帮助祖父、母亲分担家务。后在吴氏义学读书,深得塾师吴孟贞赏识。

1907年初,吴中英考入保定北洋陆军速成学堂第一期师范班,后转入陆军军官学堂。1909年毕业后留校任教,补授陆军部实缺正军校。1910年,调入禁卫军第一协,任紫禁城守备。1912年民国成立后,任陆军部参军。后回皖任安徽都督府军政司司长。1914年3月,合肥人张广建任甘肃都督兼民政长,吴中英任督署军务厅长,后改任陇东镇守使。1915年春,因部属处置失误,激起兵变,被袁世凯免职,发往川边效力。

1917年7月,张勋借北上调停"府院之争"的机会,拥戴清废帝溥仪复辟,国务总理段祺瑞在天津马厂组织讨逆军,自任总司令,吴中英任参谋处副处长。段祺瑞派吴中英去见昔日盟弟冯玉祥,宣布恢复冯玉祥第十六混成旅旅长的职务,率领驻廊坊一带的部队参加讨逆战役。粉碎张勋复辟后,吴中英因功被段祺瑞北京政府特颁一等文虎章、二等嘉禾章各一枚。

1917年11月,吴中英被段祺瑞任命为军事考察特派员,随靳云鹏赴日本观摩陆军特别大演习,回国后出任国务院机要秘书。1919年,靳云鹏出任国务总理,吴中英任国务院秘书长。1924年10月,冯

[①] 参见吴抱冰、张广余:《吴中英先生小传》,《江淮文史》1993年第5期;戴健:《吴中英》,《皖系北洋人物》,安徽人民出版社1993年版;王其杰、张广余:《吴光杰》,《合肥文史资料》第5辑《合肥人物》。

玉祥发动北京政变，囚禁直系大总统曹锟，并与奉系首领张作霖等实力派，拥戴段祺瑞出山组织临时政府，吴中英任执政府高等顾问兼机要秘书。孙中山应邀北上共商国是时，吴中英代表执政府参与接待。

1926年段祺瑞执政府倒台前后，吴中英先在河北井陉正丰煤矿公司任协理，后到芜湖创办湖滨垦务公司，任总经理。吴中英在芜湖主持湖滨垦务公司的同时，也十分关心家乡六家畈的公益事业。他在六家畈除了请人挖水井、建公园、创设戒烟所之外，主要将精力放在乡村教育上，除整顿改造原有的养正小学之外，最突出的功绩是奔走募捐，创办湖滨中学。吴中英亲自担任湖滨中学校长，另聘教务主任主持校务，地方不少名流均有捐赠，段祺瑞专门题词赠匾表示祝贺，冯玉祥也捐赠了3000元，学校专门将图书馆命名为"焕章图书馆"，并悬挂冯玉祥肖像，以示纪念。校内藏有《万有文库》《四部丛刊》等知识读本，还有一些动植物标本和物理、化学仪器。他对教员的聘用也是很慎重的，所聘老师多是重德积学之士。他还创作了校歌歌词，制定了校训，为这所肥东最早的私立中学倾注了大量心血。

1937年"八一三"淞沪抗战失败后，上海、南京、芜湖等地民众纷纷内迁逃难，吴中英关闭了芜湖的湖滨垦务公司，回肥东六家畈避难。没想到被仇家构陷，诬为汉奸，主政安徽的新桂系为剪除异己，培植亲信，在没有确凿证据的情况下，于1938年1月13日，以汉奸罪将吴中英处决，同时遇害的还有吴中英大弟吴中流、黄麓师范校长杨效春、庐州中学校长李蔚唐等人。后吴氏亲属屡向国民党政府申诉冤情，吴中英二弟吴光杰在抗战胜利后回到家乡，组织"吴、杨、李沉冤昭雪委员会"，由地方官绅联名，向南京国民政府呈请平反昭雪。1948年，南京国民政府对这起轰动一时的六家畈冤案予以平反昭雪。

吴中英有一女一子。女吴幼霖，北京大学医学院毕业，终身行医。婿姜泗长，北京大学医学院毕业，曾留学美国，系知名耳鼻喉科专家，历任南京大学附属医院院长、北京解放军总医院院长等。子吴世芳，金陵大学毕业，后留学并定居美国。

吴光杰(1886—1970),字霖泉。1886 年 10 月出生,父亲吴敦仁当年 9 月病逝,吴光杰为遗腹子,由母亲方氏、祖母赵氏抚养成人。有两个哥哥吴中英、吴中流。

吴光杰 8 岁入本乡小学读书,14 岁在自家染坊当伙计,22 岁考入保定陆军速成学校,26 岁毕业,任南京临时政府陆军部军械司科员。1912 年冬赴德国深造,入柏林工科大学及陆军炮工大学就读。1913 年,入普鲁士第三军第六师炮兵团实习。1914 年 8 月,"一战"爆发。炮兵团开赴前线作战,吴光杰返回柏林工科大学读书。1915 年秋,担任驻德国公使武官,考察德法、德俄及巴尔干各战场,还考察欧洲战区后方的工业和社会状况。曾获得德皇颁授的四等红鹰勋章。

1917 年 3 月,中德绝交,吴光杰离开德国,返回中国。初任汉阳兵工厂炮厂主任。1918 年,任西北军第四混成旅炮兵营长。1920 年,撰写《德国军事调查记》,由陆军部军学司编译局出版。1922 年至 1929 年,历任吴淞陆军军官教导团教育长、陆军检阅使署教练处炮兵主任、第四集团军军械处处长等职。其间撰写了《列强军事机关之系统》《青年军事训练读本》《德国国民体育教范》等著作。1930 年,担任南京中央军校高级教官,并负责联络德国军事顾问室工作。1931 年,担任中央军校编译处处长。主持编译了多种德制教程典范等教材,如《步兵操典》《筑城教范》《兵器学》《军队指挥》《联合兵种战斗与指挥》等。1932 年,专著《国防刍议》出版。再版时更名《国防常识》,内容广泛,见解独到,影响较大。1934 年夏,兼任中央军校德文译述班主任。1935 年,兼任中央军校军官留学预备班主任。他身兼数职,仍著书不辍,相继有《列强军备及国防》《第一次欧洲大战史》《民众防空》等著作问世。

1936 年,吴光杰调任训练总监部军官外国语文补习所所长。其后,因日军侵占上海、南京、徐州等地,吴光杰率领十余名外籍教官和数百名学员,辗转内迁长沙、阳朔、遵义等地,利用祠、庙、空屋,因陋就简,开展教学活动。1941 年秋,调任国民政府军事委员会高级参谋、资源委员会委员。1945年8月,抗战胜利后,国民政府还都南京。吴光杰辞去政府任职,专事著述。1947年春,张治中回乡,在巢县创办黄麓农村建设实验区,聘请吴光杰担任主任。1948年底,携家眷赴台湾。从1938年至1949年,吴光杰还陆续出版了《新时代之要塞》《欧美礼俗》《英汉军语词典》《马其诺防线之建设》《第二次欧洲大战史》《太平洋大战史》等著作。

吴光杰赴台后,初居台南,后迁居台北。晚年仍手不释卷,勤求新知,并以养花饲鸽自娱。1970年7月26日,吴光杰病逝于台北,享年84岁。夫人王子良,合肥东南乡长临河罗家疃人,1973年在台北逝世。长子吴世汉,日本庆应大学毕业,曾任国民党资源委员会委员、国民政府驻日本代表团经济专员,后定居日本。次子吴世武,毕业于黄埔军校第十二期,1949年起义后,担任第一野战军第四军团长,后定居南京。三子吴世文,毕业于黄埔军校第十七期,曾留学美国,后定居台北。长女吴世璧,毕业于浙江大学,后定居美国。次女吴世璋,毕业于重庆国立女子师范学院,后定居美国。

贾德耀[①]

贾德耀(1880—1940),字昆庭,晚年自号俭斋,祖居合肥南郊贾大郢,后迁居义兴集。父亲贾芝玉为晚清副榜举人,先在乡间教私塾,后任职于新盛军,举家迁往天津,再迁北京。1895年,贾德耀考入天津新建陆军炮队随营学堂,毕业后被官费保送到日本陆军士官学校学习军事,与靳云鹏、傅良佐、吴光新、曲同丰、陈文运、张树元等同学,毕业归国后历任北洋兵备处提调、北洋第三镇正参谋官、北洋第

[①] 参见胡效英:《贾德耀》,《皖系北洋人物》,安徽人民出版社1993年版;刘长林:《贾德耀传略》,《安徽著名历史人物丛书》第2分册《政界人物》,中国文史出版社1991年版;方玉荣、郑圣和:《贾德耀》,《合肥文史资料》第5辑《合肥人物》。

六镇第二协马队标统等。

1911年武昌起义爆发后,贾德耀随北洋第一军军统冯国璋南下镇压革命。1912年,任总统府军事处参议官。1913年,任陆军第七师第十三旅旅长。1914年,任陆军第十五混成旅旅长。1916年初,任陕南镇守使。这一时期,与第十六混成旅旅长冯玉祥结为拜把兄弟,与陕北镇守使陈树藩则关系紧张。后被陈树藩以陕西护国军总司令名义,逐出陕南汉中地区。贾德耀辞去陕南镇守使后,因奔母丧返回北京,并投靠国务总理兼陆军总长段祺瑞,1916年7月后,先后任将军府参军、陆军部军学司编译局局长、陆军部军学司司长等职。1917年7月,段祺瑞讨伐张勋复辟,贾德耀向段祺瑞建议重新起用冯玉祥为第十六混成旅旅长,促使冯玉祥率部参加讨伐张勋复辟。

1919年8月,贾德耀就任保定陆军军官学校校长。在任期间,对这所老牌且有些暮气的军校进行了一些改革,如在教学上对教官、队职官加以考核甄别,不称职者革职或另有任用,同时提拔任命一批奋发有为的年轻教官、队职官;在生活上将各队军官小灶取消,师生一律吃大灶,以利于融洽师生感情;还与北京政府交涉,将军校校长升为中将衔,教育长升为少将衔,以利于提高军校在民国军界的地位。1920年7月,直皖战争爆发,皖系失败后,地处直系防地的陆军军官学校受到了较大影响,校舍被占,军械被劫,建筑被焚,教学被迫停顿,师生纷纷离校。1921年10月,直系任命张鸿绪任陆军军官学校校长,贾德耀仍回陆军部任军学司司长。

1924年10月,冯玉祥发动北京政变,组织国民军,邀请孙中山北上咨政,同时与奉系一起拥戴段祺瑞出山组织临时执政府。在这一过程中,贾德耀主要担任冯玉祥与段祺瑞之间的联络工作。11月,段祺瑞出任临时执政,贾德耀被任命为陆军部次长兼执政府卫队司令,并授将军府宽威将军。1925年12月,任陆军部总长兼训练总监。1926年2月,国务总理许世英辞职,段祺瑞令贾德耀代理国务总理。3月4日,正式任命贾德耀为国务总理兼陆军总长。当时段祺瑞的执政府已经岌岌可危,国务院也是一盘散沙,很难有所作为。不久,

"三一八"惨案发生后,3月20日,贾德耀率全体阁员辞职,段祺瑞不允,经汤漪、章士钊等劝说,贾德耀暂时维持,负责善后工作。4月20日,段祺瑞决定下野,离京赴津前,下令免去贾德耀本兼各职,时人称贾德耀内阁为"皖系殉葬内阁"。

贾德耀脱离政坛后,与段祺瑞一起赴天津做寓公,整天以观赏碑帖、练习书法消磨时光。1928年南京国民政府成立后,任命他为军事参议院参事。1935年,南京国民政府为了缓和华北局势,批准成立冀察政务委员会,宋哲元任委员长,贾德耀从天津到北平,出任冀察政务委员会委员兼外交委员会主任。1937年"七七事变"后,北平岌岌可危,国民党军队奉命撤离,张自忠留守北平,代管冀察政务委员会工作,劝说贾德耀尽快离开北平,以免被日本人胁迫加入汉奸组织。贾德耀随即称病,携家人进入德国使馆界内的德国医院,然后分批潜往天津暂居。1939年夏,天津发生水灾,贾德耀住房被淹,生活窘困,家人辗转护送他到上海,寓居法租界友人家中。1940年12月,贾德耀在上海因病去世,享年60岁。

贾德耀有兄弟7人,他排行老三,母亲胡氏,妻子张其汾为家庭妇女,育有二男三女,皆大学毕业,长子贾成和先后为浙江大学、同济大学教授,长女贾成华为南通中学教师,次女贾成彬为上海人民广播电台编辑,次子贾成晏为上海化工研究所工程师,小女贾成芝为中国科学技术大学物理系教师。

范鸿仙　吴旸谷　倪映典[①]

范鸿仙(1882—1914),名光启,合肥县人。光绪八年五月初五

---

① 参见安徽省文史研究馆、安徽省政协文史资料委员会编:《安徽辛亥英杰》,黄山书社2011年版;黎东方:《细说民国创立》之四十五"庚戌广州新军之役",上海人民出版社1997年版;史全生:《范鸿仙与铁血军》,《安徽史学》2012年第2期。

(1882年6月20日)出生于合肥北乡杏店村一户农民家庭。6岁时就读于父亲任教的村塾,稍长从贡生李淡炎就学,以文章雅博闻于乡里。1904年受聘为寿州孙家状元府家庭塾师。1906年,经同盟会员、从日本归国的孙家鼐的侄孙孙毓筠介绍,加入中国同盟会,是年24岁。1908年来到上海,投身报刊事业,与安徽籍革命党人李铎、李辛白、陈仲衡等创办《国民白话日报》,7月28日创刊。9月24日停刊,该报后改名为《安徽白话报》续出,以"开通风气,使人人得有普通之知识,对于国家有权利义务之思想,对于外国有争存竞胜之精神"[①]为宗旨,每十日一期,文言文、白话文并用,开设有演说、要闻、科学、小说、新戏、时评、宫门抄、上谕、十日大事记、词林、杂俎、译录等栏目。出刊6期后因报馆失火于11月停刊。次年8月复刊,改名《新安徽白话报》,铅印,又发行了6期,于10月停刊。在此期间,范鸿仙还应于右任之邀,为《神州日报》撰稿,并先后结识了宋教仁、张静江、陈其美、章炳麟等革命党人。1909年5月15日,于右任集资在上海创办《民呼日报》,自任社长,由范鸿仙、戴天仇、景耀月等任主笔。该报以"实行大声疾呼,为民请命"为宗旨,只办了92天便于8月14日被上海租界当局查封。10月3日又在上海租界办了《民吁日报》,范鸿仙接任社长,因反日、反清,只出了48期便于11月19日遭查封,范鸿仙被捕入狱。1910年10月11日,于右任再办《民立报》,并任社长,范鸿仙任主笔。《民呼日报》《民吁日报》《民立报》一脉相承,被合称为"竖三民"。范鸿仙常以孤鸿、哀鸿、大哀为笔名,在上述报刊上发表时事评论文章,针砭时弊,抨击清政府,声讨列强侵略,揭露袁世凯阴谋祸心,笔锋犀利,文采博雅。孙中山曾称赞:"范君一支神笔,胜十万师。"

除创办报刊宣传革命以外,范鸿仙还积极参加武装斗争,安庆新军举义、广州新军起事、广州黄花岗起义,皆参与谋划。1911年7月,与陈其美、宋教仁等发起成立了同盟会中部总部,任总部评议员兼同

[①] 王孝武:《〈安徽白话报〉研究》,安徽大学历史文献学专业硕士论文,2010年。

盟会安徽分会主持人。10月10日武昌起义爆发后,积极筹划上海、南京、安徽的光复活动,并受同盟会委派负责南京的光复工作。他克服险阻,单骑闯营,说服驻守城内的清新军第九镇统制徐绍桢起义,组织江浙联军,于1911年12月2日攻克南京,其被誉为"光复南京第一功臣"。南京光复后,江浙联军各将领为争夺江苏都督一职而产生矛盾,经宋教仁与范鸿仙多方奔走,共推程德全为江苏都督,以化解各将领间的矛盾。程德全就任江苏都督后,委任范鸿仙为江苏省参事会会长。

1912年1月1日中华民国临时政府成立后,众人忙于奔竞禄位,范鸿仙却辞去参事会长之职,以同盟会江淮分会会长的身份,征招江淮青年,组建"铁血军",并亲任总司令,以支持孙中山的北伐事业。"江淮同盟会会员及皖南、皖北军队,共同组织了铁血会军,军分四支队,每支队二千五百人,公推范鸿仙充总司令。范本江淮同盟会分会长,昨已电程都督,辞去参事会长,专事练兵。"①铁血军共万余人,分为两个部分:一是至1912年1月已招募到的江淮健儿5000人,开赴南京,编为第一、二支队;二是孙万乘②直接指挥的庐州军政府所属部队,亦有5000人左右,改编为铁血军第三、四支队③,仍驻扎庐州。另有由原安庆混成协改编的决死队一营500名④。范鸿仙发布了《铁血军总司令范光启宣言书》《铁血军檄满将校部曲文》。就在铁血军第三、四支队和决死队由庐州出发进军颍州、亳州,进行北伐之际,南北议和结束,2月12日清帝正式宣布"逊位",13日孙中山即宣布辞职,

---

① 1912年1月17日《民立报》。
② 孙万乘(1877—1950),字品骖,安徽省合肥人。武昌起义后,受范鸿仙等人的派遣,潜回庐州发动起义,光复庐州,11月9日成立庐州军政分府,3天后被正式委任为庐州军政分府司令。1912年2月,柏文蔚任安徽督军后,孙万乘最先通电取消军政分府,拥护柏回皖主政。
③ "庐州军政分府孙万乘至宁晤范鸿仙,将庐州所有军队悉改编为铁血军,由范君统率。"1912年1月22日《民立报》。
④ "铁血军司令范鸿仙,编练决死队一营,所有中下级军官,均同盟会暗杀党员。"1912年1月22日《民立报》。"前安徽都督王天培将所部决死队改隶于范鸿仙部下,该队共步兵五百,并有机关炮十尊,由安庆原有之混成协改编所成。"1912年1月25日《民立报》。

15日临时参议院选举袁世凯为临时大总统。政权既失,北伐无望,范鸿仙随即辞去铁血军总司令之职,取消铁血军名目,遵照陆军部新章重新编制,将在南京整训的第一、二支队改编为陆军第一旅团,由龚振鹏统带,直隶于陆军部;第三、四支队改编为一旅团,隶属于安徽都督府,仍回庐州分府驻扎。范鸿仙自己则回上海办报,重操笔政。

1912年8月25日,同盟会改组为中国国民党,范鸿仙为首批党员之一。《民立报》亦成为革命党人的主要喉舌。1913年"二次革命"爆发,范鸿仙与柏文蔚等人受命在安徽举兵讨袁,并在《民立报》上公开声明"与恶政府不共戴天"。革命失败后遭通缉,流亡日本,始终追随孙中山,协助组建并带头加入中华革命党(党证号为28号)。1914年初,受孙中山派遣回国,主持上海的讨袁活动。范鸿仙在上海设立秘密机关部,谋划成立上海中华革命军,发动军事讨袁。时上海镇守使郑汝成以重兵据守上海制造局,四处侦捕革命党人,袁世凯也悬赏十万大洋购范鸿仙人头。范鸿仙组织了200余人谋划夺取上海制造局镇守使公署,事泄行踪暴露,9月20日,在寓所遭暗杀身亡,年仅32岁,手下200余壮士也全部惨遭杀害。

范鸿仙被害,举国震惊,孙中山在极度悲怆之余对范鸿仙给予了高度评价,并允诺他日革命成功一定为范鸿仙举行国葬。1928年6月,国民党中央委员会决定将范鸿仙遗体迁葬中山陵区内。1935年4月13日,国民政府明令表彰范鸿仙,追赠其为陆军上将,并组织葬事筹备委员会办理迁葬事宜。1936年2月18日,国民党中央和国民政府以及各界人士为范鸿仙举行了极为哀荣的国葬,冯玉祥领衔主祭,于右任于墓前宣读祭文。范鸿仙墓位于中山陵东侧,抗战及"文革"初期两次被毁,1972年10月21日,国务院指示江苏省人民政府着手修复范鸿仙墓。范鸿仙事迹在其生前已收入教材和国民党党史,合肥亦曾设鸿仙小学以志纪念。

吴旸谷(1884—1911),字春阳,合肥县北乡双墩集(今属长丰县)人。幼承父教,究心经世,有血性,现实使其认识到"清廷不足恃,国人当自救"。光绪二十九年（1903），在合肥成立"自强会"，鼓吹民权，伸张民志，探讨复兴国家之方略，立志救国救民。1904年春至上海，和安徽人高荫藻等创办青年学社，聘请蔡元培等主持教务，与蔡元培主编的激进报刊《警钟日报》相呼应，宣传民主革命思想，也因此结识陶成章、宋教仁、黄兴等革命党人，并加入军国民教育会。是年冬，前广西巡抚王之春潜入上海，该员1899年至1901年在安徽担任巡抚期间大肆出卖矿山，1902年担任广西巡抚时，又欲以全境筑路权与开矿权为代价借法国驻越南军队镇压会党起义，激起拒法运动，遭革职。此次来沪，王之春又散布出让东三省联俄谬论，激起公愤。吴旸谷遂与万福华、陈自新、刘光汉、刘师培、章士钊等密议除之，并假借与王之春相熟的吴保初名义下帖，诱王之春至英租界四马路金谷香番菜馆赴宴。11月29日晚，万福华行刺事败入狱，吴旸谷侥幸脱身。案发，青年学社被解散。1905年春，经同乡李诚安（后任同盟会合肥分会会长）举荐，在合肥开明士绅蒯光典的资助下，吴旸谷东渡日本留学。经安徽同乡程家柽介绍，在犬养毅住所拜会孙中山，随应孙中山邀约与黄兴、廖仲恺、胡汉民等共同发起组织同盟会。8月20日，中国同盟会在日本东京赤阪区霞关阪木正式成立。中国同盟会成立之初，下设9个支部，安徽属上海支部。吴旸谷作为安徽留日学生代表是同盟会十六个发起人之一，被推举为安徽主盟，负责发展本省留学生入会事务。为了壮大力量，1905年冬，吴旸谷回到国内，与芜湖岳王会联络，岳王会主要负责人表示愿意加入同盟会；在合肥，建立同盟会分支机构江淮别部（对外称为"武毅会"）及外围组织"合肥学会"。1906年至南京，联络赵声、柏文蔚、倪映典等，在鸡鸣寺秘密集会，成立同盟会南京支部。这年夏天，岳王会总部决议，全体加入同盟会。是年秋，安庆督练公所成立马、步、炮、工、辎五种弁目训练所，训练新军。吴旸谷和常恒芳等投身弁目训练所，并发展熊成基、范传甲等百余人加入同盟会。后因安徽巡抚恩铭有所察觉，避走寿县。1907年徐锡麟安庆起义失败后，吴旸谷回到合肥，就任城西两等小学堂堂长，以此为掩护，继续联络同志、发展组织，从事革命活动。

1910年春,广州新军起义失败,倪映典殉难,吴旸谷在上海与宋教仁、范鸿仙、陈其美等商定在长江中下游发动新一轮武装起义,安徽方面由吴旸谷负责。1911年10月10日武昌起义爆发,吴旸谷与王天培等密谋响应,因安徽巡抚朱家宝已有防范,严查革命党人的活动,收缴新军枪支子弹,吴旸谷转赴湖北,与鄂军都督黎元洪联系,请求支援。10月28日吴旸谷潜回安庆,与王天培、管鹏等在萍翠楼客栈商议起事,因城外军事总指挥胡万泰临阵逃脱,起义流产。吴旸谷再去湖北求援,率学生军东下,与各路义军会攻安庆。11月8日,安徽巡抚朱家宝宣布安徽独立。安庆光复后,吴旸谷自任民军经略,立即投入善后工作,和王天培等共同宣布:通电全国宣布安徽独立;通电各州县照常办公,禁止假借光复紊乱秩序;通电省内各地免除当年一半租税;照会各外国领事宣布保护华侨;调查财政情况;各营即发军饷并增加一月犒银。迅速稳定了局势。随后去芜湖劝降,芜湖光复。因南京未复,吴旸谷一面令芜湖各部队进军金陵,一面请求江西派军增援安徽。江西海陆军总司令李烈钧派团长黄焕章率兵两营赴皖支援,黄焕章部索饷不成,纵兵掠夺,安庆藩库、军械局、各大商号均被抢劫一空。吴旸谷闻讯大怒,急返安庆,面斥黄焕章,惨遭戕害。吴旸谷牺牲后,遗骸归葬于合肥。芜湖、安庆、合肥立专祠以祀。民国时被追赠为陆军上将。

倪映典(1885—1910),一名端,字炳章,光绪十一年八月十二日(1885年9月20日)出生于合肥北乡(今属长丰县)吴店。小时候读过几年私塾,因父亲是乡间郎中也略通医术。1904年考入安徽武备练军学堂,与柏文蔚、熊成基等同学。1905年加入陈独秀组织的岳王会。旋因武备练军学堂停办,转入设在南京的江南陆师学堂炮兵科,兼习马术。1906年,经革命党人赵声介绍,充新军第九镇炮标队官,与吴旸谷、赵声、柏文蔚等过从甚密,经常在南京鸡鸣寺秘密聚会,期间加入同盟会。1907年初曾到安庆训练新军炮队,后应革命党人之邀任安徽新军第三十一混成协炮营管带,与革命党人熊成基、冷遹、薛哲、范传甲等共谋在合适时间发动起义。1908年2月,起义事泄,遭通缉,自安庆经芜湖回合肥家中暂避,旋经上海乘船赴广州投奔赵声,改名端,入新军炮队任见习排长,继续从事革命活动,并结识朱执信、胡毅生等革命党人。是年秋,熊成基在安庆发动起义的消息传到广州,倪映典等决定立即响应,因消息走漏起义计划流产。

1909年春,广东新军步、炮、工、辎各营次第建立,倪映典、赵声、朱执信等决计以运动军队为首要任务在广州发动起义。6月,召集军中革命党骨干数十人在白云山能仁寺会议,商讨下一步新军起义事宜,会议决定由赵声任起义总指挥,倪映典任干事员,具体负责起义的组织联络工作,即在新军中扩张组织。因炮营管带齐汝汉起了疑心,倪映典被革职,赵声也被解除督练公所提调职务,去了槟榔屿。倪映典只好独挑大梁承担起了策动新军的工作,先后在豪贤街天官里寄园巷5号、南关余庆坊等处设立机关,专门联络新军,利用野操和假日向士兵演说革命道理,策动新军弁目反正。经过几个月的努力,广东新军秘密加入同盟会者达3000人,占总数的三分之一。10月,为共图大举,同盟会在香港建立了以胡汉民为支部长的南方支部,作为指挥南方革命的总机关,任命倪映典为策动新军总主任。1910年1月,倪映典再次到香港向南方支部报告,认为新军起义条件已经成熟,要求在2月24日(庚戌年正月十五日年)发动起义,并手订《运动军事章程十条》。南方支部同意起义计划,电请孙中山筹款2万元应急,同时电邀黄兴、赵声、谭人凤等来香港,共同策划广州新军之役。

春节前夕,广州新军与巡警发生冲突,进而入城捣毁巡警分局,两广总督派兵镇压,新军群情激愤,要求立即起义。身在香港的倪映典鉴于事情突发,建议提前发动起义。已来到香港全权主持起义大计的黄兴与赵声、胡汉民等人商定,将起义日期提前10天,改为2月14日。然而形势迅速变化,驻北教场的新军二、三标已被防营监视,枪机拆卸、子弹收检,驻燕塘的一标因不放假大哗,又因传有兵来攻,纷纷夺械出防。2月12日晨,赶回广州的倪映典立即来到燕塘炮兵第一营驻地,发现新军士兵已做好了战斗准备,他不得不再次改变已商定的日期,决定即刻起义,枪杀炮兵第一营管带齐汝汉,带领士兵夺枪出营。步兵、辎重、工程各营士兵纷起响应。倪映典率领新军三千多人对天宣誓:"愿为革命战死!"并被推举为总司令,兵分三路向广州城进发。倪映典亲率千余人从燕塘驻地经沙河进攻东门,在牛王庙遇清军防营阻击,伤亡颇重,倪映典因中清军的圈套,独自一人入清营,中弹坠马,随即遇害。起义遂告失败。史称广州新军起义,又称庚戌广州新军之役。倪映典领导的广州新军起义失败后,黄兴曾叹曰:"倪映典只身入军营,而后三千人皆反。"孙中山深为痛惜,称其为广州革命主干人物。民国时追赠为陆军上将,与吴旸谷、范鸿仙合称"辛亥合肥三上将"。家乡合肥于1932年将县立第八完小更名为合肥县立映典小学,1936年又在校内院中建造倪映典纪念塔,以志纪念。

龚镇洲[①]

龚镇洲(1882—1942),原名龚振鹏,合肥县北乡岗集(今属长丰县)古塘村人。父亲龚宗瑜为廪生,以塾师为业,母亲李氏。兄龚振渤,弟龚振清。幼时在乡塾读书,稍长帮助父母干农活。成年后读到一些宣传新思潮的报刊书籍,结识了吴旸谷、倪映典、范鸿仙、王正藩、万福华等合肥籍进步青年,萌生了民主、革命的思想。1906年,被清廷指控为"革命党",逮捕下狱数月。出狱后,加入合肥的同盟会组织,旋去省城安庆,运动新军,谋划起义。1907年7月,安庆巡警学堂会办徐锡麟举义,枪杀安徽巡抚恩铭,龚镇洲受到清廷注意,被迫离

---

① 参见戴健:《龚镇洲》,《合肥文史资料》第5辑《合肥人物》;戴健:《龚镇洲》,《安徽文史资料》第30辑,安徽人民出版社1989年版。

皖,化名考入保定陆军速成学堂。后回到安徽,担任讲武堂教官。又前往江苏清江,任清军第十三协第二十五标掌旗官。1911年武昌起义爆发后,龚镇洲率数十名新军响应,潜入清江城,袭击督署,与防军激战。后寡不敌众,退出清江城,带伤潜回安庆。

  1912年1月,孙中山在南京就任中华民国临时大总统,任命龚镇洲为陆军第三十五旅旅长。其时"铁血军"总司令范鸿仙把军权交给龚镇洲,到上海重操笔政。1913年3月,宋教仁被刺案发生后,国民党发动"二次革命"。7月,龚镇洲在芜湖发布《讨袁檄文》,拥戴柏文蔚为安徽讨袁军总司令。龚镇洲与叛变的第一师师长胡万泰部在大通镇激战,又派兵阻击北洋军倪嗣冲部的进攻。安徽"二次革命"失败后,龚镇洲受到安徽都督倪嗣冲的通缉,被迫逃亡日本避难。1914年7月,孙中山在日本组织中华革命党,龚镇洲积极参加中华革命党的活动。1915年,袁世凯称帝,护国战争爆发后,他宣慰侨胞,筹措经费,声援护国军。

  1916年6月,袁世凯去世后,龚镇洲回到国内,在安徽展开反对倪嗣冲祸皖的活动。不久去广东,担任粤军支队司令,后被孙中山任命为虎门要塞总指挥。1922年6月,粤军总司令、广东省省长陈炯明反对孙中山的北伐主张,炮轰总统府,公开叛变革命。龚镇洲多次劝说陈炯明无效,不得不离开广东,开始了寓公生涯。1927年"四·一二"事变后,龚镇洲虽然与蒋介石是保定军校同期生,又曾同在粤军共事,但对蒋介石的做法十分不满,多次参加反蒋活动。1932年"一·二八"淞沪抗战爆发后,龚镇洲亲临前线,慰问十九路军将士。1932年2月,他陪同章太炎赴北平,劝说张学良奋起抗日。

  1937年"八一三"淞沪抗战爆发后,龚镇洲留在上海,结识了不少南下的进步青年,其中一些共产党员成为他的忘年交。1939年,大女儿龚普生离开上海赴国统区,行前龚镇洲曾表示想去新四军辖区参加抗战,但因交通问题未能成行。1940年3月,汪精卫在南京成立伪政府,以辛亥旧谊邀请龚镇洲出任"陆军部长",龚镇洲断然拒绝,为防不测,潜往云南。1940年冬,他去重庆八路军办事处看望二女儿龚澎,在红岩村,周恩来、董必武、叶剑英、邓颖超等设宴招待龚镇洲,并进行了推心置腹的谈话。1942年7月29日,龚镇洲在桂林因病去世,享年60岁。11月15日,龚镇洲追悼会在桂林市文明路红万字会堂举行。追悼会由李济深主持,各界人士数百人参加。周恩来、董必武、邓颖超联名发来唁电。蒋介石也送来了挽联。

龚镇洲早年在合肥家乡娶一何姓女子,何氏未曾生育,后病逝。1912年,龚镇洲与广东香山人徐文结婚,徐文是黄兴夫人徐宗汉的堂妹。二人育有一子四女,一子龚维禹,四女分别是龚普生、龚维航(龚澎)、龚畹球、龚惠生。

冯玉祥[①]

冯玉祥(1882—1948),谱名基善,字焕章,祖籍巢县西北乡竹柯村,出生于河北青县兴济镇。父亲冯有茂是泥瓦匠出身,后考取武举,投身行伍,从士兵逐渐晋升为哨官,成为淮军的一个下级军官。母亲游氏是山东济宁人,生子七人,只有冯玉祥和长子冯基道长大成人。

冯玉祥的童年是在父亲当兵的练军驻地保定府度过的,因为父亲收入不多,生活困难,他只读了一年零三个月的私塾。10岁时,母亲去世。练军管带苗开泰与冯有茂关系不错,同情冯家的境遇,遂将

[①] 参见冯玉祥:《冯玉祥自传》,军事科学出版社1988年版;冯玉祥:《我的生活》,世界知识出版社2006年;冯玉祥:《我的抗日生活》,世界知识出版社2006年版;冯玉祥:《我所认识的蒋介石》,世界知识出版社2006年版;安徽省政协等:《冯玉祥将军》,安徽省出版总社1988年内部出版;冯洪达、余华心:《冯玉祥将军魂归中华》,文史资料出版社1981年版;文思主编:《我所知道的冯玉祥》,中国文史出版社2003年版;毛洪亮:《蒋冯阎中原大战》,安徽人民出版社2008年版;文闻编:《西北军集团军政秘档》,中国文史出版社2009年版;刘敬忠、田伯伏:《国民军史纲》,人民出版社2004年版;安徽省政协文史委员会编:《安徽文史资料选辑》第8辑。

冯玉祥列入练军补兵,可拿一份恩饷,并且可以不入营操练。1894年,冯玉祥随练军开赴大沽口修筑炮台。1896年,冯玉祥随练军调回保定原防地,开始正式的行伍生涯。1902年,他离开保定练军,赴北京,转投袁世凯的武卫右军。1905年,冯玉祥任第六镇第十一协第二十四标第三营排长,受到第十一协协统陆建章、第二十四标标统王化东赏识。不久娶陆建章内侄女刘德贞为妻。

1907年,王化东升任第一混成协协统,随徐世昌赴东三省,驻防奉天新民府,冯玉祥任第八十标第三营后队队官随行。在新民府,冯玉祥从工兵营排长孙谏声处读到了《嘉定屠城记》和《扬州十日记》,思想产生很大震动,对清政府的态度由忠君转向革命。1908年,与王金铭、施从云、郑金声、王石清等人,组织秘密革命团体"武学研究会",冯玉祥任会长。1910年,第一混成协扩编为第二十镇,陈宧任统制,冯玉祥被提升为第四十协第八十标第三营营长。1911年3月,张绍曾接任第二十镇统制,张绍曾与第六镇统制吴禄贞、第二混成协协统蓝天蔚均为北洋军中的维新人物。9月,第二十镇选拔一个混成协兵力开赴滦州参加秋操。10月武昌起义爆发,清廷急令停止秋操,滦州只留第七十九标王金铭、施从云、张建功三个营驻扎,其余部队各回原防。12月,王金铭等人组织北方革命政府,王金铭任大都督,施从云任总司令,冯玉祥任参谋总长,白雅雨任参谋长,负责领导滦州起义。冯玉祥当时驻防山海关内海阳镇,负责接应烟台民军,合击北京城。1912年1月,滦州起义失败,王金铭、施从云、白雅雨、孙谏声等人,在滦州被通永镇守使王怀庆捕杀,冯玉祥在海阳镇被第八十标标统范国璋软禁。

1912年1月,冯玉祥被解除软禁,押解回保定原籍。2月,投奔北京军政执法处处长陆建章。陆建章还担任左路备补军统领,冯玉祥被任命为第二营营长。当时冯玉祥的营中,有旧属来投奔的,如李鸣钟、韩复榘、张维玺、谷良友、陈毓耀等;有招募来的,如石友三、孙良诚、刘汝明、佟麟阁、冯治安、韩占元、孙连仲等,这些人后来都成了冯系军队的骨干成员。1913年,左路备补军改编为京卫军,冯玉祥升任第一团团长。因时赴崇文门内美以美会听牧师讲道,开始信仰基督教。1914年,京卫军改编为陆军第七师,陆建章任师长,兼任豫陕甘剿匪督办,率军镇压白朗起义,升任陕西督军。冯玉祥则升任第十四旅旅长,不久,第十四旅扩编为第十六混成旅,冯玉祥仍任旅长,率部驻防陕南汉中。1915年,袁世凯称帝,西南护国军兴,参谋部次长陈宦被任命为四川督军,并令冯玉祥率第十六混成旅随陈宦入川镇压。1916年初,冯玉祥在四川态度消极,他认为袁世凯称帝是应该反对的,但是要公开响应蔡锷起义,困难又较多。经过与部下蒋鸿遇、张之江等人商量,决定采取等待观望、保存实力的做法,一面写信给陈宦,详述对护国军不可开仗的道理,一面写信给蔡锷,陈述不能加入护国军公开反袁的苦衷。5月中旬,在形势较为明朗的情况下,冯玉祥率部进抵成都,劝说陈宦宣布四川独立,督促袁世凯下野。

　　1916年6月6日,袁世凯毙命,黎元洪任大总统,段祺瑞任国务总理兼陆军总长,皖系控制中央政权。冯玉祥部被调离四川和陕西,驻防直隶廊坊。陆军部次长徐树铮和傅良佐对冯玉祥有所防忌,建议段祺瑞免去他的第十六混成旅旅长职务,改任驻正定府的第六路巡防营统领。1917年7月,张勋借北上调停"府院之争"之机,拥戴清废帝溥仪复辟,段祺瑞在天津马厂誓师,组织讨逆军讨伐张勋复辟。因为第十六混成旅新任旅长杨桂堂态度暧昧,段祺瑞遂恢复冯玉祥第十六混成旅旅长职务,令其率部参加讨伐张勋军事行动。平定张勋复辟后,冯玉祥通电要求取消清室优待条件,将溥仪贬为平民,将故宫和京内外清室房地产收归国有,段祺瑞出于民国元年条约信义的考虑,没有采纳冯玉祥的革命主张。段祺瑞重新上台任国务总理后,在恢复临时约法和旧国会等问题上,与南方政权发生尖锐冲突,孙中山南下广州,在桂系、滇系支持下,成立护法军政府,以护法为旗帜,出师北伐。段祺瑞决定采取武力统一政策,出兵征服南方,但代总统、直系领袖冯国璋主张和平统一政策,北洋派直系和皖系的矛盾日趋尖锐。1917年12月,福建督军李厚基慑于护法军的威势,数次电请北京政府支持,段祺瑞命冯玉祥第十六混成旅南下援闽。冯玉祥率军抵达江苏时,在直系江苏督军李纯支持下,屯兵浦口,等待观望,段祺瑞十分恼火,决定停发冯旅粮饷。1918年2月,段祺瑞命冯玉祥率部援湘,冯旅到达湖北武昌时,再次停兵不进,并发表主和通电。段祺瑞十分恼怒,逼迫冯国璋下令免去冯玉祥旅长职务,交征南第一路军总司令曹锟查办。曹锟从中调停,命冯玉祥旅配合第一路军,进攻湖南常德,常德攻克后,段祺瑞撤销了冯玉祥的革职处分,并任命他为湘西镇守使。1920年7月,直皖战争爆发,以皖系失败告终。冯玉祥旅奉命离湘北撤,在武汉停留。9月底,孙中山派徐谦、钮惕生专程前往汉口慰问冯玉祥,冯玉祥亦派秘书任佑民到广东回访孙中山。1921年5月,曹锟、吴佩孚命第二十师师长阎相文,率冯玉祥、吴新田等部进攻陕西,赶走了皖系陕督陈树藩后,冯玉祥升任第十一师师长。不久,阎相文自杀,冯玉祥署理陕西督军。1922年4月,第一次直奉战争爆发,冯玉祥被任命为直军后方总司令,率部出陕,向洛阳、郑州一带进军,在打败了附奉的河南督军赵倜后,冯玉祥被任命为河南督军。因为在筹款等问题上与吴佩孚闹得不愉快,常驻洛阳的吴佩孚将冯玉祥调离河南地盘,改任陆军检阅使,驻北京南苑,冯、吴亦因此结下仇怨。冯玉祥部驻京期间,得到了国务总理兼陆军总长张绍曾的大力帮助,不仅解决了军饷匮乏问题,而且将冯部扩编为一师三个混成旅。

1924年9月,第二次直奉战争爆发,冯玉祥被曹锟任命为直军第三军总司令。在直奉双方激战的紧要关头,冯玉祥联络援军第二路司令胡景翼、北京警备副司令孙岳,于10月23日突然发动北京政变,囚禁总统曹锟,处决曹锟亲信李彦青,逮捕直隶省长、曹锟胞弟曹锐。10月25日,冯玉祥在北苑主持召开军政会议,宣布成立中华民国国民军,冯玉祥任总司令兼第一军军长,胡景翼任副总司令兼第二军军长,孙岳任副总司令兼第三军军长。并电请孙中山北上指导国政。10月26日,冯玉祥与胡景翼、孙岳又电请段祺瑞任国民军大元帅。11月5日,冯玉祥督促黄郛摄政内阁修改《清室优待条件》,派部将鹿钟麟将清废帝溥仪赶出紫禁城。11月15日,冯玉祥与奉系张作霖等公推段祺瑞为临时执政,负责组织临时政府。11月24日,段祺瑞进京就任临时执政。任命冯玉祥为西北边防督办兼甘肃督军,任命冯玉祥部将张之江为察哈尔都统,李鸣钟为绥远都统,鹿钟麟为京畿警卫司令兼暂编第一师师长,刘郁芬为暂编第二师师长。同时任命胡景翼为河南督军,孙岳为豫陕甘剿匪总司令,后被任命为陕西督军。1925年11月,国民军与奉系矛盾日益尖锐,冯玉祥与奉系将领郭松龄、李景林签订密约,约定共同反对张作霖。随后郭松龄宣布就任东北国民军总司令,在滦州起兵,向奉天大举进攻。国民军急于得到天津和热河地盘,不顾密约中商定的条件,迫使直隶督军李景林又倒向了张作霖。在李景林和日本人的帮助下,张作霖终于渡过了难关,郭松龄兵败被杀。国民军虽然经过激烈争夺,赶走了李景林,占领了天津,但在北方的地位并不巩固,内部矛盾也开始渐显,奉军和直鲁联军则随时准备反击,夺回失地。

　　1926年1月,冯玉祥通电下野,准备赴苏联考察,以部将张之江继任西北边防督办。4月,国民军在奉军、直鲁军、晋军的夹击下,退出北京,在京西南口一带固守。5月,冯玉祥在莫斯科经徐谦介绍加入国民党。8月,国民军在南口大战中失利,全军向绥远实行总退却,并派石敬亭赴苏联催促冯玉祥回国,主持大计。9月,冯玉祥回国,在绥远五原召集国民军各军将领会议,决定成立国民军联军,公推冯玉祥为总司令,并举行誓师大会,宣布国民军全体将士集体加入国民党,参加北伐战争和国民革命运动。11月,国民军联军兵分多路,长途跋涉,向陕西进攻,解除了刘镇华镇嵩军对西安城8个月的围困。1927年4月28日,李大钊在北京被奉系张作霖杀害,冯玉祥在潼关率全军将士披麻戴孝,祭奠英烈。5月,冯玉祥宣誓就任国民革命军第二集团军总司令,随即督师南下,逐鹿中原。6月,南北国民革命军会师郑州,武汉国民政府任命冯玉祥为河南省主席、开封政治分会主席,统管豫、甘、陕三省政务。冯玉祥参加了汪精卫主持的郑州会议后,又参加了蒋介石主持的徐州会议,争取冯系利益,协调宁汉关系,同意共同"清党"。不久,冯玉祥在河南开始"清党",将部队中的苏联顾问遣送回国,将担任各级政工干部的中共党员解除职务,礼送出境。9月,经过冯玉祥等实力派的调解,武汉国民政府同意并入南京国民政府,发表宁汉合作宣言,宣布国民党的统一完成。1928年2月,国民党军事委员会重新任命冯玉祥为第二集团军总司令。第一集团军总司令蒋介石与冯玉祥交换兰谱,结拜兄弟。3月,国民党中央政治会议改推蒋介石为主席,推举李济深、李宗仁、冯玉祥、阎锡山为广州、武汉、开封、太原政治分会主席。4月,蒋介石、冯玉祥、阎锡山、李宗仁四个集团军同时下达进攻令,宣布继续北伐。5月,奉军向关外实行总退却。6月4日,张作霖在皇姑屯被日本人炸死。冯玉祥和阎锡山的部队进入北京。10月,南京国民政府任命冯玉祥为行政院副院长兼军政部部长。12月,张学良宣布东北易帜,服从南京国民政府,北伐战争结束。

1929年1月,国民革命军编遣会议在南京召开,冯玉祥和阎锡山各提出了一个军队编遣方案,结果蒋介石赞成阎锡山的方案,与会人员也大多赞成阎锡山的方案。编遣会议的结果是蒋介石的军事实力大为增强,完全凌驾于各个集团军之上,而冯玉祥的第二集团军的实力则大为削弱,由原来的81个师压缩为14个师。冯玉祥心情不悦,以养病为由离开南京,回北方休息。3月,蒋介石借湖南省主席鲁涤平案,下令撤职查办李宗仁、白崇禧,桂系被迫起兵反蒋。蒋桂双方皆积极拉拢冯玉祥,蒋介石还开出了三个条件:1.冯任行政院院长。2.青岛市归西北军。3.由冯在湖北、安徽两省中任选一省为西北军的地盘。冯玉祥对蒋介石消灭地方实力派的手段有所认识,虚与委蛇,采取了等待观望的态度。4月,蒋介石打败了李宗仁、白崇禧,开始将矛头指向冯玉祥。蒋介石收买了冯玉祥的两个部将韩复榘和石友三,对冯玉祥打击较大。5月,冯玉祥接受阎锡山的建议通电下野,同时派人与阎锡山商量出洋条件和西北军的善后等问题。6月,冯玉祥亲赴山西,与阎锡山商量对策,蒋介石派吴铁城、孔祥熙、赵戴文等人来太原探望,自己则亲赴北平,和阎锡山、张学良一起与冯玉祥的代表商量西北军的善后等问题。8月,全国军队编遣实施会议在南京召开,冯玉祥和阎锡山皆未到会,派第二编遣区主任鹿钟麟和第三编遣区主任周玳参加。9月,阎锡山陪同冯玉祥赴自己老家五台县河边村休养。在得知西北军将领准备联蒋倒阎后,阎锡山的态度发生了变化,开始与冯玉祥商量共同反蒋计划,表示西北军一旦出动,沿陇海路东进,晋军即出娘子关,沿津浦路南下。10月,宋哲元、石敬亭、孙良诚等28名西北军将领在西安联名通电,拥戴阎锡山、冯玉祥为国民军总、副司令,共同讨伐蒋介石。蒋介石得知通电后,一面安抚阎锡山,许诺让他出任陆海空军副总司令,拨680万元专款作为晋军军饷;一面调兵遣将,对西北军进行围剿。在蒋介石的威逼利诱下,阎锡山又开始犹豫不定,一面继续软禁冯玉祥,一面宣布就任陆海空军副总司令,但对蒋介石在山西杀掉冯玉祥的命令坚决不同意。12月,国民党中央常委会决议开除西北军宋哲元、石敬亭、孙良诚、鹿钟麟、薛笃弼、刘骥6人党籍,免去鹿钟麟、薛笃弼中央候补执委职务。1930年1月,阎锡山因与反蒋派唐生智联络,蒋介石打败了唐生智后,密令逮捕阎锡山。阎锡山因此与部下商议决心联冯倒蒋。2月,阎锡山亲赴五台县向冯玉祥赔罪,接冯玉祥到太原商量反蒋具体事宜。3月,冯玉祥离开山西,回到陕西,西北军将领随即通电拥阎反蒋。4月,阎锡山和冯玉祥、李宗仁宣布就任中华民国陆海空军总司令和副总司令,并发布讨蒋通电。

1930年5月,蒋、阎、冯中原大战爆发。战争初期,蒋军韩复榘、马鸿逵部放弃济南、泰安地区,退据胶济路西段。阎、冯军占据津浦线,渡过黄河后,即南下进攻,将韩复榘、马鸿逵部向东压迫,以保障后方安全。而陇海路万选才部的刘茂恩投蒋,蒋军乘机攻占商丘、柳河地区,并包围亳县。六七月间,双方在胶济路西段,津浦路大汶河以南地区,陇海路兰封、民权间激战,互有进退,呈拉锯形势。冯军孙连仲部解亳县之围,会同孙殿英部西撤。8月初,阎、冯军在津浦线进行总攻击,蒋军不支,节节后退。蒋军在陇海路民权以西地区进行中央突破,阎、冯军稍退,续占兰封与蒋军激战。8月中旬,阎、冯军进行陇海北线的迂回作战,由考城方面经曹县以南,向柳河地区蒋军后方进攻。蒋军蒋鼎文部顽强抵抗,将阎、冯迂回部队击退。阎、冯军随即又发动陇海南线的迂回作战,由通许向商丘方向进攻,当迂回部队进至睢宁地区时,从平汉线调来的蒋军部队赶到进行阻击,由于连日大雨,妨碍了阎、冯军的行动。同时蒋军在津浦线调来重兵进行反击,阎、冯军被迫南撤,蒋军转危为安。9月初,蒋军向防守平汉线漯河至北舞渡一线的冯军张维玺部发起猛攻,蒋军徐源泉、杨虎城部向巩县、洛阳进攻,以威胁西北军的后路。在陇海线,蒋军组成几个纵队,由兰封、考城、太康、杞县向睢阳、周口推进,以夺取郑州为目标。冯军一方面将宋哲元、葛运隆、赵登禹部撤退至洛阳一带,以保持西撤陕西通道;另一方面将陇海线、平汉线冯军各部防线缩短,以集结兵力与蒋军周旋。9月18日,张学良认为出兵助蒋的时机已经成熟,发出拥护中央、呼吁和平的通电,命令东北军两个军入关武力调停。晋军的主力在前方激战,后方空虚,东北军没遇到抵抗,很快占领了北平和天津。蒋军乘势大举进攻,连接占领了开封、郑州、洛阳等战略要地,西北军将领斗志全无,纷纷投诚,晋军也损失惨重,无法再战。10月5日,阎锡山、冯玉祥、汪精卫以响应张学良主和通电的名义,联名发表求和通电。10月9日,张学良就任全国陆海空军副总司令,并受蒋介石委托全权负责北方善后事宜。10月15日,鹿钟麟、宋哲元等西北军将领通电静候中央公平处理,愿解甲归田。11月1日,阎锡山和冯玉祥宣布取消"陆海空军总司令部"及第二、三方面军的封号,但请求中央允许西北军和晋军,保留少数部队,以晋察陕为两军驻地。蒋介石自然不会同意。11月4日,阎锡山和冯玉祥无奈之下,联袂发表释权归田通电。随后阎锡山从山西老家经石家庄、天津,逃往大连。冯玉祥先隐居宋哲元部驻地山西绛县,不久迁到汾阳城郊的峪道河村。中原大战的失败,使冯玉祥苦心经营多年的军事力量几乎丧失殆尽,西北军控制的地盘也全部失去。

1931年"九一八事变"后,冯玉祥积极主张抗日,收复东北失地,反对蒋介石的不抵抗政策。12月,他前往南京,出席国民党四届一中全会。1932年"一·二八"事变后,驻上海的十九路军奋起抵抗。

蒋介石奉行"攘外必先安内"的政策,态度仍然消极。5月,《淞沪停战协定》签订后,冯玉祥见自己的抗日主张化为泡影,便称病到徐州,不久移住泰山。因为张宗昌旧部刘某与山东省主席韩复榘争夺地盘,发生火拼,冯玉祥心情不好,又迁往察哈尔。1933年5月,冯玉祥在张家口组织察哈尔民众抗日同盟军,冯任总司令,冯的旧部方振武任前敌总司令,吉鸿昌任前敌指挥。这个有6个军、10多万人的部队,是由方振武的抗日救国军,察哈尔省的蒙、汉抗日力量,退入察哈尔省的东北义勇军和平津等地的爱国学生等联合组成。抗日同盟军成立不久,即在方振武、吉鸿昌将军的统率下,接连收复了察哈尔北部的沽源、康保、保昌、多伦4县,举国欢庆,军威大振。但蒋介石认为冯玉祥违反中日刚刚签订的《塘沽协定》,被共产党利用,"破坏整个国策""妨碍中央统一政令",因此调了十几个师的兵力,镇压抗日同盟军,同时派冯玉祥的旧部去劝说他离开张家口,最后按照冯玉祥提出的条件,任命宋哲元为察哈尔主席。在种种压力之下,冯玉祥不得不于8月份宣布辞职,离开察哈尔,再次回到山东泰山。走之前,他在张垣新村筑了一个纪念塔,把抗日同盟军阵亡官兵的名字都刻在石碑上。在泰山期间,他写了《察哈尔抗日实录》《反国联调查团》《胶东游记》等,请一些有学问的大学教授给他讲课,并且时常和身边人员探讨错综复杂的政治形势。1935年11月,冯玉祥应蒋介石邀请,赴南京参加国民党四届六中全会,在会上与李烈钧、柏文蔚、程潜、蔡元培等人联名提出一个抗日救亡提案,包括"大赦政治犯""奖励抗日精神,启用抗日将领""切实保障人民言论、出版、集会、结社、居住、信仰之完全自由"等内容。1936年1月,冯玉祥被任命为军事委员会副委员长。西安事变发生当天,张学良、杨虎城致电冯玉祥、李烈钧,垂询意见,冯玉祥复电建议为抗战大局考虑,应先释放蒋介石回南京,以免被亲日派利用,动摇国本。1937年2月,冯玉祥向国民党五届三中全会提出"促进救国大计案",并与宋庆龄、何香凝、李烈钧等13人共同提出恢复孙中山先生制定的"联俄、联共、扶助农工"三大政策的"团结御侮案"。1937年"七七事变"和"八一三事变"后,中日战争全面爆发。8月15日,冯玉祥被任命为第三战区司令长官,管辖京沪区,具体是负责指挥淞沪抗战。冯玉祥离开南京前,写了一份遗嘱交给家人,带着代理参谋长熊斌赶赴前线,在上海市郊的张治中司令部,召集顾祝同、张发奎、张治中、陈诚、杨虎等高级将领,研究部署抗战事宜,随后退往苏州、无锡后方指挥部。上海战事打响后,日本希望速战速决,集中陆海空优势兵力全力进攻,国民党为了保住上海这座著名的大城市,同时为了国都南京的安全,投入了大量兵力。战斗异常激烈,场面十分悲壮,由于南京最高统率部准备不足,指挥失当,部队调动较为混乱,加上飞机太少,完全没有制空权,战地救护不力,后勤保障缺乏,部队损耗很大。冯玉祥临危受命,出任战区最高指挥官,与参战将士并不熟悉,也没有多少实际指挥权,大大小小问题都要请示南京最高统率部,与国民军、西北军时期完全不同,他看到部队伤亡惨重,十分痛心,但又无能为力。9月中旬,北方战事吃紧,冯玉祥被调任第六战区司令长官,负责指挥津浦线的抗战事宜。为了解决冯玉祥在第三战区帅不知将、将不知兵的问题,蒋介石把宋哲元、韩复榘、冯治安、庞炳勋、刘多荃等冯玉祥旧部交给他指挥,但对冯玉祥拥有过多兵权又不太放心,不愿意冯玉祥与旧部关系亲密,长期共事。所以不久将冯玉祥从津浦线调到平汉线,又借口第六战区与第一战区都在平汉线,防地交错,权责不清,下令撤销了第六战区。冯玉祥也感到北方形势很复杂,条件很差,困难重重,带兵打仗很不容易,没有多说什么,于10月下旬从平汉线返回南京。11月12日,上海沦陷,南京告急,冯玉祥迁往武汉,并奉命视察湖北东部、江西沿江两岸和河南各地的国防工事,回来以后写了一份详细的报告交给蒋介石,并举荐鹿钟麟出任冀察战区总司令,北上领导抗战。1938年9月,冯玉祥被任命为督导长官,赴湘、黔、川、桂等省检阅部队。不久又奉命督练九十九军、三十六军和十八军。12月,国民党副总裁汪精卫逃离重庆,在河内发表卖国投敌的唁电。冯玉祥在国民党五届五中全会上,力主开除汪逆党籍,通缉捉拿汪逆,惩办附逆分子,并提议为行刺汪精卫的志士孙凤鸣塑造铜像。1941年11月14日,是冯玉祥六十寿辰,各方人士纷纷祝贺,尤其是重庆《新华日报》专门出版了《庆祝冯玉祥将军六十大寿》特刊,周恩来著文并题词,毛泽东、朱德、彭德怀、董必武、叶剑英等中共领导人从延安发来寿电。冯玉祥在《新华日报》上发表《谢寿》诗表示感谢,引起国民党顽固派的不满和忌恨。1944 年,冯玉祥组织一批志愿者发起献金运动,到四川各地为抗日募捐,很受爱国群众支持,有大批捐款捐物的,也有小批捐款捐物的,有的当场脱下皮袄大衣捐上,也有当场摘下金戒指捐上的。

  1945 年 8 月,日本宣布无条件投降。8 月 28 日,毛泽东从延安飞抵重庆,代表中共与蒋介石谈判,冯玉祥让夫人李德全代表他去机场欢迎毛泽东。1946 年 2 月,重庆各界人士在较场口集会,庆祝政协大会成功。国民党特务捣毁会场,制造了一场流血事件。冯玉祥公开发表《较场口》诗表示抗议。6 月,蒋介石撕毁停战协议,出动军队大举进攻解放区,全面内战爆发。上海各界人士推举代表,组成和平请愿团,到南京请愿。代表们在南京下关车站遭到了大批预伏的国民党特务围攻殴打。冯玉祥闻讯后,给国防部长白崇禧打电话,对国民党当局的做法表示愤怒。经过较场口事件和下关事件,冯玉祥对国民党政府背弃三民主义的行径深深失望,认为内战全面爆发后,和平建国的理想很难实现,因此决定出国远行。1946 年 9 月,冯玉祥以水利特使的名义,从上海坐船赴美国。临行前给蒋介石写了一封亲笔信,要求停止内战,关注民生,惩治腐败,早日实现和平民主。1947 年 1 月,冯玉祥在美国南部参观考察,行程数万里。5 月,北平、天津、上海、南京等地掀起声势浩大的爱国民主运动,遭到了国民党军警的血腥镇压。冯玉祥在旧金山《世界日报》上发表《告全国同胞书》,谴责国民党政府的暴行,要求立即停止内战,组织民主联合政府。6 月,李济深、何香凝在香港发表《致海外同志暨同胞书》,列数蒋介石的八大罪状。冯玉祥将其翻印,在美国散发。10 月,冯玉祥在纽约举行中外记者招待会,发表著名的"国庆演讲"。11 月 9 日,旅美中国和平民主联盟在纽约成立,冯玉祥被公推为主席。11 月 15 日,冯玉祥在美国《民族报》上发表《我为什么与蒋决裂?》一文。12 月 20 日,国民党政府命令冯玉祥年底返国,冯玉祥在记者招待会上说明真相,严词拒绝。蒋介石十分恼火,宣布撤销冯的水利特使,断绝他的经济来源,又串通美国政府吊销冯玉祥的旅美护照。1948年1月1日,中国国民党革命委员会在香港成立,李济深任主席,冯玉祥当选为民革政治委员会主席。1月7日,蒋介石宣布开除冯玉祥的国民党党籍。1月14日,冯玉祥举行记者招待会,表示将为推翻蒋家王朝而不懈奋斗。2月8日,冯玉祥在《纽约报》上刊登《致蒋介石的一封公开信》,严厉指责蒋介石的祸国殃民罪行,随即着手筹备成立民革驻美总分会。2月10日,面对国民党特务的暗杀威胁,冯玉祥留下遗嘱,痛斥蒋家王朝的法西斯行径。3月,美国政府在国民党的要求下,准备驱逐冯玉祥出境。冯玉祥看到解放战争胜利在即,蒋家王朝覆灭指日可待,决定回国出席中共主持的政治协商会议。7月30日和31日,冯玉祥发表《告别留美侨胞书》和《告别美国人士书》,在纽约登上苏联客轮"胜利号",启程回国。9月1日,"胜利号"在黑海行驶,突发火灾,冯玉祥与幼女冯晓达不幸遇难。9月7日,冯玉祥的遗体被运到莫斯科火化。毛泽东、朱德等中共领导人发电致唁。10月3日,中国国民党革命委员会李济深、何香凝等人在香港为冯玉祥举行追悼会。1949年9月1日,周恩来、宋庆龄等党和国家领导人在北京主持召开了隆重的冯玉祥将军追悼大会,毛泽东亲笔题写了挽词。1953年10月15日,冯玉祥骨灰安放仪式在泰山陵园隆重举行,毛泽东、朱德、周恩来等领导人亲笔题赠挽联。

冯玉祥对祖籍巢县感情较深,1936年春和1937年春,他两次回到巢县老家,第一次住了40多天,第二次住了一个星期。他两次回老家,捐出大量钱物,做了不少兴乡惠民的善事。如在夏阁附近修筑祝家坝拦水工程,在冯氏宗祠创办园山学校,在半汤温泉修建男女浴池,在竹柯村成立敬老会,在家乡附近筑路建桥、植树造林等。1982年,纪念冯玉祥一百周年诞辰之际,一些记者和文史工作者,去巢县冯玉祥家乡访问,不少老人还依稀记得冯玉祥回乡时的音容笑貌,大家深深怀念这位为家乡做过许多善事同时为家乡赢得许多荣耀的一代伟人。

冯玉祥与两任妻室共育有子女9人。1905年娶陆建章内侄女刘德贞，育有二子三女。长子冯洪国、长女冯弗能（1910年生）曾留学苏联，与蒋经国同学，据说冯弗能在苏联与蒋经国曾有短暂婚姻关系。次子冯洪志（1917年生）、次女冯弗伐曾留学德国，与蒋纬国同学，冯洪志后任美国韦廷顿公司中国部副总裁，冯弗伐后回国从事金融工作。三女冯弗矜成年后因感情问题自杀。1922年刘德贞在北京病逝。1924年2月，冯玉祥续娶李德全（1896—1972），李德全比冯玉祥小14岁，蒙古族人，出生于北京通县草房村，家境殷实。1911年，就读于北京贝满女子中学。1915年，考入北京协和女子大学。1919年五四运动爆发后，当选为女大学生会会长。大学毕业后，回贝满女子中学当老师。1922年，担任北京基督教女青年会学生部干事。1924年2月，与冯玉祥结婚，婚礼按照基督教礼仪操办。1926年，陪同冯玉祥访问苏联。回国后创办了多所小学，招收贫苦子弟入学。1937年"七七事变"后，积极动员广大妇女投身抗日救亡运动。1945年抗战胜利后，曾担任中国妇女联谊会主席。1946年9月，陪同冯玉祥赴美国。1948年7月，陪同冯玉祥回国，准备参加中共召集的第一届全国政协会议。1948年9月1日，冯玉祥在黑海因轮船失火遇难后，李德全逗留苏联处理后事，不久回到东北解放区。1949年9月，以民革代表身份参加第一届全国政协会议。1958年，参加中国共产党。历任卫生部部长、全国妇联副主席、全国体育运动委员会副主任、全国政协副主席等。1972年4月23日，在北京病逝，享年76岁。李德全与冯玉祥育有三女一子。长女冯理达，1926年生，曾任解放军海军总医院副院长等。次女冯颖达，1928年生。三女冯晓达，1929年生，1948年9月1日与父亲冯玉祥同时遇难。幼子冯洪达，1930年生，曾任解放军大连海军舰艇学院院长、北海舰队副司令员等，妻子余华心是冯玉祥老友、合肥人余心清的女儿，新中国成立后在地质部海洋地质研究所工作。

吴炎世　吴弱男　吴亚男[①]

吴炎世(1884—1907),谱名世清,字公默、公木(穆),谱字丽生,小字金生,名炎世,后以名行,生于光绪十年正月十五(1884年2月11日)。吴保初嗣子。官至三品衔直隶补用知府。1904年入北洋袁世凯幕,是年冬留学日本,肄业法政大学。1905年8月25日,同盟会成立仅5天,即经同盟会安徽分会会长、合肥人吴春阳(吴旸谷)介绍,加入同盟会。1906年秋毕业回国,是年腊月,又赴日本研究监狱学。1907年回天津,入直隶总督泗州杨士骧幕,充宪政馆总办。旋因误用药剂,于当年12月22日病逝。吴炎世善书法,能得魏隋碑碣之遗意,诗文多已散失。

吴弱男(1887—1973),庐江县南沙湖山人,生于1887年12月12日。祖父吴长庆,淮军将领,官至浙江提督、广东水师提督。父亲吴保初,吴长庆次子,著有《北山楼集》。吴弱男有一个哥哥吴炎世,一个妹妹吴亚男。

1901年,吴弱男赴日本,在东京青山女子学校攻读英文。1905年11月1日,经同盟会安徽分会会长、合肥人吴春阳介绍加入同盟会,任孙中山英文秘书。在东京,经章太炎介绍,结识章士钊。吴弱男从青山女子学院毕业后,回国在天津女子师范及苏州景海女校任英文教员。后赴英国,与在爱丁堡大学攻读法政兼习逻辑的章士钊会合。1909年4月,与章士钊在英国伦敦结婚。1911年10月武昌起义爆发后,随章士钊回国。章士钊任上海《民立报》主笔,吴弱男任

[①] 参见吴业新:《回忆姑父章士钊和姑母吴弱男》,《江淮文史》1997年第1期;夏冬波:《淮军名将吴长庆》,中国文史出版社2007年版。

《民立报》记者。1913年"二次革命"失败后,随章士钊逃亡日本避难。在日本曾帮助孙中山工作。1914年夏,章士钊在东京创办《甲寅》杂志,吴弱男结识李大钊、高一涵等人。1917年,章士钊应蔡元培邀请,任北京大学图书馆主任。1921年2月,随章士钊赴欧洲考察。1922年回国后,章士钊就任北京农业大学校长。1927年4月,李大钊被奉系军阀张作霖逮捕。吴弱男与章士钊设法营救,以失败告终后又筹款3000元,赡养李大钊遗属。1928年底,随章士钊再次赴欧洲。

1930年,章士钊应张学良邀请回国,出任东北大学文学院院长。吴弱男留在德国,照顾三个正在读书的儿子。1937年抗战爆发前夕,携三个儿子回国。二儿子在浙江大学数学系任教,三儿子从事译著工作,均因病早逝,吴弱男和章士钊十分伤心。1949年1月,蒋介石宣布下野,李宗仁任代总统。国民党派出张治中为团长的代表团,赴北平与中共谈判,章士钊是代表团成员。4月,国民党政府拒绝签字,和谈破裂。章士钊留在北平。9月,章士钊参加了中国人民政治协商会议。新中国成立后任全国政协常委、全国人大常委、政务院法制委员会委员、中央文史馆馆长等职。吴弱男任上海市政协委员、文史馆馆员等职。1961年10月,北京召开辛亥革命50周年纪念大会。吴弱男作为辛亥革命老人,应邀参加了这次庆祝活动,受到了周恩来等中共领导的盛情款待。1973年4月1日,吴弱男在上海病逝,享年87岁。同年7月1日,章士钊在北京病逝,享年92岁。

吴亚男(1889—1976),吴保初次女,生于1889年7月4日。1901年,与吴弱男同赴日本东京青山女子学校留学。1905年11月5日,经吴旸谷介绍,加入同盟会。回国后常年居住在南京、上海,为国民党工作。乐善好施,经常赈济贫困,致力于社会公益事业,曾将祖上分得的嫁资捐出120余亩田以为赈济之用。先嫁梁启超之侄梁元,因志趣不合离异,后嫁与华侨徐瑞麟。1976年10月31日,病逝于台北。

吴忠信[①]

吴忠信（1884—1959），字礼卿，号守坚，合肥县北乡（今属长丰县）吴家店人，生于1884年3月15日。父亲吴继隆为人谦和，耕读传家，母亲张氏有贤声，生有5子，吴忠黼、吴忠黻、吴忠荙、吴忠昭、吴忠信。吴忠信2岁丧父，7岁丧母，幼年时依靠兄嫂生活。10岁左右入私塾，发蒙的老师姓孙，是寿州城里有名的秀才。后拜龚镇洲父亲龚宗瑜为师，初读《三字经》《千字文》《百家姓》等，后学习《论语》等经典。

1901年，吴忠信考入南京江南将备学堂。在校期间，尊敬师长，严守纪律，学习刻苦，成绩优良，深得第九镇统制兼该校校长徐绍桢赏识。1905年夏，吴忠信毕业后不久，被徐绍桢破格任命为第九镇第三十五标第三营管带。1906年，由杨卓霖介绍，秘密加入同盟会。12月，杨卓霖在扬州谋刺两江总督端方，事泄被捕，英勇就义。吴忠信得知噩耗，悲愤不已，决定在军中积极发展组织，为死去的朋友报仇。吴忠信的活动被端方探知，欲严加惩处，幸得徐绍桢以身家性命担保，才未被捕，但端方认为吴忠信不能再直接带兵，徐绍桢只好改派他去镇江任三十五标正执法官。

1911年辛亥革命爆发后，全国响应。林述庆率新军起义，光复镇江，自任镇江都督，委任吴忠信为军务部长。吴忠信未就职，匆匆赶往南京，竭力劝说徐绍桢率部起义。徐绍桢被公推为江浙联军总司令，吴忠信被任命为总司令部执法官兼兵站总监。12月初，江浙联军光复南京。1912年元旦，孙中山在南京就任临时大总统。徐绍桢

---

① 参见丁剑：《吴忠信传》，人民出版社2009年版；宋霖：《吴忠信传略》，《江淮文史》2000年第1期；郑贤旭：《吴忠信传略》，《安徽著名历史人物丛书》第2分册《政界人物》，中国文史出版社1991年版；吴松保：《吴忠信》，《合肥文史资料》第12辑《海外合肥名人》。

被任命为南京卫戍总督，吴忠信被任命为首都警察总监，并兼理南京市政。4月，孙中山辞去临时大总统职务，由袁世凯继任，国都迁往北京。吴忠信向南京留守黄兴辞职，改任宁镇澄淞四路要塞司令。不久，赴上海任《民立报》总经理，并代理社长，辅助社长于右任致力革命宣传鼓动工作，编辑和主要撰稿人有宋教仁、范鸿仙、章士钊、叶楚伧等。1913年8月，"二次革命"失败后，《民立报》被查封，吴忠信逃亡日本。9月，孙中山在日本东京筹组中华革命党，吴忠信较早加入该党，并进入孙中山和宫崎寅藏创办的政法学校，攻读政治和经济学。

1915年初，吴忠信奉孙中山之命，回国主持上海军事工作。11月，陈其美到上海主持国内革命事宜，总部设在法租界，吴忠信、蒋介石、杨庶堪、邵元冲等分任军事、财政、总务、文牍、联络等工作，策划了刺杀上海镇守使郑汝成、"肇和"舰起义等反袁事件。1916年5月，陈其美在上海被刺身亡，吴忠信也险遭暗算。1917年8月，孙中山南下广州，组织护法军政府。12月，电召吴忠信赴广州，任援闽粤军总司令部上校参谋。1918年9月，担任粤军第七支队司令兼汀州绥靖主任，负责警戒江西和进攻福州、延平。南北议和停战后，吴忠信任粤军第二军总指挥，驻防漳州，经略闽南。1920年6月，改任第七独立旅旅长。1921年5月，孙中山在广州就任非常大总统。8月，吴忠信被任命为攻桂林总指挥。他率领部队迅速攻克桂林、龙州等地，将桂系势力赶出广西。12月，孙中山抵桂林设立大本营，筹备北伐，吴忠信被任命为桂林卫戍司令兼大本营宪兵司令。1922年5月，吴忠信奉孙中山令，作为"军事全权代表"，北上联络奉系张作霖和皖系段祺瑞，夹击直系曹锟、吴佩孚。到上海后，北方形势有变，只得留沪观察。不久，陈炯明公然叛变，孙中山蒙难，吴忠信只好取消北上计划，后因肠胃病加重，请假到苏州长期休养。

1926年7月，北伐战争开始，蒋介石任国民革命军总司令。11月，电邀吴忠信赴江西，任总司令部顾问。1927年3月，上海光复后，调任淞沪警察厅厅长，参与了蒋介石发动的"四一二政变"。8月，辞职赴南京。1928年2月,任建设委员会委员。10月,任华北编遣委员会主任,主持华北军队编遣工作。1929年2月,赴东南亚和欧洲考察。回国后,参与国民政府水利、电力、矿业、交通等建设政策的制定。1931年,任导淮委员会常务委员、监察院监察委员。

1932年4月,南京国民政府鉴于安徽省主席陈调元的种种不法行为,决定改组安徽省政府,任命吴忠信为安徽省主席,罗良鉴、程振钧、光升、江彤侯、张鼎、吴叔仁为省府委员,罗良鉴任民政厅厅长,何其巩任财政厅厅长,程振钧任建设厅厅长,叶元龙任教育厅厅长,石国柱任秘书长。吴忠信上任后,针对安徽的种种问题,采取了一些施政措施,诸如整顿吏治、压缩开支、撤销特种营业税、裁除大胜关米捐、成立水利工程处、修复淮河损毁堤防、修筑省内公路、整顿各级学校等,同时为了配合蒋介石对鄂豫皖革命根据地的"围剿",推行首席县长制,实行保甲制度,强化地方武装。

1933年5月,吴忠信辞去安徽省主席职,改任南昌行营总参议,辅佐蒋介石制订对中央苏区的"围剿"计划。1935年4月,吴忠信接替王家烈,任贵州省主席。上任后即召集省府有关人员制定施政方针:一、整饬吏治;二、发展教育;三、人事公开,财政公开;四、禁绝烟毒;五、肃清匪患;六、修筑公路。施政方针确定后,又分门别类制定细则,并层层下达任务,要求各负其责,严格执行。蒋介石派吴忠信主政贵州,还有一个重要任务就是联络新桂系,调和蒋桂关系。1936年5月,胡汉民病逝,蒋介石试图乘机统一两广,引起李宗仁、陈济棠等两广实力派的不满,双方剑拔弩张,势同水火。两广"六一事变"发生后,吴忠信感到十分棘手,又无能为力,不愿意卷入双方的内战,遂辞去贵州省主席一职。

1936年8月,吴忠信就任蒙藏委员会委员长。他上任不久,即着手安排九世班禅进藏事宜。自晚清以来,由于英国插手西藏事务,十三世达赖和九世班禅失和,九世班禅被迫流亡内地,长期不能回西藏。这时,十三世达赖已经去世,西藏政局发生变化,九世班禅取道青海回西藏,吴忠信安排专使护送班禅一行,但仍然遭到英人及西藏地方政府亲英分子的阻挠，班禅被迫滞留青海玉树。1937年12月，九世班禅在青海玉树去世，未能实现返回西藏的心愿。

1938年12月，国民政府宣布吴忠信作为中央特派员赴西藏，会同热振摄政主持金瓶掣签认定仪式和十四世达赖转世灵童坐床大典，并代表国民政府宣示中央治理西藏方略和民族宗教政策。

吴忠信在主持蒙藏委员会任内，注意民族工作，亲任蒙藏政治训练班主任。注意安抚蒙藏上层人士，将内蒙的章嘉呼图克图安排为国民政府委员，并设立驻京办事处，将外蒙的迪鲁瓦呼图克图安排为蒙藏委员会委员，还在重庆等地设立招待所，专门收留、招待流亡的喇嘛王公及其家属。吴忠信还十分注意边疆研究，组织中国边政学会，并担任理事长，创办《边政公论》月刊，出版"边疆丛书"。

1944年10月，国民政府宣布新疆省政府改组任命，吴忠信接替盛世才任新疆省主席，邓翔海、彭吉元、许莲溪、余凌云、周昆田、张宣泽、阿奇木、阿西木、刘秉德、太平、加里木汗、于达为省府委员，邓翔海任民政厅厅长，许莲溪任教育厅厅长，余凌云任建设厅厅长，彭吉元任财政厅厅长，曾少鲁任秘书长。吴忠信就任新疆省主席后，提出"天理、国法、人情"为施政方针，"互信、互助、不多事、不怕事"为办事精神，"解旧怨、结新欢"为宣传口号。施政过程中主要采取了三项措施：一是"清理监狱"，释放包尔汉等一批有声望的人士，但对中共人员则借口慎重，继续关押；二是"宣抚地方"，成立宣抚委员会，派员携带大量财物，到各专区安抚、延揽各族知名人士，试图化解日趋尖锐的民族矛盾；三是"敦睦邦交"，主要是搞好与邻邦苏联的关系，加强与苏联驻迪化总领事馆的联系。

1946年3月，吴忠信辞去新疆省主席职务，蒋介石任命张治中任西北行营主任兼新疆省主席。吴忠信回到南京后不久，原北洋政府交通部次长兼中孚银行总经理孙多钰登门拜访，邀请他参与恢复中孚银行的工作，他欣然同意。中孚银行由寿县状元、帝师孙家鼐的孙子孙多森于1914年创办，1919年孙多森病故后，由其弟孙多钰接管。抗战爆发后，中孚银行连同孙氏家族阜丰面粉厂、鼎丰纱厂、仁立毛纺厂等一同倒闭。抗战胜利后,孙氏家族希望恢复中孚银行,经孙多钰请求,吴忠信利用其政治地位,取得财政部的同意,恢复中孚银行营业,吴忠信任董事长,孙多钰任总经理。吴忠信认为战后中国的复兴之道、当务之急就在于经济建设,所以他积极参与银行、企业的恢复工作,聘请叶元龙、孙洪芬、浦薛凤等财经专家共谋发展。但当时国民党统治区物价暴涨,法币贬值,经济崩溃,社会动荡,根本谈不上什么建设事业。

1947年4月,国民政府改组,吴忠信当选为国府委员。7月,担任中国边政学会第二届理事长。9月,奉派任广西选举指导委员,前往桂林,与桂系协商国大代表、立法委员、监察委员候选人等问题。1948年5月,被聘为总统府资政。12月,吴忠信任总统府秘书长,这是蒋介石准备下野前的重要人事安排,目的就是要吴忠信接李宗仁上轿,与共产党和谈。1949年1月21日,蒋介石宣布引退,由李宗仁任代总统。"代"字是吴忠信和张群坚持加上的,不是继任,而是代理,这就为蒋介石实际控制政局和日后随时复出,埋下了极其重要的伏笔。蒋介石下野后回浙江奉化溪口老家,吴忠信也坚决辞去总统府秘书长一职,但由于他和李宗仁关系较好,是蒋、李之间重要的联系人,因此频繁往来于南京与溪口之间,为退居幕后的蒋介石传递消息,协调关系。4月20日,国共和谈破裂。人民解放军发起渡江战役。5月,上海解放前夕,吴忠信举家迁往台湾。7月,担任广州国民党非常委员会委员。往来于广州、台湾、重庆之间,辅佐蒋介石部署在大陆最后的军事抵抗。

1950年3月,蒋介石在台湾宣布"复职"。吴忠信继续追随蒋介石,历任"总统府"资政、"中央银行"常务理事、"中国银行"董事、国民党中央改造委员会评议委员、国民党中央纪律委员会主任委员等职。吴忠信晚年继续组织边疆研究,1953年11月,他出版了《西藏纪要》一书。1954年,他发起成立"边政协会",组织专家学者编纂出版了多部著作,内容包括东北、蒙古、新疆、西藏、云南等边疆地区的研究。他还担任台湾合肥同乡会名誉理事长,与合肥人郭寄峤邻巷而居,关系密切,非常喜欢同乡故友来访交谈。他从1926年起开始写日记,直到去世前50天停笔,前后长达30余年,他的日记是研究民国史极有价值的参考资料。他保存的3轴手卷《龙珠感旧图》《天山揽胜图》《恕庵礼佛图》,上面有多位民国著名人物的题词、序跋,具有较高的历史价值和艺术价值。

  1959年12月16日,吴忠信因肝疾不治在台北逝世,享年75岁。病危时,蒋介石、陈诚均莅临医院探视。治丧委员会主任于右任,副主任张道藩、俞鸿钧,总干事蒋经国,副总干事张寿贤、周昆田,委员为国民党各界要人数十人。吴忠信原配王惟仁,侧室沈丽安,有子女四人,长女吴驯叔,三子吴申叔、吴庸叔、吴光叔。

蔡晓舟[①]

  蔡晓舟(1885—1933),合肥东乡人。早年投笔从戎,参加熊成基领导的安庆马炮营起义。起义失败后,蔡晓舟潜回合肥,倡导开办学堂。后到北京投靠亲戚龚庆霖。龚庆霖是合肥人,晚清举人,聂士成女婿,曾任保定北洋武备学堂教习。1915年,合肥人张广建任甘肃督军,张广建原是聂士成部下,与龚庆霖是拜把兄弟,张广建入甘主政,邀请龚庆霖襄助,龚庆霖遂就任督军府秘书长。蔡晓舟也随龚庆霖到了甘肃,分管盐运,并娶邓春兰为妻。

  1919年初,龚庆霖携家眷回到北京,蔡晓舟也带邓春兰到北京。蔡晓舟曾在北京大学总务处和图书馆任过职,与陈独秀、胡适、高一涵、李辛白等皖籍学人有来往。北京五四运动爆发后刚刚两个月,蔡晓舟与表弟杨亮功就编撰了《五四》一书,详细记叙了北京五四运动

[①] 参见石原皋:《蔡晓舟其人》,《安徽史志通讯》1982年第1期;沈寂:《也谈蔡晓舟其人》,《江淮文史》2000年第4期;哈晓斯:《皖人轶话》,《安徽文史资料》第32辑,安徽人民出版社1989年版。

的经过,介绍了五四运动在各地的反响,并辑录了社会各界的重要函电及有关资料。不久,这本25开铅印小册子开始在北京街头出现。1919年夏,邓春兰在蔡晓舟支持下,上书蔡元培,呼吁国立大学招收女生。不久,这封《邓春兰上蔡校长书》在京沪等地报纸上刊出,产生了较大影响。1920年2月,北京大学录取邓春兰等9名女生入学,这是我国历史上男女合校后第一批女大学生。5月,蔡晓舟研究白话文语法的专著《国语组织法》,由上海泰东图书局出版。该书由蔡元培审定并作序。

1920年秋,蔡晓舟回到安徽,先在安庆第一模范小学任教,后到法政专门学校任教,同时开办文化书店,创办《新安徽》杂志。1921年春,蔡晓舟联络安庆各学校的学联负责人,在怀宁县学宫义务小学,主持召开安庆社会主义青年团建团筹备会。4月,蔡晓舟在菱湖公园茶社主持召开了安庆社会主义青年团成立会议,到会者有刘著良、方洛舟、王步文、许继慎、舒传贤、杨溥泉、周新民、韦素园、彭干臣、张友鸾等人。后参与领导了"六二"学潮、反对贿选第三届省议会、驱逐省长李兆珍等斗争。1923年10月,蔡晓舟领导开展了反对曹锟贿选总统的斗争,并支持安庆进步学生捣毁"猪仔议员"张伯衍、何雯住宅。后受到当局通缉,被迫出走上海避难。

蔡晓舟在上海期间,参与了筹建安徽大学的工作,他曾向北京、上海、南京等地的皖籍知名人士,募集安徽大学建校经费。1926年,为了迎接北伐军攻打合肥,蔡晓舟从上海回到合肥,与许习庸、李云鹤等人领导了北乡吴山庙武装起义。1931年,蔡晓舟应马云亭邀请,担任安徽区长训练所所长。后辞职去北京,从事著述。1933年春,被北京安徽中学董事会推为校长。同年8月20日,蔡晓舟在北京病逝,年仅48岁。

蔡晓舟与邓春兰育有一子一女。子蔡心鉴,1917年生。女蔡心铭,1920年生。蔡晓舟与邓春兰后因两地分居离异,续娶郑家贞,育有一女蔡心镒,1926年生。

金维系[①]

金维系（1885—1981），字幼鞀，1885 年 1 月 2 日（光绪十年十一月十七日），生于合肥城内前大街南油坊巷。金家世居合肥城，父亲金海珊在城内开有米行，家境较好。金维系排行老四，其二哥金墨林曾考中举人。

金维系幼读私塾，1905 年，考入芜湖安徽公学学习，1906 年初，在导师刘师培介绍下，加入同盟会。同年夏，转入安庆警官学堂和法政学堂学习。与合肥籍革命党人吴旸谷、倪映典、范鸿仙等人联络，曾参与策划熊成基领导的安庆马炮营起义。1911 年武昌起义爆发后，金维系与潜伏在安庆的革命党人积极响应，联络新军发动起义。11 月，安庆革命党人赶走都督朱家宝，推举王天培等人组织临时都督府，金维系任谋略处处长。不久朱家宝重新夺取政权，吴旸谷被浔军黄焕章部杀害，安庆城内大乱，金维系返回合肥，协助庐州军政分府都督孙万乘工作。

1913 年 3 月，袁世凯派人暗杀宋教仁，革命党人发起"二次革命"。合肥革命党人也再举义旗，组织了庐州讨袁军，由孙万乘任总指挥，金维系任筹饷局局长。"二次革命"失败后，金维系避居庐江。1914 年春，金维系辗转来到上海，经同乡范鸿仙介绍，加入中华革命党。1915 年 5 月，应浙江革命军司令长官夏尔屿邀请，担任严州革命军司令官。同年 11 月，被孙中山任命为中华革命军皖中司令官，兼理皖南事宜。1916 年 6 月，袁世凯复辟帝制失败，忧郁而死，讨袁斗争结束，金维系重新回到上海。

[①] 参见吴松保：《金维系》，《合肥文史资料》第 12 辑《海外合肥名人》；宋霖、刘思祥编著：《台湾皖籍人物》。

1917年，北洋政府撕毁《临时约法》，孙中山从上海南下广州，发起护法运动。1918年2月，金维系从上海赶到广州，被孙中山任命为大元帅府参议，后又被孙中山派往粤军许崇智部任参议，随许崇智部进攻福建，占领武平后，出任武平县长。在武平任上两年，兴学育才，助农扶商，颇有政声。

1922年4月，陈炯明在广州叛乱，炮轰孙中山总统府，孙中山避难"永丰"舰。当时，金维系正随许崇智军北伐至赣州吉安，闻讯后急忙回师平叛，但在韶关为陈炯明叛军所败，被迫退入福建。福建督军李厚基不仅大肆屠杀革命党人，而且积极资助陈炯明饷械，支持陈炯明叛乱，许崇智的粤军面临腹背受敌的危险。为了数万粤军的生存发展，金维系冒险前往福建延平，说服王永泉部脱离李厚基，加入南方革命阵营，共同反对北洋军阀。

1925年3月，孙中山逝世后，滇、桂军阀杨希闵、刘震寰趁国民革命军东征陈炯明，后方兵力空虚之际，在广州发动叛乱。国民革命军闻讯后决定回师广州平叛，但又担心退据永定的洪兆麟、叶举等陈炯明部将乘机反攻，使革命军处于前后夹击窘境。金维系奉命前往永定，与洪兆麟、叶举等人谈判，最后达成停战协议，解除了国民革命军的后顾之忧，遂集中兵力赶回广州，平定了杨、刘叛乱，巩固了广东革命政权。

1926年广东国民革命军开始北伐以后，金维系回到安徽，先后任安徽省清党委员会委员、安徽省党务指导委员会委员、安徽省党部执行委员、安徽省政府委员等。1935年，当选为国民党第五次全会安徽代表。1938年，当选为国民党临时代表大会安徽代表。1942年，任安徽省督粮委员。1945年，任国民参政会参政员。1947年，当选为国民党中央监察委员，并任赣皖区监察委员行署委员。

1949年，金维系赴台，仍任国民党中央监察委员。1963年，任国民党中央评议委员会委员，后又被推为中央评议委员会主席团主席。1975年，设立金维系奖学基金会，任董事长。1981年1月24日，金维系在台北三军总医院病逝，享年96岁。

金维系夫人赵利亚,护士学校毕业,随金维系一同赴台。育有一子,新中国成立后留在大陆,20世纪60年代初在合肥病故。

吴新田[①]

吴新田(1886—1945),字苤荪,合肥人,生于 1886 年 3 月 2 日。1904 年,从保定陆军行营学堂结业后,分到北洋第六镇当哨官。1906 年,入保定陆军军官学堂继续学习。1907 年,任第六镇第二十三标督队官。1909 年,任第六镇第十一协参谋官。1911 年,任第六镇第二十二标管带。1912 年 8 月,北洋第六镇改为陆军第六师。次年吴新田任第六师第十一旅第二十二团团长。1914 年,改任第三混成旅第一团团长。1914 年 9 月,第三混成旅扩充为第七师,张敬尧任师长,吴新田任第十四旅旅长。1915 年底,蔡锷率护国军由云南进入四川,袁世凯任命张敬尧为第二路军司令,率第七师入川阻击护国军。吴新田率部随张敬尧入川,在纳溪一带与护国军交火。

1916 年 6 月,袁世凯死后,吴新田随张敬尧回防洛阳。1917 年 12 月,北洋军第一次攻湘失败后,段祺瑞任命张敬尧为征南军前敌总司令,吴新田率第十四旅,跟随张敬尧从洛阳南下武汉继续攻湘。吴新田旅与田树勋、张敬汤、刘锡广旅协同作战,将湘、桂军击退,吴旅开进湖南岳阳,吴新田兼任岳阳镇守使。北洋军占领长沙后,段祺瑞任命张敬尧为湖南督军,张敬尧将第十三、第十四旅改为湖南暂编第一、第二师,吴新田任湖南第二师师长,驻防攸县、株洲、衡山一带。1919 年南北议和时期,在湖南的南北军队各守防地,处于相持状态。1920 年 5 月,直系干将吴佩孚从衡阳撤兵北归,吴新田为接防司令。吴佩孚撤防前与南军订有密约,谭延闿、赵恒惕首先派兵占领了祁

[①] 参见祝秀民:《吴新田》,《皖系北洋人物》,安徽人民出版社 1993 年版。

阳、耒阳两县,接着又派两个旅围攻衡阳,并在衡阳城内埋有伏兵。吴新田战败逃出衡阳,沿途遭湘军阻击,退往长沙。谭延闿、赵恒惕集中全湘兵力,分三路进攻长沙。第七师抵挡不住,吴新田随张敬尧退到岳阳,不久又被湘军赶出岳阳。第七师逃到湖北嘉鱼时,张敬尧被撤职,余部由吴新田统领,向湖北襄阳撤退。

1920年直皖战争皖系失败后,吴新田投靠直系,被任命为第七师师长。1921年5月,直系北京政府免去皖系陈树藩陕西督军职,由直系第二十师师长阎相文接任,陈树藩拒绝免职令。吴新田奉命率第七师由湖北襄阳出发,经荆紫关入陕,协助阎相文讨伐陈树藩。阎相文赶走陈树藩任陕西督军后,将全陕划分为三大军区,吴新田任第二军区司令长官,部队驻扎在西安、临潼、渭南、商县、洛南一带。1921年8月,阎相文死后,冯玉祥接任陕西督军,陈树藩组织旧部发动反攻,企图夺回西安。冯玉祥组织三路人马回击,吴新田第七师为第一路军,先攻凤翔,又进驻汉中,被任命为陕南镇守使。当时陕西省省长刘镇华对冯玉祥表面上很恭顺,背地里却拉拢吴新田和二十师师长阎治堂,形成一股反冯势力。1922年4月,第一次直奉战争爆发后,冯玉祥想离开陕西,便主动请缨到前方作战。冯玉祥率第十六混成旅离陕后,刘镇华任陕西督军兼省长,吴新田任陕西军务帮办。1925年2月,刘镇华率镇嵩军赴河南,援助第三十五师师长憨玉琨进攻洛阳。吴新田替代刘镇华代理陕西督军兼省长。刘镇华被河南督军胡景翼击败后,逃到山西运城,欲回陕休整,却被吴新田第七师堵在潼关之外。

1925年5月,临时执政段祺瑞任命吴新田为陕西督办(执政府时期将督军改称督办),第七师师长由顾琢塘接任。国民军第三军军长孙岳对吴新田任陕西督办不服气,在部将杨虎城等人的支持下,掀起驱逐吴新田运动。吴新田被赶到凤翔、宝鸡一带。1926年4月,刘镇华率镇嵩军围攻西安,吴新田也乘机从陕南向西安进攻。1926年11月,国民军打败了刘镇华的镇嵩军,解除了长达8个月的西安之围。吴新田部被冯玉祥收编,出任第十六路军司令兼第一师师长。1928

年8月,冯玉祥缩编部队,吴新田派人与同乡张义纯联系,准备投奔新桂系。张义纯请示李宗仁同意后,吴新田率第十六路军由陕南抵达武汉。他到武汉后,心灰意冷,不愿再过军队生活,遂将第十六路军交给张义纯整编,自己退隐天津作寓公,直到1945年2月16日去世。

余亚农①

余亚农(1887—1959),合肥北乡下塘集(今属长丰县)人。父亲余海门耕读田园,教子有方。1905年春,余亚农考入安庆陆军小学。1909年,升入北京清河镇陆军第一中学。1910年,入保定入伍生队学习。经陆军第六镇统制吴禄贞介绍,加入同盟会。1911年武昌起义前夕,吴禄贞派余亚农去武汉联系新军,共同举兵反清。他到达武汉后,因新军起事日期尚未最后确定,便离鄂去皖。从安庆转至合肥,武昌起义已经爆发,余亚农积极响应,与余丹甫、孙品骖等人组织了合肥军政府,又被推为全椒民军司令。不久担任南方革命军第一军(军长柏文蔚)代理训练处长。1912年南北议和后,余亚农入保定军校第一期学习。1913年7月,"二次革命"爆发后,他投入淮上军张汇滔部任营长。讨袁军事行动失败后,胞兄余丹甫被杀,余亚农避居上海租界。1914年,赴日本出席中华革命党各省代表会议。

1926年春,余亚农投奔国民军方振武部任参议,后因战功擢升为团长、旅长。1927年底,被任命为第三十四军第八十九师师长。1928年8月,第八十九师被缩编为第一三三旅,调驻安庆市。1929年9月,蒋介石将安徽省主席方振武软禁于南京,命令第二十六路总

---

① 参见华永正:《余亚农传略》,《安徽文史集萃丛书》之九《人物春秋》,安徽人民出版社1987年版。

指挥兼第六师师长方策率部进驻安庆,余亚农率一三三旅起义,逮捕了方策,顽强坚持了数月,反蒋斗争归于失败。1930年4月,余亚农被冯玉祥任命为豫皖边区第一路军司令,参加了反蒋的中原大战。1933年5月,冯玉祥、方振武、吉鸿昌在张家口成立察哈尔民众抗日同盟军,余亚农担任援助沽源、多伦的预备队司令。1933年11月,余亚农参加了反蒋的福建事变,被李济深任命为第二十九路军总指挥。1936年12月,余亚农受李济深领导的民族革命大同盟委托,自广西梧州密赴延安,联络反蒋。他在延安逗留月余,受到了中共领导人的接见,思想上受到了较大触动。

1938年春,余亚农在章乃器、周新民、朱蕴山、光明甫等进步人士支持下,接受李宗仁邀请,担任第五战区抗日人民自卫军第五路指挥官。在任期间,与彭雪枫领导的新四军第六支队关系良好,不仅与第六支队协同作战,收复了涡河以北的伪军据点,还提出"向新四军学习"的口号,邀请第六支队政工干部去第五路军担任培训工作,允许第六支队《拂晓报》在第五路军公开发行。但余亚农的进步措施引起了新桂系顽固派的不满和嫉恨,1938年冬,余亚农去金寨开会,途经豫皖交界的三河尖,被鄂豫皖游击司令黄瑞中逮捕,囚禁于固始。后经安徽省动委会及各界人士营救,始获释放。1939年夏,新桂系以"勾结新四军"的罪名,调集大批军队,包围余亚农第五路军,余亚农被迫无奈,只好辞职,转赴上海。后新桂系安徽省主席李品仙、廖磊以"顾问""参议"等名义,诱其出山,但他心灰意冷,坚辞不就。

1945年8月,抗日战争结束后,余亚农应中共华中局邓子恢邀请,密赴苏北淮阴解放区,与郑抱真、蔡蹈和等人商议反蒋、反内战事宜。回沪后,经沈钧儒、沈志远介绍,加入中国民主同盟。1947年春,余亚农赴山东日照,与皖北军区司令员曾希圣、皖北行署主任郑抱真商量兵运工作。1948年冬,他协助中共地下党,在宁、沪、芜间进行策反工作,积极配合解放军渡江。

新中国成立后,余亚农先后担任华东军政委员会委员、皖北政治协商委员会副主席、皖北行署监委会副主任、安徽省人民政府副省长、民革安徽省筹委会主任等职。1959 年去世,享年 72 岁。根据余亚农病危时的请求,中共安徽省委批准他为中国共产党党员。

叶守坤[①]

叶守坤(1888—1963),字粹武,1888 年 10 月 1 日生于合肥北乡罗集(今属长丰县)。曾祖父叶邦法曾参加太平军陈玉成部,后战死北方,祖父叶家化每年除夕,必设祭品,北向哭拜。父亲叶子英少负奇气,擅文章,精医术,漠视科名,教授乡里,创办集义小学。倪映典兄弟三人,皆为他的学生,叶守坤也在乡学读书。母亲范氏秉性温慈,持躬勤俭。

1905 年,叶守坤考入安庆讲武学堂。1908 年,考入安庆法政学堂。在校期间,结识吴旸谷、刘天民等革命同志,并加入同盟会。1910 年,倪映典在广东运动新军起义,叶守坤应约前往共商义举。行抵香港,倪映典已在燕塘战败身亡。叶守坤遂随赵声奔走于广东、福建等地,策动黄花岗起义。失败后,奉孙中山之命回皖从事革命工作。

1912 年民国建立后,叶守坤被任命为皖军独立师第二团团长,师长柏文蔚。不久又南下广东,并与黄兴、赵声义结金兰。叶守坤在广东期间,与合肥同乡吴忠信关系较好,吴忠信任独立旅旅长时,叶守坤任第二团团长。1925 年,叶守坤应粤军军长许崇智的邀请任军部秘书长。1926 年春,北伐开始后,调任北伐军江东第一路军指挥部秘书长。1929 年,陈调元任安徽省主席,叶守坤任省府委员并任合肥县长。

[①] 参见叶守济、叶道理:《叶粹武传略》,《安徽文史集萃丛书》之九《人物春秋》,安徽人民出版社 1987 年版;孟尧:《叶粹武》,《合肥文史资料》第 5 辑《合肥人物》。

1937年7月全面抗战爆发，卫立煌任第十四集团军总司令，邀请叶守坤任秘书长。1938年冬，卫立煌任第一战区司令长官兼河南省主席，叶守坤任第一战区经济委员会副主任委员，并兼任司令长官部秘书长。1942年冬，中条山战役失败后，卫立煌被蒋介石调任西北行营主任。叶守坤辞职携家眷寓居成都，不久卫立煌亦告假寓居成都。1944年初，卫立煌调任中国远征军司令长官，叶守坤任中将高参。叶守坤长子叶道扬亦参加远征军，被任命为长官部思茅机场守备营营长。1944年5月，远征军开始反攻滇缅公路。叶道扬因战功升任第一〇一师第三〇一团团长。

1945年抗战胜利后，叶守坤从军中退休，寓居南京双塘巷11号。叶道扬则调任陆军总部第五署装甲兵科科长。1947年冬，陈诚在东北屡遭败迹，遂称病辞职返回南京，蒋介石任命刚从欧美考察归来的卫立煌为东北"剿总"司令，卫立煌屡辞不允后走马上任，曾邀叶守坤同往沈阳，任东北政务委员会副委员长。叶守坤审时度势，以体弱畏寒为由婉辞不去。1948年底，卫立煌眼看东北大势已去，遂秘密南下，在广州被蒋介石扣留，并软禁于南京。叶守坤联络吴忠信等人多方活动，营救卫立煌。卫立煌秘密逃离南京后，偕家人前往香港。叶守坤于1949年初携家人渡海，卜居台湾台中市。1963年1月24日，叶守坤病逝于台中市，享年75岁。

叶守坤居长，有四个弟妹。叶守坤夫人阮氏于1973年逝世，与叶守坤合葬于台中市示范公墓。长子叶道扬，1953年考入美国陆军装甲兵学校高级班，1956年又考入美国陆军参谋大学，后留在陆军参谋大学任教官。次子叶道怀，考入金陵大学学习电机专业，后定居美国，任工程师。

许习庸[①]

许习庸(1888—1976),谱名国顺,字习庸,1888年农历十月初十出生于合肥东南乡七里井村。父亲许少亭,初在乡间务农,后入行伍,累升至绿营炮兵统领。

1895年,许习庸进私塾读书。1901年,许家迁居合肥城东二十里埠南小高郢,许习庸到店埠对河,拜秀才张世籁为师,与王亚樵同学。1906年,许习庸离开合肥城北高等小学堂,前往武昌,考入湖北陆军学堂。因父亲反对他从军,只得退出军校,考入南京上江公学。1908年,许习庸从上江公学毕业后,考入南洋高等专门学堂。1909年,经南洋高等学堂教师凌蕉庵介绍,秘密加入同盟会。

1911年10月武昌起义爆发后,革命党谋划光复南京。11月,驻南京秣陵关的徐绍桢第九镇,在柏文蔚、范鸿仙等人策动下,发动起义,攻打雨花台。许习庸参加南高学生队,配合起义军的行动。后起义部队被江南提督张勋镇压,退往苏浙,许习庸从南京返回合肥。不久,合肥发生两个庐州军政分府火拼事件,李元甫、王传柱被孙万乘诱杀,王亚樵避走他乡,许习庸亦离开合肥,前往安庆,在柏文蔚都督府中任职。1912年秋,许习庸应王亚樵邀请,再回合肥,参与创建社会党安徽支部。1913年8月,袁世凯勒令社会党解散,安徽都督倪嗣冲查封社会党安徽各支部。许习庸到合肥东乡二十里埠,创办马岗汇英小学堂,并担任校长,为乡村教育投入了大量心血。1917年,许习庸与李鸿章家族后人李畹君在合肥结婚。

1920年7月,直皖战争皖系失败后,倪嗣冲被免去安徽都督,张文生继任。许习庸前往安庆,与王亚樵、何哲人、郑青士、蔡晓舟、周

---

① 参见张勤:《许习庸先生爱国进步的一生》,《江淮文史》1997年第2期。

蔚如等人组织成立安徽民权协进会,要求废除督军制,实行民选省长,实现安徽自治。安徽民权协进会的活动,受到了张文生、马联甲等当政者的限制和镇压,许习庸被迫跟随王亚樵离开安庆,前往上海。1923年2月,孙中山重返广州,组织陆海军大元帅大本营。柏文蔚被任命为大本营北伐讨贼军第二军军长,电召许习庸前来广州,担任军部参议,并介绍许习庸参加国民党。

1925年初,许习庸从广州返回合肥,开展革命工作。他通过柏文蔚的关系,被委任为合肥县实业局局长,以实业局为掩护,积极进行武装起义的筹备组织工作。1926年11月12日,经过各方面的努力,安徽讨贼军第四路军司令部在合肥北乡吴山庙成立,司令蔡晓舟,政委郑鼎(李云鹤),副司令许习庸,参谋长聂鹤亭,总参议李雨村。11月23日,起义部队从吴山庙小营盘出发,向合肥城发起进攻。由于起义消息被合肥县衙侦知,紧急向皖军总司令陈调元求救,陈调元派出刘凤阁旅驰援,还调动合肥、寿县、定远、凤阳四县的民团围剿。起义部队进攻受阻,损失严重,被迫退往寿县古渡岗,司令部领导成员协商后,决定队伍化整为零,转入地下,伺机再起。许习庸与蔡晓舟等人,潜往武汉,吴山庙起义失败。

1927年1月,国民革命军第三十三军在湖北武穴成立,柏文蔚任军长,常恒芳任党代表。许习庸被任命为副官处长。2月,第三十三军与第七军组成北伐军江左军第一纵队,会同第二、第三纵队,从湖北向安徽进攻。安徽军阀陈调元、王普抵挡不住,宣布投诚,安庆及皖南大部分地区旋被北伐军占领。许习庸随军回到安徽后,经柏文蔚介绍,担任过屯溪公安局长和蚌埠长淮水上公安局长。不久,卸任回合肥赋闲。

1929年春,许习庸赴安庆,与刘文若(中共党员)、徐觉生、牛雨樵等人,创办《长江晚报》,许习庸任社长,刘文若任总编辑。10月,因为刊登反对蒋介石的文章,《长江晚报》被查封,许习庸、刘文若、徐觉生被逮捕,刘文若遇害,许习庸和徐觉生被判处15年徒刑,关进安徽陆军监狱。1931年,经过中共地下党和家属亲友的多方努力,许习庸和徐觉生获"保外就医",但仍然处于国民党特务的严密监视之中。1936年,随着国内政治形势的变化,许习庸得以离开安庆,返回合肥。

1937年抗战爆发后,许习庸举家逃难,辗转迁徙,后定居贵州省铜仁县山区。1945年冬,许习庸被当地恶势力罗织罪名再次入狱,其三子许有为因为参加学生运动,并与中共地下党外围组织有联系,亦被逮捕。后经柏文蔚营救,父子二人先后获释。1946年夏,许习庸举家返回合肥。在东二十埠创办绿云农场,从事畜牧养殖。1948年5月,许习庸加入民革在安徽的地下外围组织"辛亥革命老同志会"。

1949年1月,合肥解放。6月,皖北行政公署决定将逍遥津辟建为公园。经合肥市委统战部介绍,许习庸到皖北行署农林处任逍遥津公园设计委员。1950年,调任皖北行署农林处肥东鱼苗总场经理。1954年,调省工业厅粉丝厂工作。1958年,主持肥东马岗综合厂技术工作。1963年以后,连续当选为肥东县第五、第六届人大代表。1976年秋,许习庸在合肥去世,享年88岁。

王亚樵[①]

王亚樵(1889—1936),谱名玉清,字九光,合肥县东北乡王小郢人,生于1889年2月14日。祖父王榜,不通文墨,种田为生。父亲王荫堂,粗读诗文,务农为业,兼做乡医。母亲梅氏,农家女。一妹王季樵,一弟王述樵。

王亚樵幼读乡塾,曾参加科考未中。1907年夏与同乡王清泉、郑益庵、唐幼文义结金兰,称四大和尚。1908年春与许习庸、王庆廷、王海卿等人,在撮镇组织正气学社,密谋反清。同年秋,结识岳王会会

---

① 参见《合肥文史资料》第3辑《王亚樵》;叶云明:《王亚樵传略》,《安徽著名历史人物丛书》第2分册《政界人物》,中国文史出版社1991年版;《安徽文史集萃丛书》之二《军阀祸皖》,安徽人民出版社1987年版。

员吴旸谷、柏文蔚、常恒芳等人。1911年武昌起义爆发后,王亚樵与李元甫、王传柱、李小乙等人,在合肥大兴集李文忠公祠成立庐州军政分府,由于缺乏经费,有人提议让李府交出在合肥的义和、恒升典当及同泰钱庄等财产。这时同盟会上海总部派孙万乘回合肥,在小书院组织庐州军政分府,也准备向李府摊派军费。李府总管刘东山状告李元甫、王亚樵等人强占李府典当和钱庄,孙万乘以为是一些地痞流氓趁火打劫,便以宴请议事为名,将李元甫、王传柱、李小乙等骗到小书院,即行枪杀。王亚樵因外出办事,幸免于难,但遭到孙万乘的通缉,不得不携家眷逃往全椒避难。

1912年2月,王亚樵从全椒移居南京。不久,加入江亢虎组织的社会党,并担任安徽支部负责人,以王九光之名回安徽开展活动。他善于演讲,组织能力强,不到一年时间,就在全省发展社会党党员七八万人,并在合肥、巢县、滁县、全椒、来安、芜湖、怀宁、舒城、六安等地建立了分支部。社会党的迅速发展,引起安徽督军倪嗣冲的警惕,宣布社会党为"乱党",严加禁止,并派兵查封社会党安徽总部,捉拿王亚樵等负责人。1914年2月,王亚樵逃往上海,与一些合肥同乡李少川、关芸农、陈邦仙、席文汉等人往来。同时结识北京大学教授景梅九,在他的影响下,加入"安那其主义"(无政府主义)研究小组,并介绍唐幼文、郑益庵、项与年、高冠吾等加入研究小组。

1915年,王亚樵在柏文蔚劝说下,退出无政府主义研究小组,加入孙中山领导的中华革命党。但无政府主义对他思想和行为的影响是深远的,他后来以暗杀著称,应该说与无政府主义的影响密不可分。1916年,他曾上书孙中山,要求暗杀段祺瑞,用炸弹推翻北京政府,重建中华民国,受到孙中山的批评。但他仍然暗地制造炸弹,一次不慎把自己炸伤。1917年,王亚樵与胡抱一、余亚农等人,追随孙中山南下广州护法。在广州结识胡汉民、汪精卫等国民党政要。1919年,王亚樵与韩恢等人策划反对江苏督军李纯,在苏北、皖东组织义军进攻南京,终因实力不足,韩恢被李纯擒杀,王亚樵逃回合肥避难。1920年,王亚樵由合肥到安庆,与许习庸、何哲仁、周无为、郑青士等人，组织安徽民权协进会，反对安徽督军张文生专权，主张军政分治，要求许世英回安徽主政。

1921年，王亚樵在上海邀请柏文蔚、李少川、关芸农、王龙亭、王竹如等人，另组安徽旅沪同乡会，率领席文汉、陈邦仙等人，前往旧同乡会总管余诚格处，强行接管旧同乡会会馆财产。王亚樵因组织同乡会，结识上海护军使何丰林、参谋长汪幼农和浙江督军卢永祥、参谋长范毓灵，并由汪幼农和范毓灵介绍，与卢永祥长子卢筱嘉结拜金兰，增加了自己在上海的影响力。1921年冬，王亚樵与马超俊、谌小岑等人，在上海组织劳工总会，并在沪西、沪东分设办事处。又派人定制了一批长柄小斧头，挑选身强力壮、勇猛凶悍的门徒，组成一个斧头队，保护劳工总会工人会员的权益。经过几次争斗，王亚樵的"斧头党"在上海出了名，就连杜月笙、黄金荣这样的上海滩大佬，也得让其三分。由于王亚樵的"斧头党"在上海打开了局面，拜在他门下的徒弟越来越多，劳工总会也随之扩大，入会会员达数万人。人员组织的迅速扩张，带来了经费短缺的问题，王亚樵便利用政治派系斗争，为某一派暗杀政敌，收取巨额报酬，解决部分经费问题，同时也开始了自己的暗杀生涯。

1923年，皖系浙江督军卢永祥为了增加对上海的控制力，削弱直系江苏督军齐燮元对浙江的威胁，打算除掉齐的亲信、上海淞沪警察厅厅长徐国梁。经过商议，认为请王亚樵安排人手除掉徐国梁较为稳妥。11月10日，王亚樵派郑益庵、朱善元等门徒，在上海温泉浴池门口狙杀徐国梁。事成后，王亚樵由卢筱嘉陪同前往杭州，卢永祥除支付重金之外，又委任他为浙江纵队司令，划出富裕的湖州地区作为他的根据地。

1924年春，戴笠、胡宗南曾到湖州投奔王亚樵。9月，江浙战争爆发。曹锟下令江苏、安徽、江西、福建四省军阀，一齐进攻浙江，卢永祥寡不敌众，战败下野。王亚樵在湖州的部队亦树倒猢狲散，只得回沪匿名隐居。1926年春，王亚樵奔赴广州，被委任为安徽副宣慰使。王亚樵返回安徽，进行军队策反工作，被皖军总司令陈调元派兵追杀，逃入洪泽湖被围困达数月之久。1927年，陈调元投机加入北伐军，被任命为第三十七军军长，不久又当上安徽省主席。王亚樵为报洪泽湖被围之仇，又听说陈调元在安徽贪污腐化，压迫皖人，决定派人刺杀陈调元。1928年6月，王亚樵派张松林、宣济民、吴洪泰等人，在南京梅溪山庄安徽省建设厅厅长张秋白寓所，刺杀赴宴的陈调元未成，遂开枪打死了张秋白。

1929年，在蒋冯阎中原大战前夕，王亚樵与柏文蔚、常恒芳、方振武等人商讨反蒋计划。新任安徽省主席方振武将凤凰井、全和、沿河、湾沚四个厘金局，交给王亚樵部属管理，收入充做反蒋活动经费。1930年，上海招商局董事长李国杰因为公司权益之争，通过族弟李少川找到王亚樵，愿以一艘轮船常年所有纯利为报酬，请王亚樵派人除掉招商局总办赵铁桥。赵铁桥曾向蒋介石密告王乐平等反蒋，使王乐平遭受杀身之祸，而王乐平是王亚樵的挚友，所以李国杰提出杀掉赵铁桥，王亚樵立即答应。7月24日，王亚樵派王干廷、夏绍恩、牛安如、费祥元四人，在招商局门前狙杀赵铁桥。事成后，李国杰将招商局最大的"江安"号轮船交给王亚樵，王亚樵派卓志钺担任经理。

1931年3月，蒋介石将国民党元老胡汉民软禁于南京汤山。胡汉民亲家林焕廷及胡汉民亲信，筹集20万元巨款，游说王亚樵杀蒋救胡。王亚樵在上海大华公寓召集部属商量杀蒋事宜，根据蒋介石的活动特点，决定兵分两路，在南京和庐山寻找机会动手。6月的一天，庐山行动组成员陈成装扮成游客，在山路上枪击蒋介石未中，反被蒋介石卫士击毙。王亚樵立即将庐山、南京两处刺蒋行动组撤回上海，并厚恤了陈成家属。7月，王亚樵得知宋子文将由南京乘专列到上海。他因刺蒋未成，难以向胡汉民方面交代，而宋子文是蒋介石集团中的重要人物，倘能杀宋，既可警诫蒋介石，又可使胡方得到慰藉，还能为陈成报仇，于是决定在上海北站刺杀宋子文。7月23日，宋子文乘坐的专列抵达上海北站，由于宋子文和秘书唐腴胪身材相仿，衣着相近，行动组错将走在前面的唐腴胪当成宋子文，开枪射杀唐腴胪，使宋子文逃过一劫。

1932年"一·二八"淞沪抗战爆发后,王亚樵积极投入抗击日寇的斗争。他组织抗日义勇军,配合十九路军作战;又成立铁血锄奸团,采取各种形式打击敌人。当时,日军停泊在浦东江边的一些军舰,常向国军阵地炮击,使国军遭受较大伤亡。而这些军舰都受旗舰"出云"号指挥,王亚樵决定炸毁"出云"舰。计划拟定后,从高昌庙兵工厂取得一些炸药和水雷,由懂技术且水性好的志士在夜幕掩护下,用渔船将炸药和水雷运至"出云"舰底引爆。由于摆放位置的偏差,加上炸药、水雷威力不够,"出云"舰未被炸毁,但对日军起到了震慑作用。4月29日,是日本天皇诞辰"天长节",日军要在虹口公园举行"祝捷大会"。王亚樵决定借此机会炸毁主席台,干掉一批日军。因为日军不准中国人入内,王亚樵找到流亡上海多年的朝鲜志士安昌浩,请他和朝鲜战友帮助完成任务。安昌浩慨然应允,双方商定人员由安昌浩负责,炸弹和经费由王亚樵负责。王亚樵让王述樵送去一枚体积小、威力大、携带方便的定时炸弹,又送去4万元经费。当天,安昌浩指派尹奉吉、金天山、安昌杰,将定时炸弹装在大号热水瓶里,带进大会会场,放到主席台桌子下面,打开开关后离开。定时炸弹突然爆炸,日军司令白川大将、居留民团行政委员会会长河端被炸死,驻华公使重光葵、师团长植田、舰队司令野村、总领事村井、书记长友野等被炸伤,"祝捷大会"变成了哭丧大会。

1932年9月,国际联盟调查团来沪,对外发表谈话,颇有偏袒日本之意。王亚樵极为不满,曾派人去调查团驻地华懋饭店租下房子,准备伺机刺杀国联调查团团长李顿。王亚樵部下谋刺李顿未遂,不仅供出了谋刺李顿的经过,而且还供出了以前谋刺蒋介石和宋子文的经过,蒋介石大为恼火,立饬军警特务限期捉拿,一时侦骑四出,到处追捕。1933年秋,王亚樵见上海待不下去,便化装离沪,来到香港。时李济深、陈铭枢率十九路军在福建组织人民政府,王亚樵与李、陈素有交情,"一·二八"淞沪抗战时,又同十九路军并肩作战,遂由香港赴闽,以安徽代表资格,参加福建人民政府。

1934年1月,福建人民政府被蒋介石剿杀后,王亚樵与李济深、陈铭枢等人避居香港，密谋刺蒋，几经商量后，认为记者容易接近蒋介石。9月，王亚樵在南京望鹤楼2号成立"晨光通讯社"，安排华克之任社长，张玉华、孙凤鸣、贺坡光等为记者。1935年11月2日，国民党四届六中全会在南京召开。孙凤鸣以记者身份，持枪进入中央党部大礼堂。上午9时举行开幕式，汪精卫作为会议主席，在致辞后同委员们在中央政治会议厅门前合影，蒋介石因故没有参加合影。孙凤鸣见蒋介石没有到场，便按原计划刺杀第二目标汪精卫。他拔出手枪，从记者群中闪出，向汪精卫连开数枪，汪应声倒地，场面大乱，孙凤鸣被卫士击中，负伤被擒，延至次日，不治身亡。汪精卫被刺后，朝野人士及汪的亲属中，不少人都怀疑是蒋介石指使，蒋介石十分恼火，严令戴笠迅速破案。戴笠追查孙凤鸣的记者出入证，方知系"晨光通讯社"所为，陆续将张玉华、贺坡光等人逮捕，经过审讯，查清幕后策划者为王亚樵、华克之等人，蒋介石命令戴笠不惜一切代价逮捕击毙王亚樵。戴笠率领大批特务进入香港，千方百计捉拿王亚樵。

1936年2月，王亚樵偕郑抱真、许志远、余亚农、张献廷等人及眷属离开香港，前往广西梧州，王亚樵改名匡盈舒，住在李济深家的圩子里。

1936年9月，余立奎的小妾余婉君突然由香港来梧州，说她带孩子在香港生活困难，不得不来梧州投靠王亚樵，王亚樵因为老友余立奎关在狱中，不免产生了恻隐之心，放松了警惕。尽管王亚樵周围不少人对余婉君的突然到来及一些言行产生怀疑，但王亚樵没有重视，认为余婉君是跟随他多年的老人，不致有变，余立奎又是老部下，现在还关在牢里，因此不能多疑，多疑对不起朋友。实际上余婉君在香港已经被戴笠用重金收买，并且答应她捉到王亚樵后，立即将余立奎释放。余婉君到梧州被安排住下后，一批特务亦潜入梧州，伺机捕杀王亚樵。

1936年10月20日，余婉君借口去南京监狱探望余立奎，请王亚樵去她家商谈探监事宜。王亚樵晚饭后一人前往，十几个特务已经埋伏在余婉君的家中和住处周围。王亚樵一进门，特务立即向他洒了一把石灰,王亚樵眼睛被迷,仍然同特务搏斗,特务们用枪击、用刀刺,王亚樵当场死亡。特务们在撤退途中将余婉君杀死灭口。一代"暗杀大王"最后亦死于暗杀,指挥暗杀王亚樵的戴笠,曾经是他的学生。

王亚樵原配王淑英,继娶王亚瑛,再娶侧室李淑贞,有两子王继哲、王继甫,两女王继仁、王继惠。

张冀牖[①]

张冀牖(1889—1938),谱名张武龄,合肥西乡张老圩(今属肥西县)人。祖父张树声,淮军重要将领,后任直隶布政使、江苏巡抚、漕运总督、两广总督、两江总督兼南洋大臣、直隶总督兼北洋大臣等要职。父亲张华奎,进士出身,后任建昌道、川东道等职。母亲刘氏。自幼随父亲张华奎赴四川。1896年9月,张华奎在川东去世,张冀牖随母亲刘氏扶父亲灵柩返回合肥老家。后居住合肥城内龙门巷张公馆。1906年,与扬州名门闺秀陆英在合肥结婚。1911年,张家从合肥迁往上海,先住麦根路麦根里,再迁卡德路法奥里,三迁铁马路图南里。母亲刘氏去世后,1918年,举家从上海迁往苏州。初居胥门内寿宁弄8号,后迁九如巷。1921年,在苏州创办私立乐益女子中学,1925年又创办平林中学。办学期间,常同著名教育家蔡元培、马相伯、吴研因等交往,聘请苏州知名人士担任校董、主持校务。1925年亲赴松江聘请侯绍裘担任乐益女中校务主任,主持乐益与平林两校校务。侯绍裘来校时,聘请共产党人张闻天和共产主义青年团团员张世喻、徐诚美(镜平)、进步教师王芝九等一起来苏州任教,并在校秘密建立中共苏州独立支部,乐益女中因此成为苏州早期革命活动

[①] 参见张允和、张兆和等:《浪花集》,新世界出版社2005年版;周有光口述、李怀宇撰写:《周有光百岁口述》,广西师范大学出版社2008年版;张允和口述、叶稚珊编撰:《张家旧事》,生活·读书·新知三联书店2014年版。

的一个据点。抗日战争爆发后,乐益女中停办,张冀牖避居合肥西乡,1938年冬,在合肥病逝,年仅49岁。

张冀牖与陆英先生了4个女孩,分别取名张元和、张允和、张兆和、张充和;后又生了5个男孩,分别取名张宗和、张寅和、张定和、张宇和、张寰和。陆英1921年10月病逝后,张冀牖续娶江苏江阴才女韦均一,生了一子张宁和。张冀牖思想开明,热心教育,藏书丰富,爱好广泛。十个子女出身于书香门第,均受过良好的现代教育。

长女张元和,上海大夏大学毕业。因为喜欢昆曲,后嫁给著名昆曲演员顾传玠。1948年,顾传玠夫妇去台湾。1965年,顾传玠病逝后,张元和定居美国。次女张允和,上海光华大学毕业。后嫁给学经济的常州才子周有光。新中国成立后张允和曾任光华附中教师和人民教育出版社编辑,后接替俞平伯,担任北京昆曲研习社社长。周有光则从上海调到北京,担任全国文字改革委员会研究室主任,从经济学转到语言文字学,后来成为著名的语言文字学家。三女张兆和,上海中国公学毕业。后嫁给湘西才子著名作家沈从文。新中国成立后张兆和曾任北师大附中教师和《人民文学》杂志社编辑。沈从文则进入中国历史博物馆,从事中国古代服饰研究。四女张充和,北京大学毕业。后嫁给德裔美国汉学家傅汉思,定居美国。2004年,张充和曾回国在北京和苏州举行个人书法绘画展览。长子张宗和,1936年7月,毕业于清华大学历史系。后在云南大学、安徽学院、贵州大学、贵州师范大学等高校教授历史学,并在业余时间从事昆曲演出、传授和研究工作。三子张定和,抗战时期在重庆曾任教于国立剧专,编辑过音乐刊物,并在中央广播电台音乐组任专职作曲,创作了大量音乐作品,曾在重庆、成都、上海举行过个人作品演唱演奏会。幼子张宁和,巴黎音乐学院毕业,新中国成立后曾被聘为中央乐团指挥。

张治中[1]

张治中(1890—1969),原名本尧,字文白,1890年10月27日出生于巢县西乡洪家疃。祖父张邦栋居乡务农,性情耿直,祖母姓洪,去世较早。父亲张桂徵,粗通文墨,性情温和,在距洪家疃九十里路的丰乐河镇,经营一家篾器店。母亲洪氏,对少年时期的张治中影响较大,尤其是她的一句家乡格言"咬口生姜喝口醋",成为张治中人生奋斗的座右铭。张治中兄弟四人,他是长子,三个弟弟张本舜、张本禹、张本汤。大弟张本舜,字震中,云南讲武堂毕业,曾任黄埔军校一期区队长,新中国成立后任上海市政协委员。二弟张本禹,字文表,黄埔军校三期生,曾任国民党军少将副旅长,抗战初期在华北南口前线为国捐躯。三弟张本汤,字文心,日本士官学校毕业,曾任国民党军副军长,新中国成立后任南京市政协副主席等职。

张治中幼年时在丰乐河和洪家疃读了十年私塾,其中授业最长的是叔舅洪子远,前后长达七年。1903年,赴合肥参加秀才考试,县考免考,府考成绩较好,但最后的院考落第。1904年,赴扬州十二圩投靠当哨官的亲戚,准备报考随营学堂,未成。1905年,到丰乐河镇吕德盛商号当学徒。1906年,赴安庆投考陆军小学,因名额限制,未能如愿。后在安庆唐启尧公馆陪唐二少爷读书,因不堪受气,再到扬州十二圩,在盐防营当备补兵。1908年,再赴安庆,在测绘学堂当传

---

[1] 参见张治中:《张治中回忆录》,余湛邦整理,中国文史出版社1985年版;安徽省政协文史委、巢湖市政协文史委:《张治中将军》,中国文史出版社1990年版;莫宇林:《张治中传略》,《安徽文史集萃丛书》之九《人物春秋》,安徽人民出版社1987年版;程劲松:《张治中传略》,《安徽著名历史人物丛书》第2分册《政界人物》,中国文史出版社1991年版;张素我口述、周海滨执笔:《回忆父亲张治中》,江苏文艺出版社2012年版;余超超:《和平使者——张治中》,《巢湖抗日六名将》,安徽铁军书画社2011年内部出版;叶海鹰:《张治中的儿女们》,《江淮文史》2000年第3期。

达，继而做备补警察。1909 年，到扬州巡警教练所受训，三个月后成为一名正式警察。是年遵父母命回洪家疃，与同村姑娘洪希厚完婚，从此同甘共苦，相伴一生。

1911 年武昌起义爆发后，张治中到上海参加沪军都督陈其美组织的学生军。孙中山担任临时大总统时，学生军调到南京，编为陆军部入伍生团。1912 年南北议和后，入伍生团并入武昌陆军军官第二预备学校。1914 年，从陆军军官第二预备学校毕业后，分到保定入伍当兵六个月。其间，父母在家乡相继去世。1915 年，升入保定陆军军官学校，时任校长王汝贤。在校期间，学习刻苦，志向远大，两个暑假都没有回家，读完了不少军事学参考书籍，如 10 卷本《阵中要务详解》和 7 卷本《作战纲要详解》。1917 年初，从保定陆军军官学校毕业后，被分配回安徽，在倪嗣冲安武军中任见习官。因不满安武军陈旧腐败习气，从蒙城驻地冒险逃离，经蚌埠到上海，再辗转到广州，参加孙中山领导的护法运动。原本赴云南讲武堂工作，后经几位江西籍保定军校同学劝说，加入滇军第四师第八旅，第八旅旅长伍毓瑞是江西人。第八旅参加了攻打福建督军李厚基的征闽战役，张治中因为表现出色，相继担任警卫队长、连长和营长。1919 年，护法军内部分裂，张治中所在部队在广东潮州，被桂系刘志陆部包围缴械，官长们被遣送上海。1920 年，应四川朋友罗天骨邀约，到川军第五师任师部参谋，卷入了川军内部的混战。后第五师残部改编为第三独立旅，任参谋长。1921 年，第三独立旅在四川宣汉发生兵变，旅长林光斗被打死，张治中险些遇害，辗转逃出四川，回到家乡休养。

张治中后到上海大学读书，结识于右任、瞿秋白等人，受到苏俄思想的熏陶。1923 年，应桂军参谋长伍肖岩等人邀请，到福建和广东参加讨伐陈炯明，任桂军总司令刘震寰的参谋，后到虎门帮助创办桂军军官学校，任大队长。1924 年，兼任黄埔军校军事研究会委员。12 月，离开桂军军官学校，任黄埔军校第三期入伍生总队附、代理总队长。1925 年夏，第三期入伍生期满升学，调任东征军总指挥部上校参谋。后在广州又担任了航空局局长、军事处处长、航空学校校长、第四期入伍生团长、第二师参谋长、广州卫戍司令部参谋长等职。1926年初,不堪重负,辞去一系列职务,在黄埔军校专任第四期学生军官团团长。6月,任国民革命军总司令部副官长。在黄埔军校任职期间,张治中与苏联顾问加伦、李縻、尼拉等多次接触,与周恩来、恽代英、高语罕、熊雄等共产党员交往密切。当时军校内部左、右两派斗争十分激烈,张治中因为同情共产党,被国民党右派视为"红色教官""红色团长",列入"黄埔四凶"之一(其他三人是邓演达、恽代英、高语罕)。他曾向周恩来提出加入中国共产党的要求,周恩来经请示中央答复他:"中共当然欢迎你入党,不过你的目标较大,两党曾有约,中共不吸收国民党高级干部入党,此时恐有不便,不如稍待适当时机为宜。但中共保证今后一定暗中支持你,使你的工作好做。"

1926年8月,北伐军占领武汉,张治中调任中央军事政治学校(即黄埔军校)武汉分校教育长兼学兵团团长。此时国共两党关系紧张,国民党内部左右派斗争也日趋白热化,张治中内心十分痛苦。他后来回忆说:"我是坚决主张实施联共政策反对两党分裂的,而眼看两党关系日趋恶化,无法挽救,自己既不愿站在国民党立场来反共,也不愿站在共产党立场来反蒋,徘徊在两者之间,挤在夹缝里。这一段时间,其痛苦真难以言语形容。"因为不愿意追随武汉国民政府公开反蒋,1927年3月,张治中被迫辞去职务,离开武汉到上海,准备出国游历散心。后在蒋介石挽留下,赴南京任军委训练处处长。1927年8月,蒋介石为环境所迫,宣布下野,返回奉化溪口故里。张治中解散军委训练处,赴奉化溪口,陪蒋介石住了一个星期,并且按照拟定的纲要,帮助蒋介石检讨过去的种种缺憾,如对共产党问题、对第七军问题、对用人问题的分析等。

1927年11月,张治中从上海赴欧美游学。本打算长期留学海外,但蒋介石连发函电催促回国。1928年7月,回国任军事委员会军政厅厅长。10月,改任南京中央陆军军官学校(即黄埔军校)训练部主任。1929年春,升任教育长。10月,冯玉祥西北军对军队编遣工作十分不满,平汉线战事爆发。张治中被蒋介石任命为武汉行营主任,当时武汉没有正规军,他只能将第七期军校学生编成一个混成团,内分步兵大队、骑兵队、山炮兵队、野炮兵队、小炮队、工兵队、迫击炮队、卫生队、特务排等,将混成团带到武汉担任卫戍任务。12月初,战事结束,交卸武汉防务,将学生军带回南京,继续军校学习。1930年1月,张治中奉蒋介石命令,负责筹备编练新部队。5月,编成教导第二师,张治中被任命为师长,率部参加蒋介石平定晋军和西北军的陇海战役。11月,陇海战役结束,张治中坚辞教导第二师师长,仍回南京中央陆军军官学校任教育长。

1931年"九一八事变"后,上海的大学生,联合江、浙、平、津一带的大学生3000多人,涌到南京向国民政府请愿。蒋介石指定吴稚晖、陈立夫、朱家骅、张道藩、张厉生等20多人参与处理这件棘手的事,由张治中总负责。他采取和平手段,与学生对话,较为顺利地解决了这次学潮。1932年"一·二八淞沪抗战"爆发后,张治中主动请缨,率第五军奔赴前线,支援英勇抗敌的第十九路军。第五军下辖八十七师、八十八师、中央军校教导总队、独立炮兵第一团山炮营。张治中的四弟张文心时任中央军校教导总队总队副,跟随哥哥参加了淞沪血战。第五军参加了庙行战斗、浏河战斗和葛隆镇战斗,英勇悲壮,可歌可泣。5月,《淞沪停战协定》签订。中方参战部队复员,张治中辞去第五军军长职务,仍回南京中央陆军军官学校任教育长。

1933年冬,第十九路军在福建成立"人民革命政府",举起反蒋抗日旗帜。张治中被蒋介石任命为第四路军总指挥,统率三个军的兵力,参与镇压"福建事变"。"福建事变"解决后,他仍回南京中央陆军军官学校任教育长。1934年6月,中央陆军军官学校(黄埔军校)成立十周年,在校长蒋介石倡导下,张治中参与筹备举办了一系列纪念活动。1935年秋,国民党军队在南京附近句容、溧阳地区举行了一次军级规模的对抗演习,蒋介石任统裁,张治中、谷正伦分任东、西军司令官。演习结束后,开始实施国民政府军事委员会国防计划,在豫北郑州、开封至苏北徐州、海州地区和京沪杭地区设置防御阵地。

1936年2月,张治中奉蒋介石命令,兼任京沪区负责长官。京沪区界域为江苏的江阴、无锡至太湖以东地区和上海地区,是首都南京乃至整个华中地区的东部门户,其战略地位十分重要。张治中从中央军校选调一批干部,组成京沪区司令部,下设参谋处和秘书处,后又设立了军事研究委员会和政治研究委员会,并派出人员到京沪区各地视察,调查了解情况,为制定对日作战实施方案作准备。12月,"西安事变"爆发。张治中反对何应钦为代表的武力解决方案,主张通过政治谈判和平解决问题。

1937年"七七事变"爆发后,上海形势日趋紧张。张治中就任京沪警备司令官,积极备战,并向南京统帅部报告,主张"先发制敌"。"八一三淞沪抗战"爆发后,张治中被任命为第三战区第九集团军总司令,统领八十七师、八十八师、三十六师、五十六师、六十一师、九十八师、十一师等部队,负责淞沪战场左翼阵地,即苏州河以北,黄浦江以西地区,任务是攻击虹口、杨树浦,摧毁日军在上海租界的据点。8月14日、8月17日和8月19日,张治中指挥了三次大规模进攻,双方争夺激烈,伤亡惨重,战事处于胶着状态。8月23日,日军14个步兵旅团在狮子林、川沙口和吴淞口登陆,企图对第九集团军左翼阵地形成包围态势,风云突变,形势严峻。张治中决定亲赴前线,了解战况,鼓舞士气,挽救危局。然而蒋介石因为电话打到第九集团军司令部找不到张治中而产生误会,大加训斥。张治中满腹委屈,身心疲惫,不得不提出辞职,9月22日获准调任大本营管理部部长后,怀着悲痛的心情,离开了淞沪战场。

1937年11月下旬,张治中调任湖南省主席。他过去主要从事军事尤其是军事教育领导工作,这次主持一个省的省政,对他来说是一次全新的挑战。他上任后提出以"廉、正、勇、勤"作为湖南省省训,决心励精图治,整饬吏治,建设新湖南,为全国抗战服务。为此经过认真思考,反复协商,广泛征求意见,于1938年1月下旬颁布了《湖南省政府施政纲要》和《湖南省组训民众改进政治加强抗日自卫力量方案》,作为推行湖南战时新政的奋斗目标和行动纲领。在任期间,他再度同中共密切合作,团结御侮。他同中共驻湘办事处代表徐特立时有往来,并应徐特立请求,释放了一批关押在湖南各地的中共党员;在经费上帮助江渭清部在湖南开展抗日游击战争;支持中共在湖南创办塘田战时讲学院;聘请中共长江局委员叶剑英为省政府高级顾问,并准备在湖南成立有国共两党及其他党派代表参加的动员委员会。

1938年10月下旬,广州和武汉先后失守,湖南形势告急,省会由长沙迁往沅陵。11月12日,张治中接到蒋介石"长沙如失陷,务将全城焚毁"的急电,即召集部下进行布置,本拟在市民撤退后长沙沦陷前焚城,但地方军警误信流言,以为日军即将入城,在没有接到正式命令的情况下,于12日晚仓促放火,大火烧了两天两夜,许多重要部门及建筑物被毁,死亡近3000人,伤者不计其数,财产损失十分严重,无法估量。长沙大火发生后,举国震惊,为了平抑民愤,蒋介石亲飞长沙,将警备司令酆悌、警察局长文重孚、保安团长徐昆交付军法审判,随即枪决,张治中也受到革职留任处分。实际上长沙大火与蒋介石11月12日的"焚城急电"及"焦土抗战"政策是有些关系的。

1939年1月,张治中辞去湖南省主席职,离开长沙到重庆。3月,就任蒋介石侍从室第一处主任。上任后,张治中从为抗战统率服务的立场出发,为自己拟定了一些工作准则,诸如严守机密、明识大体、寡言少主张、和协各方、分忧分劳、善处请托、事必躬亲、谨慎自持等。在以后的实际工作中,张治中也身体力行,积极主动地贯彻这些准则,在处理许多军政事务时,受到蒋介石的赏识。

1940年9月,张治中调任军事委员会政治部部长,并兼任三民主义青年团中央临时干事会书记长。上任后,张治中在《政治部工作纲领》的基础上,主持编纂制定《政工典范》,主要是对政工纲领进行细化,增加可操作性,其内容包括两篇,共十章,包含二百三十条,十分具体细致,对抗战时期的军队政治工作,起到了一定作用。他还具体负责军队政工制度的改革,召集政治部中高级干部及各战区政治部主任反复研究,制订方案,经军事委员会和蒋介石批准后,在国民党军队中贯彻实行,取得了一定效果。他认为抗战时期军队政治工作的重点就是:"一切为了战斗,一切为了胜利!"从军队政工制度的确立、政工机构的调整、政工人员的训练选拔着手,进而改进军事学校、军队医院的政工机构以及充实和健全各种宣传团队。军队政工人员的主要任务包括配合军队作战、实施政治教育、开展军队文化工作、加强舆论宣传工作、增强军队战斗力、改进军民关系等内容。

关于三民主义青年团(简称三青团)的工作,张治中上任后,拟定了一个工作纲领,包括总则、组织、训练、宣传、社会服务等各章,对各项工作的方针政策都有原则性的规定。同时为了协调好三青团与国民党的关系,主要是为了解决两个团体内部黄埔系与CC系的矛盾,主持拟定了《确定党与团之关系办法》《确定党与团之关系办法实施细则》《查察党与团之关系及考核办法》等文件。还向全体三青团员下发了《为克服当前之困难与争取最后之胜利对全体团员之指示》等重要文件,并且为了提高三青团员素质,颁布了团员总考核实施办法。考核程序分初核、复核、总核三级,考核项目包括思想、品行、精神、体格、学识、能力、对团工作等内容,同时加强对三青团干部的培养和选拔,制定了《团干部政策纲要》及人事法规和实施细则。为了做好三青团训练工作,还举办干部训练班、团员讲习班、团员大露营、团员总集合、青年劳动服务营、青年夏令营等形式多样的教育活动。

1941年1月,皖南事变发生后,参谋总长何应钦召集会议,研究善后处置办法。当时军令部提出两个方案,(一)明令撤销新四军番号;(二)不撤销新四军番号,任其渡江北上,观其动态再做处置。张治中当即表示赞成后一种方案,并且与力主前一种方案的白崇禧发生争论。3月,张治中向蒋介石上万言书,痛陈国民党高层对中共问题处理的失策,认为皖南事变是抗战期间两党关系破裂的开始,为避免事态恶化,影响大局,处理应该十分谨慎,建议通过政治谈判"以让步求得解决"。1942年7月21日和8月14日,蒋介石在重庆两次约见周恩来,表示要再次通过谈判,解决抗战时期的国共关系问题,并指定张治中和刘斐为国民党谈判代表。中共方面指定周恩来为谈判代表,10月7日,中共又增派林彪为谈判代表。

1942年8月以后,国共双方在重庆上清寺桂园张治中公馆举行了多次会谈,谈谈歇歇,歇歇谈谈,由于问题复杂,分歧较大,难有实质性进展。1943年春,周恩来约见张治中,宣布中共方面最后的4条意见:(一)党的问题,在抗战建国纲领下取得合法地位,并实行三民主义,国民党中央亦可在中共地区办党、办报;(二)军队问题,希望编四个军十二个师,按中央军队同等待遇;(三)陕北边区,按原地区改为行政区,其他各区另行改组,实行中央法令;(四)作战区域,原则上接受开往黄河以北的规定,但现在只能作准备布置,战事完毕立即实施,如战时情况允许(如总反攻时),亦可商承移动。张治中认为这4条意见是可以接受的,遂亲笔誊抄一遍面交蒋介石,蒋介石召集高层开会讨论,自己始终不表态,只问大家意见,发言者大多表示不能接受,张治中虽然一再解释劝说,但不起作用。这次国共谈判虽然持续时间较长,但没有取得任何成果。

1944年5月,由于国内外形势发展的影响,国共两党开始了抗战时期的第三次谈判。这次谈判分两个阶段,第一阶段从1944年5月至10月。国民党代表是张治中和王世杰,中共代表是林伯渠;第二阶段从1944年11月至1945年3月,国民党代表仍然是张治中和王世杰,宋子文有时参加商谈,中共代表换成周恩来,美国总统特使赫尔利参与调停。这次谈判比第二次谈判更加深入细致,谈判一开始,中共就提出了12条意见,国民党则提出了18条意见,但由于双方意见分歧太大,在重要问题上又都不愿意让步,所以最后仍然没有取得什么成果。

1945年8月,抗日战争胜利后,蒋介石三次电邀毛泽东到重庆谈判,毛泽东权衡再三,慨然应约。8月27日,张治中作为蒋介石代表,与美国总统特使赫尔利一起乘专机赴延安迎接毛泽东。8月28日,毛泽东、周恩来、王若飞在张治中、赫尔利陪同下飞赴重庆。为了保证毛泽东的安全,张治中同意周恩来的意见,将桂园私邸腾出,作为毛泽东白天工作休息的场所。桂园张治中公馆,是一幢两层小楼,设施齐全,条件较好,距离中共代表团驻地曾家岩50号和八路军办事处驻地红岩村均不远,而且蒋介石的侍从室就在马路对面,蒋介石的城内官邸也在附近。张治中还专门抽调军委会政治部特务营手枪排担任桂园警卫,并和家人反复交代不要去桂园打扰毛泽东的工作。国共双方在重庆谈了40多天,过程曲折,气氛紧张。10月10日,双方终于在桂园签订了一份历史性文献《双十协定》,即《政府与中共代表会谈纪要》。10月11日,张治中陪同毛泽东飞回延安,并且在延安受到了中共领导人的热情款待。

在重庆谈判期间,为了解决日趋严重的新疆伊宁暴动问题,张治中在9月间被蒋介石派往新疆,与第八战区司令长官朱绍良、新疆省主席吴忠信、苏联驻迪化总领事叶谢也夫等人接触,调查了解情况。从延安返回重庆后不久,张治中作为中央政府代表,被再次派往新疆,与伊宁方面会谈,同行者有梁寒操、彭昭贤、屈武、张静愚、邓文仪、刘孟纯、王曾善等人。双方在迪化经过多次艰苦谈判,并且在苏联领事的协调下,终于在1946年1月签订了《中央政府代表与新疆暴动区域人民代表之间以和平方式解决武装冲突之条款》。

张治中回到重庆不久,国共两党在《双十协定》基础上,开始商谈军队整编问题,组成最高军事三人小组,国民党代表是张治中,中共代表是周恩来,另外还有美国代表马歇尔。军事三人小组到北平、张家口、集宁、归绥、太原、济南、新乡、徐州、武汉等地视察国共双方军队,于1946年2月,签订了《关于军队整编及统编中共部队为国军之基本方案》。3月4日,三人军事小组飞到延安,在盛大的欢迎晚会上,张治中说:"我这次到延安来是第三次了,第一次是和赫尔利一起来迎接毛泽东主席到重庆去谈判,第二次是签订了《双十协定》后护送毛泽东主席回到延安来,这次为了军队整编方案的落实又到延安来了。你们将来写历史的时候,不要忘记'张治中三到延安'这一笔哦。"

1946年4月,张治中被任命为西北行辕主任兼新疆省主席。上任伊始,为了落实1月签订的新疆和平协议条款,与伊宁方面的代表继续谈判,主要是协商军队改编问题和省府领导成员组成问题。张治中初掌新疆,还应周恩来的请求,按照《双十协定》和政协决议,全部释放被盛世才关押在新疆的中共党员。张治中通过多次函电往来,反复说服蒋介石同意后,于 6 月 10 日将 131 名中共释放人员,安排乘坐 8 辆大卡车,并配备了警卫、军医、军需、通讯等人员,全程护送回延安。沿途历经艰难险阻,并多次受到国民党特务干扰,在西安险些被胡宗南扣留,终于在 7 月 11 日到达陕甘宁边区的鸡加村,与中共方面办理了交接手续,途中除了 2 人因病去世外,其余 129 人平安到达延安。毛泽东委托护送人员带回狐皮筒子、毛毯、毛线等延安土特产表达谢意,朱德亲笔写信给张治中表示感谢。

1946 年 7 月 1 日,新疆省新政府正式成立,在 25 名省府委员中,有 20 人是本地各族人士,张治中主席在当天的庆祝和平大会上,发表了《为伊宁事件和平解决告全省同胞书》的重要讲话。7 月 18 日,在张治中主持下,经过反复研究讨论,颁布了《新疆省政府施政纲领》,内容分政治、民族、外交、经济、财政、交通、教育、文化、卫生等 9 章,主旨是在中央政府领导下,保障区域和平,拥护国家统一,实行民主政治,加强民族团结,全省人民共同努力,建设三民主义的新新疆。8 月,张治中在迪化市市长屈武、外交特派员刘泽荣、民政厅厅长王曾善、西北行辕副参谋长刘任、省监察使麦斯武德等人陪同下,访问伊宁地区,受到了新任省副主席阿合买提江为代表的三区人民的欢迎。

1947 年 2 月,张治中给蒋介石写了一封长信,反对一边倒的亲美外交政策,主张对外联苏、对内和共。他在新疆主政期间即采取了对外亲苏、对内和共两大政策,并且做了一些增进中苏亲善的工作,如协助苏联运回存放在猩猩峡和哈密的物资;延长中苏航空协定;恢复迪化中苏文化协会活动;组织苏侨会;启动中苏新疆经贸合作协定谈判;妥善解决北塔山事件;与苏联领事萨维列也夫、叶谢也夫搞好关系等。4 月,张治中在省监察使麦斯武德、省副主席阿合买提江、省府委员艾沙、民政厅厅长王曾善、迪化市市长屈武、外交特派员刘泽荣等人陪同下,访问南疆五个专区,在座谈会上发表了《大家要消除种种矛盾方可巩固和平开始建设》的长篇讲话。回到迪化后,召集省府会议,研究新疆当前存在的各种问题,作了《正本清源》的长篇讲话,又根据南疆之行收到的大量人民信件、申诉书、请愿书等,发表了一篇《告南疆群众书》作为总答复。

  1947年5月,张治中基于各方面的考虑,决定辞去新疆省主席职务,推荐省监察使麦斯武德继任。这一举动引起省副主席阿合买提江为代表的伊宁方面省府委员的不满,其他不少省府委员和省参议员,也希望张治中留任。但张治中认为麦斯武德任新疆省主席,中央政府已经明令公布,不能更改,并且自己去意已定,因此反复作反对者的工作,但效果不甚理想。7月,新疆吐鲁番、鄯善、托克逊三县地区连续发生动乱。8月,以省副主席阿合买提江为首的伊宁方面省府委员全部离开迪化,退回伊宁。9月,张治中对解决新疆问题无能为力,经蒋介石批准,返回南京休息。因身心疲惫,遂出去旅游散心,经无锡、苏州、上海、杭州,然后到达台湾,并专程去新竹看望软禁中的张学良。

  1948年1月,苏联大使馆武官罗申将军回国之前,到张治中南京家中辞行,张治中借此机会,比较系统地谈了打开中苏关系局面的主张和见解,这些见解可以说是张治中主张联苏、和共政策的理论依据。同月,张治中回到西北行辕主任任上,暂驻兰州。3月,陕西宜川之战,胡宗南部精锐被中共消灭,南京大为震惊,蒋介石连发几个手启电报,要张治中去西安统一指挥西北五省军事,张治中婉辞推却。为了唤起西北民众对政治局势和经济文化建设的重视,张治中在兰州组织各种类型的座谈会,如政治、经济、文化、教育、社会问题等;还组织一些学术讲演会,请一些专家学者作专题讲演;开展各种文艺活动,如戏剧、音乐、舞蹈等,邀请一些著名艺术家到西北演出。张治中还去河西走廊视察,跑了永登、山丹、武威、张掖、酒泉、玉门、安西、敦煌等十几个县,了解社会状况,感受百姓生活。张治中在兰州采取和共、亲苏的政策,不愿意和共产党军队打仗,但身为西北绥靖公署(西北行辕改称)主任,对中央西北"剿共"的命令很难拒绝执行,对西北马家军的反共行为也难以制止，内心十分矛盾和痛苦，于是又萌生了辞职念头。

1948年5月，张治中向南京政府电请辞职，希望调任民国政府驻联合国代表团团长，并说明如果代表团团长已有人选，请准予出洋考察一年。6月，又正式递交辞呈，详谈坚辞职守的苦衷，并陈述西北行辕不宜改为西北绥靖公署的理由。但蒋介石没有批准他的辞职请求，仅仅同意将西北绥靖公署改为西北军政长官公署，当时各地都是负责"剿共"的绥靖公署，军政长官公署算是特例，职能上有所不同，算是对张治中不愿意同中共打仗的最大让步。6月，国民党军队在开封打了大败仗，蒋介石到西安召开军事会议，并电约张治中到西安去谈话。张治中犯颜直谏，痛陈己见，主张立即停止内战，采取和共、联苏政策，并主张改组政府，改组党务，补充新生力量，挽救国民党的颓势。10月，为解决新疆遗留问题，首先提请南京政府将新疆警备总司令宋希濂调回内地，由西北军政长官公署副主任陶峙岳兼任新疆警备总司令，然后推荐包尔汉任新疆省主席，替换政绩不佳、口碑不好的麦斯武德。11月，平津被围，蒋介石电邀张治中到南京参加军事会议，并单独约见张治中谈话，张治中建议立即放弃"戡乱"政策，重开国共和谈。蒋介石要张治中担任行政院长，或担任行政院副院长兼国防部长，张治中表示如果"戡乱"政策不改变，他不可能担任这些职务。

1949年1月，淮海战役失败后，蒋介石发表元旦文告，表示愿意下野，由李宗仁代理总统，与中共和谈。张治中感到国民党气数已尽，留在南京已经没有意义，想回西北为和平交接做准备，使西北地方少遭兵燹，使西北人民生命财产少受损失。1月底，张治中回到兰州，开始思考保全西北的大问题。他认为新疆较有把握，宁夏、青海"二马"挺棘手，甘肃也要下功夫。2月中旬，经李宗仁再三电邀，再赴南京，商量与中共和谈问题。3月初，与吴忠信赴浙江奉化溪口，劝下野的蒋介石出国，放权给李宗仁，遭到蒋介石严词拒绝，遂与蒋介石商谈其他国事问题，诸如和谈限度及代表人选、党务整理、外交政策、内阁改组、复兴国家等问题。3月底，南京政府和谈代表团组成，首席代表是张治中，代表有邵力子、黄绍竑、章士钊、刘斐、李蒸，秘书长是卢郁文，顾问有屈武、李俊龙、金山、刘仲华。中共和谈代表团也同时组成，首席代表是周恩来，代表有林伯渠、林彪、叶剑英、李维汉、聂荣臻等。

1949年4月1日，张治中率领南京政府代表团与中共代表团在北平开始谈判。经过十多天反复协商，4月15日，周恩来召集双方代表开会，提出《国内和平协定》8条24款最后文本，并请国民党代表团将这个文件定本迅告南京，劝说代总统李宗仁和行政院长何应钦接受，如果国民党不签字，中共军队将在4月20日渡江。张治中和国民党代表团成员认真研究后，于16日派黄绍竑和屈武将《国内和平协定》8条24款文件定本带回南京，面呈李宗仁和何应钦。4月20日深夜，李宗仁和何应钦给国民党代表团发来回电，拒绝接受《国内和平协定》。4月21日，毛泽东主席、朱德总司令发布向全国进军的命令，第二野战军和第三野战军发起渡江战役。同日，李宗仁、何应钦电告国民党代表团，准备派专机去北平接他们返回南京。4月23日，南京失守后，又让国民党代表团径飞上海。而周恩来和中共代表团则反复劝说张治中和国民党代表团留在北平，告诉他们随着形势的变化，也许还有恢复和谈的可能，同时提醒他们如果回去，国民党顽固派和特务将会危及他们的安全。周恩来还特别关照张治中，诚恳地说："西安事变时我们已经对不起一个姓张的朋友，今天再不能对不起你了！"张治中此时左右为难，十分苦闷，只好率代表团暂时留在北平。

1949年6月，鉴于国民党新闻媒体的攻击和诽谤，张治中发表了《对时局的声明》，劝告国民党人从国家和人民的利益出发，顺应大势，顾全大局，放弃武力，承认错误，彻底改造，促进新生，与中共推诚合作，为孙中山先生的革命三民主义，亦即为中共的新民主主义的实现而共同努力。9月，毛泽东约见张治中，告诉他中共已经决定，由甘肃和青海分两路向新疆进军，希望他电劝新疆军政负责人率部起义，促成新疆的和平解放。张治中随即与西北军政长官公署副长官兼新疆警备总司令陶峙岳、新疆省主席包尔汉联系，希望他们认清形势，率部起义，宣布与广州政府断绝关系，接受人民军事委员会的领导。并针对新疆的实际情况，详细分析了和平起义过程中可能遇到的各种问题，提出了一些解决办法。9月25日，国民党驻新疆近十万人的部队，在陶峙岳率领下通电宣布起义。9月26日，包尔汉召集省府紧急会议，亦通电宣布起义。新疆宣告和平解放，为正在举行的全国第一届政治协商会议增添了胜利喜悦。张治中在第一届政协会议上，当选为中央人民政府委员。

1949年10月1日，张治中参加了开国大典。不久被任命为中国人民革命军事委员会委员、西北军政委员会副主席。11月，陪同西北军政委员会主席彭德怀赴兰州，不久转赴迪化，参与筹备组建新疆军区和新疆省人民政府。12月，在迪化为新疆驻军军官和起义部队做了《怎样改造》和《再议怎样改造》两次长篇报告。同年冬，开始写作《六十岁总结》。1950年10月，彭德怀调任中国人民志愿军总司令，赴朝鲜领导抗美援朝战争。中央决定习仲勋继任西北军政委员会主席，周恩来特别征求张治中的意见，张治中表示完全服从中央决定，配合习仲勋主席继续做好西北军政工作。

1954年9月，各大行政区撤销，张治中被调回北京工作。1955年国庆节，张治中被授予一级解放勋章，主要是表彰他在新疆和平解放中的突出贡献。1956年9月，应邀出席中国共产党第八次全国代表大会，并在《人民日报》发表《伟大的人民胜利的重要因素》一文表示祝贺。11月，参加孙中山诞辰90周年纪念大会，会后随代表回到南京中山陵祭奠，并在《人民日报》发表纪念文章《孙中山先生的革命理想实现了》。1957年2月，任民革中央解放台湾工作委员会主任，就和平解放台湾问题对《文汇报》记者发表谈话。1958年5月，反右派斗争后期，张治中写了一份《自我检查书》，总结自己新中国成立以后参加革命工作的功过得失，并附上《六十岁总结》，呈送毛泽东审阅。9月，陪同毛泽东视察湖北、安徽、江苏、上海、浙江等地。回京后在《人民日报》发表《人民热爱毛泽东——随毛泽东视察散记》。

1965 年 1 月,张治中当选为第三届全国人民代表大会副委员长。10 月,宴请从海外归来的李宗仁夫妇。1966 年"文化大革命"爆发后,张治中受到红卫兵冲击,周恩来闻讯后将他送到解放军总医院加以保护。张治中看到一大批熟识的中共开国功臣被打倒,被关进"牛棚",被拉出去游街,甚至被逼死,不少民主党派领导人也受到冲击,心情十分沉重,身体也受到较大影响。1969 年 4 月 6 日,张治中在北京病逝,享年 79 岁。

张治中对故乡巢县洪家疃感情很深,只要有机会,尤其在外面打拼失意苦闷的时候,总要回来住上一段时间。这里没有官场的钩心斗角,远离战争的血腥残酷,只有秀美的山水和温馨的乡情。他还十分关注家乡的建设事业,尤其重视在家乡创办学校,为国家培养有理想、有文化的新一代农村青少年。1929 年至 1933 年,张治中拿出 10 余万元个人积蓄,在洪家疃、张家洼一带即小黄山山麓附近,创办了黄麓幼稚园、黄麓小学和黄麓乡村师范学校。抗战初期,他还把留学英国的大女儿张素我召回故乡,担任黄麓小学校长兼教师。张治中认为教育和富国强兵密切相关,而乡村教育则是最基础、最根本的教育,因为中国的农村人口占百分之八九十,农村又普遍贫困,教育不发达,乡村教育搞不好,富国强兵就是一句空话。为此,他给黄麓师范明确提出"复兴农村,复兴民族"的教育方针,仿效著名教育家陶行知创办的南京晓庄师范,坚定不移地走振兴乡村教育的道路。他为学校聘请的教师,不仅具有较好的学识,而且有志于乡村教育,有为教育事业献身的精神。这其中,杨效春校长最为张治中所赏识,也最为家乡人民所称道。杨效春毕业于东南大学,曾在南京晓庄师范担任指导员,深受陶行知"教学与劳动相结合""教学做合一"等教育思想的影响,在黄麓师范担任校长期间,全身穿着粗布衣裳,赤脚穿着自编草鞋,平时粗茶淡饭,课余时间带领学生挑粪种菜,养畜植树,开山修路,并实行"小先生制",在周围农村办儿童班、成人班、妇女班、农闲班和夜校,深受乡村百姓的欢迎。当时全国有影响的《教育杂志》,曾有"昔日晓庄,今日黄麓"的赞语。抗战时期,黄麓师范被迫停办,抗战胜利后,张治中再次筹措巨款帮助黄麓师范复校,倾注了大量心血。新中国成立后,黄麓师范得到党和政府的关怀,进一步发展壮大,成为安徽培养中小学师资队伍的重要基地。新中国成立后,张治中对黄麓师范仍然念念不忘,经常购书赠给学校,临终前又嘱托家属把自己的全部藏书都捐给了黄麓师范。

张治中与夫人洪希厚育有两男四女。长女张素我,1915年生,20世纪30年代赴英国留学,抗战爆发后回国,曾担任巢县黄麓小学校长,后在重庆新生活运动促进总会妇女指导委员会,协助宋美龄工作。1951年,任教于北京外国语学校。1953年后,长期任教于北京外贸专科学校(现对外经济贸易大学)。新时期以来,任全国政协第六、七、八届常委,还曾任全国妇联副主席、欧美同学会会长、民革中央顾问、黄麓师范学校名誉校长等职。长子张一真,1921年生,新中国成立前夕随夫人去台湾,从事汽车贸易等商务工作。后成立中华文化发展基金会,从事海峡两岸文化交流工作。1995年移居美国旧金山,创办三岸文化交流协会,从事中美台文化交流工作。次女张素央,1925年生,1949年赴美留学,新中国成立后回国,先后在中央戏剧学院、中国人民大学、国家体委工作,曾担任国家体委体操处副处长、中国技巧协会主席、国际技巧联合会执委等。1991年移居美国纽约。三女张素初,1927年生,1947年赴美留学,新中国成立后中断学业回国,在北京市外文局工作。1979年再次赴美完成学业,毕业后考入纽约市政府社会服务部工作。1997年还担任了美东安徽文教交流协会会长。次子张一纯,1932年生,新中国成立前夕与父母、妹妹留在北平。后进入北京市职工教育学校学习,在校期间加入共青团和中国共产党。毕业后分配到北京电力科学研究所工作。1983年调任北京市对台湾工作办公室主任。1986年调到北京市政协,后任副秘书长及港澳台侨委员会主任。幼女张素久,1935年生,新中国成立后在北京读高中,后考入清华大学,毕业后分配到天津大学任教。20世纪80年代初作为访问学者到美国,后定居洛杉矶。曾担任天津大学海外联谊会、清华大学南加州大学校友会、天津同乡会会长等。

刘文典[①]

刘文典(1891—1958),原名文聪,字叔雅,1891 年 12 月(一说 1889 年 12 月)生于合肥,祖籍安徽怀宁。父亲刘南田,经商为业,后在赴沪途中病死船上。母亲为填房夫人,晚年休养于安庆,逝世于抗战期间。刘文典兄弟 5 人,他排行老三,另有两个姐姐。

刘文典幼年读私塾,十一二岁时,被父亲送进本地基督教会医院,跟美国传教士学习英文和生物学,不久赴上海求学,进蔡元培等人主持的爱国学社。1905 年,进入芜湖安徽公学,受教于陈独秀、谢无量、刘师培等名师,尤得刘师培赏识。还参加了反清组织岳王会和同盟会的活动。1907 年春,从安徽公学毕业后,在上海一所教会学校学了一段时间,遂决定赴日留学。1908 年底,东渡日本,曾去拜谒刘师培。1910 年,在东京经朋友介绍,拜章太炎为师,研究国学。1911 年辛亥革命爆发后,返回上海,在于右任主办的《民立报》报社担任编辑和英文翻译。1912 年 5 月,与表妹张秋华在上海结婚。1913 年 7 月,与范鸿仙等赴芜湖,酝酿组织安徽讨袁军,并积极参加安徽的"二次革命"。9 月,"二次革命"失败后,离开安徽,再赴日本。参加孙中山组织的中华革命党,并担任党部秘书,负责孙中山英文电报起草工作。居留日本期间,还在章士钊主办的《甲寅》、陈独秀主办的《青年杂志》等进步刊物上发表多篇文章。

1916 年 6 月,袁世凯称帝失败病死后,刘文典决定回国。1917 年,经北京大学新任文科学长陈独秀举荐,担任北京大学预科教授兼

[①] 参见章玉政:《刘文典年谱》,安徽大学出版社 2011 年版;张文勋:《刘文典》,《合肥文史资料》第 5 辑《合肥人物》;戴健:《刘文典一生述评》,《安徽史学》1991 年第 1 期;张正元、杨忠广:《我校创始人刘文典》,《安徽师大学报》1988 年第 2 期;吴宗友:《关于刘文典生平的若干问题》,《安徽大学学报》2000 年第 1 期。

国文门研究所教员,并担任《新青年》英文编辑和《国学季刊》编辑,在北京大学教授中国文学史、模范文选、秦汉诸子、汉魏六朝文等课程。刘文典到北京大学任教授时,年龄只有二十多岁。当时北京大学新校长蔡元培德高望重,锐意改革,秉持"思想自由、兼容并包"办学方针,把具有各种政治倾向、学术流派的专家学者,都请到北京大学教书研学,条件只有一个,那就是要有真才实学,要有学术专长。在蔡元培"囊括大典、网罗众家"精神感召下,北京大学名流荟萃,思想活跃,学术空气十分浓厚。刘文典初到北京大学,深感自己的学术功底还不深厚,要在北京大学这所人才济济的学府从事教研工作,不著书立说,不自成一家,那是不能立足的。于是他深刻检讨自己的求学经历和学问积淀,决定从事国学研究,重点放在古籍整理,从子部入手,首先专攻《淮南子》。

1923年,刘文典的第一部学术专著《淮南鸿烈集解》由商务印书馆出版。该书以清乾隆年间庄逵吉校本为底本,以清钱塘《淮南天文训补注》作附录,汇集王念孙、孙诒让、俞樾、洪颐煊、陶方琦、王引之、钱大昕、梁履绳、桂馥、孙志祖、顾炎武、刘绩、郝懿行、胡鸣玉等20余家之说,并遍引《艺文类聚》《北堂书钞》《初学记》《白帖》《意林》《太平御览》等唐宋类书为佐证,资料丰富,条理分明,采择亦属精当,其中还有不少见解为前人所未发,为阅读和深入研究《淮南子》提供了较好的文本。北京大学新学术领军人物胡适为《淮南鸿烈集解》写了一篇长序,认为其是五四新文化运动"整理国故"中的重要成果,"叔雅此书,读者自能辨其用力之久而勤与方法之严而慎"。《淮南鸿烈集解》在学术界取得较好声誉后,刘文典又做了《庄子》《韩非子》《论衡》《吕氏春秋》《说苑》等古籍的整理工作,并在商务印书馆出版了《三余札记》,对自己的教书生涯进行总结。刘文典精通英、德、日文,在整理国故的同时,还翻译了《柏格森之哲学》《宇宙之谜》《生命之不可思议》《进化与人生》等名著,希望通过引进西学,改造中国的传统思想。他还在《新青年》《新中国》等刊物上发表了《难易乙玄君》《怎样叫做中西学术之沟通》《我的思想变迁史》等有影响的文章。

1927年10月，刘文典应安徽省政府聘请，与余谊密、胡春霖、张秋白、汤志先、雷啸岑、吴承宪、廖方新、常宗会、吴善等人组成"安徽大学筹备委员会"，负责安徽大学筹建工作。1928年2月，刘文典拟就《安徽大学组织大纲草案》和《安徽大学组织系统图》。同月，安徽省政府同意安徽大学先行开办预科，同意刘文典担任预科主任。3月，刘文典与安徽教育经费管理处处长程小苏，往返于京沪之间，与国民政府财政部部长宋子文、大学院院长蔡元培等磋商安徽教育经费问题。4月，安徽大学预科在安庆菱湖百子桥原省立法政专门学校旧礼堂举行开学典礼，由预科主任刘文典主持，宣布安徽大学成立，正式开始招生。预科春季招生分甲乙两部，甲部社会科学，乙部自然科学，每部一年级两班，二年级两班，每班各50人。5月，安大筹备委员会开会讨论陆续开办文学院、农学院、工学院、法学院事宜，推荐刘文典为文学院筹备主任。7月，刘文典拟就预科聘任教员暂行规程草案，提请安大筹委会审查通过。9月，确定文学院院址，设在安庆城内百花亭原圣保罗教会学校校址。拟定文学院第一部设立国文学系、教育学系，第二部设立法律学系、政治经济学系。并启用"安徽大学文学院印"和"安徽大学文学院筹备主任章"。

1928年11月23日，省立第一女子中学（以下简称一女中）举行十六周年校庆，邀请学生家长参加，晚上演戏招待。安大文学院与一女中仅一墙之隔，很快得知了这个消息。文学院学生中的共青团组织认为一女中是一座封建礼教的堡垒，封建气息浓厚，中共党团组织在该校的发展极为困难，决定动员一部分同学前往参加晚会，以图冲破其封建思想的牢笼，促进新思想在该校的发展。当晚，安大文学院和省立一中等校近百名学生进入该校看戏。一女中校长程勉看到安大等校男生来校，便宣布停止演戏，勒令校外学生出校，彼此发生争执。程勉用电话向公安局报告，诬告安大学生捣乱会场，闯入宿舍，侮辱女生等，请求公安局派军警来校弹压，并将校门关闭。公安局派出大批军警赶到一女中，不分情由，鸣枪警告，并拘捕安大等校学生，双方发生激烈冲突，安大等校学生被迫夺门而出。事件发生后，程勉动员一女中百余名女生到省府请愿,并派出代表面见刘文典,要求开除为首的安大闹事学生。刘文典认为这是一起突发事件,是安徽教育界的不幸,对一女中表示十分抱歉,并答应赔偿损失,但不同意开除安大学生。安大共青团组织则根据怀宁团县委指示,决定发动学潮,进行反击,赶走程勉。

1928年11月28日,南京国民政府主席蒋介石到安庆视察,途经安大,入内参观,刘文典没有出面接待,据说刘文典曾言:"大学不是衙门!"11月29日,蒋介石在省府召见刘文典和程勉,对安庆学潮十分不满,要求刘文典严办安大闹事学生,刘文典不同意。双方发生言语冲突,蒋介石恼羞成怒,下令将刘文典扣押起来,听候查办。12月3日,安徽省政府发布公告,对安大学潮做出处理。称接蒋介石主席手谕:"安徽大学主任刘文典,办学无方,致学生有破坏纪律之行动,着即免职,听候查办。安徽大学主任,应即由省政府另行派员暂行接办。该校为首鼓动滋事学生杨璘、周玉波、侯振亚三名,应交法庭讯办。刘树德、陈处泰、王焕庭、许国瑗、张思明、刘竹菁、刘复彭、刘励根、周振实、汪耀华等,着即开除学籍,限即日离省,不许逗留。遴委住校职员,组织临时校务维持会,负责督饬全体学生,恪守规则,照常上课,听候整理。"12月5日,经蔡元培、胡适、蒋梦麟等教育界名流力保,刘文典恢复自由,即日离皖。12月19日,国民党中央召开政务会议,决定免去安徽省教育厅厅长韩安职务,由程天放继任。据《教育杂志》所载《皖省学潮之内幕》:"皖省自安大、一女中风潮发生以后,教育界顿呈不宁状态。自蒋主席在皖严厉解决,表面上似可暂安,实则风潮之酝酿更甚。究其原因,实因教育厅长韩安与安大主任刘文典,早有意见。迨一女中风潮起,韩派则欲借此以去刘,刘派亦思扩大以逐韩。适蒋主席到皖,韩以省委地位,易于进言,刘遂失败。刘因亦学界闻人,后援不弱,经其夫人赴京奔走,蔡子民、胡适之、蒋梦麟辈均电皖并向中央解释,蒋介石乃于五日电皖开释刘。"

1929年2月,刘文典应清华大学校长罗家伦聘请,出任国文系教授,同时在北京大学任教授。3月,又兼任北京师范大学国文系讲师。9月，辞北大教授职，专任清华教授。1930年10月，清华中国文学会改选，刘文典负责学术。1931年4月，刘文典担任清华国文系中国文学会会刊《文学月刊》顾问。5月，因清华新任校长吴南轩独揽大权，任用私人，清华教授会举行会议，包括刘文典在内的48名教授联合签署声明，要求教育部更换校长，否则定于下学年与清华脱离关系。1931年8月，因朱自清休假出国，刘文典任清华国文系代理主任。12月，梅贻琦出任清华大学校长。

1932年2月，章太炎北上游说张学良抗日。刘文典前去拜望老师，章太炎离京前，抱病手书一联相赠："养生未羡嵇中散，疾恶真推祢正平。"刘文典在《回忆章太炎先生》一文中认为"上联是告诫我不要吸烟，下联是夸奖我骂蒋介石。"4月，在清华大学纪念周演讲《清华大学国文系的特点》。6月，担任《清华学报》编委。7月，清华大学夏考新生入学开始考试。应刘文典邀请，陈寅恪拟定国文试题，一为作文题"梦游清华园记"，一为对子题"孙行者"。引起了一场"对对子"风波。9月，朱自清回国复职，刘文典卸国文系代理主任。1933年5月，翻译日本陆军大臣荒木贞夫《告全日本国民书》，并撰写译者自序，警醒国人。此书后由胡适题签，天津大公报馆出版。8月，兼任北京大学国文系讲师。1935年2月，长子刘成章因病去世，年仅23岁。1936年9月，刘文典与马裕藻、许寿裳、朱希祖、钱玄同、吴承仕、沈兼士、马宗芗、黄子同等章门弟子，在北京孔德学院召开章太炎逝世追悼会。1937年5月，在北京王府井大街承华园饭庄设宴，举行银婚典礼，并认胞侄刘庆章为嗣子，改名刘平章。7月，卢沟桥事变后，北平沦陷。刘文典在京寓所，多次遭人搜查，遂决定择机离开北平。

1938年5月，刘文典在朋友帮助下，脱离北平险境。后从天津塘沽搭外轮，经香港、越南，辗转到达云南昆明，在西南联大文学院国文系任教授。1939年6月，沈从文被聘为西南联大国文系副教授。据说刘文典在西南联大文学院教授中，对陈寅恪十分佩服，对沈从文这样的作家则较为轻视。1940年5月，经吴宓介绍认识石社总干事顾良，并应邀参加石社，石社以研究《石头记》（即《红楼梦》）为宗旨。

1941年7月,撰写《庄子补正》自序。1942年3月,西南联大国文学会举办中国文学十二讲,邀请朱自清讲"诗的语言"、冯友兰讲"哲学与诗"、沈从文讲"短篇小说"、罗常培讲"元曲中之故事类型"等,刘文典则应邀在昆明师院露天讲解《红楼梦》。6月,西南联大奉教育部令,呈报服务年限满10年教授名单,作为部聘教授候选人。国文系呈报的人选为朱自清、闻一多、陈寅恪、刘文典、王力、浦江清。

1943年4月初,刘文典应滇南普洱盐商张孟希邀请,到普洱区考察,为张孟希撰写先人墓志,并到他创办的磨黑中学任教,以换取长期吸食的鸦片(云土)和家庭生活费用,引起非议。5月,刘文典被西南联大文学院国文系主任闻一多停薪解聘。后经刘文典信函争取及吴宓、冯友兰、王力等几位同事说情,没有效果。8月,陈寅恪复函吴宓,称已向云南大学校长熊庆来、文学院院长姜亮夫推荐刘文典。云南大学校长熊庆来随后致函刘文典,盛情邀请他担任云南大学文史系龙氏讲座教授,所开薪酬待遇均高于西南联大。

1943年11月,刘文典从滇南普洱磨黑归来,正式进入云南大学文史系任教授。据《云南大学志·教学志》记载,刘文典在云南大学文史系,曾讲授"文选学""校勘学""先秦诸子研究""大唐西域记研究""庄子""淮南子""文心雕龙""史通""文赋""历代韵文""杜诗研究"等十余门课程。1945年12月1日,昆明爆发"一二·一"爱国民主运动。刘文典为云南大学校长熊庆来撰写《劝学生复课书》《再劝学生复课书》。1946年6月,参与私立五华学院的创办工作。是年秋,任云南大学图书委员会委员。10月,任云南大学文史教研室主任导师。1947年6月,刘文典另一部古籍整理代表作《庄子补正》10卷5册本由商务印书馆出版,陈寅恪作序。该书收入《庄子》内、外、杂篇全部原文和郭象注、成玄英疏及陆德明《经典释文》之《庄子音义》,校以历代的《庄子》重要版本,并广泛征引王念孙、王引之、卢文弨、奚侗、俞樾、郭庆藩、章太炎、刘师培、马叙伦等学者的校勘成果,而将其补正之文分系于各篇相关内容之下。7月,云南大学推选了3名中央研究院院士候选人,分别为人文组刘文典、数理组何衍璿、生物组秦仁昌。11月,刘文典入选第一届中央研究院院士候选人名单,人文组共55人。1948年1月,应好友孙乐斋邀请,为已故云南大学著名学者袁嘉谷的《移山簃随笔》作序。1949年7月,在云南大学泽清堂讲演"关于鲁迅",被认为"反鲁",引起一场风波。

新中国成立后,刘文典留在云南大学中文系任教,并下决心戒除吸食鸦片的不良习惯。1952年9月,李广田任云南大学副校长。刘尧民任云南大学中文系主任。刘文典在思想改造运动中受到冲击,但由于写过思想总结,作了自我批评,没有受到太大影响。1953年8月,云南大学图书馆为刘文典专设研究室,请他为《二十四史》断句标点。1954年9月,任云南大学科学研究委员会委员。1956年1月,作为特别邀请人士,增选为第二届全国政协委员,同批增选的还有陈寅恪、沈从文、卫立煌等人。2月,任云南大学学术委员会委员。4月,李书成任云南大学党委书记。6月,九三学社云南大学小组成立,经组长曲仲湘介绍,刘文典与秦瓒、方国瑜、刘尧民等教授成为小组会员。1956年9月,刘文典被评为全国一级教授,云南文科仅其一人。云南农业大学林学教授秦仁昌也被评为一级教授,但不久后便离开云南,因此有人称刘文典是"云南唯一的一级教授"。同时,云南大学朱彦丞、曲仲湘、刘尧民、方国瑜、纳忠被评为二级教授。10月,任云南省纪念孙中山诞辰90周年筹备委员会副主任。12月,任九三学社昆明分社筹备委员会委员。1957年3月,中国社会科学院文学所《文学研究》创刊,刘文典任编委。5月,李广田任云南大学校长。

1957年"反右运动"中,云南大学有一百多人被划为"右派分子",刘文典逃过一劫,但被要求出席各种批判会。1958年3月,云南大学党委会听取各系汇报。党委书记李书成提出"中文系堡垒刘文典必须突破"。4月,云南大学召开民主党派整风会议。中文系、历史系联合揭发批判刘文典。6月,云南大学党员、系主任向党委会报告交心运动情况。党委书记李书成要求"火烧"刘文典等"顽固派","必须反复批判"。7月15日,刘文典突发脑溢血,经抢救无效逝世,享年67岁。1959年夏,刘文典骨灰安葬于安徽省怀宁县总铺高家山。1999

年秋,安徽大学出版社、云南大学出版社联合出版《刘文典全集》,由诸伟奇主编,共 4 卷。2008 年 9 月,安徽大学在纪念建校 80 周年之际,设立刘文典纪念室,并在校园铸立刘文典铜像,嗣子刘平章将其所藏的刘文典手稿、书信和藏书全部捐给安徽大学。

刘和鼎[①]

刘和鼎(1894—1969),字波鸣,1894 年 12 月 13 日(光绪二十年十一月十七日)生于合肥东南乡长临河(今属肥东县)刘家嘴村。祖父刘志仁官至广东记名提督、署惠州镇总兵。祖母阎氏,生 6 子。父亲刘时刚是长子,母亲张竹慈,生兄弟姐妹 7 人,刘和鼎是长子。他幼年随父母去广东惠州祖父任所,10 岁时因祖父去世返回故里,13 岁入本乡私塾,与表弟张义纯同塾,塾师刘硕甫。14 岁入芜湖万寿宫小学,15 岁肄业于安徽公学。

1911 年,刘和鼎考入陆军贵胄学堂速成科,由于成绩优异被选送德国学习航空,因武昌起义爆发未成行。后返回安徽,经吴旸谷长兄吴性元介绍加入同盟会,并投身淮上军任营副。1912 年,考入北京陆军第一预备学校,1914 年毕业后,转入保定陆军军官学校第三期步兵科。1916 年军校毕业后,分配到安徽督军倪嗣冲安武军见习。

1917 年 8 月,北京政府为征服西南,设立长江上游总司令部,吴光新任总司令,刘和鼎被派到总司令部任参谋。1918 年,被调往湖南督军张敬尧部,任警务处视察。不久又调往征南第二路军总司令张怀芝部,先后任援粤赣军总司令部副官兼第九混成旅副官、赣南镇守使署副官。1920 年,经张治中介绍,入川军吕超第五师,任林宓旅长

---

① 参见刘思祥:《刘和鼎传略》,《江淮文史》2000 年第 4 期;刘亮中:《刘和鼎》,《合肥文史资料》第 5 辑《合肥人物》。

的参谋主任。1925年,回皖任第二混成旅(旅长马祥斌)参谋长。1926年,第二混成旅被扩编为独立第五师,刘和鼎任参谋长。1927年,马祥斌被直鲁联军张宗昌枪杀,刘和鼎被推举为独立第五师师长。1928年,刘和鼎率部驻守湖北宜昌,兼任鄂西清乡司令、宜昌税局总监察。

南京国民政府成立后,1928年部队进行整编,刘和鼎先后被任命为第四集团军第二独立旅旅长、第十三师副师长兼第三十七旅旅长、第五十六师副师长兼第一六六旅旅长、第五十六师师长等。1929年至1933年,刘和鼎率部多次参与国民党军队对苏区中央红军的"围剿"。1933年12月,刘和鼎率部参与镇压"福建事变",被蒋介石提升为第三十九军军长,后兼任延平警备司令、第九绥靖区司令、闽浙赣边区清剿司令等职。1936年2月,晋升为陆军中将。

1937年抗战爆发后,刘和鼎率第三十九军参加淞沪会战,经过苦战,部队损失惨重,蒋介石答应补充兵员。1938年6月,蒋介石命令掘开黄河大堤,阻挡日军沿陇海路西进。决口地点选在第三十九军防线,刘和鼎指挥第五十六师和新八师在赵口和花园口执行决口任务。1939年4月,刘和鼎率部参加随枣战役,10月,升任第十一集团军副总司令(总司令黄琪翔),仍兼第三十九军军长。1940年5月,刘和鼎率部参加枣宜会战,不久第三十九军担当第五、第九两个战区的预备队。1941年11月,兼任第五战区作战人员训练班副主任。1942年6月,刘和鼎率部越平汉线进入大别山区,担任游击抗日和"剿匪"双重任务。1943年6月,任第二十一集团军副总司令(总司令李品仙)。1944年9月,入陆军大学甲级将官班第一期学习。1945年5月,参加国民党第六次全国代表大会,当选为中央候补监察委员。

抗战胜利后,刘和鼎对军事政治有些厌倦,在苏州赋闲一段时间。1946年12月,刘和鼎与皖籍名流许世英、柏文蔚、吴忠信、徐庭瑶等人,在南京成立普济垦殖社,打算募捐开发陈瑶湖(今普济圩农场)。1947年4月,柏文蔚去世后,刘和鼎接任普济垦殖社总经理,并退出军政界,专心致力于垦区开发工作。

1949年4月,刘和鼎携家眷与徐庭瑶同船离开大陆,后定居台湾台中市。去台后,初在安农公司和裕台公司任职,并担任"光复大陆设计研究委员会"委员。1957年7月,任台中安徽同乡会首届理事长。1963年12月,皖籍故旧许世英等人发起为他做七十大寿。1969年4月7日,刘和鼎因脑血栓病逝,享年75岁。

刘和鼎原配张礼贤,抗战期间病逝,张氏育有两女,长女刘应淑,次女刘应金;继室谢佑君随刘和鼎去台湾,育有一子刘应祖。他的两女一子后均移居美国。

张义纯[①]

张义纯(1895—1982),字靖伯,1895年10月20日(清光绪二十一年九月初三)生于合肥东南乡长临河镇(今属肥东县)张胜吾村。父亲张仁吾在芜湖经营酱坊,家道小康。

张义纯幼年就读于本乡私塾,12岁时被姐夫王正藩带往武汉,考入陆军小学。陆军小学毕业后,升入保定陆军军官预备学校,又当了半年列兵,再入陆军军官学校炮科,1916年底毕业后,被分到陆军第一师炮兵团当见习排长。

1917年7月,张勋复辟,段祺瑞在天津马厂誓师讨逆,张义纯任讨逆军总司令部副官,后到陆军部任候差员。1918年1月,在天津军粮城任奉军总司令部副官。6月,到洛阳任西北军第一混成旅副官兼机枪连教练官。10月,改任西北军第一混成旅炮兵营长。

1921年1月,张义纯到福建延平任第二十四混成旅参谋兼军械

[①] 参见戴健:《张义纯简介》,《安徽文史资料》第30辑,安徽人民出版社1989年版;田仁:《张义纯》,《皖系北洋人物》,安徽人民出版社1993年版;田仁:《张义纯》,《合肥文史资料》第5辑《合肥人物》。

官。1922年冬,任福州洪山桥兵工厂总办。1923年1月,任第二十四混成旅第二团团副。1924年1月,升任第二十四混成旅第二团团长兼第一支队队长。1924年11月,段祺瑞就任临时执政,张义纯回北京任执政府军务厅第四处处长。1926年1月,任直隶军务督办公署军务处长。

1927年2月,张义纯任国民革命军江右军总指挥部参谋处长。3月,改任北伐军第六军第十八师副师长。1926年6月,北伐军江左军总司令李宗仁在芜湖召见张义纯,任命他为第十九军第二师师长,从此张义纯投到了新桂系门下。张义纯率师参加了讨伐孙传芳的龙潭战役后,又参加了讨伐唐生智的战斗。因战功升任新成立的第十八军副军长,驻湖北襄阳。

1929年1月,南京编遣会议后,张义纯所在的第十八军与刘和鼎旅合编为一个甲种师,统一番号为整编第五十六师,张义纯任师长,刘和鼎任副师长。3月,蒋桂战争爆发,桂系失败,张义纯卸职在杭州闲居。1931年,与杭州人章蕴芬结婚。

1933年底,张义纯到广西,初任第四集团军总司令部参军,旋任驻桂林的第十五军参谋长,接着又转任驻柳州的第七军参谋长。1936年1月,调任第二十五师师长。1937年抗战全面爆发后,桂系军队北上,8月下旬,以廖磊为总司令的新编第二十一集团军在上海大场一带,与日军对垒,张义纯任副军长的第四十八军在前线与日军激战,伤亡惨重,被迫撤到嘉定一带休整,担任总预备队。1937年12月,张义纯升任第四十八军军长。

1938年1月,第五战区司令长官兼安徽省主席李宗仁因要部署台儿庄会战,特请张义纯以安徽省民政厅厅长代理省主席,张义纯到六安就职。5月,合肥沦陷,六安告急,张义纯率省府人员迁往大别山腹地金寨。不久他回任第四十八军军长,将省府事务交秘书长朱佛定代理。张义纯率第四十八军参加了武汉保卫战。武汉沦陷后,又率第四十八军回守大别山,开展敌后游击战。

1939年10月,第二十一集团军总司令兼安徽省主席廖磊病逝,张义纯代理总司令。半年后,李品仙到金寨接任第二十一集团军总司令兼安徽省主席,张义纯任第二十一集团军副总司令。1934年1月,驻汉口的日军一度占领金寨,张义纯在十分困难的条件下,率部奋起反击,夺回了金寨。不久,他调至重庆任军委会中将高参,旋入陆军大学甲级将官班学习。

解放战争初期,张义纯任国民政府国防部高参,参与制定并布置对解放区的进攻。1948年秋,张义纯任安徽省政府委员兼皖南行署主任。1949年春,任安徽省主席,驻皖南屯溪。4月21日,人民解放军横渡长江,势不可挡。张义纯率省府残部向江西退却,在开化境内遇到解放军,即传令部属缴械投诚。

新中国成立后,张义纯定居上海。1956年,加入民革组织。1958年,任民革上海市委对台宣传工作委员会委员。1962年,任上海市人民委员会参事。1979年,任民革中央团结委员会委员。1982年9月10日,张义纯病逝于上海,享年87岁。

张义纯与章蕴芬有两子四女。长子张复礼,美国哥伦比亚大学硕士毕业,后任联合国秘书处翻译;次子张敦礼,清华大学毕业,曾任北京市纪律检查委员会秘书长;长女张纹礼,复旦大学毕业,上海江宁中学教师;次女张纫礼,复旦大学肄业,南京银行职员;三女张问礼,北京体育学院毕业,留校任教;四女张绣礼,南京师范大学毕业,上海师范学院教师。

杨亮功[①]

杨亮功(1895—1992),名保铭,字亮功,出生于巢县柘皋镇。父

---

① 参见竺午:《杨亮功传略》,《江淮文史》2001年第3期;周乾:《杨亮功与民国时期的安徽大学》,《江淮文史》2005年第3期。

亲杨九皋是清末秀才,民国初年曾任巢县劝学所所长。

1901年,杨亮功发蒙于家塾,从背《千字文》《百家姓》到读"四书五经"。1904年,杨亮功父亲与亲戚合办了一所初级小学,取名养正小学。杨亮功由家塾转到养正小学读书。这是巢县第一所新式民办小学,但仍以教授经史古文为主。学校对功课抓得较紧,甚至在暑假期间也要求学生到学校读书写字,晚上乘凉时学生还由老师领着在一起比赛对对子。杨亮功对的三副对子曾得到老师的夸奖,分别是:"垂帘不卷留香久,万籁无声下笔迟";"无风灯焰直,有月竹阴寒";"驴背不如牛背稳,马皮何用虎皮蒙"。1908年,杨亮功到巢县县城参加初小毕业会考,然后进入巢县第一高等小学学习。1911年,杨亮功考入合肥省立第二中学读书。1915年中学毕业后,杨亮功北上投考北京大学。不料旅途艰难,错过了北京大学考试时间,只得不情愿地考入北京国立工业专门学校。尚未入学,听说北京大学旁听生尚有缺额,立即转入北京大学预科旁听,一年后转为正式生。

1917年,杨亮功考入北京大学中文系本科。当时新文化运动在北京大学兴起,新旧思想激烈冲突,杨亮功赞同陈独秀、胡适提倡的新文学革命思想,亦受到刘师培、黄侃等旧派国学大师的影响。1919年五四运动爆发。杨亮功是这一爱国运动的参与者和见证人。风潮甫定,杨亮功和表兄蔡晓舟决定编书记录这场运动。暑假期间,杨亮功和蔡晓舟商定大纲,搜集资料,抓紧编写,苦干了两个月,完成初稿,于9月间出版,书名《五四》,这是最早记载五四运动的一本书,具有较高的史料价值,为海峡两岸史学界所珍视。杨亮功在北京大学中文系读了3年书,在第三年,他的学习兴趣逐渐由中国文学转向教育学,他自己后来认为可能是受到了美国著名教育家杜威博士来华讲学的影响。当时北京大学还没有设立教育系,杨亮功便选修了几门教育学的课程。

1920年7月,杨亮功从北京大学毕业,应聘到天津女子师范学校任国文教员。11月,应安徽省教育厅厅长张继煦邀请,到安庆任省立第一中学校长。他上任后,聘请了一批刚从北京大学、金陵大学等高校毕业的青年学子任教,并对学校体制风气加以整顿,学校工作颇有起色。1921年6月2日,因安徽省议会秉承军阀倪道烺、马联甲的旨意,削减教育经费以扩充军费,引起安庆各校学生的强烈不满。学生拥到省议会门前抗议,受到军警的镇压,40多位学生被打伤,姜高琦、周肇基伤重不治身亡,激起教育界公愤。事件发生后,杨亮功立即和其他学校校长赶到现场,救援保护学生。后又参与组织全市罢课,抗议军阀暴行。杨亮功还被推为代表,北上联络在京同乡,要求北京政府严惩打伤杀害学生的凶手。

1922年6月,杨亮功赴美留学。初在加州大学暑期学校补习英文,并选修心理学。后转入斯坦福大学教育学院,主攻教育行政管理专业,以《中学课程的改造》作为硕士学位论文。1924年6月,杨亮功在斯坦福大学获得教育学硕士学位。8月,转入哥伦比亚大学师范学院攻读博士学位,后转入纽约大学教育学院。1927年12月,杨亮功的博士论文《美国州立大学的董事会组织功能及职责》获得通过,获哲学博士学位。杨亮功在美国5年多的留学生涯顺利结束,遂取道西雅图乘海轮返回祖国。

1928年春,杨亮功被河南开封第五中山大学聘为教授兼文科主任。半年后应吴淞中国公学新任校长胡适邀请,出任该校副校长,并兼任上海暨南大学教授。1929年9月,杨亮功应安徽大学新任校长王星拱邀请,出任文学院院长,兼安徽大学秘书长。王星拱出任安徽大学校长后,并未辞去在武汉大学的职务,主要精力仍放在武汉大学,安徽大学的教研工作和日常校务管理,主要由杨亮功代理负责。1930年1月,王星拱被任命为武汉大学校长,遂向安徽省政府提出辞去安徽大学校长职务。6月,安徽省政府根据王星拱的建议,正式任命杨亮功为安徽大学校长。

在杨亮功代理主持安徽大学和出任安徽大学校长期间,为全面提高教学质量和学校在国内大学中的地位,他运用在美国学习的现代教育管理理论和方法,大胆进行改革,取得了一定进展。安徽大学建校初期,分为预科和本科两部分,杨亮功上任后,认为开办预科对安徽大学意义不大,使本已十分紧张的师资力量更显不足,于是他毅然决定停办预科,将预科未结业的学生转入相关本科院系学习,集中办好安徽大学的本科教育。杨亮功初到安徽大学时,安徽大学仅有文学院和法学院,他协助王星拱创办了理学院。杨亮功任安徽大学校长后,亲自制订未来发展计划,根据这项计划,安徽大学还将逐步建立农学院、医学院和工学院,形成六大学院为基础的学科门类齐全的现代大学。杨亮功还多次前往南京、上海等地,诚恳聘请一些知名教授来安徽大学任教,充实加强安徽大学的师资力量,并聘请他们担任相关院系的负责人,提高安徽大学在国内高等教育界的地位和影响。他还四处奔波,想方设法筹集资金,购买图书资料和仪器设备,改善办学条件。1931年5月,杨亮功因事赴沪。这时安徽大学因开除学生引发了一场风潮。杨亮功因为经费严重短缺等问题,已经渐萌退意,加上这次风潮的影响,他下定决心辞职。杨亮功在安徽大学前后待了近两年时间。

  1931年7月,杨亮功在上海与陈鹤琴等人发起组织中国教育学会。8月,他出任北京大学教授,并兼任北京师范大学教授。1932年,杨亮功担任了北京大学教育系主任。1933年3月,杨亮功当选为监察院监察委员,遂辞去北京大学教职,离开北平,前往南京任职。从1933年至1937年,杨亮功一直担任监察委员,经他提案及审查成立的弹劾案近80件,罪状多为贪污、枉法、渎职、殃民、舞弊等。从1938年至1948年,杨亮功先后担任皖赣监察使、闽浙监察使、闽台监察使。审查的案件更多,其中最值得一提的是调查台湾"二二八事件"。1947年,台湾"二二八事件"发生后,杨亮功奉监察院院长于右任之命,于3月8日到达台湾进行调查。他遍访台湾各地,起草了《调查二二八事件报告》和《台湾善后办法建议案》。调查报告陈述了事件的经过情况,分析了事件产生的原因,揭示了参与事件的各种利益群体及其动机,提出了善后处理的方针政策。善后建议案提出了具体的善后处理办法,包括政治、军事、经济、人事、文化教育、土地粮食、民意机关及其他,共8项43条。杨亮功的《调查二二八事件报告》《台湾善后办法建议案》及他另外撰写的《二二八事变奉命查办之经过》,已成为史学界研究"二二八事件"必须参阅的基本资料。

杨亮功在任监察委员、监察使期间,并未忘情教育,他曾到南昌暑期讲习会讲学,先后担任全国第二届高等考试、浙江和湖北普通考试、台湾光复后首次高等考试的监试员,还担任中正大学和安徽大学筹备委员会委员。1948年6月,杨亮功再次出任安徽大学校长。1949年4月,安庆解放,杨亮功时在上海,于5月中旬乘飞机离开大陆,前往台湾。

杨亮功抵达台湾后,被台湾师范学院聘为教授兼教育系主任。1950年3月,改任"教育部"特约编纂。10月,改任"监察院"秘书长。1954年8月,改任"考试院"考试委员。1968年1月,任"考试院"副院长。1973年10月,任"考试院"院长。1978年9月,杨亮功"考试院"院长任满卸职,被蒋经国聘为"总统府"资政。杨亮功供职"考试院"以后,较为注重学术研究,撰有《西洋教育史》《教育学研究》《中西教育思想之演进与交流》《先秦文化之发展》《中国家族制度与儒家伦理思想》《孔学四论》等著作。同时,他还在台湾师范大学和政治大学授课,并担任东吴大学董事长、中山学术文化基金会董事长。从1981年起,杨亮功连任国民党第十二、第十三届中央评议委员会主席团主席。1992年1月8日,杨亮功在台北去世,享年97岁。

崔筱斋[①]

崔筱斋(1896—1932),原名崔兴忠,1896年8月16日出生于合肥北乡造甲店(今属长丰县)崔小圩。父亲崔化明为乡村私塾教师,

---

① 参见马明太、崔贤常等:《中共合肥北乡支部第一位书记崔筱斋传略》,《中共合肥北乡支部建立暨吴山庙起义七十周年纪念文集》,1996年内部出版;《长丰县志》,中国文史出版社1991年版。

知书达理，忠厚正直；母亲梁氏勤俭持家，教子有方。

崔筱斋幼随父亲读书。1921年，到合肥补习功课。不久入芜湖工读学校学习。1924年秋，在芜湖加入中国共产党。1925年1月，回合肥开展农民运动。1926年2月，赴广州参加毛泽东主持的第六期农民运动讲习所学习。1926年9月，从农民运动讲习所结业后回到合肥，与曹广化、胡济在北乡崔小圩建立中共肥北支部，崔筱斋任书记，这是合肥地区最早成立的中共党组织。1926年冬，成立安徽省农民运动委员会，崔筱斋任主任，曹广化、胡济任委员，并陆续在合肥、寿县、定远三县的交界地区，组织成立了双河集、造甲店、白河集、陈刘集、瓦埠集等农民协会。1929年1月，受党组织派遣，赴六安、霍山地区指导农民运动，并为六霍起义做宣传鼓动工作。1930年2月，返回合肥，任合肥中心县委委员兼肥北区委书记。在合肥相继建立了肥北区农民协会、肥北区共青团和双河集妇女协会，领导这些组织开展了抗捐、抗税、罢佃和扒粮等斗争。1931年秋，为武装暴动做准备，在崔大圩秘密建立造枪所，造出枪支二三十支，同时在扒粮斗争中夺取地主武装的枪支四十余支，还收编了土匪许金贵、崔贤明、崔贤亮的武装，并派出一批党团员打入地主武装红枪会，争取红枪会会员参加暴动。

1932年4月初，鄂豫皖苏区巡视员在合肥北乡巡视工作，建议北乡区委立即召开农协和妇协代表会议，发动大规模扒粮斗争。中共合肥中心县委随即召开扩大会议，决定在双河集扒粮斗争的基础上举行暴动，建立革命武装，配合苏区工作。崔筱斋在会议上汇报了双河集暴动的准备情况。1932年4月7日，崔筱斋发动和领导了双河集农民暴动。参加暴动的有200多名赤卫队员、500多名红枪会会员和1000多名农民协会会员。暴动队伍首先包围了双河集联保办事处和团防局，缴获枪支十余支，接着开展了打土豪、分粮食的斗争。下塘集团防局头目叶奋九闻讯后，纠集杨庙恶霸张焕亭及北乡一些村镇联庄会民团武装一千余人赶来镇压。崔筱斋率领农民起义军，利用有利地形顽强阻击，经过浴血奋战，将敌人击退。合肥中心县委派军委书记李星三前来指导工作,在李星三主持召开的北乡区党团委干部联席会议上,崔筱斋的主张没有得到肯定,反而被指责为"右倾",受到了错误处理,伤害了双河集暴动农民的积极性。而国民党则从合肥、寿县调来大批正规军,并纠集四个地方民团,对双河集暴动农民进行"围剿"。崔筱斋不计个人得失,率领义军奋勇抵抗,多次打退敌人的进攻。但义军亦伤亡惨重,在敌强我弱、孤立无援的严峻形势下,双河集暴动农民不得不化整为零,分散突围。6月16日,崔筱斋在山家岗被叶奋九民团逮捕。6月18日,在下塘集英勇就义,年仅36岁。

张孝华[①]

张孝华(1896—1970),出生于巢县钓鱼乡东张村。幼年随父亲在水上漂流,年长后受雇于江南双桥镇船主李长云、吕宗贵两家,长年在水上干活,成为经验丰富的船工。

1949年春,解放军准备渡江南进。皖西巢湖分区支前司令部征集木帆船和船工。张孝华带领儿子张友香前来应征,因表现积极,张孝华被选为船队组长,奉命开往无为集结。不久,巢、含、和三县船队混合编组,张孝华被任命为中队长。4月21日,渡江战役打响。张孝华负责运送中路渡江部队第一突击队第一组战士。他鼓足勇气,奋力划桨,船打漏了,堵住再划,儿子中弹负伤,他也来不及过问。他一鼓作气,率先冲过枪林弹雨,靠近对岸坂子矶沙滩,战士们迅速登陆,抢占滩头阵地,并向纵深挺进。渡江战役结束后,张孝华荣立一等功,获"渡江支前模范"称号,他驾驶的船被命名为"渡江先锋船"。

1950年,张孝华被任命为东张村水上行政村村长。1956年,他

---

① 参见《巢湖市志》,黄山书社1992年版。

带头加入巢城水运社,被选为社务委员。1960年,他担任造船厂保管员。1964年冬,巢县人武部组织民兵在巢湖演习,张孝华带领望城公社水上民兵班冒着风雪严寒,练习登陆本领,激励民兵把"渡江先锋船"精神传承下去。由于表现出色,他获得民兵荣誉奖,并当选为巢县城关镇人大代表。1965年,张孝华荣获安徽省"五好职工"称号。1970年4月,张孝华去世,享年74岁。

杨武之[①]

杨武之(1896—1973),谱名克纯,字武之,原籍凤阳,从祖父杨家驹起迁居合肥。父亲杨邦盛(1862—1908),杨家驹长子,1880年考中秀才,担任塾师。1904年赴天津,入段芝贵幕中习文书。1908年赴奉天谋职,染鼠疫去世。母亲王氏,卒于1905年,生二子,杨武之弟杨克歧(1898—1979),字力磋。

1914年,杨武之毕业于合肥安徽省立第二中学。1918年,毕业于北京师范大学本科。后应老同学蔡荫桥邀请,回合肥母校省立第二中学任教,并担任舍监。1921年,杨武之因严格执行校规,与少数出外娱乐半夜始归的纨绔子弟发生尖锐冲突,校方迫于压力,不敢开除闹事学生,杨武之愤而离校,前往安庆一所中学教书。

1923年,杨武之考取安徽省官费赴美留学。1927年,获得芝加哥大学数学博士学位后回国。初在厦门大学任教。1929年秋,赴北平,任清华大学教授,后担任数学系主任。1933年,利用休假机会,赴德国汉堡大学访学深造。1934年,仍回清华大学任教。1937年"七七事变"后,带领家眷回合肥老家避难。1938年1月,杨武之经武汉,

---

① 参见刘秉钧:《杨振宁家世述略》,《合肥文史资料》第1辑;徐胜蓝、孟东明:《杨振宁传》,复旦大学出版社1997年版。

前往昆明,任教于西南联大。抗战胜利后,仍回清华大学任教。北平新中国成立前夕,南下上海,执教于同济大学,不久又转至复旦大学。1973年5月,杨武之病逝于上海,享年77岁。

杨武之1919年娶罗孟华为妻。罗孟华父亲罗竹泉是杨武之姑父刘芷生的好友,杨武之父母早逝,得到姑父刘芷生不少帮助。罗孟华为旧式妇女,没有受过新式教育,但贤惠能干,夫妻感情甚好。罗孟华生有四子一女。长子杨振宁,1922年农历八月十一生于合肥老宅。次子杨振平,三子杨振汉,女儿杨振玉,生于北平清华园。幼子杨振复,1937年秋生于合肥。

李慰农[①]

李慰农(1897—1925),原名李尔珍,出生于巢县油坊郑村。幼读私塾,后考入县立高等小学和中学读书,曾在家乡担任小学教师。1916年,考入芜湖省立第二甲种农业学校,改名慰农,表示自己关心农民疾苦,力图改变农村面貌的志向。1918年从芜湖省立第二甲种农业学校毕业后,留校任农场管理员。1919年,五四运动爆发后,他在芜湖联络学界爱国青年积极响应。

1919年底,李慰农与同学尹宽一起赴法国勤工俭学。1920年2月,李慰农联络安徽籍勤工俭学学生,组织工学励进会。8月,工学励进会改名工学世界社,打破地域限制,社员发展到30多人。大多数社员赞成"信仰马克思主义和实行俄国式的社会革命"为宗旨。1921年3月,李慰农参加了旅欧共产主义小组的筹备工作。1922年6月,参加在巴黎西郊布伦森林举行的旅欧中国少年共产党成立大会,成为中国共产党早期党员。10月,旅欧中国少年共产党出版机

---

① 参见方罗来:《李慰农烈士传略》,《江淮英烈》,安徽人民出版社1981年版。

关刊物《少年》月刊,李慰农积极为《少年》月刊撰稿,热情宣传马克思主义。他还参加了共产主义研究会,用通信方式阐述自己的政治信仰和主张。1923年底,他根据党的指示,离法赴苏,进入莫斯科东方劳动者共产主义大学。

1925年春,李慰农离苏回国,被上海党中央派往山东工作。他在济南工作了几个月后,被派往青岛领导工人运动。他到青岛后,深入产业工人最集中的四方村,建立中共四方支部,亲自兼任书记。在巩固和发展党组织的同时,积极领导和发展工会组织,并通过工会创办工人夜校,翻印《共产党宣言》,散发《向导》《中国工人》等进步书刊,对工人进行广泛的宣传教育,促进工人运动的开展。青岛工会组织的迅速发展,使不少日资企业感到了威胁,大康纱厂日方厂主首先派人搜查工人宿舍及身体,开除甚至逮捕、拷打工会积极分子。共产党员司明章从大康纱厂逃出,向李慰农汇报,李慰农立即召开党的会议,决定发动工人保卫工会,开展罢工斗争。

1925年4月19日,大康纱厂开始罢工,有4000多名工人参加。不久,日方开办的内外棉、隆兴、日清等厂相继罢工,罢工人数增至近2万人。罢工工人向日本厂主提出承认工会、增加工资、保护童工女工、日工作十小时等16条要求,表示不达目的,决不复工。1925年5月初,在罢工进入高潮时,李慰农接任中共青岛市委书记。他到职后,立即将市委秘密机关由湖南路迁移到产业集聚的四方村,就近领导罢工斗争。同时,他指示各支部发动青岛各界人民,特别是学生,成立"罢工后援会",运用各种方式,声援罢工斗争。日本厂主迫于罢工的声势,不得不做出暂时的让步。5月9日,由日本常驻青岛领事和中国青岛商会出面调停,与工人代表签订了九项复工条件。

李慰农领导的第一次罢工斗争胜利后,日本厂主并不甘心失败,他们一面制造各种借口向工会挑衅,采取各种手段威胁工人,一面请求日本驻华公使和驻青岛领事向中方当局发出通牒,要求奉系军阀取缔工会。青岛警察厅厅长陈韬在日本人的威逼利诱下,率领数百名军警,强力解散四方各厂工会,并开除50多名工人代表。李慰农闻讯后,立即召开党和工会紧急会议,发动大康、内外棉、隆兴等厂工人,于5月26日再次举行罢工。5月28日,日本从旅顺调来两艘兵舰,以"保全日人生命财产"为理由,声言将登陆镇压工人。山东督军张宗昌慑于日本人的淫威,电令胶澳督办温树德"武力解决"工人罢工。5月29日,温树德调集军警3000余人,配合日本水兵,包围大康、内外棉、隆兴厂,勒令工人出厂。当出厂工人与日本人及军警发生冲突时,工人竟被开枪射击,当场死亡8人,重伤17人,轻伤多人,制造了震惊全国的"青岛惨案"。第二天,日本帝国主义和英帝国主义又在上海制造了"五卅惨案"。

两次惨案发生后,李慰农和青岛市委领导胶济铁路总工会,成立"沪青惨案后援会"。6月5日,又组织和领导四方机器厂近2000名工人,冲破敌人封锁,举行游行示威。接着发动各机器厂和其他行业工人罢工,动员全市学生举行罢课示威,召开3万人参加的雪耻大会,成立青岛各界爱国联合会。李慰农和中共青岛市委领导的爱国运动,遭到了反动军警的血腥镇压。7月26日,李慰农在四方工人区的住所被逮捕。7月29日,被押赴青岛团岛秘密杀害,年仅28岁。

童汉章[①]

童汉章(1897—1943),出生于合肥县东乡童小郢。父亲童冠夫,秀才,以教书为业。童汉章幼受父教,文史基础较深。1918年,考入安庆安徽法政专门学校。1919年五四运动消息传到安庆后,安徽法政专门学堂学生积极响应,童汉章始终站在斗争的前列。不久被选为安徽省学生联合会副会长,成为安徽早期学生运动的骨干之一。

---

① 参见童杏荪、童本道:《童汉章传略》,《安徽文史集萃丛书》之九《人物春秋》,安徽人民出版社1987年版;新四军军部:《1943年新四军团级以上阵亡将校题名录》,1943年编发。

1919年至1920年,童汉章与同学周新民等,发起驱逐安徽法政专门学堂守旧校长张鼎丞及其继任丁述明的斗争,要求当局改派进步人士光明甫任安徽法政专门学堂校长。经过不懈的斗争,终于取得了胜利。驱张运动波及各校,遂成其时安徽教育界影响深远的"易长"运动。

1921年春,童汉章与舒传贤、许继慎、周新民、杨溥泉、王步文等安徽进步学生,加入了社会主义青年团。6月,童汉章积极参加了安庆学界因"六二惨案"掀起的"六二运动"。1922年,童汉章从安庆安徽法政专门学堂毕业。1924年,东渡日本留学。1926年7月,国民革命军誓师北伐。童汉章回国参加革命。他到达武汉后,以共产党员身份加入国民党,并担任国民党安徽省临时党部总干事,不久从武汉到安庆,积极筹备召开国民党安徽省第一次代表大会,迎接北伐军的到来。

1927年3月,蒋介石在安庆制造"三二三事件",不久又发动了"四一二政变"。安庆完全笼罩在白色恐怖之中。童汉章与周新民、魏文伯、柯庆施等共产党人,受到反动当局的通缉,童汉章的住宅被抄检,被迫离开安庆。5月,国民党安徽省第一次代表大会在武汉召开,童汉章当选为执行委员会委员。汪精卫"七一五政变"后,童汉章离开武汉,经中共安徽省临委王兴业介绍,随军到达南昌,参加了南昌起义,被国民革命委员会任命为宣传委员会委员。其后他随起义部队南下广东,起义军被打散后,他和一些同志乘民船到达香港。1927年10月,童汉章由香港潜回上海,根据党的指示,回到合肥,以教书为掩护,重新建立党的组织。他先后发展周坤田、何世球、俞本立等人入党,成立合肥县党小组并任组长,后成立中共合肥特支,任特支书记。其是大革命失败后中共合肥地下党的创始人。

1929年夏,童汉章身份暴露,被迫仓促出走,经上海辗转到达北京,始终未能与党组织接上关系。因此,他往返于京沪之间,过着清苦的流亡生活。1932年,童汉章随光明甫回到安徽,但不愿意到国民党政府中任职,后应沈子修邀请,先后在贵池乡村师范和凤阳乡村师范教书。1938年初,在党组织的接引下,来到安徽战时省府金寨,担任抗日总动员委员会总务部副部长,积极从事抗日救亡运动。

1939年,李品仙出任安徽省主席,加紧进行反共活动,迫害进步人士。童汉章根据党组织安排,撤退到皖东抗日根据地。他到达新四军淮南军区路西根据地不久,即接受党的指示,秘密进入敌占区肥东梁园一带,组织抗日民主政府。1940年4月,中共领导的合肥县政府在东乡王子城成立,童汉章任县长。9月,李品仙部一个团,突然向东乡的合肥县政府发动攻击,在日、伪、顽包围下,童汉章率县政府工作人员被迫撤回路西根据地。后担任路西联防办事处主任。1941年,童汉章经张云逸、魏今非介绍,重新加入中国共产党。

1943年初,他奉命赴延安学习。途中因通往延安的交通线被敌人破坏,遂返回新四军军部。6月,他再次接到赴延安学习的通知,随即启程北上,不料在通过敌人封锁线时再次遇阻,同行的魏文伯等人迅速撤离。童汉章身体虚弱,且带有党的秘密文件,情急中跳入附近水塘中。事后虽经救起,被送往大柳营根据地医院抢救,终因溺水过久,且并发急性肠炎,医治无效,于1943年8月8日去世,年仅46岁。童汉章死后,陈毅为其亲撰《哀辞》,谓其一生毅然唯真理正义之是从,可谓党人之皎皎拔俗流者矣。新四军军部也为其做出"积劳殉职"的结论,新中国成立后被追认为革命烈士。

郑抱真[①]

郑抱真(1897—1954),寿县东南吴山(今属长丰县)人。生于贫

---

① 参见安徽省新四军历史研究会主编:《郑抱真传》,当代中国出版社2004年版;聂皖辉:《认识郑抱真——读〈郑抱真传〉》,《党史纵览》2005年第11期;《长丰县志》,中国文史出版社1991年版;郑锐:《郑抱真:组织民众武装抗日 献身革命奋斗终身》,2003年8月7日《安徽日报》。

民家庭。未满十岁，父母双亡，跟随两个哥哥长大，尤其是大哥郑绍臣对他影响较大。郑绍臣幼年时略读诗书，为人豪侠仗义，爱国意识强烈，辛亥革命后，多次参加淮上军起义。

1924年，淮上军第三次起义，郑绍臣、余亚农、李雨村等组织淮上国民自卫军第一路，郑抱真在起义军中任军需，初露头角。起义军失败后退入河南，郑绍臣投入西北军庞炳勋部任团长，郑抱真任副官。1929年春，郑绍臣受庞炳勋猜忌，郑抱真随郑绍臣一起离去，赴上海后参加王亚樵的"铁血锄奸团"，逐渐成为骨干成员。曾参与谋划刺杀蒋介石、汪精卫、宋子文等国民党军政要员，炸死驻华日军最高司令长官白川义则大将、炸伤日本驻华公使重光葵等活动。1931年，因为参与反蒋活动，被捕入狱一个月，经陈铭枢保释才得以出狱。1932年"一·二八淞沪抗战"，郑抱真参加上海工人组成的"救国决死军"。后因蒋介石严令戴笠缉拿王亚樵集团骨干成员，郑绍臣被捕遇害，郑抱真随王亚樵潜往福建、香港、广西等地活动。

1937年"七七事变"爆发后，郑抱真回到安徽家乡，出任皖北人民抗日自卫军第一路军第二支队司令。在组建这支抗日武装的过程中，郑抱真一直和共产党密切合作，经常与中共寿六霍中心县委书记黄岩、寿县县委书记董吉贤等秘密联系，还邀请中共安徽工委书记曹云露到二支队司令部宣讲中共《抗日救国十大纲领》，自觉接受共产党的主张。队伍的发展壮大，引起了国民党新桂系的担心和不满。1938年冬，郑抱真将部队整编为三个大队，加入新四军，与高敬亭领导的新四军第四支队手枪团一部合并组建新四军第四支队淮南抗日游击纵队，任纵队长，继续在皖东地区开展敌后抗日游击战争。1939年6月，游击纵队建制撤销，调任新四军军部参谋。不久，任新四军江北游击纵队副司令员。1940年1月，经张云逸等介绍，加入中国共产党。此后历任新四军淮南津浦路西联防司令部司令、津浦路西专员公署专员。抗战胜利后调任苏皖边区参议会副议长。解放战争时期北撤山东，任华中分局驻鲁办事处副主任、政委，华东驻通化办事处主任、党委书记。

1949年1月21日,合肥县城和平解放。2月1日,合肥设市,郑抱真任合肥市第一任市长。上任后就积极组织人力、物力支援渡江战役,将私营汽车运输业统一组织起来,成立汽车运输大队,以增援华野汽车兵团;发行地区性信用公债,解决金融困难。为促进物资流通,繁荣经济,他倡导并创办起了合作社,在城里开设了农民招待所,这在老百姓中一时传为美谈。4月,改任皖北行署副主任。1952年,皖南、皖北行署合并成立安徽省,4月,调任安徽省人民政府秘书长。1954年5月,调任安徽省人民政府政治法律委员会副主任。1954年12月,郑抱真病逝,享年57岁。

卫立煌[①]

卫立煌(1897—1960),字俊如,1897年2月16日(光绪二十三年正月十五日)出生于合肥县城东郊十余里的卫杨村。父亲卫正球,在合肥石塘桥乡任册书,主要负责征收田赋。母亲宋氏,在乡务农。有两兄立炯、立昕,一弟立涛,一姐小名三姐,一妹淑如。

卫立煌年幼时,家境一般,父亲职微薪薄,收不齐田赋,还要受处罚。1905年,卫杨村发生瘟疫,卫正球和次子卫立昕染病去世,家庭重担落在长子卫立炯身上,他从学校退学后,在合肥城内当小职员,勉强维持家庭生计。1912年初,卫立炯去上海找同乡兼同学范鸿仙,范鸿仙将他推荐给安徽都督柏文蔚,柏文蔚任命他为和县军事学习班主任。卫立煌得到大哥消息,赶到和县,在大哥身边做事。1913年7月,国民党发动"二次革命",柏文蔚被推举为安徽讨袁军总司令,率领民军与倪嗣冲北洋军在皖北激战,终因准备不足,实力不济,宣

[①] 参见卫道然:《卫立煌将军》,安徽人民出版社1985年版;赵荣声:《回忆卫立煌先生》,文史资料出版社1985年版;徐余:《卫立煌传略》,《安徽文史集萃丛书》之九《人物春秋》,安徽人民出版社1987年版;合肥市政协文史委编:《合肥文史资料》第1辑。

告失败。卫立煌参加了和县民军的战斗,也参加了龚镇洲民军的战斗,失败后与大哥逃回合肥老家。1916年春,卫立煌在家乡与葛礼威结婚。

  1916年4月,卫立煌南下广州,投奔在粤军中任职的表兄宋世科。宋世科将卫立煌推荐给同乡吴忠信当随从副官。吴忠信时任粤军旅长,蒋介石经常到吴忠信的旅部办事,大多由卫立煌接待。1917年8月,孙中山南下广州,组织护法军政府,并被非常国会推举为军政府大元帅。经吴忠信推荐,卫立煌担任孙中山大元帅府警卫团排长。1918年5月,孙中山与桂、滇系合作破裂,辞去大元帅职务,离开广州去上海。卫立煌留在粤军中,参加了多次战斗,由排长渐升连长、营长。1921年4月,国会非常会议推选孙中山为非常大总统,兼陆海军大元帅。孙中山在桂林设立大本营,准备由桂入湘,继续北伐。1922年6月,陈炯明在广州叛变,围攻总统府,炮轰观音山。孙中山避难"永丰"舰,任命许崇智为东路讨贼军总司令,蒋介石为参谋长,由福建回师广东,讨伐陈炯明。卫立煌参加了许崇智部的行动,并在讨伐途中升任团长。1923年2月,孙中山重返广州,再任陆海军大元帅,与夫人宋庆龄重登"永丰"舰,接见讨伐陈炯明有功人员,并合影留念。卫立煌参加了接见和合影活动。

  1925年3月12日,孙中山在北京病逝。7月,广州国民政府决定成立国民革命军,共编成六个军,以黄埔军校学生和一部分粤军组成第一军,蒋介石任军长,委任卫立煌为第一军第三师第九团团长。9月,蒋介石为争夺国民革命军领导权,将粤军总司令许崇智逼出广州,卫立煌率部站在蒋介石一边。1926年7月,国民革命军在广州誓师北伐,蒋介石任总司令,下辖八个军。何应钦任第一军军长兼东路军总指挥,卫立煌的第九团属于第一军序列,由东路北伐,向闽浙进军。在进攻福建的战斗中,卫立煌率部屡立战功,被提升为第十四师副师长、师长。1927年2月,卫立煌率第十四师攻占镇江,兼任镇江警备司令。8月,孙传芳纠集六七个师沿津浦路南下,强渡长江,占领龙潭车站,妄图截断沪宁线,重新夺回南京。卫立煌奉命协同其他部队进行阻击,他率第十四师苦战了五天四夜,夺回了龙潭车站,接着封死了长江渡口,孙传芳部队溃不成军,仓皇北窜。龙潭战役奏捷,沪宁线开通,南京转危为安。龙潭战役后,何应钦将第一军扩充为第一和第九两个军,第一军军长是刘峙,第九军军长是顾祝同,卫立煌升为第九军副军长兼第十四师师长。1927年11月,卫立煌率部进驻徐州,兼任徐州戒严司令。不久,调任南京卫戍司令。12月24日,卫立煌与留美硕士、镇江崇实女校校长朱韵珩在上海结婚。婚后,卫立煌携带朱夫人,启程赴北平,进入陆军大学第一期特别训练班学习深造。

1929年12月,原已投靠蒋介石的石友三在浦口突然倒戈,对南京造成威胁。此时正是冯玉祥、阎锡山联合反蒋的中原大战爆发前夕,蒋介石将其主力部队集结于陇海线两侧,驻防津浦路南段的刘和鼎第一六八旅被石友三打败,南京后防空虚。蒋介石电令卫立煌速回安徽,招募新兵,重组劲旅,控制津浦线南段。1930年8月,卫立煌在合肥、寿县、蚌埠一带招募了两个旅的兵力,接收原四十五师的番号,蒋介石任命卫立煌为师长,白兆宗为副师长,李默庵为一三三旅旅长,李树森为一三五旅旅长。中原大战之后,蒋介石打败了冯玉祥和阎锡山,开始把矛头指向中共领导的红色革命根据地。1931年7月,蒋介石亲任总司令,调集三十万大军,对中央革命根据地进行第三次"围剿"。卫立煌率领第四十五师从安徽开赴江西,参与中路"围剿"。第三次"围剿"失败后,卫立煌率部退到江西吉安待命。同年秋,第四十五师扩充为第十四军,卫立煌任军长,下辖两个师,第十师师长是李默庵,第八十三师师长是蒋伏生,军部驻杭州。1932年5月,蒋介石在武汉筹组豫鄂皖三省"剿匪"总司令部,亲任总司令,分左、中、右三路,对中共鄂豫皖革命根据地进行"围剿"。卫立煌被任命为中路军第六纵队指挥官。8月,卫立煌率领第六纵队由平汉线南端东进,在河口镇和黄安城一带与红军展开激战。9月20日,第六纵队占领鄂豫皖苏区重镇金家寨。红四方面军向平汉线以西转移。12月,蒋介石电令卫立煌节制万耀煌第十三师、陈耀汉第五十八师、蒋伏生第八十三师，驻防河口镇。1933年4月，蒋介石将鄂豫皖三省边区，各划出一部分，以金家寨镇为中心，成立县建制，以卫立煌的名字命名，称"立煌县"。

1933年11月，十九路军将领蒋光鼐、蔡廷锴联合李济深、陈铭枢等，在福建发动反蒋事变，成立福建人民政府。蒋介石调集二十万大军入闽"讨伐"。卫立煌被任命为第五路军总指挥，率部由江西抚州进入闽西北，与十九路军作战。1934年2月，卫立煌率第五路军沿闽江南下，在仙游、惠安之间伏击包围蔡廷锴部，切断十九路军西撤广东的退路，蔡廷锴眼看大势已去，只好离开部队，十九路军接受整编，蒋介石任命毛维寿为十九路军总指挥，"福建事变"宣告失败。1935年12月，在国民党五届一中全会上，卫立煌当选为中央执行委员。1936年春，卫立煌被任命为豫鄂皖边区"剿匪"总指挥。他上任后，在原有军队的基础上，又请准从贵州调来善于爬山的一〇二和一〇三两个师，进驻大别山，担任"清剿"任务。

1936年春，卫立煌回到合肥老家，出于对家乡教育事业的关心，捐资创办了一所"蜀山农林职业学校"。学校设在西郊大蜀山山麓，在开福寺寺庙基址上，兴建校舍五十余间，卫立煌任董事长，首任校长余椿寿，所聘教师大多是南京金陵大学农学院毕业，秋季开始招生。第一期录取新生118名，翌年暑期再招新生100名，先后开设4个班，学费全部免费。卫立煌和夫人朱韵珩参加了开学典礼，并为学校制定了教育宗旨，即"教""养""卫"三字真言。"教"是学好文化知识以施教，"养"是掌握农、林、园艺等科技知识以自养，"卫"是懂得军事知识以自卫。

1936年夏，卫立煌调任豫皖督办，督办公署设在六安。在防区内执行蒋介石"三分军事七分政治"的"围剿"方针，普遍实行保甲制，配合军事行动。1936年秋，桂系李宗仁联合广东陈济棠成立"抗日救国军"，反对南京国民政府。卫立煌奉蒋介石命，率部赴两广镇压。9月，卫立煌被授予陆军上将衔。1936年冬，蒋介石命令陈诚、卫立煌、朱绍良、蒋鼎文、陈调元等高级将领，率部集结于西安周围，迫使张学良、杨虎城参加国民党对中共陕甘宁边区的"围剿"。12月12日,张学良、杨虎城发动西安事变,对蒋介石实行兵谏。卫立煌和一些到西安开会的国民党高级将领,同时被扣押在西京招待所。西安事变和平解决后,卫立煌等人被释放。1937年春,卫立煌回任豫皖督办,仍然执行蒋介石"秘密围剿"计划,在信阳、经扶、岳西设立"督办处",在各个重要据点修筑碉堡群,还通令悬赏十万银圆缉拿红二十八军政委高敬亭。

1937年"七七事变"爆发后,卫立煌奉蒋介石电召,赴庐山开会商讨时局大政方针。行前召集郭寄峤、戴允荪、刘刚夫、叶粹武等部属,嘱咐他们做好北上抗日的准备。卫立煌去庐山不久,坚持大别山革命斗争的红二十八军政委高敬亭,根据中共中央实行国共合作、联合抗日的主张,主动派人给驻防岳西的国民党第三十二师师长王修身送去一封信,请他转告豫皖督办卫立煌,愿意进行停战谈判,国共一致抗日。卫立煌接到督办公署报告后,同意与红二十八军进行谈判,并指派刘刚夫为谈判代表。不久,刘刚夫与红二十八军代表何耀榜(高敬亭化名),在岳西青田畈举行谈判,并很快达成了停战协议。至此,鄂豫皖边区的十年内战渐趋结束,为安徽形成第二次国共合作的局面开了一个好头。

1937年7月底,卫立煌调任第一战区第十四集团军总司令,率领三师一旅开赴华北抗日前线。8月初,日军向平绥线的要冲南口发动猛攻,企图打开通向察绥和山西的咽喉要道。卫立煌率部增援南口,在门头沟西面的大台地区首次与日军接触,并展开激战。当时日军一部绕过南口侧翼,进攻居庸关、怀来,一部由沽源南下,进攻延庆,截断平绥线,南口地区国民党军腹背受敌,处境危险。卫立煌率部经过血战,才突破日军包围圈,回师南撤,沿平汉线退至石家庄集结待命。10月2日,蒋介石急调卫立煌部,由石家庄经太原,开赴晋北作战。10月7日,卫立煌被任命为第二战区前敌总指挥,统领晋北中央军和晋绥军,组织和指挥了华北战场上的忻口阻击战。忻口位于同蒲线要点忻县之北,是太原的北大门。10月13日,忻口阻击战打响,中日双方为争夺南怀化高地,投入了大量兵力,战况十分激烈。忻口战役相持近二十天,重创日军第五师团、第四十二联队,国民党军伤亡也很惨重。11月1日,晋东对日作战失利,日军突破娘子关,直扑太原,忻口国民党军陷入被动。卫立煌奉命率部向太原以北青龙镇、天水关一线转移,协助防守太原。11月6日,日军从东、北两路迫近太原城下。卫立煌与阎锡山、傅作义等人商量后,决定率部撤离太原,前往临汾集结待命。11月9日,太原失守。

  抗战初期,卫立煌在华北与中共和八路军建立了较为良好的合作关系。卫立煌在太原和临汾三次会晤周恩来,进行了推心置腹的谈话。在组织忻口战役期间,卫立煌数次与朱德总司令、彭德怀副总司令商谈军务,合作较为愉快。1938年1月31日(农历正月初一),卫立煌率领第十四集团军李默庵军长、郭寄峤军长,前往洪洞县马牧村八路军总部拜年,受到朱德、彭德怀等领导人的热情接待。1938年4月,卫立煌还曾去延安参观访问,会见了毛泽东和中共其他领导同志,并协商了八路军的防地问题。几天后,卫立煌一行离开延安去西安,后经渑池、洛阳,从孟津渡河到古城后,再到山西垣曲,卫立煌的第十四集团军总部也从临汾移到了垣曲。1938年夏,朱德总司令路过垣曲,卫立煌率总部人员到城外迎接,并且进行了亲切友好的谈话,朱德总司令离开时,卫立煌又亲自送到黄河渡口。

  1939年1月,卫立煌就任第一战区司令长官,总部设在洛阳。第一战区范围,东至黄海,包括山东、江苏、皖北,北面包括冀察两省及山西东南,南界河南信阳和淅川,西抵陕西潼关及山西河津一带。卫立煌第一战区统辖指挥的部队有第二、第三、第五、第十四、第十五、第十八、第十九、第三十、第三十九、第四十一集团军。9月,卫立煌兼任河南省主席。他上任后,在省府机构的人事安排上,为了避免亲信和皖人过多介入,引起河南省府原有势力的不满,对河南政治稳定和经济建设产生不利影响,除秘书长一职新任命外,基本上留任了原班人马,后来将省府秘书长也换成了河南人,对省辖县长和基层财税官员,也基本上不插手,不安排亲信,不谋取私利。10月,夫人朱韵珩在成都因医疗事故去世，卫立煌十分悲痛，亲飞成都，为爱妻办理丧事。

1939年11月，河南境内发生竹沟惨案。国民党中统特务、确山县县长许正超纠集一批地方武装，诈称国民党第六十八军壮丁队，突然袭击驻扎在竹沟镇的新四军留守处，杀害了两百多名新四军干部、战士和家属，包括不少在医院养伤的抗日英雄，造成了十分恶劣的影响。新四军江北指挥部张云逸给卫立煌发来急电，提出严正抗议，要求彻查严办。当时抗日战争进入相持阶段，蒋介石把政策中心由抗日转向反共，下达密令，制造摩擦。国民党政府要取消八路军办事处和新四军留守处，卫立煌是知道的，但是采取这种卑劣手段，造成如此严重血案，则是他没有料到的。为此，卫立煌撤掉了南阳专员朱玖莹的职务，把皖属十三县的联防主任别廷芳传到洛阳拘押起来，其余有关人员也分别予以惩处。

1940年3月，陈诚嫡系朱怀冰率第九十七军进攻太行山区的八路军，遭到八路军的坚决反击。朱怀冰见形势危急，连发电报给卫立煌请求支援，参谋处和军政处力主驰援，但卫立煌不愿意和八路军作战，始终未下命令，结果朱怀冰的第九十七军几乎全军覆没，八路军乘势进入太行山南部。这件事情引起蒋介石的不满和猜忌。是年秋，蒋介石命令卫立煌北上太行山，阻止八路军向南伸展，压缩八路军的活动范围。卫立煌没有出动部队，而是与参谋长郭寄峤、八路军驻洛阳办事处主任袁晓轩等人一道，去找朱德总司令磋商，继之又与蒋介石多次争论，最后议定以漳河为界画一条线，临屯公路及长治、平顺、磁县以南为国民党军驻地，以北为八路军驻地。这条线的划分，有利于八路军的发展，中共认真遵守约定，很快把漳河以南的部队撤到漳河以北。国民党顽固派原想在这里掀起的一次反共高潮，就这样被卫立煌用和平方式化解了。但是，蒋介石对卫立煌的不满和猜忌加深了。1941年3月，蒋介石电召卫立煌去重庆述职，对卫立煌在第一战区偏袒八路军，颇多责备之词。卫立煌不服，告假去峨眉山休息。蒋介石乘机派总参谋长何应钦到洛阳巡视，改变了卫立煌的一些军事部署，散布了许多对卫立煌不利的言论，为撤换卫立煌作准备。

　　1941年5月初，日军由山东、河北、晋北各处秘密抽调重兵，向中条山外围集结。中条山横广约270公里，纵深约50公里，前扼山隘，背临黄河，是黄河的天然屏障。日军八次进攻中条山，均被卫立煌运用灵巧战术和不断更换防守部队的办法加以挫败。5月7日，日军向中条山守军发动大规模突袭。第一战区参谋长郭寄峤接到前方十万火急电报，马上报告何应钦。何应钦在洛阳仓促指挥，应付不了日军突袭的形势，中条山守军损失较重。5月12日，卫立煌赶回洛阳，立即与前线联络，电令留一个军在中条山内，继续与日军周旋，以吸引敌人的注意力，其余各部队从日军薄弱处突出包围圈，向敌人的背后攻击。5月19日，中条山守军分别突围，转向敌后，使日军腹背受击，攻势锐减。5月27日，日军停止了行动。中条山会战，日军出动了空军，还施放了毒气，中国守军失去了中条山几个山隘，但主力部队在极其恶劣的条件下，突破包围，转向敌后攻击，使日军始终不能占领中条山全境。

　　1941年10月2日，日军兵分三路，在界马、大黄琵琶、陈荣泽渡过黄河。10月4日，郑州失守。郑州是南北咽喉，如不收复，则中原难保。卫立煌亲自去前线督战，在洛阳与郑州之间的黑石关设立临时指挥所。10月13日，对日军全面反攻开始。10月31日，郑州收复。12月12日，蒋介石电召卫立煌去重庆参加国民党九中全会。在这次会议上，卫立煌受到了国民党高层顽固派的攻击，蒋介石对他的亲共行为也十分不满。1942年1月，卫立煌被免去第一战区司令长官职务，调任西北行营主任。原西北行营主任蒋鼎文调任第一战区司令长官，汤恩伯任第一战区副司令长官兼河南省主席。2月，卫立煌离开洛阳，前往西安就职，住杨虎城宅邸。不久，卫立煌经重庆去成都，寓居支矶石街51号楼，闭门谢客，读书写字，过了一年多赋闲的日子。

　　1943年10月，蒋介石决定重新起用卫立煌接替陈诚，担任中国远征军司令长官，任务是消灭滇西怒江以西的日军，打通中印公路。

1944年春,卫立煌从成都赴重庆,面见蒋介石,同意就任中国远征军司令长官一职。4月,卫立煌率领戴允荪、蒋炎、彭子芳、巫咏翘等人乘专机赴昆明,设办事处于昆华中学。在昆明期间,卫立煌与云南省主席龙云、美军顾问团人员、第十四航空队司令官陈纳德以及云南各界人士,举行多次会谈。然后乘车前往中国远征军司令长官部所在地楚雄,与陈诚举行了交接仪式,随即召开军事会议,讨论强渡怒江计划,参加者有副司令长官黄琪翔、参谋长萧毅肃、秘书长戴允荪、兵站总监蒋炎、参谋处长季鼎生、军需处长彭子芳、高参叶粹武及集团军司令宋希濂、霍揆彰等高级将领和幕僚。为了便于指挥,会议决定,将司令长官部迁至距怒江东岸90余华里的保山城东郊马王屯。卫立煌在保山马王屯多次召开将领会议,制订作战方案,各方面布置基本就绪。这时卫立煌突然接到蒋介石加急电报,命令他回师禄丰、楚雄一带,监视云南省主席龙云,严防龙云受汪精卫鼓动,叛国投敌。同时抽调部队,驰援贵阳,解除日军对重庆的威胁。卫立煌经过反复考虑,没有执行蒋介石的命令,而是按原计划发起强渡怒江战役。

1944年5月中旬,中国远征军兵分数路,从惠通桥上游和三江口等处,在炮兵的掩护下,相继强渡怒江,获得成功。渡江部队继续向纵深发展,经过苦战,至11月初,怒江以西的三座重镇腾冲、松山、龙陵,全部收复。远征军乘胜前进,相继收复芒市、孟戛、遮放、八莫、畹町、猛卯等滇西失地。1945年1月27日,中国远征军与中国驻印军在南坎会师。2月4日,中国远征军和中国驻印军在芒市大河西岸召开庆祝大会。2月22日,美国驻印缅军总司令索尔登正式宣布中印公路通车。被日军封锁达三年之久的滇缅公路终于打通。中国远征军司令卫立煌与行政院院长宋子文、美国第十四航空队司令官陈纳德等人,在畹町参加了接收仪式。

中印公路畅通后,中国远征军的任务也基本完成,蒋介石电召卫立煌到重庆述职,对中国远征军取得的胜利自然赞不绝口,但对卫立煌当初不听命令、擅自渡江的行为仍然耿耿于怀。1945年5月,卫立煌被任命为陆军副总司令,作为何应钦总司令的副手,官邸设在昆明。6月,卫立煌与韩权华在昆明金碧路锡安圣教堂举行结婚典礼,何应钦为主婚人,龙云为证婚人。8月,抗日战争结束,国民政府还都南京。

1945年9月,昆明发生"倒龙事件"。第五集团军司令兼昆明防守司令杜聿明,奉蒋介石密令,采取军事手段,将龙云逼出云南。卫立煌因为与龙云关系较好,受到调查,心情不悦,加上对蒋介石的职务安排有看法,也不愿与何应钦共事,因此很想出国散心。1946年春,卫立煌与韩权华及部分家庭成员,从昆明回到南京。当时蒋介石集团已经开始酝酿武力解决中共问题,卫立煌态度消极。1946年11月,蒋介石批准卫立煌偕夫人韩权华赴美国考察军事。1947年夏,卫立煌经蒋介石同意,延期返国,转赴欧洲游历考察。

1947年10月,蒋介石电召卫立煌回国。当时国民党与中共的军事政治格局已经发生了很大变化,国民党军队在各个战场上开始呈现颓败景象。蒋介石十分担心东北局势,所以卫立煌回到南京后,马上召见他,要他去东北接替陈诚,卫立煌推辞不就,蒋介石随即派张群、顾祝同去劝驾,又叫陈诚夫人谭祥去向卫立煌夫妇哭求,卫立煌仍然犹豫不决时,蒋介石又再次召见他,一定要他临危受命。卫立煌深知蒋介石心狠手辣,便勉为其难表示同意。

1948年1月,卫立煌就任东北"剿匪"总司令。他到沈阳主持东北军政后,感到陈诚留下的这个烂摊子很难收拾,国民党军队缩在沈阳、长春、锦州三个孤立据点,东北全境已经丧失十之八九,目前只有沈阳地区尚有活动空间,而且战略地位十分重要,因此只有积聚力量,固守沈阳,等待时局变化。于是卫立煌把主力部队集中在沈阳附近,充实班底,补充兵员,加紧整训,构筑和加固沈阳外围防御工事。对于蒋介石一再催促他迅速实施打通沈锦线的计划,卫立煌认为不切实际,目前各军疲惫不堪,正在休整,又当冰冻融化,道路泥泞,根本无法长途行军作战。5月,蒋介石要求卫立煌放弃沈阳,将主力部队撤往锦州时,卫立煌担心放弃沈阳会影响东北全局,主力部队撤往锦州,很可能被解放军消灭在辽西走廊上,因此他坚决反对蒋介石的主张。于是,蒋介石先派顾祝同飞沈阳,监督出兵,不起作用后,又亲自出马,三飞沈阳,两临锦(西)葫(芦岛),指挥廖耀湘、侯镜如组成东进兵团和西进兵团,企图以东西对进解除锦州之围。10月,蒋介石任命杜聿明为东北"剿匪"副司令长官,准备取代不听指挥的卫立煌来收拾东北残局。但是国民党军心涣散,败局已定,历时50余天的辽沈战役,解放军先后攻克锦州、长春、沈阳三大据点,消灭国民党军47万余人,解放了东北全境。11月26日,蒋介石发布命令:"东北'剿匪'总司令卫立煌迟疑不决,坐失军机,致失重镇,着即撤职查办。"12月,卫立煌在南京寓所被软禁。1949年1月,蒋介石宣告"引退",隐居老家奉化溪口幕后指挥,由李宗仁在南京代理总统。卫立煌乘机逃出南京,经上海潜往香港。9月,卫立煌的好友杨杰在香港被国民党特务刺杀。

1949年10月1日,中华人民共和国成立。10月3日,卫立煌在香港给毛泽东主席发去贺电,并请毛泽东向朱德总司令、周恩来总理代致贺忱。1955年3月15日,卫立煌和夫人韩权华,在中共地下组织的精心安排下,悄然乘船离开香港,经澳门抵达广州,受到中共华南局书记陶铸和华南局统战部部长林李明等人的欢迎。3月16日,卫立煌在广州致电毛泽东,报告自己已返回祖国,同时将预先准备好的《告台湾袍泽朋友书》交给新华社发表。4月6日,卫立煌一行抵达北京,受到党和国家领导人的欢迎。卫立煌回国后先后担任全国政协常委、第二届全国人大代表、民革中央常委、国防委员会副主席等职务,为社会主义建设和祖国统一事业,做出了积极贡献。

1958年5月1日,卫立煌在天安门观礼台参加完劳动节庆祝活动回家后,突发心肌梗死,被送往医院抢救。卫立煌长期患有糖尿病,年轻时从马上摔下造成的脑震荡也留下后遗症。1959年冬,卫立煌又并发肺炎。1960年1月17日,卫立煌在北京病逝,享年63岁。1月20日,首都各界近千人在中山公园中山堂公祭卫立煌。公祭大会由周恩来总理主祭,陪祭有全国人大常委会副委员长郭沫若、李维汉、陈叔通,国务院副总理陈毅、习仲勋,全国政协副主席包尔汉,国防委员会副主席张治中、傅作义,民革中央常委刘文辉、蒋光鼐等。国防委员会副主席、民革中央副主席张治中致悼词。公祭大会结束后,在八宝山革命公墓举行了安灵仪式。

卫立煌初娶葛礼威,育有一子卫道杰,一女卫道崇;继娶田玉丽,育有一子卫道煦,一女卫道京;继娶朱韵珩,育有一女卫道蕴,一子卫道然;继娶韩权华,未有子嗣。

周新民[①]

周新民(1897—1979),原名周骏,庐江县人。幼年在乡塾就读,青年时考入安庆省立法政专门学校。1919年北京五四运动爆发后,周新民组织爱国学生积极响应。1919年冬,他与童汉章、宋伟年等同学一起,组织驱逐法政学校守旧校长张鼎丞、丁述明的斗争,迫使当局改派进步人士光明甫任法政学校校长。1921年6月,安庆学界爆发了一场争取教育基金独立、反对倪嗣冲侵吞教育经费的斗争,遭到当局镇压,并酿成"六二惨案",周新民积极参加了这场斗争,并当选为省学生联合会副会长。1921年10月,周新民参加了安庆社会主义青年团的筹备工作,并于次年4月参加了安庆社会主义青年团的成立会议。不久又加入国民党。

1922年冬,周新民与舒传贤、储应时等人,前往日本留学,在明治大学研究院攻读法学。1924年冬,从日本回国,在安庆法政学校任教员兼学监,同时任国民党(左派)安庆市党部党务委员。1926年9月,在上海经高语罕介绍,加入中国共产党。1927年蒋介石在安庆制造"三二三事件",周新民公开进行揭露和抨击,受到国民党顽固派的忌

[①] 参见刘传增:《周新民传略》,《安徽文史集萃丛书》之九《人物春秋》,安徽人民出版社1987年版;朱寒冬:《周新民》,《安徽历史人物》,黄山书社1990年版。

恨和通缉,被迫转入地下斗争。1928年,转移到庐江、桐城一带,与王步文等一起,从事党的秘密工作。1929年秋起,周新民先后在上海法政学院、上海法学院、复旦大学任教。初到上海时,曾一度失去中共组织关系,后经张庆宁帮助,于1932年恢复了党的组织关系。

  1936年1月,周新民参加了上海各界救国联合会,并协助沈钧儒等筹备建立全国各界救国联合会。1938年初,周新民根据党的指示,回皖开展抗日工作。3月,安徽省民众总动员委员会在六安成立,周新民任组织部副部长兼总干事。1939年7月,任安徽省政府驻渝办事处主任。1940年秋,任第五战区经济委员会专门委员兼立煌办事处处长。

  1942年,周新民在重庆加入中国民主政团同盟。1943年10月,他与华岗、李文宜等人赴昆明,筹建中国民主政团同盟云南省支部。他在云南大学担任教授期间,曾介绍吴晗等人加入中国民主政团同盟。1944年10月,中国民主政团同盟更名为中国民主同盟,在民盟全国代表会议上,周新民当选为中央委员。1945年冬,任国民党参政会经济建设策进会滇黔区办事处秘书。1946年春,任重庆中国民主同盟总部秘书处副主任。7月,国民党特务在昆明杀害中国民主同盟中央委员李公朴和闻一多,周新民代表民盟总部赴昆明进行实地调查,并写出报告,将惨案真相公之于世。

  1947年10月,国民党政府宣布中国民主同盟为"非法团体",勒令解散民盟总部。周新民从南京辗转来到香港,协助沈钧儒等进行恢复民盟总部的工作。在港期间,曾任达德学院法学教授。1948年1月,中国民主同盟在香港召开一届三中全会,周新民任民盟中央委员,并兼任民盟总部秘书处代理主任。1949年春,任民盟中央常务委员、政治局委员,兼任总部秘书处主任。1949年夏,任中国人民政治协商会议全国委员会委员兼副秘书长。9月下旬,参加了全国政协第一届会议,当选为委员。

  新中国建立后,周新民任中央人民政府办公厅副主任、最高人民检察署秘书长、沈阳市副市长、全国政协副秘书长、中国科学院法学所副所长及中国民主同盟中央常委兼文教科技委员会第一副主任、组织部长等职,第一、第二届全国人大代表和法案委员会委员,第二、第三、第四、第五届全国政协委员。周新民长期从事法学教学和政法实践,著作有《民法概论》《亲属继承》《物权》《债权》《民事诉讼法》等。曾任中国政法学会理事,参加过国家的有关立法工作,代表法学界出席过有关的国际会议,对新中国的法制建设和法学研究工作做出了一定的贡献。周新民于 1979 年 10 月 31 日逝世,享年 82 岁。

余心清[①]

余心清(1898—1966),原名余文华,合肥人。祖父是清朝一员武将,于任职期内将家迁至南京。父母为普通市民,家境一般。有弟余文瑞,妹余恩惠、余恩慈。

1915 年夏,他考入金陵神学院。1919 年毕业后,以牧师身份在江西传教。1922 年夏,应河南督军冯玉祥邀请,成为冯部随军牧师。1923 年,冯玉祥驻军北京,在南苑团河创办军官子弟学校育德中学,余心清出任校长。他还协助冯玉祥开办了一所妇女学校。1924 年,余心清赴美留学,就读于哥伦比亚大学行政系。回国后担任冯玉祥开办的开封训政学院院长。后调任山西汾阳铭义中学校长。

1931 年"九一八事变"后,日军入侵东北。冯玉祥隐居泰山,关心时势,主张抗战。余心清作为高级幕僚,多方奔走,联络力量,策划共同抗日。1933 年 5 月,日军入侵华北,冯玉祥组织察哈尔抗日同盟军,委任余心清任察哈尔抗日同盟军总司令部总务处长兼察哈尔省政府民政厅长。11 月,反蒋抗日力量在福建成立"人民革命政府",余心清作为冯玉祥全权代表,赴闽组建福建人民政府。"福建事变"被

---

① 参见余华心:《余心清》,《合肥文史资料》第 5 辑《合肥人物》。

蒋介石镇压后,余心清受到通缉,流亡日本避难。1935年夏,余心清潜回国内,继续从事反蒋抗日活动。

1937年"七七事变"前后,余心清与中共联系,在中共中央军委联络部领导下,肩负起在原西北军高级将领中开展统战工作的任务。不久赴山东,出任第三集团军总司令韩复榘的政训处处长兼政治工作人员训练班主任。1939年,到重庆任行政院赈济委员会常务委员。1944年,加入中国民主同盟。

1946年,余心清离开重庆北上前,向周恩来、叶剑英请示任务,他们指示尽可能把北方一些杂牌军争取过来,以削弱国民党力量。到达北平后,应原西北军宿将、河北省主席孙连仲邀请,任政治设计委员会副主任。他的办公和居住地点铁狮子胡同四号成为中共北平地下党的秘密联络点。1947年8月,经过余心清和北平地下党的耐心争取,孙连仲审时度势,表示愿意与中共洽谈合作事宜。9月,由于叛徒出卖,余心清和一批中共地下党员被捕。1949年1月,蒋介石被迫下野,李宗仁上台,在中共积极营救下,余心清获释出狱。后秘密赴香港,撰写了10余万字的纪实文学《在蒋牢中》。

新中国成立前夕,余心清出席了中国人民政治协商会议第一届全体会议。新中国成立后,他历任第一、二、三届全国人大代表,第三届全国人大副秘书长,第一、二、三届全国政协委员,第一、二、三、四届北京市政协副主席,中央人民政府办公厅副主任、典礼局局长,政务院机关事务管理局局长和民族事务委员会副主任等职。余心清建国初期出任典礼局局长时,与外交部龚普生参照各国礼仪典制,制定了新中国最初的一套典礼制度,并培训了各省、市的交际处负责人。1966年"文革"初期,余心清被迫害致死,享年68岁。

余心清妻子刘兰华,是他留学美国时的同学,育有一女余华心,为冯玉祥儿媳。

张本禹[1]

张本禹(1899—1937),字文衷,巢县西乡洪家疃村人。父亲张桂徵,在丰乐河镇开设一家篾器店,维持家庭生活。母亲洪氏,勤俭持家,教子有方。张本禹兄弟4人,排行老三。大哥张治中,是国民党杰出将领,也是著名民主人士。二哥张本舜,四弟张文心,也先后走上民主革命道路。

张本禹幼时读过几年私塾,11岁时转入洋学堂。16岁时,父母双亡,而长兄张治中又远去保定军校求学,张本禹投靠到舅父家以佣耕糊口。20岁时,他远走广东,入孙中山领导的护法军当兵。后考入黄埔军校第三期。黄埔军校毕业后,张本禹被分配到国民革命军总司令部任副官,参加了北伐战争,随北伐军进至武汉。1926年,任武汉国民革命军学兵团副连长。1928年,被调到南京,任陆军教导第二师警卫营营长。不久,又调任中央军校第八期学生队队长。1935年,调任第十三军第四师第十二旅副旅长。1936年8月,日本关东军指使伪蒙军队攻占绥东重镇百灵庙,绥远告急。傅作义指挥部队攻击进占百灵庙的敌人,试图收复失地。张本禹奉命率一个团驰往增援,他不畏强敌,英勇善战,配合友邻部队,与日伪军激战三日,终于将百灵庙收复。绥东大捷令国人振奋,张本禹因战功受到了上级嘉奖。

1937年"七七事变"后,张本禹告别亲人,率部奔赴华北抗日前线。日军侵占北平、天津后,8月5日,日军参谋本部做出迅速攻占整个华北的决定。8月12日,日军展开全面攻势,以铃木第十一旅团正面攻击居庸关,以板垣第五师团侧击居庸关右侧阵地。张本禹奉命率部在居庸关右翼阵地阻击板垣第五师团的进攻。由于战况激烈,

---

[1] 参见姜铁军:《张本禹》,《国民党抗战殉国将领》,河南人民出版社1987年版。

弹药消耗甚多,后方来不及供应,张本禹被派往太原催送军火。当满载军火的列车到达南口车站时,日军飞机飞临上空,投下炸弹,引起车厢内弹药爆炸,正在指挥卸车的张本禹壮烈牺牲。张本禹牺牲后,上海《申报》和安徽地方报纸均以较大篇幅加以报道,称誉他是一位民族英雄。1937年10月中旬,张本禹灵柩运抵故乡巢县时,各界人士召开追悼大会进行哀悼,并将烈士灵柩安葬于巢县南乡银屏山南麓。1981年,安徽省人民政府追认张本禹为革命烈士。

李克农[①]

李克农(1899—1962),又名泽田,祖籍巢县烔炀河乡中李村,1899年9月15日(光绪二十五年八月十一日)出生于芜湖市吉和街(原名鸡窝街)马家巷1号。父亲李哲卿供职于芜湖海关雍家镇关卡。李克农有两个弟弟,李克裕和李克襄。

1905年,李克农入私塾读书。1909年,入巢县初等小学读书。1910年,转入芜湖安徽公学附属小学读书,与钱杏邨(阿英)同班。1914年,入芜湖教会学校圣雅阁中学读书。这期间,他对写作产生兴趣,他的一篇以家门口鸭场为背景的短篇小说,曾在上海一家小有名气的刊物上发表,使不少同学欣羡不已。1917年初,李克农为了实现当编辑的愿望,毅然从圣雅阁中学退学,只身跑到北京,进入一家名叫《通俗周报》的报社。是年7月,张勋在京城上演拥戴溥仪复辟的闹剧,《通俗周报》因为"宣传民国"被查禁,李克农被迫从北京辗转回到芜湖。1917年9月,李克农与芜湖丰华照相馆老板的女儿赵彩英(后改名赵瑛)结婚。

---

① 参见徐林祥、朱玉:《李克农传》,安徽人民出版社2003年版;姚永森:《李克农传略》,《安徽著名历史人物丛书》第2分册《政界人物》,中国文史出版社1991年版;姚永森:《李克农将军传奇片段》,《志苑》1989年第1—2期。

1918年9月，李克农经蒋光慈和李宗邺等人介绍，与阿英一起加入无政府主义团体——安社。安社主要由芜湖省立五中一批学生发起组织，编辑发行《自由之花》，标榜反对强权，反对礼教，反对专制，在当时具有一定的进步意义。1919年6月，经芜湖省立五中学监高语罕和进步教师刘希平介绍，李克农到省府安庆，担任《国民日报》副刊编辑。1920年，任安徽省政府职员。1921年，经刘希平等人介绍，与阿英同赴六安县，李克农担任县政府第二科科长，阿英任教于省立第三农业学校。

1925年，芜湖爆发反对教会奴化教育的学潮，教会学校大批学生愤然退学。芜湖国民党左翼组织和中共青年团芜湖地委为了解决这批爱国学生继续升学的问题，决定自办几所私立中学。李克农是民生中学的创办人之一，校舍在长江之滨的大官山上，由"李漱兰堂"洋行改建而成。1925年9月10日，民生中学正式开学，校长宫乔岩，李克农任事务主任，后又担任第二任校长。那时的李克农，已经显示出驾驭复杂局面的本领，学校的许多事务都被他安排得井井有条。民生中学在李克农等进步教师的引导下，很快形成团结友爱、艰苦朴素、实事求是的良好校风，在教育中注重向学生传授新思想、新文化，强调学习与劳动、理论与实践相结合，鼓励和支持学生投身于反帝反封建的爱国民主运动。

1926年12月，李克农由杨士彬、余昌炯介绍，加入中国共产党。1927年3月，芜湖国民党县党部成立，奉中共芜湖特支指示，李克农担任宣传部长。不久，经组织安排，与阿英等人打入芜湖青帮组织，取得马玉伯等头目的信任，以便掌握敌人内部情况。4月初，李克农参与领导了驱逐安徽军阀陈调元的民众运动。4月15日，蒋介石电召芜湖市公安局局长高东澄（青帮头目）赴南京，策划4月18日在芜湖"清党"，企图将中共芜湖特支和芜湖团地委骨干一网打尽。这一消息被打入青帮的李克农获悉，迅速报告了党组织，使芜湖中共党团组织避免了重大损失。

1927年4月芜湖"清党"后，李克农几度遇险，幸得妻子赵瑛及朋友帮助,才免遭毒手。1928年3月,李克农在昔日民生中学同事王振武帮助下,由霍邱抵达上海。王振武时任国民党暂编第六军政治部主任、霍邱县清党委员会主任等职,在南京偶遇正被国民党军警追捕的李克农,遂冒险将他带回故乡霍邱,安排在第六军政治部中任"中校秘书"。后在消息走漏后,又亲自把李克农送出霍邱县境,并陪同他辗转抵达上海,与春野书店中共地下党联络点接上关系。王振武的义举令李克农终生难忘。

　　李克农到上海不久,被编入中共太阳社支部。太阳社是1927年冬在上海创办的革命文学团体,李克农的好友阿英及蒋光慈、洪灵菲等都是创办人。1928年秋,李克农与中共中央宣传部负责人罗绮园取得联系,与中宣部干事潘汉年等人创办了《铁甲车》和《老百姓》两份报纸,进行革命文化宣传活动。1929年初,经中共江苏省委研究决定,李克农调任沪中区委任宣传委员。

　　1929年11月,李克农在一家电影公司摄影棚里,经安徽舒城人胡底介绍,结识了钱壮飞,这是中共情报史上著名的"龙潭三杰"首次聚会。这时,钱壮飞已经被国民党中央组织部总务处主任兼上海国际无线电管理局局长徐恩曾任命为机要秘书,他告诉李克农、胡底,国民党中统特务组织正以招聘广播新闻编辑为名,试图扩大中统组织,建议李克农、胡底请示中央,乘机打入中统情报组织。中共特科负责人周恩来批准了钱壮飞的建议,指示李克农、胡底以公开应试的方式打入中统内部。不久,李克农考入上海无线电管理局,胡底则打入南京的特务机关"民智通讯社"。

　　李克农、钱壮飞、胡底并肩战斗在敌特组织的心脏,工作很快打开了局面。为了维持国民党的独裁统治,搜集有关共产党的各种情报及国民党内部反蒋、反陈派系的情报,徐恩曾委派钱壮飞等人在南京组织秘密指挥机关,同时在全国主要城市建立分支机构。钱壮飞在南京建立"长江通讯社",并担任社长;胡底在天津建立"长城通讯社",并担任社长;李克农在上海无线电管理局很快升任电务股股长。李克农和钱壮飞还想方设法拿到了徐恩曾手里的密码本,可以破译国民党高层的绝密电报。根据中共中央指示,李克农、钱壮飞、胡底成立了一个三人特别党小组,李克农任党小组长,与中共特科情报科科长陈赓单线联系。三人小组在中统特务组织搜集到了许多重要情报,通过陈赓很快转交中共中央。徐恩曾万万没有想到,他手下的三员得力干将竟然是中共的"红色卧底"。

就在李克农三人小组大显身手的时候,1931年4月,突然发生了顾顺章被捕事件,对上海党中央的安全,也对三人小组的安全造成了严重威胁。顾顺章是中共中央政治局候补委员,中央特科的主要负责人之一。1931年3月,顾顺章护送张国焘、沈泽民去鄂豫皖苏区红四方面军工作,任务完成后途经武汉,他不顾秘密工作的纪律约束,重操旧业,以"华广奇"的艺名,在汉口新市场公开表演魔术,结果被叛徒认出。4月24日,顾顺章被国民党特务逮捕后很快叛变。4月25日夜,钱壮飞在南京国民党中央组织部总务处截获了武汉中统组织发给徐恩曾的特急绝密电报,当即派女婿刘杞夫乘坐火车赶往上海,向李克农报告这一紧急情况。钱壮飞处理完善后事务后,于第二天撤离南京,赶往上海,到上海后按预定暗号,给天津的胡底发出"潮病危速返"的电报,让他迅速转移。

李克农接到钱壮飞的紧急情报后,大吃一惊,但由于4月26日是星期天,不是他和陈赓接头的日子,他急中生智,决定打破惯例,利用自己曾在沪中区委工作的关系,寻找陈赓。经过一整天的奔波,终于找到了陈赓报告了紧急情况,陈赓马上向周恩来汇报。4月27日凌晨,周恩来当机立断,指挥中央特科同志,采取了一系列应急措施:一、迅速转移并周密地保卫中共党的主要负责人住址,把顾顺章所熟悉或能侦察到的党的负责人秘书全部调换成他不知道的新人。二、所有原在上海的可能会成为顾顺章侦察、追踪目标的党的干部,都尽快有计划转移到安全地带或撤离上海。三、审慎而又果断地处置顾顺章在上海所能利用的重要社会关系。四、立即废止和改变顾顺章所知道的一切秘密工作方法和联系暗号。由于钱壮飞、李克农的情报及时和周恩来的果断处置,避免了党中央的重大损失。几十年后,当年的中央特科领导成员康生,借"文革"之机煽动红卫兵批判已经辞世的李克农,毛泽东对康生说:"李克农同志打入国民党徐恩曾那里是立了大功劳的。没有他,当时上海的党中央和中央许多人,包括周总理这些人都不在了。这些历史,青年同志不知道,你要负责告诉他们。"

1931年8月,李克农奉命撤离上海,奔赴江西苏区。由于在广东大埔附近遭敌阻击,只好折回香港,直到1932年春才到达江西瑞金,由苏区中央局委员兼组织部长任弼时分配至江西省保卫分局任执行部长。他奉省委负责人李富春指示,来往于江西石城、广昌、雩都、兴国、平安寨等地,审查处理大批积压的AB团、托派、改组派、社会民主党等案件。当他返回瑞金后,新任苏区中央局书记周恩来正在组建中央国家政治保卫局,李克农被任命为执行部部长。不久,调任中国工农红军第一方面军政治保卫局局长,领导建立了一、三、五、七、九五个军团保卫分局工作。红军政治保卫局改为红军工作部后,李克农改任红军工作部部长。李克农领导的政治保卫局先后颁布了组织条例、处理反革命条例、自首自新条例等规章制度,并自编教材,向实际经验不足的政治保卫干部和战士传授各种专业技术知识。诸如怎样警戒布哨,怎样摆脱盯梢,怎样识记和描绘不同人物的特征,怎样搜集和传递情报,怎样进行审讯,怎样记录、调查和分析各种资料,怎样同三教九流打交道……为中央红军培养和造就了一批训练有素、精通业务的保卫情报工作队伍。

1934年10月,中央红军第五次反"围剿"失败,中共中央和红军总部被迫离开瑞金,开始了英勇悲壮的二万五千里长征。李克农奉命担任中共中央纵队驻地的卫戍司令,负责率领卫戍部队,沿途进行地面侦察工作,保卫中央机关和中央领导人的安全。他还协助叶剑英等人,同张国焘的分裂活动进行了坚决斗争。长征途中,"龙潭三杰"中的钱壮飞遇袭牺牲,胡底被张国焘秘密杀害。

1935年10月,中央红军到达陕北后,党中央决定实行抗日民族统一战线的政策,提出了"停止内战,一致抗日"的主张。在毛泽东关于做好东北军工作指示下,成立了中共东北军工作委员会,周恩来任主任,李克农和朱理治协助周恩来工作。不久,李克农又担任了中共中央联络局局长。李克农上任后,在瓦窑堡举办训练班,其中一个班是由红军对东北军作战中俘虏的中下级军官组成,称为"解放军官学习班"。在这个班学习的原东北军第六十七军一〇七师六一九团团长高福源思想进步很快,认识到只有团结抗日才有出路,主动提出回去做张学良等人的工作。李克农经请示中央后,决定同意高福源的请求。1936年1月,高福源秘密潜往东北军第六十七军军部驻地洛川城,向王以哲军长报告,是红军派他回来,有重要情况要面陈张学良。张学良这时正在为联络红军发愁,听说高福源归来,第二天就驾机飞抵洛川,接见他的昔日卫队营营长。高福源向张学良汇报了自己被俘的情况,着重转达中共愿派代表与他秘密商谈联合抗日的意见,张学良当即表示同意。

1936年2月21日,李克农作为红军代表,偕秘书钱之光、译电员戴镜元等人,在高福源引导下,前往洛川会谈。2月25日,抵达洛川后,与第六十七军军长王以哲、参谋长赵镇藩先谈局部和具体问题。3月4日,张学良飞抵洛川,与李克农会谈,同意红军与第六十七军达成的五项口头协议。为了便于联络,张学良提出中共派一名代表常驻西安,并建议由他和毛泽东、周恩来中的一位在延安再谈一次,时间由中共决定。李克农向毛泽东等领导人汇报了洛川会谈的具体情况,毛泽东夸奖道:"李克农单枪匹马,搞得很好。"经过党中央研究,决定派周恩来偕李克农与张学良再谈一次。4月9日,在延安的一座教堂里,周恩来、李克农与张学良、王以哲继续举行秘密会谈。由于洛川会谈打下了良好基础,延安会谈比较顺利,相当成功。延安会谈结束后,中共中央立即召开会议,听取周恩来、李克农的汇报,决定派刘鼎任驻东北军代表,继续做张学良和东北军的工作,李克农与王以哲继续保持密切联系,在肤施、宜川、洛川、西安等地建立通往白区的交通机关。

1936年12月12日西安事变发生后,张学良和杨虎城电邀中共派人前去共商抗日救国大计。12月17日,以周恩来为首的中共代表团抵达西安,李克农担任秘书长。1937年1月24日至30日,李克农代表红军,和东北军代表米春霖、谢珂,十七路军代表李志刚等到潼关,与国民党中央军代表顾祝同等谈判停战问题。2月2日,少数东北军少壮派军官基于蒋介石扣押张学良的义愤,枪杀了主张和平解决西安事变的王以哲将军,并以武力威胁中共代表团。李克农协助周恩来等以疏导方式平息了这一突发事件。西安事变和平解决以后,李克农出任七贤庄红军办事处处长,负责八路军驻西安办事处的早期筹建工作。

1937年2月,李克农奉命前往上海,进行国共合作的工作。在南京逗留期间,他曾返回芜湖,看望了阔别多年的父母和妻儿。3月,李克农在上海福煦路多福里21号建立了半公开的八路军办事处,并担任主任。办事处的主要工作是进行上层统战、联系社会团体、恢复中共党组织、运送物资器材、散发宣传品和营救中共被捕同志出狱。8月,李克农调任八路军驻南京办事处主任。驻沪办事处的领导工作改由潘汉年负责。在南京的4个月时间,李克农完成了不少紧急而繁重的工作。他曾协助叶剑英参谋长向国民党军事机关交涉八路军的军饷、军械、医疗药品及其他军用物资,并为陕甘宁边区和八路军采购、运去大批急需用品。他曾在中央代表秦邦宪的领导下,参与恢复和建立长江中下游和华南地区的中共地方组织。以李世农为书记、张恺帆和桂蓬为委员的中共皖中工委,就是在李克农的帮助和指导下成立的。他还协助周恩来、秦邦宪、叶剑英从国民党监狱里营救保释出数百名中共党员和进步人士,组织办事处的同志经常到南京各报馆和机关串门交友,做统一战线工作,宣传共产党的抗日救国纲领和八路军的抗日战绩。

1937年12月,上海、苏州相继陷落,南京亦岌岌可危。李克农率办事处工作人员不得不撤离南京,前住武汉。到达武汉后,被任命为中共中央长江局秘书长和八路军总部秘书长,在武汉八路军办事处办公,主要负责机要、电台和情报工作。他还协助王明、周恩来等长江局领导人及八路军驻武汉办事处负责人,做了大量艰苦细致的工作。1938年10月,武汉失守前夕,李克农奉命率八路军办事处机要科和《新华日报》一批同志,乘"新升隆"号轮船西撤。在湖北嘉鱼县燕子窝停泊装煤补水时,遭到日本军机狂轰滥炸,李克农恰好带人上岸办点急事,躲过一劫,而办事处和《新华日报》共有十几位同志不幸牺牲。李克农赶回码头进行紧急抢救,并带领幸存的同志步行向长沙进发。

1938年11月中旬,李克农奉命赴桂林建立八路军办事处,并担任主任。自从国民党制造长沙大火事件后,桂林成为国内抗战的一个重要据点。桂林办事处人员精干,事务繁重,在李克农主持下,中共统一战线工作的组织和开展,抗日民族救亡运动与南方进步文化运动的推进,八路军和新四军后方的供应运输,各地人员来往交通,与香港及海外的联系,后方烈属及抗属的救济等工作,都在积极稳妥地进行着。1941年1月"皖南事变"发生后,桂林的政治形势也日趋严峻。李克农一面迅速组织中共党员和进步人士疏散撤离,一面积极进行上层统战工作,揭露国民党顽固派的阴谋诡计。1月22日,李克农率领八路军办事处工作人员从桂林撤离,冲破重重封锁,到达重庆八路军红岩办事处。

1941年2月,李克农奉命携夫人赵瑛、李冰姐弟及八路军办事处的部分工作人员撤回延安。3月,李克农就任中共中央社会部副部长。9月,就任中共中央情报部副部长。之前,中共中央先后发布了《关于增强党性的决定》和《关于调查研究的决定》两个重要文件,文件中阐述的一些重要原则,给情报工作以有力的指导,使抗战时期的情报工作从单纯搜集警报性和保卫性情报转向搜集军政战略性情报,这是中共情报史上的重大转折。李克农认真学习党中央的文件精神,认为情报工作就是搞调查研究,是一种高度科学的斗争艺术。这一时期,李克农参与领导了中共在全国各地秘密情报组织的建立工作,尤其是加强和完善西安情报系统,为党中央的决策提供了许多日、伪、蒋方面的军政战略情报。李克农还将秘密情报工作与公开情报工作相结合,在中央情报部专门设立公开的情报研究机构,运用各种办法搜集国统区和沦陷区出版的各种报刊,进行综合分析研究,编辑成《书报简讯》,提供给中央领导参考。

1942年2月,中共中央决定在全党开展整风运动。6月,为领导整风运动,成立了由毛泽东、刘少奇、康生三人组成的中央总学习委员会,实际工作由康生负责。康生当时还担任中央党校校长、中央社会部部长、中央情报部部长。延安整风运动后来转入审干、肃反、抢救运动,大批审查对象被强加上"特务""叛徒""内奸"等罪名逮捕关押。李克农作为中央社会部、情报部副部长,开始配合康生做了一些审干、抢救工作,包括对著名的王实味案的处理。他接触的案件日益增多,他的许多战友和部下都身陷囹圄,他看到审干审得人心惶惶,抢救搞得草木皆兵,广大干部和群众表现出强烈的不满。他感觉到了问题的严重性,于是和中央党校副校长彭真一起向毛泽东做了汇报,毛泽东也感到审干、抢救工作搞过了头,后来专门找李克农及陕甘宁边区保安处处长周兴、保安处一局局长师哲等人去谈话,指示保卫工作要坚持一个不杀,大部不抓,要把好关,不要冤枉一个好人。李克农回去以后,遵照毛泽东的指示,做了许多审干、抢救对象的甄别平反工作,并且把不少"重点抢救"对象留在了社会部和情报部,这些人后来大都成为中共保卫情报战线的骨干。1943年10月19日,毛泽东的《在延安文艺座谈会上的讲话》在《解放日报》发表,对延安文艺界的整风和革命文艺创作产生了深远影响。李克农长期以来就对文艺感兴趣,在毛泽东讲话精神的鼓励下,他决定要组建一个文工团,成员主要来自他兼任校长的西北公学,以文化娱乐科为核心,下设编写组、演员组、音乐组、总务组等,创作演出了秧歌剧《动员起来》、苏联话剧《前线》等,受到了中央领导人和延安文艺界的好评。

抗战胜利前夕,李克农根据各种情报分析,国共两党内战可能难以避免,指示在敌占区工作的同志不要被胜利冲昏头脑,要沉着冷静作长期斗争的打算,充分利用国民党接收城市机构等有利时机,积极向国民党各个地区和要害部门渗透,并指示各地情报组织要重点搜集军政情报，同时做好国民党各派系的上层联络工作。1945年重庆谈判期间，陈诚在国民党高层军事会议上作关于"复员即动员"的讲话，强调"抗日是复员，反共是动员"。这是蒋介石准备发动内战的信号。李克农及时获悉这一重要情报并报告党中央，为党中央揭露和应对蒋介石"假和谈、真内战"的阴谋，做出了应有的贡献。

1946年1月，国民党在美国总统特使马歇尔的调停下，与中共签订了《关于停止国内军事冲突办法的协议》，并在北平成立由张治中、周恩来、马歇尔组成的军事最高三人小组和军事调处执行部。中共代表团在叶剑英率领下随即开赴北平，李克农担任代表团秘书长兼团总支书记，率电台、机要科和其他有关人员住在翠明庄。李克农当时管理的事务十分繁杂，对外，要和叶剑英一起出席三方联席会议，主持交涉、交际、新闻发布活动；对内，具体负责代表团的党务、团务、思政、人事、秘书、机要、电台、财务、行政、接待、通讯、警卫等工作。翠明庄环境优美，食宿条件也不错，但气氛并不轻松，斗争相当激烈。翠明庄对面左右两侧楼房内隐藏着大批国民党特工人员，甚至连翠明庄内部的一些服务人员，也是国民党特务装扮的，中共工作人员的行动，完全处在国民党特务的严密监视之中。为了保密和便于工作，李克农将电台和机要科集中在南楼，专人把守，自己料理生活，严禁闲杂人员进入，同时在居所、餐厅、会议室等处严密防范形迹可疑的服务人员。1946年6月，国民党撕毁停战协议，向中原解放区发动进攻，全面内战爆发。8月，美国政府宣布"调处"国共关系失败，北平军事调处执行部关闭，中共代表团撤回延安。

1947年3月，李克农通过胡宗南侍从副官和机要秘书熊向晖（中共地下党员）及中共秘密争取过来的中统山西省调统室主任缪庄林、陕西省调统室主任李茂堂等人的情报，得知蒋介石在向中共解放区全面进攻受挫后，改变军事战略，决定向陕北和山东解放区发动重点进攻，西北绥靖公署司令长官胡宗南将率领25万人马，分五路向陕北解放区大举进攻。中共中央经过慎重考虑后，决定主动撤出延安，跟胡宗南唱一出"空城计"。中共中央撤离延安后，根据形势和任务的需要,中央和军委分成三个部分,毛泽东、周恩来、任弼时率领中共中央和解放军总部的精干机关组成中央前委,继续留在陕北指挥全局;刘少奇、朱德及一部分中央委员组成中央工作委员会,到华北开展工作;叶剑英、杨尚昆、李维汉等中央和军委领导组成中央后委,转移到晋西北统筹后方工作。为了确保中央前委和毛泽东的安全,李克农从中央警备团中抽调了骑兵连和三个步兵连,组成一支精干的警卫部队,随中央前委行动。同时,在绥德、陇东、三边等地设立侦察站,配备电台,为保卫中央前委服务。李克农在西安重点建设的中共情报系统,也为毛泽东和中央前委的指挥工作立下了汗马功劳。

1948年,李克农担任了中共中央情报部代理部长和中央保密委员会主任委员。根据形势的发展,中共中央决定中央情报部主管对敌策反工作。李克农领导的中央情报部,在东北、北平、西南等地区的策反工作中,大显身手,卓有成效,对东北战场的胜利,对北平、云南、西康的和平解放,做出了较大贡献。在策反国民党中央航空公司和中国航空公司的"两航起义"工作中也功勋卓著。北平、天津解放前夕,李克农指示公开的情报研究机构,编写北平、天津概况,供即将入城的接管干部阅读,对他们了解情况、执行政策起到了一定的参考作用。后来上海、南京、西安、武汉、重庆等地的情报组织,也都推广了这一方法,编写了各城市的概况,有利于入城人员的接管工作。

1949年3月,根据中共中央的部署,时任中央社会部部长的李克农先期到达北平,为毛泽东和中共中央机关进京打前站。为了安全保密起见,中共中央机关被代号为"劳动大学",李克农设立了三个临时机构,即劳动大学筹备处(办理交涉和备置用具)、劳动大学收发处(调查社会情况和布置警卫及办理中央机关来京人员的住宿介绍等具体事宜)和劳动大学招待处(负责香山地区的房屋维修、布置和租借等工作)。为了确保毛泽东和中央机关的安全,李克农和北平市市长叶剑英对进京的沿线铁路和车站进行了周密布置,对毛泽东等中央领导人进京临时休息的颐和园益寿堂和暂时居住的香山双清别墅,也进行了清场,加强了警卫。毛泽东在香山双清别墅住了几个月，集中精力抓了几件大事，即同南京政府和谈，指挥渡江战役，筹建中央人民政府等。7月，毛泽东离开香山双清别墅，正式搬入中南海，住进丰泽园菊香书屋。

新中国成立后，李克农担任中央军委情报部部长、中央情报委员会书记、外交部副部长、中央军委总情报部部长等职。1949年12月，毛泽东应邀访苏。李克农接到情报，国民党特务将在境内对毛泽东专列动手，于是和公安部部长罗瑞卿等护送毛泽东安全抵达满洲里。1951年7月，朝鲜停战谈判开始。毛泽东、周恩来指定李克农担任中国代表团党委书记。入朝以后，由于工作任务繁重而紧张，李克农在战争年代染上的哮喘和心脏病一起发作起来。毛泽东和党中央为了照顾他的身体，曾在1951年11月派外交部副部长伍修权去朝鲜接替他的工作。李克农感谢毛泽东和党中央的关心爱护，但对中央让他回国休息和疗养，提出了"临阵不换将"的主张。毛泽东和党中央经过研究，同意了他的主张，李克农仍然主持工作，伍修权暂留朝鲜。朝鲜停战谈判十分艰难而漫长，中朝代表团在军事分界线、遣返战俘、停战监督等重要问题上，与美韩代表团唇枪舌剑，针锋相对。谈判夹杂着战争，战争推动着谈判，经过一轮又一轮的较量，1953年7月27日，双方终于在板门店正式签署《朝鲜停战协定》，长达三年之久的朝鲜战争至此落下了帷幕。

李克农回国不久又被任命为中国人民解放军副总参谋长。1954年2月，苏、美、英、法四国外长在柏林召开会议，决定4月至7月在日内瓦召开苏、美、英、法、中及其他有关国家参加的会议，讨论印度支那和朝鲜问题。中国十分重视这次会议，决定由国务院总理兼外交部部长周恩来率团参加，并组成了200多人的庞大代表团，还专门成立了参加日内瓦会议准备工作领导小组，由李克农具体负责。李克农组织专家对会议所要讨论及代表团可能遇到的问题，设想了各种情况，拟出了详细预案，报送周恩来审定；还组织外交部、对外联络部、军委联络部、军委情报部、外贸部等单位，就印度支那问题、朝鲜问题、中国基本情况及内外政策等，编写了十分详细的资料，对中方代表团的准备工作起到了相当大的作用。李克农还指定专人对代表团工作人员和随行记者进行培训，介绍外交礼仪和瑞士的风土人情、法律法规，对译员、机要员、打字员、速记员、司机等工作人员，还专门进行了保密工作的教育，并对周恩来和代表团的安全保障和通讯联络等问题也作了周密细致的安排。近三个月的日内瓦会议，虽然朝鲜问题由于美国的阻挠没有达成协议，但是签订了印度支那停战和恢复和平协议，结束了长达八年的印度支那战争，并且确立了新中国在国际事务中的大国地位。李克农自然功不可没。

1955年4月，亚非会议将在印度尼西亚万隆召开，中国决定派国务院总理兼外交部部长周恩来率中国代表团参加。由于新中国成立初期我国无大型客机，国家领导人出国只能租用外国航空公司的飞机，为此，中国代表团定下印度航空公司"克什米尔公主号"，作为出席万隆会议的主机。中印双方约定，4月11日上午，该机作为正常航班飞往香港，下午再改为中国代表团的包机飞往雅加达。这一消息被台湾国民党保密局侦知，台湾方面决定派特务到香港实施炸机计划。李克农的情报机关截获了台湾保密局的密电，知悉了炸机阴谋，立即报告党中央，党中央决定由外交部通告英国驻华代办，提醒香港当局采取必要措施，确保中国代表团的安全。同时决定周恩来率代表团主要成员改走由昆明经仰光到雅加达的路线。香港警方对启德机场进行了严密防控，但还是被台湾保密局特务钻了空子，一个被特务收买了的机场清洁工，将伪装成西药的定时炸弹带进机场，并安放在"克什米尔公主号"的右翼轮舱附近。4月11日下午，"克什米尔公主号"飞机在大纳土纳群岛附近的海域上空爆炸坠毁，机上19人全部遇难，包括中国代表团成员8人和越南代表团工作人员，波兰、奥地利记者及印度机组人员11人。4月12日，中国政府发表严正声明，强烈谴责这起台湾国民党特务蓄意制造的谋杀事件，要求港英政府对这一事件负责，彻底调查，并将特务逮捕法办。4月14日，周恩来率领中国代表团主要成员由昆明飞抵仰光。4月16日，由仰光经新加坡飞抵雅加达。台湾国民党保密局不顾国际舆论的压力，派出一支数十人的"暗杀团"潜入印度尼西亚,伺机刺杀周恩来和代表团成员。由于李克农和公安部部长罗瑞卿制订了周密的安全保障方案,加上陪同出访的公安部副部长杨奇清冷静指挥布控,国民党特务没有找到下手的机会,在印尼的暗杀计划宣告破产。

1955年7月,总参谋部联络部改为中共中央调查部,由副总参谋长李克农兼任部长,并被批准列席中央政治局和书记处会议。9月,李克农被授予上将军衔,荣获一级八一勋章、一级独立自由勋章和一级解放勋章。1956年9月,参加中共八大,当选为中央委员。1957年10月,突发脑溢血住院治疗。1961年1月6日,夫人赵瑛病故。1962年2月9日,李克农因脑软化症在北京协和医院逝世,享年63岁。2月10日,刘少奇、周恩来、陈云、邓小平等领导人到医院向其遗体告别。2月13日,首都各界2500多人在中山公园中山堂举行公祭大会,中共中央副主席、国务院总理周恩来主祭,陈云、邓小平、董必武、彭真、陈毅、李富春、李先念、谭震林、乌兰夫、陈伯达、习仲勋等陪祭,国务院副总理、中国人民解放军总参谋长罗瑞卿大将致悼词。李克农与赵瑛育有三子二女,分别为李治、李力、李伦、李宁、李冰。

翟宗文[①]

翟宗文(1900—1957),巢县柘皋乡翟家湾人。1900年出身于农民家庭。1919年五四运动爆发时,正在芜湖萃文中学读书的翟宗文积极响应,被选为芜湖学生联合会副会长。1921年安庆"六二"学潮中,翟宗文作为芜湖地区学生代表之一,前往安庆,与军阀政府做斗争。1923年,翟宗文从芜湖萃文中学毕业,与周新民等人赴日本留

---

① 参见林间:《翟宗文和石锦昭子事略》,《安徽文史集萃丛书》之九《人物春秋》,安徽人民出版社1987年版;王德培:《民主斗士翟宗文》,巢湖市政协文史委员会编:《巢湖人物》。

学。在日本就读于明治大学,结识了大学医院的护士石锦昭子。1927年,翟宗文与石锦昭子在日本结婚。留日期间,翟宗文还追随孙中山先生,参加了国民党,并在国民党驻东京机构从事党务工作。

1929年秋,翟宗文偕石锦昭子从东京回到上海,暂住在老同盟会员朱蕴山家里。不久,经周新民介绍,到上海政法学院教书。同时从事秘密革命工作。1932年,翟宗文离开上海前往南京,以教书和做律师维持生活。1937年抗战爆发后,上海、南京相继沦陷,翟宗文偕石锦昭子返回巢县柘皋避难。

1938年4月,安徽省民众总动员委员会在六安成立。翟宗文应朱蕴山、周新民等人电邀,前往六安,担任总干事和宣传部副部长等职。1938年冬,安徽省总动委会向省政府推荐了一批中共地下党员和进步人士,参加县级行政工作。翟宗文被任命为庐江县县长,赴任途中,前往舒城境内的新四军第四支队司令部拜访,并在新四军第四支队的帮助下,打开了庐江县城,赶走了拒不交权的原庐江县县长李自强,顺利接管了县政权。但翟宗文在庐江与中共和新四军的密切合作,引起了主政安徽的新桂系警惕,不久就免去了他的庐江县县长职务,调其回立煌,仅给其一个省府参议的虚衔。

1939年,桂系李品仙任安徽省主席兼省党部主任委员,下令解散安徽省总动委会,大肆逮捕中共党员、民主人士和进步学生。翟宗文被迫离开立煌,偕石锦昭子前往霍邱县省立一师教书。抗战胜利后,翟宗文偕石锦昭子来到芜湖,从事律师工作,并先后在芜湖中学和安徽学院教书。他积极与中共地下组织联系,他的住处成为中共地下组织活动的一个据点,儿子翟大全也成为护送同志、传递信息的得力助手。

新中国成立后,翟宗文先后担任皖南行署委员、皖南镇反委员会委员、安徽省土改委员会委员、芜湖商业学校校长、安徽省人民政府委员、安徽省民政厅副厅长等职务。1957年,翟宗文因医疗事故在合肥逝世,享年57岁。石锦昭子先后当选为安徽省政协第四、第五届委员,1985年在合肥病逝。

孙立人[①]

孙立人(1900—1990),字仲能,号抚民,1900年12月8日(光绪二十六年十月十七日)出生于庐江县金牛乡山南村。先祖孙正仁初居合肥县三河镇外舒城县境内,后在三河镇经商致富,遂在三河镇购房置田。祖父孙炳焱始迁居庐江县金牛乡。父亲孙熙泽,字焕庭,晚清举人,曾任山东登州府知府,1932年去世,由孙立人护灵柩,归葬庐江县柯坦乡龙灯桥,后因当地兴修水利,迁葬柯坦乡月形山。20世纪90年代,根据孙立人晚年遗愿,庐江县政府将孙熙泽夫妇墓迁葬金牛镇金牛山南麓。孙立人兄弟三人,长兄孙同人1960年1月17日在台湾屏东病逝。

孙立人幼读私塾,9岁时随父亲居青岛。1914年,考入清华留美预备学校。四年中等科课程读完后,转入高等科专攻机械工程学。他不仅学习努力,成绩优良,而且喜爱体育活动,参加了校足球队,并且是清华篮球"五虎将"之一,1921年和队友一起代表国家队参加第三届远东运动会,斩获冠军,为祖国赢得了荣誉。1923年,考取留美官费生,就读于普渡大学土木工程系。1925年毕业,获工程学士学位,并在费城一家桥梁公司担任工程师。然而年轻的孙立人并不安心做一名工程师,而是想当一名军人,这一理想改变了他的人生道路。写信征得父亲同意后,他考入美国弗吉尼亚军校,接受了严格正规的西方军事教育。1927年毕业后,孙立人前往英、法、德、苏等国考察军事。

1928年,孙立人回国。初入南京国民党中央党务学校,任军训教

[①] 参见安徽省政协文史委编:《纪念孙立人文集》,安徽人民出版社1998年版;宋霖、刘思祥编著:《台湾皖籍人物》。

官兼学生大队长。不久,调入陆军教导总队任工兵营排长,渐升为连长、营副、营长。1931年,调任陆海空军总司令部侍卫总队副总队长。1932年初,应财政部部长宋子文邀请,担任财政部税警总团特种兵团(后改为第四团)团长,驻防江苏海州。他上任后,得到财政部盐务总局和税警总团支持,在海州南城修建了现代化的营房和训练场。孙立人十分注重全团官兵体能、射击和战斗力的训练,并且效法南宋名将岳飞,向官兵灌输"精忠报国"的思想,公开宣布刻苦练兵的目的不是"抓盐贩子",而是"打日本鬼子"。长达五年的海州练兵,奠定了孙立人辉煌军旅生涯的基础。

1937年"八一三淞沪抗战"爆发后,税警总团奉命参战,孙立人率第四团9月28日由海州赶赴上海,参加蕴藻浜和大场阵地守备战。由于孙立人指挥有方,所部训练有素,作战勇猛,多次打退强敌的进攻,夺回友军失去的阵地。孙立人被晋升为税警总团第二支队司令官兼第四团团长,统率第四、第五团。10月18日,孙立人率部固守苏州河南岸周家桥一带,与装备精良的日军激战近两周,击退日军七次强渡。11月4日,孙立人在指挥夺取周家桥西端小红楼的战斗中,遭到日军榴散弹的袭击,身负重伤,被税警总团送到上海租界内宋子文临时设立的医院抢救。宋子文十分爱惜这员战将,后又派人送他到香港治疗。

1938年春,孙立人伤愈,自香港到武汉。当时税警总团已经被胡宗南带到西安收编,改为第四十四师。行政院长孔祥熙有感于保护盐税的需要,决定重建税警。1938年3月1日,财政部缉私总队在长沙成立,孙立人任总队长,原税警第一团团长赵君迈任总队副,孙立人清华同窗齐学启任参谋长。缉私总队举办干部训练所,先后成立3个团。1938年8月,武汉撤守,缉私总队奉命由湘入黔,驻防贵州都匀、独山一带。孙立人在贵州继续贯彻税警第四团海州练兵原则,"经济公开,用人公开,训练严格,管理严格",将"义勇忠诚"作为队训,要求官兵对袍泽有义,临战阵有勇,保家卫国要忠,处世律己要诚。1939年底,缉私总队扩编为6个团,实力相当于两个师。1940

年，缉私总队恢复税警总团名称，孙立人改称总团长，齐学启升任副总团长。税警总团虽非正规部队，孙立人却以对日作战作为练兵目标，部队经过严格的军事训练，已经具备了战场杀敌的实力。

1941年12月，日军由印度支那侵占泰国，进逼缅甸南部地区，企图截断美、英对中国补给军事物资的中缅公路交通线。中国准备组织远征军入缅作战。孙立人得知这一消息，认为是税警总团杀敌报国的好时机，便主动请缨，获得批准。1942年3月，税警总团第二、三、四团和总部人员及直属部队改编为中国远征军第六十六军新编第三十八师，孙立人任师长，齐学启任副师长，下辖三个团，陈鸣人任一一二团团长，刘放吾任一一三团团长，李鸿任一一四团团长。税警总团第一、五、六3个团隶属财政部缉私署，戴笠兼任缉私署署长。3月12日，孙立人率领新三十八师从贵州都匀徒步到达贵州兴义，并举行誓师典礼。3月26日，行军到达云南安宁，向六十六军军长张轸报到。4月4日，蒋介石飞抵梅苗，召开中国远征军高级将领军事会议，决定新三十八师入缅后首要任务是卫戍古都曼德勒。4月5日，新三十八师到达缅境腊戍。4月11日，孙立人被任命为曼德勒卫戍司令。

1942年4月14日，在日军的强大攻势下，英军放弃马格威，改守仁安羌，准备放弃缅甸，退往印度。日本第三十三师团两个联队和特种兵迅速迂回占领仁安羌油田，将英缅军第一师及装甲旅主力包围在仁安羌北部地区；另派一个大队渡过平墙河，施行封锁，切断被围英军后路。英军断粮缺水，陷入绝境。中国远征军第一路司令长官罗卓英应驻缅英军总司令亚历山大请求，命令孙立人速派一团兵力开往巧克柏当，相机救援被日军围困的英军，并掩护正面迎敌的杜聿明第五军。孙立人立即派出刘放吾的一一三团担任救援任务。4月16日，刘放吾率领一一三团到达巧克柏当布防。4月18日凌晨，一一三团在英军2门重炮和12辆战车掩护下，向扼守平墙河北岸日军发起突袭，日军仓皇应战，凭借精良武器装备负隅顽抗。一一三团以昂扬斗志和猛烈火力，向敌人正面反复冲杀，并实施两翼夹击，激战至下午，日军势渐不支，涉水向南岸逃窜，一一三团初战告捷。孙立人赶往前线慰问一一三团，连夜布置渡河救援行动。4月19日凌晨，孙立人指挥一一三团抢渡平墙河，与日军三十三师团主力展开激战，在兵力和装备完全处于劣势的情况下，孙立人故布疑阵，迷惑敌人，同时命令部队与敌人展开肉搏战，在英军炮火的支援下，攻占敌人的防御阵地。日军伤亡惨重，无心恋战，仓皇逃离仁安羌油田地区，英缅军第一师及装甲旅7000余人成功获救。

仁安羌战斗的胜利，并不能挽救缅境盟军的危局颓势，统帅部审时度势，决定分途撤退。孙立人率领新三十八师担任殿后任务，掩护英军和远征军第五军撤退。5月7日，新三十八师到达英多地区。5月9日，中国远征军第一路副司令长官兼第五军军长杜聿明命令孙立人率新三十八师经缅北退入国境。孙立人认为走这条路线不够安全，容易被缅北原始森林困住，也容易被日军围歼，因此没有执行杜聿明的命令，而是按照盟军中国战区参谋长史迪威、中国远征军第一路司令长官罗卓英的指示，率领新三十八师西行退往印度。5月27日，孙立人率新三十八师主力抵达印度英帕尔。6月，移师阿萨姆省马黑里达休整。7月，新三十八师进驻比哈尔省蓝姆珈集训，与廖耀湘统领的新二十二师组成中国驻印军，总指挥史迪威，参谋长柏德纳。1943年春，中国驻印军扩编为新一军，军长郑洞国，下辖3个师，新三十八师师长是孙立人，新二十二师师长是廖耀湘，从国内调来的新三十师师长是胡素。中国战区统帅部给中国驻印军的任务是反攻缅北，掩护中印公路的修筑。

1943年3月，反攻缅北第一阶段战斗打响。孙立人率领新三十八师首先自印缅边境进军野人山，协同新二十二师及美国空军，先后攻入胡康河谷，收复新平洋、于邦、孟关、孟拱。1944年8月，新三十师和美军麦支队攻占密支那，反攻缅北的第一阶段战斗结束。中国驻印军因值雨季而进行休整，并且扩编为2个军，孙立人晋升为新一军军长，辖新三十八师（师长李鸿）、新三十师（师长唐守治）、第五十师（师长潘裕昆）；廖耀湘晋升为新六军军长，辖新二十二师（师长李涛)、第十四师(师长龙天武);总指挥为美国人索尔登,副总指挥为郑洞国。1944年10月,中国驻印军反攻缅北第二阶段战斗打响。孙立人率新一军沿公路向八莫进军,廖耀湘率新六军沿曼(德勒)密(支那)铁路向卡萨进军。12月15日,新一军攻克八莫。新六军完成任务后奉命空运回国。新一军继续挥戈南下,1945年1月15日,攻克南坎。接着又攻占冈阳、曼佛因、苗因等地,1月27日,攻克芒友。中国驻印军与中国远征军胜利会师。1月28日,中国驻印军总指挥索尔登、中国远征军司令长官卫立煌、新一军军长孙立人等在芒友参加了会师典礼。2月8日,孙立人指挥新一军乘胜猛进,先后攻克弄树、般尼、河劳、桃笑、贵街、新维等地。3月8日,攻克腊戍。至此,中印公路的咽喉要地,全部被中国驻印军控制,反攻缅北的战役胜利结束。

　　1945年5月,应欧洲盟军最高统帅艾森豪威尔电邀,孙立人离开缅甸,飞赴巴黎,参观考察欧洲战场。6月,新一军由密支那空运回国,集结于广西南宁。8月15日,日本无条件投降。回国不久的孙立人率新一军赴广州受降。11月,在广州沙河镇白云山开始修建新一军印缅阵亡将士公墓和纪念碑。1946年2月,新一军被蒋介石调往东北打内战。8月,孙立人被任命为东北绥靖副司令,兼任新一军军长及长春警备司令。因与东北民主联军(后改称中国人民解放军东北野战军、中国人民解放军第四野战军)作战接连失利,被蒋介石调任东北保安司令长官部副司令长官,免去他的新一军军长指挥权。1947年8月,孙立人被调离东北战场,改任陆军部副总司令兼陆军训练司令。孙立人选定台湾高雄附近的凤山作为训练基地,并从新一军抽调一批亲信骨干,希望按照自己的练兵思想和方式,训练一支高素质的军队,来支撑国民党政权的危局。在此期间,孙立人加入了国民党。1949年8月,孙立人被任命为东南军政长官公署副长官兼台湾防卫司令。当时美国政府对蒋介石政权丧失信心,想推出孙立人取而代之,以维护其在远东的霸权地位,孙立人虽与美国许多政要、将领关系亲近,但考虑到各种复杂关系,拒绝了美国人的要求。这件事为他后来含冤蒙难埋下了隐患。

1950年3月,孙立人被任命为"中华民国陆军总司令",授予二级陆军上将衔。蒋介石这样安排主要是做给美国人看的,暗地里却在打击孤立孙立人,将追随他到台湾的原新三十八师、新一军旧部将李鸿、陈鸣人、彭克立、曾长云等人,以"匪谍"等罪名打入黑牢,长期监禁。同时纵容黄埔系、留日系"天子门生"掣肘排挤他,他提的建议常常受到"参谋总长"周至柔、"海军总司令"桂永清、"空军总司令"王叔铭的联合抵制,经常出现"三票对一票"的局面。蒋介石还支持"国防部政治部主任"蒋经国在军队中建立"政工制度"和特务组织,严密监视控制军队高官的思想和言行。1952年10月,孙立人当选为国民党第七届中央委员。1954年6月,改任"总统府参军长"。1955年6月,蒋介石以孙立人属下郭廷亮的"匪谍案"及旧部赵志华等人的"兵谏案"为由,对孙立人实施监控。8月20日,蒋介石发布命令将孙立人免职,并派陈诚、王宠惠、许世英、张群、何应钦、吴忠信、王云五、黄少谷、俞大维等组织调查委员会,彻查孙立人与"共党匪谍"郭廷亮等人的关系。陈诚等人炮制出一份1.6万字的《孙立人将军因匪谍郭廷亮事件自请查处案调查委员会报告书》,认为孙立人"对亲信人员不法言行知情不报以及平日管束无方与训导失当"等问题均负有责任。10月20日,蒋介石下令将孙立人交"国防部随时察考,以观后效"。孙立人随即被软禁在台中寓所。此案牵连达300多人,被定为"匪谍主犯"的郭廷亮,原被判处死刑,后改为无期徒刑,服刑28年后方获释。其余"案犯"分别被判处了3年至25年不等徒刑。孙立人则被幽禁台中寓所长达33年。1988年1月,蒋经国逝世后,"孙立人案"成为台湾热门话题。2月25日,孙立人首次露面,接受《自立晚报》记者采访,要求台湾当局"还其清白"。3月,台湾当局被迫公布当年"监察院"五人小组关于"孙立人案"的调查报告,台湾民众通过这份当时没有公布的调查报告和郭廷亮的"陈情书",了解到所谓"匪谍案""兵谏案",只是蒋介石集团为打倒孙立人而强加于他的莫须有罪名。5月,台湾当局解除了对孙宅长达33年的"监控"。1989年11月27

日,台湾和海外的孙立人旧部袍泽及亲朋好友6000多人,聚集在台中市中正小学大礼堂,为孙立人举办了声势浩大的九十高寿庆典活动。1990年11月19日,孙立人在台中寓所病逝。台湾近万人前往致哀,其在大陆和海外的旧部、亲友也纷纷发唁电或撰文表示哀悼和怀念。

孙立人原配龚夕涛,合肥人,长期侍奉孙立人父母,直到两位老人去世。她在抗战期间曾任合肥东乡青龙厂妇抗会理事长。新中国成立后留在内地。续娶张晶英,湖南人,1947年随孙立人去台湾,未生育,晚年皈依佛门。1950年再娶张美英,高雄人,生有二子二女,长女孙中平,台湾清华大学核工程学系毕业;长子孙安平,台湾清华大学物理学研究所硕士,美国加利福尼亚大学博士;次子孙天平,台湾辅仁大学毕业,后留学美国;次女孙太平,台湾清华大学化学系毕业。

罗　刚[①]

罗刚(1901—1977),字隐柔,合肥东南乡长临河镇(今属肥东县)罗圣寺村人。1901年3月1日出生于浙江省临海县。祖父罗爱徽,父亲罗本庆,母亲陆氏。

幼随祖父读家塾,13岁入浙江永嘉县第一高等小学读书。1917年,考入南京钟英中学,担任过学生会会长。1922年9月,考入金陵大学。1924年,转入东南大学。1925年,加入国民党。1927年4月,任南京政府长江江防司令部政治宣传科科长。1928年,任安徽公学训导室主任。后任国民党芜湖市党部组织部部长。1930年,赴美入俄亥俄州立大学,后转入哥伦比亚大学学习政治理论,获政治学硕

---

① 参见盛星辉、吴邦榆:《罗刚》,《合肥文史资料》第12辑《海外合肥名人》;宋霖、刘思祥:《台湾皖籍人物》。

士。兼任国民党驻纽约美东支部宣传部部长,常以"罗百炼"笔名为《中国日报》撰稿。

1933年10月,离美回国,任国民党中央宣传部设计委员会委员、电影检查委员会委员、"剿匪"宣传大队主任等职。抗日战争爆发后,随国民党政府转移入川,成为战时国民党政府理论班子成员之一,曾为蒋介石撰写《三民主义的体系与原理》。1943年,任国民党中央宣传部普通宣传处处长。后任行政院中央图书杂志审查委员会委员、三民主义丛书编纂委员会编纂等职。

1949年去台湾。任台湾法商学院、台湾大学教授,兼任台湾师范大学、中国文化学院、东吴大学教授及硕士、博士论文指导教授。还曾担任国防研究院讲座教授、三民主义研究所研究员、国民党中央设计考核委员会理论组主任委员、中华建业农牧公司和华辅化学纤维公司董事长等职。撰有《中国国民党外交政策》《中华民族主义运动与台湾》《汉民族与台湾关系》《国父实录》《刘公铭传年谱初稿》等著作。1977年9月26日,在台北病逝,享年76岁。

罗刚夫人范博理,生有一女罗绍岩,留美博士,后任教于美国纽约大学,女婿卢履贤也在美国工作。罗刚亲友根据他的生前遗嘱,将一批图书和钱款捐给肥东县长临河中学,长临河中学在校内设立了罗刚图书馆。

周培智[①]

周培智(1902—1981),字宁舍,1902年2月15日(光绪二十八年正月初八)出生于合肥。幼读私塾,打下了较为扎实的国文基础。

---

① 参见白青:《周培智:既治史又教经济的学问家》,《合肥文史资料》第12辑《海外合肥名人》。

1925年7月，以国文课满分的成绩，考入清华大学历史系，师从王国维、梁启超、陈寅恪等名家。1929年7月，从清华大学毕业后，回到安徽，初任省教育厅编审，后调任合肥县教育局局长。1931年7月，携夫人刘德娴赴英国留学，入爱丁堡大学历史系，攻读英国史和欧洲中世纪史。一年后获得了硕士学位，又改学经济学，并获得哲学博士学位。1937年7月，携夫人刘德娴回国。1938年11月，从香港转赴重庆，应中央大学校长罗家伦邀请，担任历史系教授。1941年7月，应复旦大学代理校长吴南轩邀请，任文学院史地系教授。1942年5月，调任军事委员会政治部编审室副主任。1943年11月，改任外交部专员。后又任立法院编译处专员。1946年5月，应安徽大学校长陶因邀请，任文学院教授。1948年8月，应南开大学校长张伯苓邀请，任历史系教授。

1949年7月，周培智偕夫人刘德娴赴英国讲学。1953年，从英国返回台湾，任台湾省立工学院经济学教授。1957年1月，转赴新加坡，任南洋大学文学院教授兼商学院院长。1964年，重返台湾，任淡江文理学院教授，并负责筹备创办历史系。1966年7月，淡江文理学院历史系正式成立，周培智兼任主任。1969年12月，辞去淡江大学（原淡江文理学院）历史系主任职务，改任台湾政治大学历史系教授。1976年，从台湾政治大学历史系退休。1981年6月8日，周培智因肺癌在台北荣民医院病逝，享年79岁。周培智出版了《经济学要义》《历史学》《历史思想与史学研究法述要》等著作。

蔡炳炎[①]

蔡炳炎（1902—1937），字洁宜，祖居合肥东乡胡家浅。他家境清

---

① 参见徐承伦:《蔡炳炎》，《安徽历史人物》，黄山书社1990年版；金钰:《蔡炳炎》，《国民党抗战殉国将领》，河南人民出版社1987年版。

苦,自幼勤奋好学,尊敬师长。1924年5月,考入黄埔军校第一期第四队步科学习,毕业后被分配到军校教导团见习。1925年2月,国民革命军出兵东征讨伐陈炯明,蔡炳炎参加了淡水、五华、兴宁、松口等地的战斗。1926年7月,北伐战争开始后,他随东路军转战福建、浙江、江苏等地。在历次战斗中,因功由排长、连长升至营长。1927年沪宁克复之后,蔡炳炎任第九军教导大队上校主任,不久调任国民革命军总司令部第五团团长。1928年初,转任第一军第三师第八团团长。1928年4月,国民革命军再次北进,蔡炳炎率部英勇善战,在攻打济南的战斗中做出了贡献。南京国民政府成立后,军队进行编遣,蔡炳炎改任第二师第五旅第十团团长。不久被保送到陆军大学特别班深造。1929年,唐生智、石友三等联合反蒋,蔡炳炎被蒋介石任命为第四十五师第二六八团团长兼徐州警备司令,辅助马鸿逵,以加强对徐州的控制。1930年,蒋、阎、冯中原大战结束后,蔡炳炎回陆军大学继续学习。陆军大学毕业后,蔡炳炎任国民政府军政部总务厅参议。1932年,调任第一师参谋长兼开封警备司令,继调任第十八军军部参谋兼干部训练处副主任,再调任安徽省保安处参谋长。1933年3月,任安徽省保安处处长。1935年,调任中央陆军经理处处长。1936年,调任第十八军第六十七师第二〇一旅旅长。

　　1937年8月13日,淞沪会战开始。当时蔡炳炎的部队驻扎在常州北洪庙,接到上级命令后,他给妻子赵志学发出了最后一封家书,表示了将与国家共存亡的决心。之后随第十八军紧急开赴上海前线。到达上海前线后,蔡炳炎所部的任务是固守罗店以西阵地,同时协同其他部队阻击由川沙、狮子林等长江沿岸地带登陆的日军。罗店位于上海市郊,距吴淞、长江口不远,离大场、闸北也较近,是控制左翼战线的关键,守住罗店,可以有效地防御日军登陆后向纵深发展,而罗店一旦失守,日军就会长驱直入进占嘉定,切断京沪路交通,对上海守军形成包围态势,因此罗店成为双方必争之地。8月24日,在飞机和舰队炮火掩护下,日军第十一师团多田骏部在川沙口、石洞口等处登陆,迅速占领陆家宅、沈宅一线,逼近罗店。8月25日深夜,蔡炳炎率部赶到罗店。26日凌晨,他指挥部队歼灭了前来偷袭的日军两个排兵力,击毙日军少尉一名,缴获日军兵力部署图和军用地图各一张。随后,蔡炳炎命令李维藩率四〇二团向陆家宅进攻,双方交火后,战斗激烈,互有伤亡。26日黎明后,日军大批增援部队赶到,他们在飞机、大炮和装甲车的火力掩护下,向我军轮番发起进攻。蔡炳炎指挥部队顽强阻击敌人,将指挥所设在冲击部队的散兵线后面,训示全旅官兵:"誓与阵地共存亡,前进者生,后退者死。"部队与日军展开肉搏,伤亡惨重。中午时分,蔡炳炎亲率一个营及特务排向日军阵地发起冲击,激战中他胸口中弹,壮烈殉国,年仅35岁。蔡炳炎牺牲后,妻子赵志学赶到上海,冒着生命危险,寻找烈士遗骸,然后将其辗转运回合肥老家安葬。家乡人民在明教寺举行了隆重的追悼会,不久合肥沦陷,灵柩一直厝于城郊。1945年5月,国民政府明令褒奖蔡炳炎烈士,追赠他为陆军中将。1985年,在纪念抗日战争胜利40周年之际,安徽省人民政府追认蔡炳炎为革命烈士,合肥市政府将烈士灵柩迁往大蜀山烈士陵园。

孙仲德[①]

孙仲德(1902—1961),原名孙家骥,合肥三河镇(今属肥西县)人,1902年1月出生于一个农民家庭。父亲孙传斋靠种田卖布维持生活,母亲在家务农。孙仲德有一个哥哥,两个姐姐。他自幼在家乡读私塾,13岁时转入高小学习,毕业后考入安徽省乙种工业学校。

1920年,孙仲德考入直系军阀开办的保定随营军校,后直皖矛盾激化,他因为是皖人而被逐出军校。后投身驻山东的皖系边防军

---

① 参见安徽省政协文史委编:《孙仲德传》,1985年;蒋晓钟:《孙仲德》,《中共党史人物传》第32卷,陕西人民出版社1987年版。

第二师，参加了直皖战争。1924年，回到安徽，在舒城任小学教师。1927年秋，由同乡吴绍杰介绍，加入桂系第四集团军，任特务团迫击炮连连长。

1931年，孙仲德在表弟颜文斗的影响下，参加了革命工作。与中共合肥中心县委书记刘敏单线联系，并利用警备队长的合法身份，组织领导了一个党的外围秘密组织"舒庐合地区赤色互济会"。1933年，孙仲德因解救合肥中心县委委员马自忠，身份暴露，离开警备队，参加红军。

1934年6月1日，组织上正式批准他为中国共产党党员。不久担任肥南区委书记和皖西北红军游击队副大队长。10月，在舒城春秋山战斗中，游击队大队长曹广海牺牲，孙仲德继任大队长。1935年6月，皖西游击大队扩编为游击师，孙仲德任师长，同时任皖西北特委委员兼军事部长。1936年，在国民党军队的残酷"围剿"下，皖西北特委决定将红军游击师化整为零，分散行动，保存实力。孙仲德化名余凯章，到无为黑沙洲一带隐蔽，同时担任恢复和开辟芜湖、无为、繁昌三县党的工作。

1937年3月，孙仲德受皖西北特委委派，赴延安向党中央汇报工作和请求指示。回皖后，他向皖西北特委传达了党中央指示。7月，孙仲德进入延安抗日军政大学第三期一大队学习，后调到抗大教员训练队，并到中央党校学习。

1938年4月，孙仲德根据党中央指示，到皖南岩寺新四军军部报到，不久担任新四军第三支队第五团团长。1939年8月，调任新四军江北游击纵队司令员，并任皖中军政委员会副书记。1940年6月，改任江北游击纵队政治委员，领导巢无、沿江地区建立抗日根据地和发展抗日武装力量。1941年1月，皖南事变发生后，孙仲德率领江北游击纵队，负责接应江南突围部队。5月，江北游击纵队建制撤销，并入新成立的新四军第七师，孙仲德任第十九旅旅长，政委由第七师政委曾希圣兼任。1942年3月，孙仲德任新四军第七师参谋长。1943年春，兼任新成立的和含地委书记及和含支队支队长、政委，与其他领导一起,指挥部队粉碎了日伪军队对和含抗日根据地的大"扫荡",并取得了反击国民党顽固派军事进攻的胜利。

1945年10月,孙仲德和新四军第七师奉命从皖中根据地向山东转移。到达山东后,孙仲德调任华东局党校校委委员和一队队长。1948年1月,孙仲德调任江淮军区副政委兼中共淮南工委书记,率领华东野战军先遣支队,南下原新四军第七师和第二师的根据地,恢复党的组织,发展武装力量。1948年9月,华东野战军先遣纵队成立,下辖三个支队,孙仲德任先遣纵队司令员。

1949年1月,孙仲德率领华野先遣纵队解放了合肥,就任合肥市军事管制委员会主任委员。2月,任皖北军区副司令员兼参谋长。9月,兼任皖北军政干校党委书记、校长。1952年2月,当选中共安徽省委委员。5月,任安徽省政协副主席兼民政厅厅长。1953年9月,调任上海第二医学院党委书记兼院长。1958年,调回安徽工作,任中共安徽省委常委兼副省长。1961年11月4日,孙仲德因脑溢血去世,享年59岁。

胡允恭[①]

胡允恭(1902—1991),生于合肥北乡杨庙(今属长丰县)。幼时念过乡塾,曾进宣城省立第三蚕桑所学习。1921年,考入芜湖省立第二农业学校。1923年,考入上海大学社会学系。在校加入中国共产党。1925年,到广州任青年军人联合会会刊记者。1926年4月,任国民革命军第四军第十二师第三十五团政治指导员兼党支部书记。后任唐生智军第五师政治部主任及何键第三十五军政治部代主任。1927年7月,宁汉合流后,受到何键通缉,转入地下斗争。

---

① 参见徐闻嘉、徐承伦:《记胡允恭》,《江淮文史》1996年第1—2期。

1929年春,根据周恩来指示,胡允恭到上海开办秋阳书店,出版进步书刊,同时作为党的秘密国际通信机关。同年秋,改名胡克波,任中央军委驻烟台军事特派员。1930年春,撤回上海,任江苏省委军委秘书,兼任秋阳书店董事长。后被英国巡捕房探警逮捕,秋阳书店被查封。出狱后化名胡萍舟到青岛工作。1931年2月,调任济南市委书记。6月,任山东省委宣传部长。7月,接任山东省委书记。

1932年4月,胡允恭突然被调回上海,同时失去了与党组织的联系。1933年11月,经朱蕴山介绍,到福建参加反蒋的福建人民政府。"福建事变"失败后,随李济深、陈铭枢退到香港。1935年5月,在李济深、陈铭枢资助下赴日本深造。是年11月,接陈铭枢电报回国。1936年春,因叛徒出卖,在上海被捕,后被关押南京反省院。是年冬,通过沈仲九的关系,由福建省主席陈仪出面交保释放。改名胡邦宪,担任福建省干部训练团科长班教员。1937年底,任福建省泰宁县县长。

1938年,胡允恭接到新四军军长叶挺的信,希望他能通过新桂系高层人士介绍,回到安徽家乡工作,组织抗日武装力量,配合新四军的斗争。1939年初,回安徽,任怀宁县县长兼县动委会主任委员。利用合法身份,与反动势力开展斗争,支持地下党和新四军的工作。1940年春,在安徽顽固势力排挤下,辞去怀宁县县长职务,回到福建。不久任明溪县县长。后转任同安县县长。刘建绪主政福建后,调胡允恭任福建省设计考核委员会代理主任。后改任他为福安县县长。1945年,因"杨潮案件"受牵连,被刘建绪撤职。

抗战胜利后,陈仪出任台湾省行政长官兼警备总司令。多次邀请胡允恭赴台就职。1946年初,中共福建省委批准恢复胡允恭的党籍,并同意他赴台开展工作。4月,胡允恭到台湾,任台湾行政长官公署宣传委员会委员。1947年台湾"二二八"起义后,陈仪被撤职查办,赴沪赋闲,胡允恭也跟随其到了上海。1948年6月,陈仪出任浙江省主席。胡允恭去杭州,挂名省府委员,积极策动陈仪起义。1949年2月,由于汤恩伯的卖师求荣,陈仪被蒋介石免职,并在上海寓所被军统特务逮捕。

1949年6月,上海解放不久,胡允恭随张鼎丞南下福州,曾任福建师专军代表,后任福建师范学院院长。1951年整党中,胡允恭被错误地认为恢复党籍手续不清而停止党籍。1952年,调到南京大学历史系任教授。1955年"肃反"时,被当作"特嫌"关押了8个月。"文革"期间,因为所谓"801案"历史问题,再次受到冲击和审查。

1983年1月,中共中央书记处审查批准,恢复胡允恭1923年以来的党籍。中共中央组织部批准他享受国家机关副部长级待遇,同时安排他担任第六届全国政协委员。1985年2月,周加才帮助其整理的革命回忆录《金陵丛谈》,由人民出版社出版。1986年7月,学术著作《李自成张献忠起义》由南京大学出版社出版。1991年6月13日,胡允恭因病在南京去世,享年89岁。

胡允恭妻子陈桓乔是广西人,曾任中共早期妇运领袖向警予的助手,1929年在烟台与胡允恭结婚。

郭寄峤[①]

郭寄峤(1902—1998),原名郭季峤,1902年11月14日(光绪二十八年十月十五日)生于合肥。祖父郭振镛,乡试中举人,以行医为业。父亲郭筠仙,秀才出身,曾受聘为段芝贵幕僚。母亲梁氏99岁仙逝台北。郭寄峤兄弟6人,他排行老四,三个哥哥分别是郭元峤、郭仲峤、郭叔峤,两个弟弟郭午峤、郭麓峤,另有一姐。

郭寄峤幼读家塾,1914年毕业于合肥县立高等小学。1917年,考入北京清河陆军第一预备军官学校,两年后分发边防军第一师炮

---

① 参见连边:《郭寄峤》,《合肥文史资料》第12辑《海外合肥名人》;宋霖、刘思祥编著:《台湾皖籍人物》。

兵团及西北边防军第二混成旅炮兵营实习。1921年,入保定陆军军官学校第九期炮兵科学习。1923年春,被分发至山东第五师炮兵团见习。10月,转任奉军第十六混成旅炮兵营第二连连副。12月,任炮兵营第三连连长。1925年春,升任奉军炮兵集训军事大队大队长及炮兵第二旅司令部副官长。是年秋,改任东北国民军第五军司令部副官长及参谋处长。1926年冬,任国民革命军第三十军参谋长兼第三师代理师长、宜昌警备副司令。北伐战争中,第三十军隶属第四集团军。1928年,第三十军被缩编为第十一师,旋改为第七十四师,郭寄峤仍任参谋长。1929年,任唐生智为总指挥的第五路军高参。1930年,参加蒋、冯、阎中原大战。

1931年春,应同乡卫立煌邀请,任第四十七师干训团团长,不久兼任第十师参谋长。1932年,第十师扩编为第十四军,郭寄峤任参谋长。1933年,任闽浙赣皖边区"清剿"总指挥部参谋长和豫鄂皖边区督办公署参谋长。参与镇压"福建事变"。1936年12月,郭寄峤随卫立煌到西安,拟参加蒋介石召集的"围剿"红军会议。西安事变发生时,郭寄峤与陈诚、陈调元、蒋作宾、蒋鼎文等人,被张学良、杨虎城拘押,不久被释放。1937年4月,晋升为中将。10月,参加中日忻口会战。11月,任第十四集团军第九军军长。12月,任第十四集团军参谋长。1938年,任第二战区副司令长官兼前敌总司令部参谋长。1939年,任第一战区司令长官部参谋长。1942年1月,第一战区司令长官卫立煌调任军委会西安行营办公厅主任,郭寄峤没有随调,两人合作共事11年,就此分手。

1942年3月,郭寄峤赴浙江任新编集团军总司令兼第三战区参谋长。8月,改任重庆卫戍副总司令。1943年,调任鄂陕甘边区总司令兼川陕鄂边区绥靖副主任。1944年7月,回第一战区任副司令长官兼参谋长。1945年2月,任第五战区副司令长官兼参谋长。5月,当选为国民党第六届中央候补委员。1945年9月,抗战胜利后,郭寄峤任第八战区代理司令长官兼新疆省主席及新疆警备总司令。1946年6月,调任国防部参谋次长。10月,任甘肃省主席兼西北行辕副主任。1948年9月,兼任西北军政长官公署副长官。1949年5月,代理西北军政长官公署长官。11月,调任东南军政长官公署副长官。不久退往台湾。

1950年春,郭寄峤任台湾"国防部"副总参谋长。1951年3月,任"行政院"政务委员、"国防部长"兼"国防会议"秘书长,授陆军二级上将。1952年,当选为国民党第七届中央委员。1957年,聘为"总统府"国策顾问。1958年,任国民党第八届中央评议委员会委员。1963年,任"行政院"蒙藏委员会委员长。1972年退休后,再度被聘为"总统府"国策顾问。晚年撰写了《边疆政策之研究》《边疆与国防》《民国以来中央对蒙疆的施政》《我国历代边疆地区各民族迁徙与衍化》等著作,对民族问题、边疆问题做了一些研究,主张民族团结,反对民族分裂。

郭寄峤夫人殷石仙,育有一女郭曼华。女婿史运元也是合肥人,美国加州理工大学太空工程博士,后供职美国航天署。

金容甫[①]

金容甫(1903—1978),字开裕,出生于合肥南园官盐巷,祖籍皖南休宁县。金家以中医为业,世代相传。父亲金少卿是合肥有名的儒医,内外大小方脉都能诊治,尤擅长儿科,著有《金氏医林秘录》。金容甫禀赋聪慧,自幼好学,7岁入私塾,14岁边读书边随父亲习医。1919年,合肥地区瘟疫流行,金容甫年方16岁,跟随父亲走乡串户诊治病人。1921年,父亲去世,金容甫独立行医,继承父业,治愈很多病人,造福乡里。

1928年,某些人士以"中医不科学"为由,公开主张取消中医,金

---

① 参见周静波:《金容甫》,《合肥文史资料》第5辑《合肥人物》。

容甫与袁绍珊等人，组织合肥国医公会，号召合肥中医界团结起来，努力发掘祖国医学遗产，为振兴中医而奋斗。他们还通电支持全国中医界向南京国民政府请愿。1928年秋，金容甫被聘为合肥红十字会医务主任。1938年，日军入侵合肥。金容甫携带家眷背井离乡，东奔西走。每流亡一处，白天行医，晚上看书，钻研医理，提高医术。抗战胜利后，他返回合肥，继续行医。安徽省主席李品仙知其医术高明，曾邀请他担任高级医官职务，被他婉言谢绝。

新中国成立后，他精神振奋，积极工作。1950年8月，被任命为皖北区行政公署医事人员甄审委员会委员。1952年，与杨新吾、黄养田、梅德盈、田理全等人组织合肥中医联合诊所。1955年，联合诊所集体转入合肥市人民医院。他钻研业务，讲究疗效，不仅以中医辩证论治，而且结合西医化验检查，认真探索中西医学之间的内在联系，为中西医结合研制了不少有效方剂。他还肩负着中医带徒和院内外的教学任务，经常参加医学讲座和学术报告。

20世纪50年代初期，安徽"暑温"（乙型脑炎）流行，由于当时医学不发达，技术条件差，死亡者甚多。党和政府多次举行学术讲座和讨论会，金容甫以中医理论和临床经验，介绍治疗方法，还深入病情较严重的巢湖等地区进行诊疗和讲学，受到广大群众和医务人员的欢迎。1955年冬，由于气候反常，导致合肥地区白喉流行，严重威胁儿童的生命和健康。省市卫生主管部门研究决定，把金容甫派往市传染病院，负责治疗工作。他感到责任重大，会同其他专家，认真研究，精心诊治，取得了较好的效果。经他收治的40例白喉患者，治疗结果无一例死亡，治愈率为百分之百。

1957年冬，合肥市人民医院举行隆重的拜师收徒仪式，金运照、赵振东两位青年医师拜在金容甫门下。金容甫收徒后，言传身教，循循善诱，教育弟子认真吸收祖国医学各家各派的精华，不要存有门户之见。同时他十分重视临床实践中的教学工作，他临床治疗时，总是把弟子带在身边，让他们多接触病人，多了解病症，在实践中加深理论认识，提高医疗水平。

"文革"中,金容甫虽被列为"反动学术权威",但仍然坚持上班。1967年梅雨季节到来时,他看到仓库里堆放的中药回潮,很快就要霉烂变质,无人过问,非常痛惜,便挺身而出,带领药工清理仓库,晒干中药,避免了国家财产的损失。他还经常为一些被打倒的所谓"牛鬼蛇神"看病,引起造反派的不满。

金容甫毕生行医,诊治病人数以万计。医术虽以儿科著称,但对伤寒、温病亦有研究,内妇疑难杂病,也能诊治。由于金容甫医术精湛,医德高尚,新中国成立后他曾当选为合肥市中医学会副理事长,安徽中医学会理事,合肥市第一至六届人大代表,安徽省第一届政协委员,荣获安徽省人民政府授予的"人民的好医生"光荣称号。1978年12月,金容甫在合肥病逝,享年75岁。

郑大章[①]

郑大章(1904—1941),字孟文。1904年12月13日生于合肥县东乡撮镇(今属肥东县)。祖父郑国魁,淮军将领,官至记名提督、署天津镇总兵。父亲郑伯衡,北洋政府时期曾在地方和中央政府任职,后任北京中医院院长。母亲余氏。

郑大章幼年随父母居住在北京,在当地接受教育。1920年,从北京师范大学附属中学毕业后,便负笈西行,到法国勤工俭学。1922年入巴黎大学理学院,1924年至1926年分别获得普通化学、数学、物理学学士学位,从而获得理学硕士学位。1927年在巴黎大学分析化学实验室从事研究工作,并曾到里昂中法大学任教。1929年入巴黎大学镭学研究所,跟随居里夫人从事放射化学研究,为居里夫人得意门

---

① 参见刘缉之、郑焕东:《郑大章》,《合肥文史资料》第5辑《合肥人物》;郭保章:《中国放射化学的奠基人郑大章》,《中国科技史料》1997年第3期;李艳平:《郑大章在巴黎大学镭研究所》,《科学文化评论》2011年第2期。

生。1933年12月,其博士论文《放射性矿物中镁铀比的稳定性研究》在答辩中获得最优等,取得法国国家理学博士学位。1934年回国,与在法留学结识的萧晚滨结婚。应学长、国立北平研究院物理研究所所长严济慈之聘,作为镁化学专家的郑大章参加筹建镭学研究所,任研究员兼副所长。经过一年多的筹备,工作得以开展。由于日本侵华,局势动荡,当时北平研究院镭学研究所的科研条件极其艰苦,主要设备仅有几种静电计、石英压电发生器和不同类型的电离室,放射样品极其稀少。尽管如此,郑大章还是克服重重困难,与助手一起发表了一系列镁的定量提取及其载体元素化学的论文,测定了沥青铀矿石中镁对铀的放射性比例,从而论证了铀锕系对铀镭系的放射性分支比值。为了寻找铀矿石以便于开展研究,郑大章等借鉴捷克的先例和成功做法,在国内广泛采集温泉水,测定其中氡的浓度。鉴于北平形势危急,1936年,镭学研究所迁往上海。1938年上海沦陷后,郑大章和助手在租界中继续从事镭学研究,在异常困难的条件下,他们通过实验,发现了 β 射线的吸收系数随放射源周围物质的性质而改变,由此形成背散射法鉴别不同支持物质其及厚度的理论,此项成果发表在1941年的美国《物理评论》杂志上。[①] 抗战期间,尽管条件困难、生活艰辛,郑大章严词拒绝了合肥同乡王揖唐要他出任伪职的利诱和拉拢。1941年8月14日,积劳成疾的郑大章,因心脏病复发病逝于苏州,年仅37岁。

刘 敏[②]

刘敏(1904—1947),原名刘文敏,字问之,出生于合肥西乡刘老

---

① 郭保章:《中国放射化学的奠基人郑大章》,《中国科技史料》1997年第3期。
② 参见范先荣、黄松泉:《刘敏》,《合肥文史资料》第5辑《合肥人物》。

圩（今属肥西县铭传乡）。3岁丧父，家业凋敝，被迫迁居六安南官亭小华冲，寄食于外祖父储家。1920年，去安庆第一师范求学。参加了安庆"六二"学潮。1924年秋，与舒城谢家河的宋继蕴结婚。1925年，在舒城鹭鸶庙以教书为生。这一时期，他接触了一些旅外回乡的进步学生，开始接受马克思主义。

1928年夏，刘敏听说六安师资讲习所有党组织秘密活动，便毅然弃教，离别亲人，去六安师资讲习所学习。同年秋，经同学孙实介绍，加入中国共产党。1929年初，他回六安南官亭创办农民夜校，成立农协组织，吸收农协积极分子入党，并成立了党小组。1930年1月，他领导了南官亭农民暴动，打击土豪劣绅，收缴地主武装，组织农民赤卫队。3月，受六安中心县委指派，到舒城鹭鸶庙下油坊，以设馆教学为掩护，积极发展党员，建立了春家桥党支部。

1930年夏，刘敏离开家乡去上海，从事工人运动，并担任党的秘密交通工作。1931年，他被任命为中央巡视员，到安徽和东北开展工作。1932年9月，因叛徒出卖，合肥中心县委负责同志被捕，县委机关被破坏。中央派刘敏以巡视员身份，到合肥恢复党组织，开展地下斗争。1933年3月，合肥临时中心县委书记陈良季在西乡焦婆店发动农民扒粮时，遭敌围攻，不幸牺牲。刘敏向中央报告，要求加强合肥党组织力量，恢复成立合肥中心县委。7月，在刘敏指导下，选举产生了合肥中心县委负责人和各部负责人，张士发任书记。

1934年1月，中央决定改组合肥中心县委，由刘敏任书记。在刘敏主持下，中共合肥南乡区委、北乡区委、城内特支和西乡特支相继恢复和建立，共有党员200余人。9月，因革命形势逆转，寿县中心县委和游击队在张如屏、曹云露等率领下向合肥转移。经双方协商，并请示上级领导，决定将合肥、寿县两中心县委合并，成立皖西北中心县委，刘敏任书记。同时将合肥和寿县游击队合并，成立皖西北游击队。1935年春，中央决定将皖西北中心县委改为皖西北特委，刘敏任书记。5月，由于叛徒出卖，特委多名成员被捕。9月，游击队改编的游击师在敌人的"围剿"下损失惨重。1935年冬，为了保存力量，坚持斗争，刘敏在庐北宋家小圩主持召开特委会议，决定皖西北特委和游击师转入分散秘密活动，在巢县设立特委秘密机关。

1936年夏，刘敏和张如屏赴沪，得知上海临时中央局已被敌人破坏，同时获悉中央红军长征已经胜利到达陕北，即派人前往陕北向党中央汇报请示工作。中央指示皖西北特委成员分批去延安学习。刘敏在赴延安途中，经陕西省三原县云阳镇时，被中央派往河南开封，与朱理治等一道，重建河南省委，刘敏任省委委员，并以特派员身份，前往徐州开展统战工作。

1937年8月，刘敏化名佘子彬，到徐州与坚持地下工作的郭影秋取得联系，代表组织宣布郭影秋任中共铜山县工委书记。10月，中共苏鲁豫皖边区特委成立，刘敏参加并主持特委工作。他还组织郭影秋、唐秉光、邹育才、徐致雨等中共党员，参加民众总动员委员会，推动抗日民族统一战线工作。1938年4月，刘敏因积劳成疾，身体不支，被组织上送往延安休息治病。1947年，国民党进攻延安时，刘敏在转移途中，病逝于山西省临县三交镇，年仅43岁。

柯武东[①]

柯武东(1905—1930)，又名柯争荣，合肥县东乡梁园镇（今属肥东县）柯岗村人。幼年入私塾读书。1922年，考取安徽省警务处警察教练所，受训结业后当警察。后受马克思主义影响，辞去警察职务，奔走于芜湖、合肥、凤阳等地，从事学生运动。1927年1月，在合肥城内参加共产党员张开泰、张伯平等人组织的"十人团"，以换帖结拜兄弟为名，联络失学的进步青年，宣传马克思主义。不久，柯武东加入中国共产党。

---

① 参见《肥东县志》，安徽人民出版社1990年版。

1928年春,柯武东去江西。7月,参加彭德怀、滕代远、黄公略领导的平江起义。后被任命为中国工农红军独立二团团长,率部在江西安福、分宜、宜春三县边区,联合当地人民武装,反击国民党军队和地主武装的"围剿"。1929年底,与李韶九率领的红军独立三团,在江西吉安抗击国民党军队的"围剿"。1930年1月,独立二团和独立三团编入红军第六军,柯武东任第六军军委委员、第一纵队司令,并兼任第三支队支队长。1930年7月,红军第六军改编为红军第一军团第三军,柯武东任第三军第一纵队司令。

1930年8月,为了粉碎湖南省主席何键"围剿"红军的计划,军团总指挥朱德、总政委毛泽东率领红一军团进入湖南。8月20日,红一军团分兵三路进攻浏阳县文家市。柯武东率领第三军第一纵队担任正面进攻任务,于拂晓时猛攻九峰寺、棺材岭、高州岭3个制高点。由于守敌居高临下,以密集的机枪火力封锁通道,红军两次冲锋均未奏效。柯武东手举大刀,亲自率领80多名红军战士,发起第三次冲锋,不幸腹部中弹负伤,肠子随着鲜血流出。战士们要将他抬下火线,他却用绑带扎住伤口,继续带领一个班战士,绕道登上制高点,炸毁敌人的机枪手哨位,为红军攻占文家市扫清前进障碍。战斗结束后,战士们用担架将柯武东抬回慈化后方医院救治,在行进途中,因流血过多英勇牺牲,年仅25岁。

杨新吾[①]

杨新吾(1906—1977),字应芳,生于1906年10月7日,祖籍巢县岫山大杨村。自明初六世祖杨隐真开始,杨家以医为业,尤擅长妇

---

① 参见瞿光澄:《杨新吾》,《合肥文史资料》第5辑《合肥人物》;陈晓云:《杨隐真—杨柳溪—杨新吾》,《安徽文化名人世家》,安徽教育出版社2005年版。

科,世代相传,名医辈出。杨新吾幼年入私塾,稍长跟随父亲杨植之及兄长杨九峰学医,因为聪慧敏智,潜心好学,深得杨氏妇科精髓。同时他刻苦钻研《黄帝内经》《伤寒论》《金匮要略》《神农本草经》等中医经典著作,探微索隐。

杨新吾17岁行医乡里,广受欢迎。20岁来到合肥,在小东门租房行医,手书"峏山妇科杨新吾临时诊所"张贴门外。不久,一名中年妇女产后痛疾,猝然昏倒在地,目闭口噤,家人前来求诊。杨新吾前往急救,告知此症由痰迷引起,遂用琥珀二钱,觅童尿一杯调匀,启口徐徐灌入,没多久,患者苏醒,再服豁痰定痛剂三帖而告愈。复治一商人姨太太,因胎阻致母危急,请他出诊,一剂而胎坠落,母则化险为夷。商人十分高兴,赠"扁鹊再世"匾并重金酬谢。从此他名扬合肥。

抗战时期,他以"铃医"身份行走于合肥、巢县、无为等地,为百姓看病。抗战胜利后,他重返合肥,在城内购房四间,正式开设"峏山杨新吾诊所"。求医者接踵盈门,络绎不绝。安徽省主席李品仙也慕其医道,常邀请杨新吾为亲属诊病。

新中国成立后,杨新吾为党的中医政策所鼓舞,出面组织合肥知名中医黄养田、金容甫、梅德盈、田理全等人,于1953年初创办了"合肥市中医联合诊所"。因为知名中医的影响力,病人逐渐增多,业务发展很快,规模越来越大。省、市有关领导曾考虑将诊所扩大为合肥市中医医院,后因合肥市人民医院缺乏中医力量,所以1955年将诊所划归市人民医院。杨新吾任市人民医院中医部主任、中医妇科主任。同年夏,杨新吾将家中珍藏多年的中医古籍《本草纲目》《伤寒论》《温病条辨》《神农本草经》《重楼玉钥》等捐献给医院,合肥市委领导亲自参加并主持了献书仪式。

1963年夏,杨新吾调往安徽中医学院,任附属医院中医妇科主任,并担任中医妇科教学任务,每月还抽出时间为解放军一〇四、一〇五医院查房治病。由于他医德高尚,医术精湛,盛名远扬,全国各地前来求医者络绎不绝,还有美国、意大利、新加坡等国的华侨华裔来信问诊索方。有关部门专门为他成立了接待室,负责处理各方的来信、来电、来访。"文革"中,杨新吾被打成"资产阶级反动学术权威",备受折磨。1977年4月9日因病去世,享年71岁。

杨新吾先后当选为安徽省第一、二、三届人民代表大会代表,合肥市第一、二、三届政协常委,中华医学会安徽分会常务理事等。杨新吾在医术上师古而不泥古,有自己的独特见解,对中医妇科造诣精深,对妇科的经、带、胎、产诸疾了如指掌,尤其善于治疗不孕症,省、市卫生和妇幼保健部门曾为他举办不孕症治疗成果专题展览。

杨新吾属于"岫山杨"中医妇科世家第二十三代"应"字辈传人,他的10个子女中,有4人继承父业,其他亲属中,从事中医妇科者,也不乏其人。据粗略统计,现在"岫山杨"的后代,在全省各地行医的有近30人,多为二十三代"应"字辈和二十四代"承"字辈,他们为发扬光大祖国医学奇葩"岫山杨"中医妇科而辛勤工作,不懈努力。

宛敏灏[①]

宛敏灏(1906—1994),字书城,庐江人。1920年冬,毕业于庐江县第一高等小学。1921年秋,考入合肥省立第六师范学校。校长许拙云爱护学生,思想开明,多方聘请优秀教师。宛敏灏在合肥六师学习努力,成绩较好,同时积极参加课外活动,培养自己的多方面才能,经常给校报、校刊投稿。1927年,省立六师和省立二中合并为省立第六中学。宛敏灏毕业后,留在省立六中附小任教。后到安庆第一、第二及中心实验小学任教。

1930年,宛敏灏考入安庆安徽大学中文系。1934年毕业,毕业论文《二晏及其词》后由上海商务印书馆出版。抗战爆发后,辗转流

---

① 参见宛敏灏:《老去园丁忆合肥》,《合肥文史资料》第10辑《教育专辑》;方克逸主编:《巢湖》,安徽科学技术出版社1999年版。

亡到后方,在四川白沙国立女子师范学校任教,并兼任行政工作。1948年夏,调至南京国立音乐学院任教,讲授文史课。

1949年南京解放后,国立音乐学院迁往北京,改名中央音乐学院。宛敏灏不欲北去,便回到芜湖安徽大学文学院任教。当时安徽大学由安庆迁芜湖,与安徽学院合并。1954年,安徽大学农学院迁往合肥,文、理学院留在芜湖,恢复安徽师范学院原名。1958年,安徽师范学院文科迁往合肥,与合肥师专合并,成立合肥师范学院。宛敏灏被调到合肥师范学院任教,并担任教务处负责人。

1971年,中国科技大学迁到合肥师范学院校址,合肥师范学院迁往芜湖,与芜湖安徽工农大学合并,成立安徽师范大学。宛敏灏调到芜湖安徽师范大学,任副教务长、图书馆馆长、文学院硕士生导师等职,并担任安徽省政协常委、中国作协会员、安徽省文联委员、安徽省作协理事、中国韵文学会和中华诗词学会顾问、《汉语大词典》和《词学》编委等职。除《二晏及其词》以外,还撰写出版了《张于湖评传》《吴潜年谱》《词学概论》等学术著作。

陈季丹[①]

陈季丹(1907—1984),1907年4月出生于合肥东南乡六家畈(今属肥东县)龙陈村。父亲陈清源行武在外,升任扬州盐务统领后,将家眷接到扬州。陈季丹排行老四。

陈季丹在扬州上小学。1920年,考入扬州中学。1924年,考入上海交通大学。毕业后,任芜湖无线电台台长。1931年,陈季丹考取公费留学生,赴英国留学。1934年,获英国曼彻斯特大学电机工程硕士学位。回国后,初任上海国际电台工程师,后任湖南大学教授,再

[①] 参见田恬:《陈季丹》,《合肥文史资料》第5辑《合肥人物》。

任武汉大学教授、电机系主任。1945年,回母校,任上海交通大学电机系教授。

新中国建立后,陈季丹继续在上海交通大学电机系任教,并被评为二级教授。1952年,为填补我国电缆绝缘领域的空白,上海交大决定开办电缆绝缘专业,并成立教研室,任命陈季丹为教研室主任。虽然这一任命意味着陈季丹讲了20多年的电工原理、无线电学等课程均要放弃,但他为了新中国的建设需要,欣然受命,迅速投入紧张繁忙的筹建工作中。他一面向指导工作的苏联专家学习,一面查阅大量资料,认真备课,很快便胜任了这项难度较大的开创性工作。

20世纪50年代,西北的教育事业比较落后,国家决定在西安成立西安交通大学,从上海交通大学抽调一批教学科研出色的老教师去西安,充实加强西安交大的师资力量。当时有的老教师不愿意离开生活舒适的上海,陈季丹的家人长期生活在上海,对移居西安也有抵触情绪,但陈季丹还是以国家利益为重,耐心说服家人。1958年,陈季丹带头迁往西安。1962年,陈季丹在西安交大创建了绝缘研究室,并担任主任。陈季丹在西安交大教书育人,辛勤工作,多次被评为先进工作者。1960年,出席全国文教群英会。1964年,当选为第三届全国人大代表。"文革"期间,陈季丹受到冲击,以"反革命大特务"的莫须有罪名,被隔离审查,强迫劳动,并被勒令搬出教授级宿舍,精神上和肉体上受到了严重摧残。1973年,陈季丹被平反,但留了"尾巴",学校安排他给工农兵学员上高等数学课。

1978年十一届三中全会以后,陈季丹的冤案得到彻底平反,西安交大专门为他召开了平反会,向他赔礼道歉,并推荐他担任陕西省第五届人大常委、第四届政协常委。陈季丹回到原来的教研室,虽然身体太差,已经不能重新走上讲台,从事自己热爱的教学工作,但他仍然以饱满的热情,投身于科研学术工作,主编《电介质物理学》,翻译《无线电原理》,还承担了培养硕士、博士研究生任务。1984年5月8日,陈季丹因脑出血、肺心病在西安逝世,享年77岁。

徐克勤[①]

徐克勤（1907—2002），巢县人。1934年国立中央大学（今南京大学）地质系毕业，任职于中央地质调查所，主要从事江西境内的地质调查和钨矿考察。1939年赴美国明尼苏达大学研究生院留学，仍以钨矿为研究课题。1943年著成的《江西南部钨矿地质志》，科学地论述了赣南区域地质及造山运动、花岗岩类与钨矿关系、钨矿床特征，为华南花岗岩类研究开山之作。1944年通过论文答辩，获博士学位。1945年回国，任中央地质调查所技正。1946年起任中央大学地质系教授，次年兼任系主任。1949年南京解放，中央大学更名为南京大学，徐克勤继续担任南京大学地质系教授、系主任（1984年后任名誉系主任）。在从事矿床和岩石学的教学与研究工作的同时，徐克勤坚持教学科研与生产相结合，积极带领师生到第一线参与矿产资源普查，足迹遍及大江南北，取得一系列重要成果。1947年，他受当时的国家资源委员会委托，率领毕业班学生前往湖南资兴县，对瑶岗仙钨矿进行资源评价，发现了中国第一个矽卡岩型白钨矿床，后经勘探证实为大型矿床，为中国寻找同类矿床提供了范例。在1950年一年之内相继发现了安徽当涂马山硫铁矿（矿石储量近1亿吨）、铜陵新屋里铜矿（今凤凰山铜矿）和南京岔路口硫铁矿。随后又对铜陵狮子山、鸡冠石等地和江西九江城门山地区的金属矿藏做出科学推断，若干年后均为地质勘查成果所证实，找到了金矿和铜矿。1954年，他首次肯定了四川攀枝花钒钛磁铁矿的矿床类型、产状及其重要经济价值，并建议立即进行大规模勘探，使攀枝花成为中国西南地区最大的

[①] 参见《徐克勤文集》，科学出版社2007年版；《华南海相火山喷流沉积矿床成因研究简评——兼述徐克勤教授在该领域的重大贡献》，《高校地质学报》2003年第4期。

钢铁基地。

作为成就卓著的矿床学家和岩石学家,徐克勤在华南花岗岩研究中起到了开拓、引路和构建理论体系的关键性作用。经过20多年的实地勘察与研究,1980年,他首次提出华南花岗岩的两个主要成因类型——同熔型和陆壳改造型。1981年,在他主持下,《华南不同时代花岗岩类及其与成矿关系》编写完成并出版问世。全面展开对华南花岗岩的研究之后,由他率先提出命题并具体指导完成的层控矿床理论研究,是中国地质学领域的又一重要成就。在华南地区,发育着大量层状和层控铜、铅、锌、铁、金、银、锡、硫等矿产资源,20世纪70年代以前,一般都认为这些矿床是热液或矽卡岩成因。徐克勤在70年代中期提出了断裂拗陷带构造背景条件下的火山喷流沉积——热液叠加成因机制,并带领南京大学师生进行了长期大量的研究工作,取得了丰富的研究成果。

1980年徐克勤当选为中国科学院学部委员。曾任中国地质学会副理事长、名誉理事,中国矿物岩石地球化学学会副理事长、名誉理事,国际地质对比计划中国委员会委员,国际地质物理与大地测量联合中国委员会委员。先后担任国务院学位委员会学科评议组成员,全国地质工作计划指导委员会委员,国家自然科学基金委员会顾问等职。有《徐克勤文集》行世。

童雪鸿[①]

童雪鸿(1909—1966),原名鸿彦,字万庵,1909年出生于巢县东门外放王岗童家村。1925年,考入刘海粟创办的上海美术专科学校,

---

① 参见方桂丽:《童雪鸿先生生平及艺术成就》,《合肥文史资料》第13辑《文化专辑》。

师从黄宾虹、潘天寿、郑曼青等名家。后又入上海新华艺术大学学习,1929年毕业。此后近40年一直从事于美术教学与创作,先后在四川、安徽任教。1956年起,在安徽艺术学校任教,并担任美术系主任。曾被推荐为合肥市政协委员、安徽省政协委员、安徽省人大代表。

早在20世纪40年代,别号红叶山人的王东培就曾撰文称赞童雪鸿:"金石扯古挏今是应首屈一指,工画佛像具足庄严亦其专长,虫鱼鸟兽花卉竹树更所夙擅,又工八法篆隶分行,濡毫染素的是皖派。"俞剑华主编的《中国美术家人名大辞典》称童雪鸿"书画篆刻俱精"。

童雪鸿篆刻功底深厚,影响较大。治印出入于秦汉玺印和名人印,把皖浙两大流派的精髓融于篆印中,形成自己兼容并蓄的风格。他的印古拙中藏精巧,老辣中有新意,朱文劲拔凝练,白文朴质素雅。抗日战争后期,童雪鸿曾有《雪鸿印存》五集问世,由王福厂、黄宾虹、马公愚、沈尹默诸人题签。新中国成立后曾篆刻毛泽东诗词多方,极见功力。

童雪鸿的书法也独具风格。他由北魏碑帖上溯古籀,印法入书,运笔如刀,师古而不泥古,守规而不拘规。化隶入行草,方笔矫健,又运驰章草,兴至神来,有些字的形体写得左高右低,倾斜中有平衡,遒劲中见冲和,独辟蹊径,别具一格。1982年以前的《安徽文学》题头,就是童雪鸿的代表作之一,点画峻厚,笔法跳越,有碑意,有隶笔,有楷形,有篆法。1965年,中国对外文化交流委员会在日本举办现代中国书法展览,童雪鸿的篆书联"金沙水拍云崖暖,大渡桥横铁索寒"及印谱一件,受到日本书法界的好评。

童雪鸿绘画技艺也很高超。他的画格调高雅,构图意境清新,工笔写意并重,富有浓厚的生活感。擅长花卉瓜果,翎毛鱼虫,尤精于梅兰竹菊。他笔下的梅花,枝干以蜷曲为主,花朵以繁缛浸染,有时也作疏枝寒影,更显笔力老练,无尘俗气。他画竹,常以篆法出粗杆,而且一笔到头,老杆新篁具分,挺拔雄健,往往借助竹的直劲、虚心、贞节、繁荫和傲霜的性格,来表现自己的人生追求和内在情操。他笔下的菊花,全用篆笔推出,别有一番情趣。因为童雪鸿菊花画得好,时人有"童菊花"的称誉。

童雪鸿在艺术上取得如此高的成就,主要靠的是勤奋刻苦和虚心好学。其祖上几代都是不识字的农民,他父亲下定决心,要培养童雪鸿读书,将来谋个一官半职,不受人欺负。但童雪鸿自幼就迷上篆刻,据说他的启蒙塾师颇精于篆刻,编著有篆刻刀法。有一回塾师看到童雪鸿不专心听讲,只顾在萝卜上刻字,犯了学规,老师打了他五板子,但事后送他一把刻刀、一本拓片集和自己的篆刻著作。童雪鸿日夜研习,甲骨文、金文、石鼓文,或石或木或竹,不停地写刻,表现出浓厚的兴趣。从此,一生甘于清贫,不求闻达仕宦。

童雪鸿不善交谈,不擅交际,一天到晚除了工作教学之外,不是写字画画,就是磨石治印,只要有机会就登门求教一些艺术大师。1961年,已经担任安徽艺术学校美术系主任的童雪鸿,还专程去书法大师沈尹默家里求教执笔、用笔之法。在老先生面前,他像一个刚刚启蒙的小学生,磨墨展纸,忙个不停,深受沈尹默的赏识。著名书法篆刻家马公愚被打成"右派",身处逆境。童雪鸿冒着政治风险登门求教,并在生活上长期照顾这位艺术大师。马老先生十分感动,遂将自己多年钻研的技法传授给童雪鸿。

童雪鸿素来洁身自好,不染尘俗,有出世思想。但他并不是完全脱离现实,不关心时势。日寇侵华期间,他在湘西和川东,曾创作歌颂抗日游击健儿的木刻,发表在进步刊物《刀与笔》上。1949年4月安庆解放,童雪鸿参加庆典后,随即刻有"解放"印章一方,并题写边款,记叙喜悦之情。从1949年到1966年,他创作了大量现实题材的作品,还热情为慕名而来的各界朋友题赠作品。1956年,他还被评为社会主义建设积极分子。但是,1966年"文革"无情地夺取了这位艺术大师的生命,去世时年仅57岁。

张如屏[1]

张如屏(1909—1983),亦名张俊德,出生于合肥北乡杨庙(今属长丰县)。幼年在家乡读私塾。成年后在中共早期党员、亲戚陶淮的影响下,接触到了马克思主义,初步奠定了革命的人生观。1924年,秘密加入革命组织淮北青年社。1925年,考入芜湖省立第二农业学校。1926年11月,考入广州黄埔军校第六期,编入一团四营十三连。由王芳泽介绍,秘密加入中国共产党。

1927年"四一二政变"后,广州也被白色恐怖所笼罩,张如屏以"共党嫌疑"被捕入狱。1929年底,由老同盟会员李雨村保释出狱。1930年3月,中共鄂豫皖边区特委成立,张如屏被六霍中心县委任命为红一军第三师第一〇八团党代表。9月,调任六霍地区赤卫师党代表。

1931年春,瓦埠暴动失败后,党的活动转入地下,党组织安排张如屏杨庙老家的住所,作为合肥、寿县两个中心县委的秘密联络点。张如屏不仅护送来往同志,为游击队搜集了大量情报,还秘密发展了50多位党员,建立了杨庙区委,下辖四个支部。

1932年5月,因红军撤离,正阳关党组织损失严重,寿县中心县委调张如屏任正阳关特委书记,负责恢复和重建党组织及地方武装。张如屏到寿县后,先后在杨家庙、小甸集、大井寺等地成立了游击小组,并派孙瑞训、曹广海、曹云露、韩发明等人去担任小组长。

1933年,张如屏根据寿县中心县委的指示,率领游击小组,利用各种机会,击毙了国民党保安司令姚蔼卿、联庄会长董曙东、"剿匪"司令孙仰山及瓦埠区区长路汉奎。1934年春,根据中央指示,游击小

---

[1] 参见陶志巩:《张如屏》,《合肥文史资料》第5辑《合肥人物》。

组合并,成立皖北游击大队,张如屏任军委书记兼大队政委。6月,张如屏率领游击大队攻进昌小圩,活捉地主昌学遵父子,缴获全部武装,烧毁全部田契。7月,又率领游击大队攻破洪家圩,枪毙了四个土豪劣绅。

张如屏等人率领的皖北游击大队在寿县的革命行动,引起国民党顽固派的恐慌。在国民党寿县县党部的再三要求下,安徽省主席刘镇华派出大批军警、特务、肃反专员,来寿县"围剿"游击大队,捕杀共产党员和革命群众。为了保存力量,中共寿县县委决定,由曹广海、张如屏率领游击大队向合肥转移。

1934年9月,游击大队进入合肥县境内。在中共合肥中心县委和寿县中心县委合并为皖西北中心县委的同时,两地游击队合并为皖西北游击大队。1935年2月,皖西北中心县委改为皖西北特委,刘敏任书记,张如屏任组织部长。不久,皖西北游击大队扩编为皖西北游击师,孙仲德任师长,张如屏任政委。

皖西北游击师成立后,先后打下众兴集、卫家圩,活捉民防团长,又消灭了"汪家五虎"。其后游击师兵分两路,一路由孙仲德率领进入苏区休整,另一路由马实率领就地坚持斗争。马实部在中派河遭敌人包围,突围中几乎全军覆没。

1936年4月,为了应对困难局面,皖西北特委和游击师决定分散活动。张如屏化装成大商人,携妻子陶静冰、女儿张佳良前往巢县,在普仁教会医院附近住下,并将住所作为特委秘密机关。

1937年8月,张如屏与陈郁发等人赴延安学习。1938年1月,党中央派张如屏、曹云露回皖北开展敌后抗日斗争。不久成立了中共安徽工委,曹云露任书记,张如屏任组织部长兼统战部长。皖北抗日游击支队亦同时成立,张如屏任支队长兼政委。5月,张如屏率游击队攻打凤阳县城时负伤。

1938年8月,张如屏被送往延安治伤。伤愈后入马列主义学院学习,后调中央军委组织部任干部科长。1941年,任晋西北军区武装部副部长。1945年10月,进入东北,任吉黑军区组织部部长。1946

年2月,任合江省军区政治部主任。1947年,调任中共合江省委常委、秘书长兼社会部部长。

1949年4月,张如屏随工作团南下,先后任江西省委委员兼袁州地委书记、中南军政委员会人事部第一副部长兼机关党委副书记、中南行政委员会民政局局长等职。1954年,任武汉水利电力学院院长、党委书记。1979年,任湖北省第四届政协副主席。1981年,增选为第五届全国政协常务委员。1983年8月6日病逝,享年74岁。

魏建猷[①]

魏建猷(1909—1988),字守谟,巢县人。1928年,考入无锡国学专修学校,对中国历史学科产生浓厚兴趣。1933年,考入日本中央大学经济科。1936年毕业回国,先后在无锡国专、中央大学、暨南大学、光华大学担任国文和历史讲师、教授。魏建猷早在20世纪20年代末,翻阅清史文献时,就注意到民间结社与清代治乱兴衰关系密切,决心搜集这方面的资料加以研究。当时学术界对民间秘密结社的认识还很笼统,只有少数学者如萧一山、罗尔纲等人在从事这方面材料的搜集和整理。1933年,魏建猷在上海《逸经》刊物上发表第一篇研究中国秘密教派的论文《八卦教残余经典述略》,此后一直关注中国秘密结社,特别是会党史的研究。

新中国建立后,魏建猷曾担任上海航务学院、大连海运学院图书馆主任。1954年,魏建猷调入上海师范专科学校(后扩建更名为上海师范学院、上海师范大学)历史系,先后担任副教授、教授、系主任、系名誉主任等职务。开设过中国通史、史学通论、文史通义研究、中国

---

① 参见郭静洲、姚长鼎:《近代会党史研究的开路人魏建猷》,《江淮文史》1996年第3期。

近代史史料学等课程,指导了两届中国近代史专业的硕士研究生,培养了一批中学和大学历史教学和研究人才。1955年,出版了两部学术著作《中国近代货币史》和《第二次鸦片战争》。"文革"前夕,魏建猷因为对姚文元的《评新编历史剧〈海瑞罢官〉》提出异议,受到围攻批斗,身心受到摧残,被迫中止了学术研究。

1978年十一届三中全会以后,魏建猷重新开始了历史研究工作,尤其是加快了中国会党史的研究工作。他担任了中国会党史研究会第一届会长,主持召开了第一次中国近代会党问题学术讨论会,主编出版了《中国会党史论著汇要》《会党史研究》《福建上海小刀会起义档案史料》等著作,制订了编写《清代会党史》《中国会党通志》的写作计划。此外,他还担任了《中国近代史词典》《辞海·历史分册》《近代中国史论丛》等重要典籍的主编工作。1988年1月19日,魏建猷在上海病逝,享年79岁。

高　植[①]

高植(1911—1960),又名高介植、高地,1911年5月3日出生于巢县柘皋镇紫金坊一个商人家庭,排行老五。

高植5岁随塾师梁老先生读书。13岁离开柘皋镇,考入芜湖萃文中学。次年,转入南京汇文中学。后在金陵大学附中读完高中。高中毕业后,考入金陵大学。不久,他又考入南京中央大学社会学系。同时他坚持自学东欧语系的罗马尼亚和南斯拉夫文学,对俄国文学兴趣浓厚。1932年,高植大学毕业后,先在安徽凤阳中学教书,后到南京中山文化教育馆任编译。同时开始文学创作,短篇小说集《树下集》和中篇小说《黄金时代》由中华书局出版发行。1936年,高

[①] 参见李一轮、高韶新:《作家翻译家高植》,《江淮文史》1996年第5期。

植与吴耀南结婚。1937年"七七事变"后,高植夫妇流亡到重庆,高植在中央政治学校教书。

1941年,高植开始翻译托尔斯泰文学名著《战争与和平》。当时,郭沫若用英文翻译了四分之一,高植决定以俄文本为主,参考英文本、日文本,将这部名著译完。1942年,经巴金推荐,五十年代出版社以郭沫若、高植(署名高地)合译的名义,出版发行了《战争与和平》新译本,反响较好。成名以后,高植又陆续翻译出版了托尔斯泰的《幼年·少年·青年》(重庆文化出版社出版,上海骆驼书店1947年再版)、《复活》(上海文化出版社1949年出版)、《安娜·卡列尼娜》(上海生活出版社1950年出版),还撰写出版了专著《论托尔斯泰著作》。

1946年,高植辞去中央政治学校教职,被南京中央大学文学院聘为副教授。后调到金陵大学任教授。1952年至1954年,高植在山东师范学院任教授兼中文系主任。1957年,调到北京时代出版社任编审。1958年,高植杂文集《千字文》由上海新文艺出版社出版,其中部分杂文发表于《人民日报》。1960年9月18日,高植因心脏病猝死,年仅49岁。高植与吴耀南育有3个孩子。

吴忠性[①]

吴忠性(1912—1999),谱名家骥,字忠性,1912年3月出生于合肥县东南乡六家畈(今属肥东县)吴兴一村。祖父吴克信,曾任河北县丞,后以教书行医为业。父吴显芳,长期在外谋事,英年早逝。幼随母亲杨素珍在六家畈杨元三村外祖父杨国虞家生活。8岁时,随母亲移居长临河镇东巷。12岁时,跟刘寿三村秀才赵衢九读私塾。

---

① 参见张广余:《测绘将军吴忠性》,《江淮文史》1996年第2期;汪德俊:《测绘制图学家——吴忠性》,《合肥文史资料》第10辑《教育专辑》。

赵先生去世后,去巢县烔炀河镇魏家冲村跟秀才魏绍如读私塾。1928年,考入六家畈湖滨中学读初中。1930年,考入合肥省立第六中学读高中。

1933年,考入南京中央陆地测量学校,攻读地图制图专业。1936年毕业后,被分配到南京中央陆地测绘总局制图科任技术员。1937年11月,上海失守,南京告急。他随测绘总局迁往湖北武汉,再迁广西桂林,又迁贵州平坝。1942年,调到中央测量学校任教,校址在贵州镇宁,后迁贵阳,再迁重庆。

抗战胜利后,1945年9月被派往印度考察学习测量技术。1946年,回到重庆中央测量学校继续任教。1947年,随学校迁往苏州,任地图制图系主任。1949年初,随学校迁往广州。不久学校奉命迁往台湾,他坚决不去,后辗转到重庆,在测绘总局所属制图厂任科长。

1949年10月新中国成立后,被分配到西南军区测绘分局制图科任科长。他参与绘制的进军西藏路线图,受到嘉奖。1952年,西南军区测绘分局撤销,转往沈阳军事测绘学院任教。1953年底,军事测绘学院迁到北京,其任制图系制图教研室主任,后任制图系副主任。1961年,加入中国共产党。并被授予少将军衔。1962年,任军事测绘学院教授。"文革"中受到冲击。1978年十一届三中全会后,重新回到军事测绘学院工作,并担任制图系常务副主任。1988年退休。

新中国成立后,吴忠性撰写并出版了不少测绘学著作,如《制图学》(西南军区测绘分局1952年出版)、《地图投影的选择与设计》(测绘出版社1959年出版)、《数学制图学》(军事测绘学院1962年出版)、《地图投影学》(测绘出版社1980年出版)等,1989年出版的《数学制图学原理》,获全国高等学校优秀教材奖。还在《测绘学报》《地理学报》《地图》《地域研究与开发》《军测学报》《军事测绘》等学术刊物发表论文60余篇。主编了《地图投影论文集》《中国测绘学会制图专业委员会论文集》等。还担任了中国测绘学会理事及制图专业委员会副主任、《测绘学报》副主编、国家科委测绘制图组成员、中国科学院地理研究所学术委员会委员、《国家大地图集》编委会委员等。

1936年,吴忠性与六家畈同乡吴家琦结婚,育有三子二女。长子吴邦杰,1937年生,后在江苏常熟医院任外科主任。三子吴邦胜,1943年1月生,后在北京工作。长女吴惠中,1949年生。小女吴惠文,1954年生,后在中国农业科学院工作。

葛介屏[①]

葛介屏(1912—1999),原名葛德藩,字介屏,号醉石居士,1912年4月9日出生于合肥。父亲葛植荫(1885—1957),曾任两淮盐运使署总务科长兼泰州运销局局长,后回乡创办辅文袜厂。他崇儒能文,喜欢结交文人雅士,又略通医术,经常给人看病,颇受邻里敬重。

葛介屏自幼受到良好教育,5岁入塾开蒙,8岁从谢吉甫、瞿政伯先生读"四书五经"和唐诗宋词,13岁转入合肥宿儒江藻门下学习诗文和写作。其时,他痴迷书法,勤奋苦学,并拜刘启琳、张文运、张敬文等名家为师,书艺进步很快,在合肥书画界小有名气。

1939年5月,葛介屏在逃难途中,被日军逮捕,关押在城内庐州中学。后被释放,辗转来到当时的安徽省府所在地立煌县,任第五战区抗日自卫军文书、省建设厅文书等职。1945年9月抗战胜利后,葛介屏返回合肥,任县政府建设科科长。后经同学介绍,到南京中央工业试验所任文秘工作。1946年,葛介屏在南京新街口举办个人书画展。1949年10月新中国成立后,葛介屏返回合肥,在皖北区文物管理委员会任职。1952年,转入安徽省文物管理委员会任职。1953年,参与筹备安徽省博物馆。1956年,安徽省博物馆正式成立,葛介屏是建馆元老之一,后长期在省博物馆工作,一直到退休。1999年,

---

① 参见钱念孙:《千米煮一粥 四绝继山人——葛介屏先生的人生和艺术》,《小康生活·文明风》2014年第4—5期。

葛介屏在合肥病逝,享年 87 岁。

葛介屏转益多师,功底深厚,志向高远,尤以发扬光大清代安徽怀宁书法篆刻大师邓石如的书艺为己任。他书法工四体,尤精篆隶。就篆书言,善于写甲骨文、金文、籀文及春秋战国时通行于六国的大篆,也擅长写在大篆基础上简化整理而成的小篆,还能写由篆书演变而来的鸟虫书和蝌蚪文。他熟稔古文字的演变历史,悉心钻研各体篆书,并能严格区分大小篆的异同,绝无祖孙杂处一堂的弊病,达到"篆尚婉而通"的境界。他的篆书,写得结构严谨,皆有所本,却又变化多端,别开生面,凝重浑厚,古韵盎然,受到古文字大师商承祚、容庚等人的赏识。

葛介屏的隶书,于《礼器碑》《张迁碑》《西狭颂》《曹全碑》《史晨碑》等都浸染颇深,同时他又对《张猛龙碑》《崔敬邕墓志》《魏灵藏造像》《天发神谶碑》等魏碑下过很深功夫。他以北碑为底蕴,采汉碑之所长,杂篆籀之笔法,收得紧,放得开,规整朴茂,气象高古。他晚年的隶书,不仅形态上别具面目,而且气质上迥异他人,散发着浓郁的金石气,苍茫老辣,古朴遒劲,大气磅礴,神采飞动,呈现出鲜明的"葛氏"风格,颇具大家风范。

葛介屏的楷书,也颇具功力。他撷拾颜真卿《多宝塔碑》《颜勤礼碑》《中兴颂》等名作,得其态势方正,端庄笃实。而小楷则以晋唐为宗,出入于《十三行》《黄庭经》《乐毅论》《灵飞经》等,取其严整有序,秀雅清健。他的楷书经过由唐而晋,再上溯汉魏的过程,大到榜书,小至蝇头,都能挥洒自如,既有整饬和谐之美,又有运动变化之韵。

葛介屏的行草书,总体上虽有流畅之姿、奔腾之势,却处处取涩而避滑,表现出浓厚的拙味。他临过二王阁帖、怀素自叙帖及千字文、孙过庭书谱,特别对邓石如的行草多有取法,注重融篆隶笔法入行草,笔笔行,笔笔留,笔笔呈现锥画沙、屋漏痕之态,给人铁骑挥戈、雄强万变之感。字势雄浑拙朴,笔意若奋若搏,或如万岁枯藤,或如排云列阵,或如侠士舞剑,或如惊蛇入草,无不入木三分,力透纸背。

葛介屏还是治印高手,成就斐然为艺林公认。他青年时代即钻研篆刻艺术，主要取法邓石如、何震，中年后精研甲骨、金文及秦汉文字，融小篆和汉碑体势及笔意入印，运刀如笔，苍茂工致，渐入"印从书入、书从印出"之化境。数十年来，他治印逾千方，全国各地，乃至日本和东南亚等国都有人慕名向他求印，一些著名书画家更以得到他的印章为幸事。

葛介屏亦擅绘事，常作梅、兰、竹、菊、松、荷、芭蕉、蔬果等，也偶作山水。他的画有两大特点：一是"书家画"特征明显。处处以书入画，画中形象涂抹勾勒，多笔笔写出，线条富有力度和弹性，深得中国画笔墨之趣。二是"文人画"意味浓厚。这不仅表现在画面形象简约而多有寄托，更表现在许多画作题跋十分精彩，常为作者自作诗篇，真正做到了诗情与画意的结合并相映生辉。

葛介屏的古典诗词创作也颇有成绩。他少年时代即有可观之作，如《萤火》《蚁斗》，受到蒙师的夸奖。他的诗风总体看与杜甫接近，沉郁顿挫，幽深高远，多以现实主义手法抒写个人感受，常与时代风云紧密结合，较为深刻地反映了社会沧桑变化和个人郁勃情怀。他毕生创作古典诗词千首以上，可惜大多在"文革"中被焚毁，仅存《劫余留稿》一册，收入诗词近300首，内容涉及感怀、论世、言志、题画、记游、送别、唱和、咏景、写物等，其中不少都可以说是佳作名篇。

郑为元[①]

郑为元（1913—1993），字少白，合肥县东乡撮镇（今属肥东县）人。1913年1月20日出生于一个教师之家。父亲郑翱伯，在合肥一所中学教书。母亲虞氏，毕业于师范学堂。有一弟郑为乾。

郑为元早年就读于合肥正谊中学。1930年春，考入中央陆军军

[①] 参见刘思祥：《郑为元传略》，《江淮文史》2001年第4期。

官学校第八期第一总队步兵科。1933年毕业,校长蒋介石亲授绩学奖章和毕业证书。他受到军校德文译述班班主任合肥老乡吴光杰的赏识,留在德文译述班担任助手。1936年,经训练总监部考选,郑为元被派赴意大利轻快步兵学校受训。1940年,郑为元回国,著有《意国陆军概况》一书,由军训部刊行。初任总统府蒋介石拉丁语系翻译官,后调任第七十三军暂编第五师步兵团团长,驻防贵州。

1944年冬,日军西犯湘桂黔,独山、宜山相继失守,重庆国民政府受到威胁。郑为元奉命保卫贵阳,并攻克独山。1945年,郑为元调到第二十九军任团长,率部攻克广西宜山,再克柳州,直逼桂林。并与友军配合,连克全州、灌阳。因战功荣获一枚胜利勋章。1945年8月,抗战胜利后,郑为元调任第三十六军第一三三师参谋长。1946年7月,调任国防部第二厅专员兼组长,主管国际情报。1947年8月,调任驻美陆军副武官。1948年9月,调任驻意大利武官。

1949年,郑为元奉命去台湾。1951年初,任陆军总司令部第五署署长。1953年秋,调任陆军第五军第十四师师长,驻守金门。1954年6月,调任陆军第一军团参谋长。1955年3月,调任陆军第二军军长。1957年2月,调任"国防部"第三厅厅长。1959年8月,调任"国防部"人事行政局局长。不久,调任陆军总司令部参谋长。1961年1月,调任海军陆战队司令。1964年9月,调任陆军第一军团司令。1966年9月,调任"国防部"参谋总部副参谋总长。1967年4月,调任陆军总司令部副总司令。1969年7月,授陆军二级上将。1972年7月,调任参谋总部联勤总司令。1975年4月,调任台湾警备总司令兼军管区司令。1976年,当选为国民党第十一届中央委员。1978年6月,调任"国防部"副部长。1981年6月,调任"行政院"国军退除役官兵辅导委员会主任委员。1982年6月,获得韩国檀国大学授予的荣誉法学博士学位。1984年9月,获得美国佛罗里达理工学院授予的荣誉理工博士学位。1987年4月,调任"国防部"部长。并任"行政院"第十二届政务委员。1988年,当选为国民党第十三届中央常委。1989年12月,辞去"国防部"部长,被聘为"总统府"顾问。1990年,被聘为"总统府"资政和"国家统一委员会"委员。1993年8月3日，因癌症并发心脏衰竭去世，享年80岁。郑为元夫人曹惠玲，合肥人，安徽大学毕业，去台湾后在教育界任职多年，生有子女五人。

龚　澎[①]

龚澎（1914—1970），原名龚维航。龚镇洲之女。1914年10月10日，龚澎出生于日本西海岸的横滨，那一天正是中华民国国庆三周年，"二次革命"失败后流亡日本的父亲为她取名庆生纪念民国。1916年6月，袁世凯称帝失败病死后，龚镇洲夫妇带着龚普生、龚澎姐妹俩回到国内。1928年，龚澎进入上海圣玛利亚女子中学读书，与比她大一岁的姐姐龚普生同校。圣玛利亚女中创办于1881年，是一所西方式的女子贵族学校，除西学必修课之外，还有宗教活动、家政训练和音乐舞蹈表演等选修课，传授西方上层社会的礼仪、社交知识。

1932年夏，龚普生考入北平燕京大学历史系。1933年夏，龚澎亦考入燕京大学历史系，与姐姐再次同校，而且同系。燕京大学是美国基督教会在中国创办的大学，受南京政府控制相对较弱，各方面新思潮、新信息传播较快。龚澎和龚普生在这里阅读了不少进步书刊，又从外籍教师和外国记者那里了解到一些被当局封锁的鲜为人知的消息。1935年底，"一二·九"抗日救亡运动在北平爆发。燕京大学是运动的发祥地之一，龚普生被推举为学生会副主席，龚澎被推举为学生会执行委员兼财务部部长。她们利用燕京大学的特殊条件，加强对外联络工作，通过外国记者的报道，打破国民党严密的新闻封

---

① 参见金安立：《龚澎》，《合肥文史资料》第5辑《合肥人物》；戴健：《声名煊赫的"合肥龚"（六）》，《江淮文史》2005年第2期。

锁,揭露国民党的反动政策,争取国际正义力量的支持。

1935年12月12日,龚普生、龚澎姐妹在燕京大学未名湖畔的临湖轩,主持召开外国记者招待会。到会的十几个外国记者中,除了后来写作《西行漫记》的斯诺和夫人海伦,还有合众社记者麦克·费希、上海《密勒氏评论报》发行人兼主笔鲍威尔、《芝加哥每日新闻》记者弗兰克·斯马瑟斯等人。龚普生、龚澎姐妹在外国记者招待会上,介绍了北平"一二·九"的游行示威情况,揭露了日本帝国主义的侵略阴谋,抨击了蒋介石的不抵抗政策,阐述了爱国进步学生的主张和要求,并且答复了外国记者们提出的各种问题。这次非同寻常的外国记者招待会,是龚普生、龚澎姐妹走上革命道路的开端,也是她们外交生涯的起点。经过"一二·九"运动的洗礼,1936年,龚澎经陈洁介绍,在燕京大学加入中国共产党。

1937年夏,龚澎从燕京大学历史系毕业,回到上海父母身边,在母校圣玛利亚女中教书。1938年初,龚澎离开上海,通过秘密渠道,奔赴革命圣地延安。到达延安后,初入陕北公学,后转入马列学院。1938年9月,龚澎被分配到山西沁县后沟村华北《新华日报》社工作。恰好八路军副总司令彭德怀要到前方总部去,龚澎便与彭总同行。一路上龚澎的才华得到彭总的赏识,到达八路军总部驻地时,龚澎被留下来,担任总司令部秘书。1940年8月1日,龚澎在八路军总部与同事刘文华结婚。刘文华是北京人,汇文中学毕业后,考入唐山交通大学水利工程系。1932年赴德国柏林科技大学学习水利工程,1936年在柏林加入中国共产党。1939年回国,由八路军西安办事处介绍,前往太行山区八路军总部工作,担任朱德总司令秘书。龚澎和刘文华都曾在教会学校读过书,刘文华的弟妹是龚澎在燕京大学的同学,他们一起工作,相互欣赏,很快相爱并结婚了。

1940年9月,龚澎被调往重庆中共南方局工作。起初被分配在以王炳南为组长的外事组,旋改任八路军驻重庆办事处秘书,公开身份是《新华日报》记者,后来成为周恩来的秘书兼英语翻译。龚澎的文化素养较高,思维敏捷,英语娴熟,她经常举办或出席各种类型的中外记者招待会,因而实际上成为中共和八路军的新闻发言人和周恩来的外事发言人。1942年5月,已经担任太行第一军分区政委的刘文华,在行军作战途中,突发盲肠炎,并转为腹膜炎,医治不及,英年早逝。7月29日,龚镇洲在桂林病逝。周恩来率红岩村全体同人写信给住院的龚澎表示慰问,还派邓颖超去医院看望龚澎。1943年11月,经冯亦代、郑安娜夫妇介绍,龚澎与乔冠华结婚。龚澎与郑安娜是燕京大学同寝室同学,乔冠华与冯亦代是老朋友。周恩来对龚澎与乔冠华的结合十分赞许。龚澎与乔冠华喜结良缘后,他们的新房里经常高朋满座。冯亦代、夏衍、胡绳、吴祖光、徐迟、张友渔、杨刚、马思聪等都是常客,还有不少外国使节、记者和友人也来拜访。1944年秋,龚澎和乔冠华的长子乔宗淮在重庆出生。

1946年5月,中共中央决定中共代表团和八路军办事处由重庆迁至南京。周恩来率中共代表团和八路军办事处,入驻南京梅园新村。不久,龚澎、乔冠华夫妇受党组织派遣从南京来到上海,通过龚澎弟弟龚维禹、妹妹龚畹球的帮助,在马思南路107号设立中共代表团驻上海办事处。龚澎、乔冠华主要负责新闻宣传工作,加强与中外记者的联络,代表中共方面发布新闻,编辑出版英文版《新华周刊》。国民党发动全面内战后,根据周恩来的意见,龚澎和乔冠华退往香港,龚澎化名"钟威洛"主编半月刊《中国文摘》,乔冠华后任中共香港工委书记。1949年9月,龚澎和乔冠华奉命北上,以新闻界代表的身份,参加筹备建国的政治协商会议。

新中国成立后,周恩来任政务院总理兼外交部部长,乔冠华任外交部对外政策研究委员会副主任兼亚洲司司长,龚澎任外交部情报司司长。1952年,龚澎随乔冠华赴朝鲜,参加停战谈判,回到北京后生下女儿乔松都。1963年,龚澎升任外交部部长助理。20世纪50年代和60年代初期,龚澎随同周恩来总理成功出访了许多国家,出席了各种国际会议,是周恩来总理在外交工作方面的得力助手。在不少重要的外事活动中,龚澎作为中国代表团的新闻发言人,蜚声国际讲坛,受到各国政要和同行的赞誉,称道她是"一个善于为新中国赢得朋友的人"。

1964年9月,龚澎当选为第三届全国人大代表。1966年"文化大革命"开始后,外交部副部长乔冠华和外交部部长助理龚澎受到严重冲击,多次被批判、揪斗及游街示众,龚澎被打成里通外国的"三反分子"。面对突如其来的灾难,性格倔强的龚澎决不愿低头。一次被批斗后,在回家的路上,她特意去新华书店选购了一张毛主席语录图片:"勇敢、坚定、沉着,在斗争中学习,为民族解放事业随时准备牺牲自己的一切!"回到家里,贴在墙上,然后站在毛泽东语录旁边,让家人为她拍一张照片,表现出了一个共产党员不屈不挠、不怕牺牲的抗争精神。但是严重的精神摧残,使龚澎的健康状况不断恶化。1970年5月,龚澎在参加完一次外事活动后突然晕倒,送到医院后经诊断为脑出血,周恩来总理亲自到医院去看望、慰问她。

1970年9月20日,龚澎因病在北京逝世,享年56岁。龚澎去世时,她的母亲徐文尚健在。徐文在儿子龚维禹处惊闻噩耗,悲痛欲绝。1971年7月1日,徐文在上海去世,享年87岁。1972年1月1日,龚澎姐姐龚普生丈夫,曾任外交部常务副部长的章汉夫,在北京昌平秦城监狱被迫害致死。龚澎儿子乔宗淮曾任新华社香港分社负责人、中国驻朝鲜大使、中国驻日内瓦联合国代表团大使、外交部副部长等职。

陈其五[①]

陈其五(1914—1984),原名刘毓珩,巢县人,蒙古族。幼年随祖父刘原道攻读经史。后考入巢县中学、扬州中学读书。

---

① 参见《巢湖市志》,黄山书社1992年版;纪晴、冷月:《陈其五革命事略》,巢湖市政协文史委员会:《巢湖人物》,1985年。

1934年秋，陈其五考入清华大学哲学系。不久，当选为清华大学学生会主席。1935年，他积极参加"一二·九"运动，任北平学生救国会副主席。后受到国民党政府通缉，被迫离开北平。1936年夏，他与兄刘毓璜，弟刘毓瑶、刘毓琳回到家乡巢县。后大哥刘毓璜担任巢县中学教导主任，并负责照料家族事务，陈其五则带领两个弟弟辗转奔赴延安。

1937年11月，陈其五根据党组织安排，到山西卫立煌部任秘书和战地工作团主任。1938年2月，陈其五由任天马介绍，加入中国共产党。1939年2月，陈其五到新四军彭雪枫部工作，历任团政治部主任、团政委、旅政治部主任、四师兼淮北军区政治部宣传部长、《拂晓报》社社长兼总编辑等职。1945年11月，调任华中军区政治部宣传部长。1947年2月，调任华东野战军前委委员、政治部宣传部长兼新华社华东分社社长。

1949年4月，陈其五调任上海市军事接管委员会政治部副部长。后任中共华东局宣传部常务副部长、华东军区政治部宣传部长、南京市委宣传部长、华东军政委员会教育部党组书记、上海高教部部长、上海市委宣传部常务副部长等职。

1962年冬，陈其五受到错误批判，被开除党籍，离开上海，被派到扬州，任江苏农学院教务处副处长。1978年，中共上海市委予以平反，恢复党籍，恢复名誉。1981年，任上海市委宣传部副部长。1984年9月9日，陈其五因病在上海去世，享年70岁。

董寅初[①]

董寅初（1915—2009），合肥人。出身书香门第，自小生活在苏

---

① 参见《董寅初同志生平》，《新华月报》2009年第14期。

州,先后就读于苏州东吴大学附中和上海光华大学附中。1934年考取上海交通大学实业管理系,在校期间,联合进步学生发起成立上海交通大学救国会,被推选为执行主席,积极联络上海各大学学生会,开展抗日救亡活动。1938年毕业后任上海《大美晚报》翻译,后赴香港邮政汇金局任职,兼任香港《申报》翻译和编辑。1939年8月赴印度尼西亚雅加达任《天声日报》编辑。1940年创办《朝报》,任经理兼总编辑,利用该报发表了大量抗日救亡文章,在华侨中间开展抗日救国宣传工作。1942年底,因从事抗日救亡活动被日军逮捕入狱。1945年,日本投降后被释放。后任印尼中华侨团总会总干事兼华侨治安总会主任。1947年回上海定居,担任印尼建源公司上海分公司总经理、上海中国酒精厂厂长。1949年后历任上海市国际贸易联营公司副总经理、上海溶剂厂经理、上海轻工业品进出口公司经理、上海市对外贸易促进会副主任、上海华建公司董事长兼总经理等职。1956年,积极响应政府号召,带领上海市部分从事进出口的企业首批进入公私合营行列。曾担任上海市归国华侨联合会副主席、主席、名誉主席,上海市政协常委、副主席等职。1980年加入致公党,曾担任致公党上海市支部委员会主任委员,为致公党上海地方组织的建设做了大量基础性的工作。1983年11月当选致公党中央副主席。1988年12月、1992年12月,连续当选中国致公党第九、第十届中央委员会主席,为第十一届中央委员会名誉主席。担任第七届全国人大常委会委员,政协第五届全国委员会委员、第六届全国委员会常委、第八届全国委员会副主席,全国政协台港澳侨联络委员会主任。董寅初是著名的爱国侨领和社会活动家,中国致公党的卓越领导人,因病于2009年6月23日在上海逝世,享年95岁。

吴孟复[①]

吴孟复(1919—1995),名常焘,字孟复,号山萝,庐江人。1936年,毕业于无锡国学专修学校。1944年,任上海政法学院教授。后任暨南大学副教授。1949年新中国成立后,任教于安徽师范学院。后任教于淮北煤炭师范学院,任中文系教授、系主任,古籍研究所所长,图书馆馆长等职。1988年,调入安徽教育学院,任中文系教授。同时担任安徽省社会科学联合会副主席、安徽省古籍整理出版规划委员会委员、《安徽古籍丛书》编审委员会主任等。1995年2月2日,因病在合肥去世,享年76岁。

吴孟复早年在无锡国专受业于唐文治、陈衍、姚永朴、柳诒徵诸大师,得桐城派嫡传,并且学贯文史儒玄,兼擅骈散诗词。中年以后,致力于目录学、训诂学,融考据辞章于一冶,深沐皖学之泽,并纬以新知。他博学深思,渊雅闳通,勤于撰著,多获创见,其学术影响波及海内外。在大陆和台湾出版有《古书校读法》《语文欣赏例读》《训诂通论》《屈原九章新笺》《唐宋古文八家概述》《桐城文派述论》《古籍研究整理通论》《吴山萝诗文录存》《吴孟复安徽文献研究丛稿》等著作。

吴孟复晚年主编《安徽古籍丛书》,主要是因为"伟大祖国,历史悠久,典籍丰富。我省地处南北之交,学术尤擅其盛。数千年来,哲学、史学、文学、艺术、语言、科技,作者辈出,著述如林,或蔚然成派,多为中华民族文化之菁华,有裨于社会主义文化之建设。允宜及时整理,以广流传"(《安徽古籍丛书编印缘起》)。吴孟复为《安徽古籍丛书》的编审和出版,倾注了大量心血,经他精审的安徽古籍点校本,

---

① 参见黄季耕:《吴孟复教授近年学术论著述略》,《安徽教育学院学报》1992年第4期;黄季耕:《吴孟复先生的学术评价》,《安徽教育学院学报》1998年第1期。

出版后受到学术界好评。同时他还担任了整理《续经籍纂诂》《古文辞类纂》《汉魏六朝诗纪事》等重要古籍的主编。由于吴孟复在教学和科研,尤其是文史研究和古籍整理方面的突出贡献,1988年,他被评为"安徽省劳动模范"。1991年12月,享受政府特殊津贴。

唐德刚[①]

唐德刚(1920—2009),出生于合肥西乡(今属肥西县)唐家圩。他自幼喜欢文史,14岁时,已能通读、点校《资治通鉴》。1936年,唐德刚考入省立安庆高中。1937年抗战爆发,12月南京沦陷,安庆告急。唐德刚回到合肥老家,改入合肥省立第二临时中学。1938年5月,合肥省立第二临时中学动身迁校。全校300多名师生在校长顾访白率领下,横穿大别山,向武汉进发,唐德刚担任护校队长。省立第二临时中学迁到武汉后,与安徽另外迁到武汉的7所中学合并,成立国立安徽中学,校长杨廉。因为湖南省主席张治中的邀请,国立安徽中学再迁湘西。1938年10月,教育部任命邵华为国立安徽中学校长。因为教育部在四川江津成立了国立第二安徽中学,国立安徽中学改称国立第一安徽中学。1939年3月,教育部通令各国立中学,按成立时间重新命名。国立第一安徽中学是第八个成立的国立中学,所以改称国立第八中学,校长仍为邵华。

1939年夏,唐德刚从国立第八中学毕业,考入重庆中央大学文学院历史系。当时蒋介石任中央大学校长,朱经农任教育长,代蒋介石行使校长职权。历史系主任是著名历史学家金毓黻。1943年夏,唐德刚从中央大学历史系毕业。中央大学师范学院教授汪少伦应新

[①] 参见徐承伦:《唐德刚印象记》,《江淮文史》1993年第5期;刘敬坤:《我所知道的唐德刚》,《江淮文史》2006年第6期。

桂系邀请,出任安徽省教育厅厅长,唐德刚随汪少伦来到战时安徽省省会立煌县。汪少伦在立煌县创办安徽学院,并兼任院长,聘请唐德刚为史地系讲师,当时史地系主任是李则纲。1946年2月,安徽学院从立煌迁至合肥、芜湖。唐德刚准备赴美留学,离开安徽学院,到舒城中学任教。1947年秋,唐德刚赴美,入哥伦比亚大学学习,很快获得硕士学位,又继续攻读博士学位。

唐德刚在哥伦比亚大学取得哲学博士学位后,留在哥伦比亚大学图书馆任职。其间,唐德刚回到台湾,帮助郭廷以筹建"中央研究院"近代史研究所。郭廷以曾任中央大学历史系教授,教过唐德刚中国近代史课程。唐德刚在台湾,还结识了一些台湾大学教授,其中沈刚伯、劳干、徐光等,都曾经是中央大学教授,沈刚伯还教过唐德刚历史课程。因为种种缘故,唐德刚后来没有留在台湾,而是返回哥伦比亚大学。郭廷以曾写信给哈佛大学东亚研究中心主任费正清,介绍唐德刚到该中心工作。

20世纪50年代中期,哥伦比亚大学东亚研究所成立了中国口述历史学部,并制订了一个编纂计划。唐德刚参加中国口述历史学部的工作,第一个访问对象是胡适。胡适在青年时代暴得大名,但当时则处于人生的低潮期,海峡两岸,一边是"尊而不亲",一边是"彻底批判",胡适只好在美国纽约当寓公。由于胡适经常到母校哥伦比亚大学中文图书馆看书读报,便和馆内职员小同乡唐德刚相识,后来胡适经常打电话请唐德刚帮他查书借书,并邀请唐德刚去他家品尝夫人江冬秀烧的"徽菜"。1956年冬,唐德刚受哥伦比亚大学中国口述历史学部委派,开始帮助胡适整理口述自传。胡适用英文进行口述,唐德刚用录音机和打字机进行记录整理。由于胡适1958年出任台湾"中央研究院院长",口述和录音工作一度中断,最后由唐德刚整理出一份英文清样稿,并经过胡适审阅认可,交给哥伦比亚大学中国口述历史学部保存。1962年,胡适在台湾去世。1972年,哥伦比亚大学公布了《胡适口述自传》英文稿并影印发行。1979年,唐德刚应出版社要求,将《胡适口述自传》英文稿译注成中文稿出版。其中唐德刚本人的注释部分颇具特色,约占全书篇幅的三分之一,注释内容除了一般性的提供引文出处,交代背景材料,澄清某些事实之外,更多的是围绕胡适的话题展开,或辩驳,或评判,或引申,带有研究和评论性质。《胡适杂忆》本来是唐德刚为《胡适口述自传》中文版写的序言,因为长达10余万字,后来只好单独出版。《胡适口述自传》和《胡适杂忆》的正式出版使唐德刚成为著名的胡适研究专家,也成为海内外胡适及中国近现代史研究者的必读书目。

1958年春夏之交,《胡适口述自传》工作告一段落后,哥伦比亚大学口述历史学部邀请李宗仁做口述自传,李宗仁答应合作,唐德刚受哥伦比亚大学东亚研究所指派,前往李府协助李宗仁撰写口述自传。唐德刚受过专业史学训练,在立煌县安徽学院任教的两三年里,与新桂系的大小人物有些往来,对新桂系的历史和内情也有一些了解,因此李宗仁对唐德刚前来帮助自己整理口述自传也较满意。唐德刚费时7年,帮助李宗仁整理、撰写了《李宗仁回忆录》中英文两个本子。哥伦比亚大学口述历史学部主持人韦慕庭、何廉,在为《李宗仁回忆录》英文版合撰的"导言"中,郑重指出本书是"一位历史制造者与一位历史学家的合著"。李宗仁1965年7月返回中国时,身边带有英文稿副本。据说毛泽东在中南海会见李宗仁时,曾询问过回忆录稿子,并表示很想先睹为快,李宗仁拿出了英文稿,毛泽东嘱咐王海容等人将英文稿译成中文,以便阅读。1980年6月,广西壮族自治区政协文史资料委员会根据李宗仁长子李幼邻从海外带回的《李宗仁回忆录》中文稿,编审校订,内部出版,全书近60万字。1985年1月,广西人民出版社出版《李宗仁回忆录》中文版时,署名"李宗仁口述,唐德刚撰写"。唐德刚在序文中指出,这部与李宗仁合作的回忆录,是他"用功最深,费力最大,遭遇困难最多的一部有原始性的史书"。

1960年,哥伦比亚大学口述历史学部又委派唐德刚帮助顾维钧撰写口述自传。唐德刚与顾维钧合作,顾维钧口述,唐德刚执笔,并且查阅了顾维钧数十箱档案资料。1962年,《顾维钧回忆录》英文稿基本完成,约300万字。唐德刚笔录整理了绝大部分内容,并做成缩微胶片，交给哥伦比亚大学口述历史学部保存。1979年，中国社会科学院近代史所一批学者访美，经顾维钧同意，带回了《顾维钧回忆录》英文稿，陆续翻译成中文在中华书局出版。

1962年初，唐德刚在哥伦比亚大学东亚研究所任研究员，同时，还担任了哥伦比亚大学中文图书馆馆长，一干就是7年。这是一所世界闻名的中文图书馆，藏有中文图书20多万册，报刊数百种。当时馆内半数以上古籍线装书损毁严重，需要修补，那些民国时期出版的报刊，也发黄变脆，急需保护。唐德刚带领全馆同人，想方设法，在抢救保护珍贵图书报刊的同时，对馆藏加以整理和扩充，更好地为全校师生服务，并且接待了大批研究中国学的知名学者。

1972年，唐德刚离开哥伦比亚大学，前往纽约市立大学，担任亚洲学系教授，并出任系主任。1972年尼克松访华后，中美关系开始解冻。1973年，唐德刚与内地的弟弟取得联系，知道80岁的老母亲还健在，决定回国探亲。他在北京受到了内地高层人士的接见，又去乾面胡同拜访当年中央大学历史系教授贺昌群，在芜湖见到了母亲和弟妹，在安徽大学拜见了湘西国立八中的老师陶梦庵。1981年，唐德刚以纽约市立大学"交换教授"身份再访大陆。他到北京、上海、陕西、山东、安徽等地多所大学讲学，历时4个月，相当辛苦，也相当愉快。1985年8月，唐德刚应全国政协邀请，到北京参加"林则徐诞辰二百周年纪念会"，会后又到福州、泉州、厦门等地参观访问。回到美国后，他作了《三访大陆》的演讲，以自己亲身见闻介绍了大陆的巨大变化，也谈到了存在的种种问题，但对大陆的未来充满信心。1985年以后，唐德刚在大陆学界的知名度越来越高，经常受邀回大陆参加学术会议，还被西北大学、山东大学、安徽大学等高校聘为名誉教授。

唐德刚学贯中西，多才多艺。出版过不少著作，除了胡适、李宗仁、顾维钧等人的回忆录之外，英文著作有《第三种美国人》《中美外交史》《第一次国共合作期间的中苏关系》《美国民权运动》《中美百年史》等，中文著作有《梅兰芳传稿》《史学与红学》《书缘与人缘》《袁氏当国》《晚清七十年》等，还出版了自传体长篇小说《战争与爱情》。发表了不少有影响的学术论文和人物传记,写过一些剧本和上千首旧体诗和新诗。

2009年10月26日,唐德刚在美国旧金山病逝,享年89岁。唐德刚夫人吴昭文,毕业于台湾大学,父亲吴绍澍抗战胜利后曾任上海市副市长兼社会局局长。唐德刚与吴昭文在美国育有一子一女。

亚 明[①]

亚明(1924—2002),原名叶家炳,1924年9月29日(一说10月1日)出生于合肥市南门王箍桶巷。叶家祖籍苏州阊门,祖父曾参加太平军,跟随英王陈玉成反抗清朝统治。父亲叶焕亭在太平天国失败后转投淮军首领、晚清重臣李鸿章门下,担任仓房管事,叶家便从苏州迁到合肥。母亲邵韵华是个农家女,勤劳善良,热情正直。叶家炳有一个姐姐、一个弟弟、一个妹妹。

叶家炳4岁被送进教会办的城南小学读书,三年级时转入省立六中附小。他对算术课不感兴趣,喜欢读古典小说和诗文,尤爱绘画和听说书。1937年,父亲因肺痨不治身亡,叶家经济陷入困境,叶家炳不得不辍学,帮母亲分担家务。1938年5月,日军飞机轰炸合肥,叶家住宅被焚毁。不久,日军占领合肥,母亲带着一家人东躲西藏,后寄居在东乡店埠镇长岗村一座破庙里。1939年秋,征得母亲同意后,叶家炳在合肥东乡参加新四军游击队,因年龄较小,被部队保送到津浦路西联合中学继续读书。1941年,新四军淮南抗日根据地创办淮南艺术专科学校,校址设在天长县大通镇邬家郢。叶家炳初入戏剧系,后在美术系教员亚君帮助下转入美术系。为了表达对亚君

---

① 参见钱念孙:《借古开今的画坛闯将亚明》,《诗情画意蕴风流》,安徽文艺出版社2014年版;石楠:《著名画家亚明走过的艺术道路》,《江淮文史》1993年第1—6期,1994年第1—5期;何合民:《国画大师亚明和他的壁画》,《志苑》1993年第1期。

恩师的敬仰和感激,叶家炳更名为亚明,并毕生使用。

淮南艺专创办时间不长就停办了,亚明被分到新组建的淮南大众剧团做舞台美术工作,后转入淮南抗敌文化协会协助美术工作队负责人亚君工作。1942年春,亚明服从组织安排,告别恩师到冶山县文教科任职。后转入和含支队政治部文艺工作队工作。不久又化名王有才任武工队队长,在敌后开展武装斗争。1944年,新四军第七师第二十一旅组建文工团,亚明被调去担任艺术指导。后又调到第七师政治部宣传科工作。

1945年抗战胜利后,新四军第七师奉命开往山东。到达枣庄后,亚明担任政治部宣传科美术股副股长,主编《刀与笔》杂志。杂志只出了两期,亚明被调到第三野战军政治部《山东画报》(后改名《华东画报》)社任随军记者兼编辑。1948年,第三野战军南下,亚明调到苏北军区政治部任《战士画报》主编。在苏北泰州军区政治部驻地,亚明接待一批上海来的准备北上的进步文艺青年,结识了19岁的滁县籍舞蹈演员鲍如莲,两人一见钟情,坠入爱河。鲍如莲留在新成立的苏北军区政治部文工团工作。1949年4月,三野渡江后,解放无锡,成立无锡军管会,亚明负责军管会文艺处工作。

1950年,无锡市美术工作者协会成立,亚明任主席。1951年春节,亚明在无锡公园举办一次中国画展览,产生良好反响,展品多是从一些知名画家和收藏家处借来,他也由此与诸多书画家建立了友谊。1952年,亚明与鲍如莲在无锡结婚。1953年春,苏南行署、苏北行署和南京市合并成立江苏省,亚明夫妇从部队转业到省会南京市工作。亚明参加筹建江苏省文联,分管美协,主抓美术工作室、美术陈列馆等工作,鲍如莲担任江苏省歌舞团舞蹈队队长。1953年6月,亚明作为中国艺术家的代表,被选入中苏友好代表团,赴苏联参观访问。回国后出版了第一本画集《访苏速写辑》。1956年10月,中国美术家协会江苏分会筹备委员会成立,傅抱石任主任,吕凤子、李剑晨等任副主任,亚明任副主任兼秘书长。1957年"反右运动"开始后,亚明想方设法保护江苏画家,他领导的江苏美协、国画院及美术馆,没有人被打成"右派",这是相当不容易的。1959年1月,亚明领衔的江苏省国画展览在北京举行,因为彰显传统中国画变革创新的开拓精神,成为轰动全国美术界的一件大事。1960年3月,江苏省国画院成立,傅抱石任院长,亚明任书记兼副院长,实际主管国画院工作。1960年9月至12月,亚明率领"江苏国画工作团"一行13人,包括亚明、傅抱石、钱松岩、余彤甫、丁士青、张晋、魏紫熙、宋文治、王绪阳等9位国画院画师和睦关荣、朱修立、邰启佑、黄茗芊等4位南京艺术学院师生,先后到郑州、洛阳、西安、延安、三峡、华山、成都、重庆、峨眉山、武汉、长沙、广州等地旅行写生。回到南京后整理画稿,创作出160幅作品,于1961年元旦举行写生创作展览,引起强烈反响。1961年4月,中宣部指示将这次旅行写生创作以"山河新貌"为题在中国美术馆举行展览,历时20天,观众络绎不绝,受到美术界和文化界很高的评价,解决了"中国画能否反映现实"这个新中国成立以来争论不休的重要问题,为新金陵画派的崛起奠定了基础。1966年"文革"开始后,亚明受到造反派严重冲击,并被押到镇江高资乡下五七干校劳动改造达5年之久,直到林彪"九一三事件"后,才被允许返回南京。

1976年10月"文革"结束后,亚明积极进行恢复江苏省国画院工作。1977年4月,江苏省国画院恢复,钱松岩任院长,亚明仍任书记兼副院长。当年秋天,他就组织国画院14位画家赴湖南旅行写生。返回南京后,整理创作出300余幅作品,以"芙蓉国里尽朝晖"为题,于1978年3月举行写生创作画展,反响较好。亚明个人作画40幅,取名《三湘四水集》,由上海美术出版社出版。此后,亚明不断组织江苏画家外出写生,先后有"东北行""西北行""西南行""皖南行"等。1979年,亚明曾被抽调到北京参加恢复中国美协和筹备成立中国画研究院工作,后任中国美术家协会常务理事、中国画研究院院务委员。时任文化部部长黄镇曾劝说亚明留在北京,担任文化部艺术局领导工作,亚明以不习惯北方生活为由婉言谢绝。1980年4月,亚明率江苏画家代表团访问日本,在名古屋举办江苏国画院作品展。

1981年,亚明当选为江苏省美术家协会主席。1983年9月,亚明参加中国友好代表团访问芬兰、挪威、瑞典、冰岛、丹麦等北欧五国。此行写生作品近百幅,回国后在北京举办"亚明北欧五国写生作品展",产生较大反响。1986年,亚明率中国画家代表团出访美国,分别在洛杉矶、旧金山、芝加哥、华盛顿、纽约等城市举办画展。1987年,再赴日本,在东京举办个人画展。1988年,再赴美国,在纽约举办江苏国画院作品展。1993年,赴新加坡、马来西亚举办个人画展。1994年,赴泰国举办个人画展。1997年,赴欧洲访问写生。2001年9月,坐落在合肥包河公园景区的亚明艺术馆开馆。

亚明本来喜欢热闹,热情好客,来访者很多,有官员、战友、朋友、艺术家、部属、学生等。他曾戏拟一副对联:"党政军民来来去去,三教九流进进出出。"然而绚烂之后归于平淡,亚明晚年在南京"悟园"寓所开始有些厌倦世俗的尘嚣和繁忙的应酬,希望能有较多的自由时间,实现自己的精品创作梦想,他想到了隐居。在太湖之滨的苏州东山镇响水涧新义村,亚明相中了一座明代古宅,在地方政府的支持下,自己出资改建,将这座颓壁残垣的空旷古宅修缮一新,取名"近水山庄"。1989年,亚明入住近水山庄,在相对安静单纯的环境里,潜心创作。他计划用10年时间,绘制一批壁画,打破"江南无壁画"的历史。他把第一进敞厅的正面后墙一分为三,每一块约七米高五米宽,打算画三幅大型壁画,中间画《黄山松云图》,左边画《华山瑞雪图》,右边画《泰山朝晖图》。东面墙壁以墙柱为间隔分为四块,分别画唐代诗人李白、孟浩然、王维、李颀四首诗的诗意;西面墙壁与东面墙壁对称,分别画宋代诗人欧阳修、苏轼、王安石、王禹偁四首诗的意境;影墙后壁,则画宋代文学家范仲淹一首词的词意。第二进敞厅的三面粉墙,以通景画的形式绘制长卷壁画《万里长江图》。还打算在庭院四周的墙壁上嵌入50米长的勒石造像,将中国历代近百位艺术大师的形象镌刻碑廊。他在近水山庄画了一批表现太湖、黄山风景的山水画,还画了一批表现中国古典文化精神的作品,在题材内容上,与以往较为注重现实生活和时代精神有所不同,在谋篇布局上,也与过去推崇的苦心经营、巧妙构思有所不同,风格更加质朴雄浑,笔墨更加酣畅淋漓,彰显出"从心所欲不逾矩"的大家风采。他在近水山庄还准备系统整理自己对书画艺术的看法,编撰《论画语录》等论著。2002年2月14日,亚明在南京病逝,享年78岁。

鲁彦周[①]

鲁彦周(1928—2006),1928年10月3日出生于巢县北乡鲁集村。曾祖父鲁文光,是地方乡绅,做过团练头目。祖父鲁凤翥,在乡务农。父母亲文化不高,皆为纯朴勤劳的农民。有一个弟弟。

鲁彦周在鲁集村发蒙,稍长去江南读书,肄业于贵池昭明国学专科学校。1949年渡江战役前夕,在巢县做民运支前工作。后到华东大学皖北分校学习。1950年后,在皖北行署文教处、皖北文联和安徽省文联工作。1956年后从事专业创作。1959年参加中国作家协会。1960年4月加入中国共产党。还曾担任安徽省作家协会常务理事、安徽省文联委员、《安徽文艺》编委等职。1966年"文革"开始后被迫停笔。这一时期的主要作品有:独幕话剧《归来》(1956年,通俗文艺出版社)、黄梅戏剧本《王金凤》(1956年)、电影文学剧本《春天来了》(1956年,艺术出版社)、独幕话剧《梦》(1957年,《安徽文艺》)、多幕话剧《波澜》(1957年,《江淮文艺》)、电影文学剧本《凤凰之歌》(1957年,中国电影出版社)、散文集《淮北寄语》(1958年,安徽人民出版社)、中篇儿童小说《找红军》(1959年,上海少年儿童出版社)、电影文学剧本《三八河边》(1959年,中国电影出版社)、电影文学剧本《风雪

---

① 参见鲁彦周:《我的家世》,《江淮文史》1994年第2期;《中国文学家辞典》现代第1分册,四川人民出版社1979年版;唐先田:《鲁彦周的〈归来〉及其戏剧创作》,《安庆师范学院学报》2001年第1期;柏龙驹:《鲁彦周的影视剧情结》,《江淮文史》2001年第2期;梁长森:《鲁彦周文学成就的辉煌展示——读〈鲁彦周文集〉》,《学术界》2003年第1期。

大别山》(与陈登科合著,1959年,上海新文艺出版社)、电影文学剧本《卧龙湖》(与陈登科合著,1959年,中国电影出版社)、短篇小说集《桃花汛前》(1960年,安徽人民出版社)、多幕话剧《人在春风里》(1963年)、电影文学剧本《雏鹰》(1963年,《电影文学》)。

1976年10月"文革"结束后,鲁彦周重新开始创作。主要作品有:话剧《大河春秋》(与江深合著);电影文学剧本《柳暗花明》、《巨澜》(与萧马、江深合著)、《廖仲恺》、《他在特区》;电视剧剧本《彭雪枫》;中篇小说《天云山传奇》《呼唤》《清澈如水的眼睛》《春前草》《苦竹林,苦竹溪》《山魂》《逆火》《乱伦》《孽缘》《迷沼》;长篇小说《彩虹坪》《古塔上的风铃》《阴阳关的阴阳梦》《双凤楼》《梨花似雪》。2003年,安徽文艺出版社出版了8卷本的《鲁彦周文集》,收入他的长、中、短篇小说,电影、电视、话剧、戏曲剧本,散文等作品,共400多万字。鲁彦周在新时期担任过中国作家协会理事、中国电影文学学会副会长、安徽省文联副主席、安徽省电影家协会主席、安徽省作家协会副主席、安徽省戏剧家协会副主席、《清明》文学杂志主编等职,还曾当选为中共十二大代表、安徽省政协常委。2006年11月26日,鲁彦周在合肥病逝,享年78岁。

鲁彦周说:"我的处女作是短篇小说《云芝和云芝娘》,而我的成名作则是独幕话剧《归来》。"《归来》完稿于1956年初,当时鲁彦周只有28岁,已经是一位小有成就的青年作家。1956年4月,全国举行话剧观摩会演。《归来》经安徽省文化局副局长江枫推荐,由安徽省话剧团排演搬上舞台,并进京参加观摩会演,一炮打响,鲁彦周荣获剧本创作一等奖,这次会演创作一等奖只有三个,另两个是陈其通创作的《万水千山》和曹禺创作的《明朗的天》。《归来》还获得了演出一等奖,主演李琦获得演员二等奖,导演李培仁获得导演三等奖,舞台制作也获得三等奖。会演结束后,《归来》还被推荐到中南海,演给毛泽东和中央领导看,在首都轰动一时,《人民日报》《光明日报》《文艺报》等都发表长篇文章予以评价推荐。《归来》剧本的成功不是偶然的,该剧的主要内容是:新中国成立以后,在农村的妻子等待丈夫"归来"团聚,她没有想到从农村出去并且与自己共过患难的丈夫,从城市"归来"却是为了和她办理离婚手续,因为他在城里已另有新欢。鲁彦周在一个独幕话剧的容量里,通过一对夫妻之间的矛盾,深刻反映了新社会出现的两种伦理道德的冲突,在无情鞭挞蜕化变质丈夫的同时,热情歌颂了一位普通农村妇女的精神风尚和道德情操,把一个活脱脱的新社会的新女性呈现在观众面前。这部戏的思想内容在当时具有典型意义,随着解放战争的节节胜利,许多干部由农村进入城市,有些人面对城市的繁华,滋生了享乐思想,引发了一出又一出"喜新厌旧"的婚姻悲剧。

　　鲁彦周的创作再次引起全国关注则是他的中篇小说《天云山传奇》。《天云山传奇》发表在1979年《清明》创刊号上,这是一篇探讨新中国成立后"反右"斗争经验教训的厚重作品,当时"反右"问题尚属禁区,在各种文艺作品中均无反映,鲁彦周在十一届三中全会精神鼓舞下,深刻反思了共和国三十年的曲折历史,认为从1957年"反右"到十年"文革"的灾难,病根就在于日趋严重的"左"倾错误。因此这部小说通过一个追求进步、追求革命的知识分子被错划为右派的经过和遭遇的种种磨难,深刻地揭露了"左"倾路线对人性的扭曲,对社会造成的严重后果。小说发表后,在社会上产生了强烈共鸣,上海电影制片厂著名导演谢晋慧眼识珠,约请鲁彦周把小说改编成电影文学剧本,电影《天云山传奇》1980年上映后很快风靡全国,荣获第一届金鸡奖最佳故事片奖和第四届电影百花奖,鲁彦周也获得了最佳编剧奖。

　　鲁彦周在"文革"前已经是一位引人注目的青年作家,"文革"后勤奋耕耘,佳作连篇,思想上、艺术上都登上了一个新的高度,是当代文坛永葆创作青春、与时俱进的一位优秀的高产作家。他是新中国诞生后成长、成熟起来的一位现实主义作家,他的作品反映了新中国半个世纪以来曲折行进的历史轨迹,可以说是"时代的生活和情绪的历史",因而又具有历史学、社会学方面的价值和意义。而他几十年的文艺创作,题材领域的扩大,思想境界的提高,艺术追求的执着,每个阶段都有打动人心和常读常新的标志性作品的问世,奠定了他在当代中国文坛的重要地位,成为当代安徽文坛当之无愧的一面旗帜。

周本濂[①]

周本濂(1931—2000),原籍合肥,1931年10月20日出生于江苏省扬州市。1952年,毕业于清华大学物理系,被分配到沈阳正在筹建的中国科学院金属研究所工作,师从著名科学家葛庭燧博士(1955年当选中国科学院院士),从事金属的形变与内耗研究。在葛庭燧的精心指导下,他在铝铜和铝镁的形变和内耗研究中,发现了温度内耗峰、振幅内耗峰和应变时效内耗峰的同时出现,为以后的科研工作打下了良好基础。

1958年,周本濂参加金属研究所所长李薰(1955年当选中国科学院院士)领衔的国家重点课题,从事高温热物理性能测试技术的研究。到20世纪70年代末,金属研究所的高温热物理性能测试工作,已经覆盖各种固体材料、各个温度区间、各种性能参数。在这一重要领域的研究工作中,周本濂刻苦钻研,颇多创建,如测量弹性模具的端点悬挂法、激光脉冲加热降温比值热测试法、非均匀材料热传导均匀化变换、烧蚀过程中测量热导率等,为我国航空航天装备关键材料的高温热物理性能测试工作做出了重要贡献。

由于周本濂从事的科研项目大都与国防科技有关,具有极高的保密性,在1958年至1978年这20年间,周本濂从科技界神秘地"消失"了,很多同学都不知道他在做什么,很多研究成果都不能公开发表,但为了祖国的国防科技事业,周本濂甘于寂寞,辛勤工作,无怨

---

① 参见秦品端:《材料物理学家——周本濂》,《合肥文史资料》第21辑《科技人物专辑》。

无悔。

1980年,周本濂开展了材料热物理性能微观过程研究,取得了一系列重要成果,引起国内科学界的重视。同年,他加入了中国共产党。1981年,周本濂承担航天工业部的洲际导弹端头帽碳复合材料热应力损毁机理研究课题。20世纪80年代中后期,周本濂又进行了复合材料仿生研究。80年代末,周本濂承担了国防科工委委托的军用材料研制工作。1990年7月,周本濂撰写了《我们的论文发表在蓝天上》一文,回顾自己和金属所几十年来的科研工作。1997年10月,周本濂当选为中国科学院院士。1998年11月,周本濂参加在美国夏威夷召开的亚太地区21世纪材料科学研讨会,他的仿生材料研究成果,受到与会科学家的重视。2000年6月21日,周本濂因心脏病突发去世,享年69岁。

1959年,周本濂与金属研究所同事陶冀平结婚。生有一女一子,女儿后任沈阳某环境科学研究所所长、高级工程师。儿子博士毕业后,从事材料科学研究,子承父业。

王唯农[①]

王唯农(1934—1980),合肥东乡(今属肥东县)王铁人。1934年12月29日出生于南京。父亲王秀春,曾任国民党中央统计调查局第三处处长。母亲茆家英,合肥东乡马集人。

1949年春,王唯农随父母去台湾,在台北读完中学。1953年,考入中正理工学院。1956年毕业,在全台高等学校毕业会考中,获得化工科第一名。1958年,考取台湾清华大学原子能科学所研究生。

---

① 参见吴松保:《王唯农:英年早逝的台湾物理学家》,《合肥文史资料》第12辑《海外合肥名人》。

1960年，取得硕士学位，并获得第一届中山奖学金第一名，被官费送往美国壬色列理工学院，继续攻读原子核物理。

1965年，王唯农在美国取得博士学位后，回到台湾，担任台湾清华大学教授，兼任物理系主任、物理研究所所长，并负责筹建台湾第一个低温固体物理实验室。当时王唯农年仅31岁，意气风发，精力旺盛，经多方奔波，半年内就完成了低温固体实验室的筹建工作，并立即投入了研究，很快就在核反应及核能研究领域取得了多项成果，出版的《原子核反应》专著和多篇论文，引起国际物理学界和核能源专家学者的重视。时任台湾"中央研究院"院长、著名物理学家吴大猷，特聘他为"中央研究院"研究员兼物理研究所副所长。

1969年，王唯农应联邦德国洪堡基金会邀请，赴联邦德国考察研究核能工业。回台湾后，担任科技发展委员会自然科学及数学组主任，参与主持台湾核能源开发的研究工作。1972年，调任台湾青年工作委员会主任。1974年，调任国民党台湾省党部主任委员，并当选为第十一届国民党中央委员。1978年8月，就任台南成功大学校长。1980年2月，王唯农因肝癌晚期在台南病逝，年仅46岁。

王唯农在家中排行老二。兄王唯科，美国史蒂文生大学化工硕士毕业，后担任台湾中山科学院化工研究所研究员。大弟王唯工，美国约翰霍布金斯大学生物物理博士毕业，后担任台湾"中央研究院"研究员。二弟王唯民，美国芝加哥大学政治学硕士毕业。妹妹王志平，台湾师范大学毕业，后赴美留学。王唯农夫人曹美芳，供职于台湾"中央科学委员会"，生有二子王恒中、王兴中，一女王惠中。

蔡永祥[①]

蔡永祥（1948—1966），合肥东南湖滨乡（今属肥东县）人。兄弟6

---

① 参见刘晓伟：《记蔡永祥、蔡永红兄弟先进事迹》，《江淮文史》2002年第2期。

人,排行老三。1966年2月参军到杭州,成为钱塘江大桥守桥连队中的一员。

蔡永祥忠于职守在连队里是出了名的。夜里在大桥下的哨位站岗时,为了能观察得更清楚,他就蹲在半人多深的工事里,脸贴着潮湿的地面警惕地巡视着江面。一天夜里,他正在江边值勤,忽然下起倾盆大雨,不远处就有一个岗亭,但他为了更好地观察,站在原地没有动。指导员查哨时见他浑身湿透,让他到岗亭里去避雨,他说:"为了大桥的安全,淋点雨算什么!"

蔡永祥对自己日夜守卫的这座大桥有着特殊的感情。每次上岗下哨,他都要认真查看枕木有没有腐坏,铁轨铆钉是否松动,大桥扶栏有没有缺损,然后及时报告。他看到每天运载煤炭和牲畜的火车经过大桥,渗漏在铁轨上的煤屑和粪便会腐蚀枕木,下哨后常常拿着扫帚和铁锹把路基上的污物清扫干净,战友们都夸他比大桥维修工人还细心。一次,工人对大桥进行维修,蔡永祥主动帮他们刷油漆,刺鼻的油漆味呛得他直想呕吐,但他依然一丝不苟地干着,工人师傅夸奖他是一位爱桥的好战士。

无数个夜晚,蔡永祥站在哨位上,凝视着天空闪烁的群星,眺望着大桥延伸远去的北方,不禁心潮澎湃。一天他下哨回来,在日记本上写下了这样的诗句:"天上星,亮晶晶,守在大桥望北京,革命军人心向党,战士与党心连心。"

蔡永祥热爱大桥,把大桥所在的城市当作自己的第二故乡。在节假日里,蔡永祥常常来到大桥上帮群众推车,为老人背东西。驻地附近有个没有亲属的老大爷,生活十分不便,蔡永祥知道后,便请求班长把照顾老人的任务交给他。从那以后,每个星期天他都去大爷家,帮大爷买米做饭,劈柴担水,洗衣缝被。后来大爷患了皮肤病,浑身奇痒,一抓就流血水,痛苦不堪,蔡永祥发觉后背着老人到附近医院治疗,谁知到了医院,一摸口袋竟忘了带钱,急得他直抹眼泪,医生得知真相后,十分感动,破例收治了老人。

有一次,蔡永祥发烧去医院看病,在湖滨车站等车回部队时,看到一位老大娘踉踉跄跄地在路上走,他赶忙上前搀扶,一问才知道大娘要去六和塔,可买车票的钱丢了。当时蔡永祥买完药后,身上仅剩买车票的两毛钱,他毅然给大娘买了车票,自己却带病步行十多里路回到部队。

一个星期天的下午,蔡永祥去闸口买肥皂,路上看到许多工人在挑煤,他二话没说,卷起袖子同工人们一起干起来。工人们休息时,他还在不停地挑着,一干就是几个小时,把归队的时间也忘了。回到部队后,班长批评他不该超假,他也没有为自己辩解,事后大家了解了实情,都十分佩服他。

1966年10月10日凌晨,由南昌开往北京的764次列车,向钱塘江大桥飞驰而来,借着车头的照明灯光,守桥的蔡永祥突然发现铁轨上横卧着一根大木头,眼看一场重大事故就要发生,他奋不顾身地扑到木头跟前,弯腰想抱起木头,但木头太重没能抱动。列车越来越近,危急时刻,他俯下身子,用肩膀顶住木头,拼尽全力将木头推出了铁轨,也就在这一瞬间,列车呼啸着驶了过去。

蔡永祥牺牲后,《人民日报》《解放军报》先后发表社论,称赞他是"一心为公的共产主义战士",南京军区追认他为中共党员,并追记一等功。杭州市为了缅怀烈士,在钱塘江大桥北端月轮山下修建了"蔡永祥烈士事迹陈列馆"。

1983年10月,蔡永祥的母亲将小儿子蔡永红,送进蔡永祥当年的守桥连队当兵。蔡永红以哥哥蔡永祥为榜样,表现出色,成绩优异,先后荣立一次一等功,五次三等功,多次被部队和省市政府表彰为优秀基层干部、青年标兵、学雷锋先进个人等。

第五章

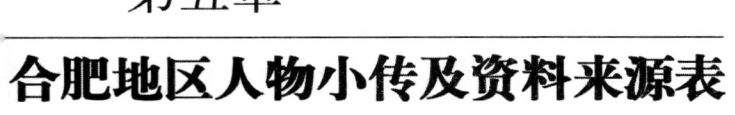

合肥地区人物小传及资料来源表

合肥地区人物小传及资料来源表

姓名	生卒年	籍贯	主要事迹	资料来源
有巢氏	传说人物	传说在巢湖流域	详见传	
巢父	唐尧时期	传说在巢湖流域	尧时隐士、贤人,有高尚之智德。传说尧以天下让之,不受	《汉书·古今人表》;道光《巢县志》卷13《人物·隐逸》
范增	前277—前204	居巢(治今巢湖市)	详见传	
文翁	生卒年不详	庐江,一说舒城	详见传	
朱邑	?—前61	庐江,一说舒城	详见传	
许子威	生卒年不详	庐江,一说舒城	西汉末官员、经学家、教育家。官至中大夫。光武帝刘秀16岁时于长安太学师从许子威学习《尚书》	《后汉书》卷1《光武帝纪》;《东观汉记校注》卷1《纪一》
陈众	生卒年不详	庐江,一说舒城	东汉官员,光武帝时任扬州从事	《后汉书》卷12《李宪传》;嘉庆《庐州府志》卷28《人物志·名将》
陈褒	生卒年不详	庐江,一说舒城	东汉官员,曾为卫尉,安帝永宁元年(120)为司空	《后汉书》卷5《孝安帝纪第五》
周荣	生卒年不详	庐江,一说舒城	详见传	
周兴	生卒年不详	庐江,一说舒城	周荣之子,详见传	
周景	?—168	庐江,一说舒城	周兴之子,详见传	
周忠	生卒年不详	庐江,一说舒城	周景次子,详见周景传	

(续表)

姓名	生卒年	籍贯	主要事迹	资料来源
左慈	生卒年不详	庐江郡	详见传	
周瑜	175—210	庐江，一说舒城	详见传	
凌统	189—237（217）	巢县（今巢湖市）	详见传	
王蕃	228—266	庐江郡	详见传	
任忠	生卒年不详	合肥	详见传	
樊子盖	545—616	庐江	详见传	
陈稜	？—619	襄安（今巢湖市）	详见传	
任瑰	？—629	合肥	详见传	
郭鸿霸	生卒年不详	庐江，一说桐城	或作郭霸，初唐官员，官至右台侍御史。办案苛法酷刑，为著名酷吏	《旧唐书》卷186上《酷吏·郭霸》；《新唐书》卷209《酷吏传·郭弘霸传》
周利贞	656—719	庐江	附托权要，官至御史中丞、广州都督。酷吏，后被贬为涪州、夷州、辰州刺史。赐死桂州	《旧唐书》卷186下《酷吏传·周利贞传》；《新唐书》卷209《酷吏·周利贞》
何易于	生卒年不详	庐江	详见传	
李章	851—940	庐江	初从杨行密为骑将，与朱瑾交好。徐温专杀瑾党，为监斩官马仁裕所救，贬为洪州军校。累迁雄武军都虞侯、左街使。杨溥时出为百胜军节度使。南唐受禅，移镇庐州，加中书令	《十国春秋》卷10《李章传》
杨行密	852—905	合肥	详见传	
瞿章	？—897	合肥	随杨行密起兵，积功至先锋指挥使，乾宁初授黄州刺史，四年与朱温部下朱友恭作战败亡	《十国春秋》卷6《瞿章传》

第五章 合肥地区人物小传及资料来源表

（续表）

姓名	生卒年	籍贯	主要事迹	资料来源
王潜	生卒年不详	合肥	杨行密幕宾，官至左司郎中，主持人才选拔，举贤任能，为人所称	《十国春秋》卷10《王潜传》
李友	生卒年不详	合肥	随杨行密起兵，大顺元年（890），领兵2万守青城，攻取常州、苏州，官至尚书、苏州刺史。不久孙儒攻苏州，城陷被杀。死后赠太保	《十国春秋》卷6《李友传》
袁袭	生卒年不详	庐江	唐末杨行密谋士。杨行密进军广陵、撤归庐州、舍江西而攻宣州，皆出自袁袭的谋划。史称其"运筹帷幄，举无遗算，盖良、平之亚匹"	《九国志》卷1《袁袭传》；《十国春秋》卷5《袁袭传》；《资治通鉴》卷258"龙纪元年"条
戴友规	生卒年不详	合肥	唐末杨行密谋士。杨行密在宣州，戴友规献策破孙儒之兵	《十国春秋》卷5《戴友规传》
马珣	生卒年不详	庐江	少骁勇，有机略，曾经商于扬州，后入杨行密帐下为偏将，累官至舒州刺史、黑云都指挥使。乾宁四年（897），率兵援黄州瞿章，黄州陷落后，东经抚州，大破危全讽。未几病卒	《九国志》卷1《马珣传》
陈知新	？—906	庐江	从杨行密讨秦彦、毕师铎、孙儒，皆有功，累授先锋指挥使、岳州刺史加团练使，天祐四年（904）随刘存伐湖南，兵败被俘，不屈而死	《九国志》卷1《陈知新传》；《十国春秋》卷6《陈知新传》
李遇	？—912	合肥	详见传	
王茂章	？—913	合肥	详见传	
台濛	855—904	合肥	详见传	
秦裴	856—914	慎县（治今属肥东）	详见传	
王绾	856—927	庐江	详见传	

(续表)

姓名	生卒年	籍贯	主要事迹	资料来源
陶雅	857—913	合肥	详见传	
刘威	857—914	慎县（治今属肥东）	详见传	
田頵	858—903	合肥	详见传	
张崇	861—932	慎县（治今属肥东）	详见传	
郭师从	生卒年不详	合肥	田頵妻弟，初从杨行密为宣州都虞侯。田頵叛乱败死后投奔吴越钱镠，任浙东马步都虞侯，后随文穆王钱传瓘征战广德、无锡等地，累功至浙西营田使。忠献王钱弘佐时，拜同知参相府事。年84卒	《十国春秋》卷86《郭师从传》
王稔	生卒年不详	庐江	王潜堂弟。中和三年（883），从杨行密于合肥。以功授滁州刺史、寿州团练使、清淮军节度使。乾贞三年（929）入朝，授左右雄武统军。卒年66。好儒学，行宽厚，有同儒者。在寿州期间，开肆讲学，通宵无禁，四方学者云集，常年百余人	《九国志》卷1《王稔传》；《十国春秋》卷9《王稔传》
骆知祥	生卒年不详	合肥	办事干练，擅长理财。初事田頵，任宣州长史。田頵叛乱失败后，被杨行密任命为淮南支计官，事无留滞。天祐中，徐温秉政，命掌管财赋，倚为左右手，人称"严骆"。后任盐铁判官。吴武义元年（919），迁中书侍郎。执掌杨吴财赋大权	《十国春秋》卷10《骆知祥传》
钟泰章	？—925	合肥	详见传	

(续表)

姓名	生卒年	籍贯	主要事迹	资料来源
王安	869—941	庐江	初隶杨行密帐下，有气度，积功至袁州刺史，南唐时迁百胜军节度使，因避讳，南唐烈祖赐名王会	《十国春秋》卷7《王安传》
王舆	871—944	庐江	王绾弟，详见王绾传附	
王崇文	？—961	庐江	王绾子，详见王绾传附	
王传拯	生卒年不详	庐江	王绾子，详见王绾传附	
杨渥	886—908	合肥	杨行密长子，详见传	
杨隆演	897—920	合肥	杨行密次子，详见传	
陶敬宣	899—950	合肥	陶雅第四子，详见陶雅传附	
杨濛	？—937	合肥	杨行密三子，详见传	
杨溥	901—938	合肥	杨行密四子，详见传	
伍乔	生卒年不详	庐江	详见传	
皇甫选	生卒年不详	庐江	至道（995—997）初，累升至大理寺丞，迁殿中丞。多次出使淮西、京西、河北、京东路，安抚流民，视察农田水利。咸平（998—1003）中，以太常博士出为两浙提点刑狱，后改江南路提点刑狱。景德元年（1004），真宗选群臣中有声望者24人，号为二十四气，皇甫选在其列。仁宗天圣（1023—1031）中卒	《全宋文》卷275《皇甫选墓志铭》；《武夷新集》卷5；《苏学士集》卷16；《宋史》卷205《艺文志四》；《宋会要辑稿·职官》四之八二、《食货》七之二

(续表)

姓名	生卒年	籍贯	主要事迹	资料来源
钟离瑾	生卒年不详	合肥	进士出身,初知德化县,历任简州推官,以殿中丞通判益州,改开封府推官,提点两浙刑狱,迁河北东转运使、江淮制置发运使,整修扬州运河。仁宗朝累迁刑部郎中、三司户部副使、龙图阁待制,权知开封府。在开封府任上及一月即病故	《宋史》卷299《钟离瑾传》;《宋史新编》卷93;马仲甫《任氏墓志铭》,《安徽史学》1984年第5期;《金石萃编》卷131《永定陵奉修采石记》
马亮	959—1031	合肥	详见传	
胥致尧	965—1023	合肥	先世燕人,后周时其父始徙家合肥。少力学,工文辞,侃侃敢言。契丹犯边,真宗幸魏,致尧应诏上书言兵事,得召见,帝为屏左右听其说,补三班借职,辞不就,不许,累迁左班殿直。以疾求监寿州酒税,卒	《欧阳文忠公集》卷61《左班殿直胥君墓志铭》
姚铉	968—1020	合肥	详见传	
马仲甫	生卒年不详	合肥	马亮子,详见传	
双渐	生卒年不详	无为军巢县(今巢湖市)	仁宗庆历二年(1042年)举进士,任尚书屯田员外郎,尝知同州,通判吉州军州事。博学能文,为官宽仁,为政平和,有古循吏之风	《元丰类稿》卷45《双君夫人邢氏墓志铭》;明嘉靖《南畿志》卷38;《钱塘韦先生文集》卷17《灵芝记》
释自宝	978—1054	合肥	俗姓吴,幼年在寿州普宁禅院出家,学于智柔大师。以李遵勖荐赐紫方袍。皇祐中,恩赐妙圆大师	《武溪集》卷7《妙圆大师塔铭》;《补续高僧传》卷7
包拯	999—1062	合肥	详见传	

(续表)

姓名	生卒年	籍贯	主要事迹	资料来源
杨察	1011—1056	合肥	详见传	
朱定国	1011—1089	庐江	祖籍成都。庆历二年(1042)登进士第,授贵池主簿,历饶州军事判官、梓州观察推官,知广德、合肥、六合县。哲宗时以朝散郎致仕。著有《归田后录》及诗数百首	《无为集》卷13《故朝散郎致仕朱君墓志铭》
杨寔	1014—1044	合肥	杨察之弟,详见传	
陶叔献	1014—1049	庐江	好学,明经,能文,吴越学者多从之。皇祐元年三月,登进士第,四月病卒于京师。辑有《西汉文类》40卷、《两汉策要》12卷,另有《唐文类》30卷、《汉唐策要》10卷	《西溪集》卷10《陶叔献墓志铭》
朱纮	生卒年不详	合肥	嘉祐(1056—1063)进士。治平二年,由秘书省校书郎出知宜城县事,修复木渠,溉田6000余顷,改唐州沘阳令。迁大理寺丞,崇宁初致仕。三年,坐元符末应诏上书谤斥讥讪,除名勒停,以老疾免羁管,入党籍	《元祐党人传》卷4;《郧溪集》卷15《修宜城县木渠记》;《宋史》卷9;《宋会要辑稿·食货》七之一九;《苏魏公集》卷32《守唐州沘阳令朱纮可大理寺丞制》
马瑊	生卒年不详	合肥	熙宁(1068—1077)中提举永兴路常平,以王韶言改太子中舍,权发遣江西转运判官,移荆湖	《元丰类稿》卷50《汉武都太守汉阳阿阳李翕西狭颂》;《苏祠从祀议》卷30;《宋诗记事补遗》卷22
钟离景伯	生卒年不详	合肥	钟离瑾之子。仁宗年间进士,神宗元丰五年(1082)官中散大夫,元丰七年知通州,元祐三年(1088)以少府少监知寿州。善草书,著有《草书洪范无逸中庸韵谱》10卷	《宋史》卷299《钟离瑾传》;《宋史》卷207《艺文志六》;《书史会要》卷6;《宋诗纪事补遗》卷24

(续表)

姓名	生卒年	籍贯	主要事迹	资料来源
柳灏	生卒年不详	落叶合肥	祖籍大名，晚家合肥。进士及第，历任太常少卿、转运使、秘书丞、工部郎中、直龙图阁	《鸿庆居士集》卷33《中奉大夫致仕柳公墓志铭》；《全宋文》卷3487《宋故左中奉大夫致仕柳公墓志铭》；《宋景文集》卷31《柳灏可工部郎中制》；《宋史》卷304《曹颖叔传》、卷440《文苑传》；《宋史新编》卷169
文勋	？—1102	庐江	包拯外甥。历任太府寺丞、福建路转运判官、广南东路转运判官、瑞安县令、荆湖南路转运判官。精于篆书。苏轼曾为作篆铭，颇推重之	《八琼斋金石补正》卷105《大宋杭州惠因院首教藏记》跋；《图绘宝鉴》卷3；《画继》卷4
朱师服	生卒年不详	合肥	元符二年（1099）至崇宁元年（1102）知广州	《元祐党人传》卷3；《北宋经抚年表》卷120、121
左肤	生卒年不详	合肥	元祐中为衡州判官，元符元年为监察御史。累官刑、兵、户三部尚书，以枢密直学士知河南府，改永兴军，卒于任。擅长行书，存世墨迹有行书《与通判承议札》	《宋史》卷356；《宋史新编》卷119；《宋史》卷19《本纪第十九》；《宋会要辑稿·仪制》一一之八
王磬	生卒年不详	合肥	政和（1111—1118）中为郎，又三年出知宣州	《王照新志》卷3
毛政	生卒年不详	庐江	工画神佛及山水	《图绘宝监》卷4；《绘事备考》卷6
赵广	生卒年不详	合肥	本系李公麟家书童，亦擅长画马，几与李公麟真迹相混。高宗建炎（1127—1130）年间，为金兵所获，宁断指亦不愿画被掳妇女。后放归，只画观音大士	《老学庵笔记》卷2

(续表)

姓名	生卒年	籍贯	主要事迹	资料来源
邓柔中	1067—1130	合肥	寓庐陵。及长,博览经史,为文根于义理。生平操履,尤为乡邦所推重。政和八年(1118)预廷试,擢第四人。得登仕郎,仕至广州司理	《椠溪居士集》卷12《邓司理墓志铭》
柳珹	1071—1136	合肥	柳灏曾孙。南渡后寓衢州江山县,举崇宁五年(1106)进士,调淄川主簿,秩满授苏州观察推官。历陕西运判,利州路提刑,除知滁州。靖康元年,以中奉大夫告老	《鸿庆居士集》卷33《中奉大夫致仕柳公墓志铭》;《全宋文》卷3487《宋故左中奉大夫致仕柳公墓志铭》
王绾	生卒年不详	庐江	大观三年(1109)进士,建炎二年(1128)任朝请郎,历吏部考功司员外郎,迁秘书监丞、尚书右司员外郎,擢提点福建路刑狱。绍兴五年(1135),直徽猷阁、知漳州。后迁淮西路提点刑狱,平反冤狱,政声颇佳	《南宋馆阁录》卷7
王之道	1093—1169	庐江	详见传	
丁特起	生卒年不详	合肥	靖康(1126—1127)初为太学生,上书乞早决用兵之计。绍兴五年(1135)特差龙阳县尉。著有《靖康纪闻》(又名《孤臣泣血录》)	《三朝北盟会编》卷66、68;《建炎以来系年要录》卷1、92
毛璞	生卒年不详	庐州,一说泸州	乾道(1165—1173)进士,官至利州路提点刑狱,著有《六经解》《三余录》	《安徽历史名人词典》;《安徽人物大辞典》

(续表)

姓名	生卒年	籍贯	主要事迹	资料来源
叶楠	1138—1189	其先合肥人,后徙家贵池	隆兴元年进士,为鄱阳尉,力请蠲租以救荒涝。后继苏辙为绩溪令,邑人歌曰,前有苏黄门,后有叶令君。淳熙十六年(1189)擢提辖文思院,命下而卒。著有《知非集》《昭明事实二卷》《精金训鉴》《童蒙记》等	《周文忠公集》卷35《提辖文思院叶君墓志铭》;《元诗纪事》卷45
王蔺	?—1201	庐江	王之道子。详见传	
王苇	生卒年不详	庐江	王之道子。庆元四年(1198)知监江军,刻《三孔文集》	周必大《平园续稿》卷130《三孔文集序》;《相山集》附《王之道神道碑》
王棣	生卒年不详	庐江	王蔺从子,嘉定六年(1213)以承议郎、将作监主簿知泾县。宝庆间寓居山阴。有《燕翼诒谋录》卷	嘉庆《宁国府志》卷2;《四库全书总目提要》卷51
王杆	生卒年不详	庐江	王蔺子。绍定(1228—1233)间通判汀州,抚定变乱,军民安堵,汀民德之,为立生祠,称曰王生佛,朝夕心祝	《永乐大典》卷7894《临汀志》
夏友谅	生卒年不详	合肥	绍定(1228—1233)间为武略大夫、忠州刺史、池州驻劄御前诸军副都统制。四年,除建康驻劄御前诸军都统制	《景定建康志》卷26《官守》
刘虎	1201—1253	梁县(治今属肥东)	详见传	

（续表）

姓名	生卒年	籍贯	主要事迹	资料来源
洪福	？—1276	合肥	少为宋制置使夏贵家童，从征积功为镇巢雄江左军统制。德祐二年(1276)临安陷落，夏贵以淮西诸郡降元，洪福拒不投降，并率部收复江北诸郡，加右武大夫、知镇巢军，后中计城破被杀	《宋史》卷451《忠义六》；《元史》卷132《昂吉儿传》
褚一正	？—1276	庐州	武举进士，官谏议，元兵入侵，督战高沙，被创，没于水死	《宋史》卷454；《宋季忠义录》卷5
密佑	？—1278	庐州	祖籍密州。咸淳中为江西都统。德祐初年，率众与元军逆战于进贤坪，身被四矢三枪，遂被执，不屈死	《宋史》卷451；《宋季忠义录》卷4
刘师勇	？—1278	庐州	详见传	
舒宾王	生卒年不详	庐江人，迁黟县	执先祖。历官著作郎。为湖学高第	《桐江集》卷4《舒君撝墓志铭》；《宋元学案补遗》卷1
束元嘉	生卒年不详	合肥	淳祐四年(1244)武进士，历通城主簿，知泰州，累至枢密院都承旨。德祐元年(1275)，元伯颜大举南攻，奉命往元营议和，为所拒。年老隐居平江	《南畿志》卷38；《癸辛杂识》续集下；嘉庆《庐州府志》卷26
骆铸	生卒年不详	庐州	至元二十年(1283)任镇江路判官	《至顺镇江志》卷15
范梦魁	生卒年不详	庐州	大德六年(1302)任丹徒县主簿	《至顺镇江志》卷16

(续表)

姓名	生卒年	籍贯	主要事迹	资料来源
况逵	生卒年不详	庐江	至大二年(1309),任广西道廉访司书吏。泰定(1324—1327)末,累迁至光泽县尹,提倡文教,兴建云岩书院,召集诸生讲学。元统二年(1335),擢庆元路推官。辞官后,百姓立有"去思碑"	至正《四明续志》卷1;《闽书》卷63;《云山日记》卷下;《道园学古录》卷8《光泽县云岩书院记》
晁显	生卒年不详	巢县(今巢湖市)	先世卫辉人,至元间避乱至郓城,后迁巢县。至治二年(1322),由户部郎中出知棣州。泰定三年(1326),擢为平江路总管。到任后礼聘文学之士,申明教化,劝课农桑,打击豪猾,为官严以自律,人不敢以私事拜谒,治绩第一。累官至两浙转运盐使、兵部尚书。卒谥清献	洪武《苏州府志》卷20;正德《姑苏志》卷3;《归田类稿》卷4《棣州重修夫子庙记》
薛天祐	生卒年不详	庐州	泰定元年(1324)任丹阳县尉	《至顺镇江志》卷16
葛闻孙	1285—1345	合肥	耕稼奉母,为学天性警敏。在巢湖西岸建环翠山房以讲学,与弟子探讨经史。士民钦佩其品行,皆称为"隐君子"。著有《环翠山房集》	《青阳集》卷4《葛征君墓表》
潘纯	1292—?	庐江	详见传	
余阙	1303—1358	唐兀人家合肥	详见传	
俞廷玉	?—1358	巢县(今巢湖市)	详见传	

(续表)

姓名	生卒年	籍贯	主要事迹	资料来源
赵普胜	？—1359	巢县（今巢湖市）	元末红巾军将领、白莲教门徒。编练水师，结寨巢湖，随天完军攻占太平诸路，及无为、铜陵、池州、安庆、江州等地。至正十三年（1353）天完政权都城陷落后，退守巢湖结寨自保，有众两万余。至正十五年（1355），天完政权重振于汉阳，遂又投奔徐寿辉。战功显赫，后为陈友谅杀害	《明史》卷123《陈友谅传》；《明史》卷133《廖永安传》
郭奎	？—1365	巢县（今巢湖市）	详见传	
廖永安	1320—1366	巢县（今巢湖市）	详见传	
孙世	1320—1381	巢县（今巢湖市）	从朱元璋渡江，因战功累授河州、宝庆两卫指挥使，升中军都督府金事。洪武十四年（1381）十二月去世。朱元璋下令停止朝议二日，赐葬于南京钟山之阴。并下诏赠其开国辅运推诚宣力武臣、光禄大夫、柱国、同知中军都督府事，追封富春侯，谥忠勇	《明太祖实录》卷140，洪武十四年十二月壬子
廖永忠	1323—1375	巢县（今巢湖市）	廖永安弟，详见传	

(续表)

姓名	生卒年	籍贯	主要事迹	资料来源
陈清	1324—1382	巢县（今巢湖市）	元末率众投奔朱元璋，随军平定金陵，攻取淮、浙、湖广、江右之地。曾率领水师缉捕倭寇，斩杀俘获甚众。由英武卫指挥同知，授龙虎将军、中军都督府金事。后因年老致仕，洪武十五年（1382）三月病逝。朱元璋下诏赠其开国辅运推诚宣力武臣，追封合浦侯，谥崇武，赐葬于钟山之阴。长子陈剌哥，次子陈保保，皆没于战场；次子陈亮，袭吴武卫指挥同知	《明太祖实录》卷143，洪武十五年三月丙辰
陈文	1325—1384	合肥	元末携家人投奔朱元璋，累官至后军都督府都督金事。随朱元璋南收吴越，北定中原，东征西讨，屡立战功。洪武十七年（1384）十月病逝。明太祖朱元璋追封其为开国辅运推诚宣力武臣、东海侯，谥孝勇。在明代所有大臣中，唯有陈文一人获得"孝"字谥号	《明史》卷134《陈文传》；《明太祖实录》卷166，洪武十七年十月壬申
张德胜	1328—1360	合肥	详见传	
俞通海	1328—1367	巢县（今巢湖市）	俞廷玉长子，详见传	
左君弼	生卒年不详	庐州	详见传	
金朝兴	1331—1382	巢县（今巢湖市）	详见传	
吴复	？—1383	合肥	子吴杰，详见传	

(续表)

姓名	生卒年	籍贯	主要事迹	资料来源
王翰	1333—1378	祖籍灵武，徙居庐州	父王也先不华，官庐州。王翰元末累官福建行省郎中、潮州路总管。入明，隐永福山中，洪武十一年(1378)辟书至，自刎死。有《友石山人遗稿》一卷	《闻过斋集》卷1《王氏家谱序》；《闽书》卷44、50；《明史》卷124；《闽中理学渊源考》卷42；《元史氏族表》；《元诗纪事》卷26
杨璟	1338—1382	合肥	详见传	
俞通源	1346—1389	巢县（今巢湖市）	俞廷玉次子，详见传	
汪兴祖	？—1371	巢县（今巢湖市）	详见传	
周显	？—1372	合肥	元末随朱元璋作战，历任帐前都先锋、骁骑卫千户、宿卫千户、怀远将军、金吾右卫指挥同知。洪武二年(1369)，以攻取山东、河南及增援陕州、攻克河中等战功，转任骁骑前卫指挥同知。洪武三年(1370)收降应昌红罗山等处山寨，升任指挥使，进阶昭勇将军。洪武四年(1371)迁任骁骑左卫指挥使。洪武五年(1372)随左副将军李文忠征讨北元，六月战殁。以子周岩袭骁骑前卫指挥同知	《明太祖实录》卷74，洪武五年六月甲辰
廖权	？—1383	巢县（今巢湖市）	廖永忠长子，详见廖永忠传	

(续表)

姓名	生卒年	籍贯	主要事迹	资料来源
吴广	？—1385	合肥	元末率众起事被俘，朱元璋克太平，获释，从征元军陈野先部，授帐前银牌先锋。至正二十一年(1361)任管军百户，驻守巢县。至正二十四年(1364)秋从丞相徐达再次攻打庐州。至正二十五年(1365)攻下安丰，留守。至正二十六年(1366)为温州卫指挥佥事。洪武二年(1369)正月，调守汀州。洪武十七年(1384)致仕，子吴铭袭官职。洪武十八年(1385)十月，病逝	《明太祖实录》卷176，洪武十八年十月壬寅
濮英	？—1387	庐州	详见传	
马云	？—1387	合肥	详见传	
赵庸	？—1390	庐州	详见传	
叶升	？—1392	合肥	详见传	
王珪	？—1392	合肥	元末募集乡民守卫庐州，自称万户。后投奔朱元璋。攻克太平后，仍为万户，守卫太平。积功升任左军都督府都督佥事。其长子王安富，从朱元璋征讨婺州，守卫南陵，攻取潜山，擒获敌人甚众。在攻打安庆时，受伤而死。次子王安贵，从征江州，战殁。洪武二十五年(1392)九月，王珪病逝。三子王宽袭其职，不久亦去世	《明太祖实录》卷221，洪武二十五年九月戊申

(续表)

姓名	生卒年	籍贯	主要事迹	资料来源
韦权	？—1392	合肥	元朝末年，在淮西一带从军，为列校。元至正十五年（1355），自采石投奔朱元璋，从克太平，授银牌先锋，累功升后军都督府都督金事。洪武二十五年（1392）十二月，病逝	《明太祖实录》卷223，洪武二十五年十二月丙寅
俞通渊	？—1393	巢县（今巢湖市）	俞廷玉三子，详见传	
濮玙	？—1393	庐州	濮英子，详见传	
花茂	？—1397	巢县（今巢湖市）	元末将领，至正十六年（1356）归附朱元璋。随大军平江左，灭陈友谅，后转战山西、陕西、四川、广西、湖南等地，升都指挥使	《明史》卷134《花茂传》
袁义	？—1399	庐江	原名张四为，初为赵普胜总管，镇守安庆，后归附朱元璋，充帐前亲军元帅，赐给姓名。洪武初年，任兴武卫同知，调羽林卫，移镇辽东。洪武十四年（1381）从沐英征讨云南，攻克普定诸城，留守楚雄，升楚雄卫指挥使。建文元年应召返回，任右军都督府金事，升同知。死于任上	《明史》卷134《袁义传》
瞿能	？—1400	合肥	承袭父职为都督府金事。升副总兵。朱棣起兵后，从李景隆北上征讨朱棣，攻进北平彰义门。建文二年（1400），进驻白沟河，为燕王朱棣击败，战死	《明史》卷142《瞿能传》

(续表)

姓名	生卒年	籍贯	主要事迹	资料来源
陈植	？—1402	庐江	元末举乡试，不愿为官。洪武年间任吏部主事。建文二年（1400）任兵部右侍郎。燕王朱棣率兵南下至江北，陈植奉命监战江上，慷慨誓师。时部将某主张归附燕王，陈植责以大义，后为部将所杀。朱棣得知此事后，诛杀该降将，并将陈植具棺殓葬于白石山上	《明史》卷142《陈植传》
徐凯	？—1402	合肥	少从朱元璋，以军功积官至左军都督佥事。建文年间，驻守沧州，抵御燕王朱棣，后归附朱棣，官职、俸禄仍旧。洪武三十五年（1402）十月，病逝，朱棣派遣官员赐祭	《明太宗实录》卷13，洪武三十五年十月乙亥
王英	？—1405	合肥	洪武年间，因战功由卫士累升后军都督佥事。朱元璋将其调任右军都督府，命其掌管陕西都司事。屯军陕西，安静不扰，勤于训练。永乐三年（1405）六月，病逝，按照惯例赐葬祭	《明太宗实录》卷43，永乐三年六月乙丑
左迪	？—1408	合肥	洪武年间，以武功积官至宁海卫指挥佥事，升任北平都指挥同知。永乐元年（1403），改北平行都司为大宁都司。永乐四年（1406）从总兵官征安南。永乐六年（1408）五月，班师返回，至永州，病逝。子左能，袭职保定后卫指挥佥事	《明太宗实录》卷79，永乐六年五月丙寅

(续表)

姓名	生卒年	籍贯	主要事迹	资料来源
张钦	？—1408	合肥	袭父职为云南右卫指挥使。永乐四年(1406)，从黔国公沐晟征讨安南。安南平定，升任交阯都司都指挥使。永乐六年(1408)十月去世	《明太宗实录》卷84，永乐六年十月甲午
徐忠	？—1413	合肥	详见传	
张礼	？—1420	巢县（今巢湖市）	承袭父职为长安卫百户。洪武年间，升遵化卫千户。从燕王朱棣起兵"靖难"，升山西都指挥同知。后署理中都留守司事。永乐十八年(1420)十一月，病故。子张琦，袭任凤阳中卫指挥使	《明太宗实录》卷231，永乐十八年十一月乙丑
郑亨	1356—1434	合肥	详见传	
郭亮	？—1423	合肥	详见传	
陈瑄	1365—1433	合肥	详见传	
蔚绶	？—1431	合肥	洪武年间，以国子生擢任户部主事，后升任山西布政司右参政。永乐初年，升任礼部右侍郎。洪熙元年，升任礼部尚书。宣德五年(1430)，因年老请求退休，宣宗允准，特赐钞一万贯。为人谨小慎微，逃避职事，处理政务不赞同也不反对，又以琐碎为其下属所厌。宣德六年(1431)十月，去世	《明宣宗实录》卷84，宣德六年十月甲辰

（续表）

姓名	生卒年	籍贯	主要事迹	资料来源
余斌	1403—1434	合肥	年二十袭父职，为处州卫指挥使。军务之暇，留心经史，延礼文士，商榷政事。宣德五年（1430），调任定海卫。建义学，延请儒师授课。宣德六年（1431），余斌调回处州卫，捕盗有功。宣德七年（1432），升任浙江都指挥佥事。宣德九年（1434）十二月，病逝	《明宣宗实录》卷115，宣德九年十二月壬申
史昭	？—1444	合肥	详见传	
陈怀	？—1449	合肥	详见传	
陈辅	生卒年不详	合肥	陈怀子，详见陈怀传	
刘深	？—1459	合肥	宣德三年（1428），袭父职为指挥佥事。宣德四年（1429）署都指挥佥事，以功累升至都督佥事。天顺元年，以迎立英宗复辟功，升任右都督，不久升任左都督，充总兵官镇守广西。天顺三年（1459）十一月，去世	《明英宗实录》卷309，天顺三年十一月戊申
陈豫	？—1463	合肥	陈瑄孙，详见传	
张泰	？—1473	合肥	宣德初，袭父职左屯卫指挥使，后升任都指挥。正统十二年（1447），升任右军都督佥事，充总兵，镇守宁夏。正统十四年（1449），被召回京，赐玺书，仍镇旧地。成化初，因年老恳请解职。成化九年（1473）十一月，去世，赐祭葬如例	《明宪宗实录》卷122，成化九年十一月辛丑

(续表)

姓名	生卒年	籍贯	主要事迹	资料来源
陈锐	？—1503	合肥	陈豫子，详见传	
周玺	？—约1509	庐州	详见传	
张淳	1454—1519	合肥	成化二十三年（1487）进士。正德时历四川按察副使、南京太仆少卿，累官至右副都御史、巡抚保定，卒年66	《国朝献征录》卷61
曹琥	1478—1517	巢县（今巢湖市）	弘治十八年（1505）进士，授南京工部主事，改户部主事。因上疏参劾太监钱宁，解救御史周广，遭受廷杖，外任黄州通判，转任广信府同知。宁王朱宸濠与镇守宦官借口向朝廷进贡之名苛敛。曹琥代理广信府政事，坚持不给。后擢升巩昌府知府，未到任去世。嘉靖初年，赠光禄卿	《明史》卷188《曹琥传》
徐锜	生卒年不详	合肥	徐忠孙，详见传	
陈熊	？—1512	合肥	陈锐子，详见传	
何瑚	生卒年不详	庐江	正德十六年（1521）以岁贡出任河南临漳知县，廉洁惠民，有"清官天下第一"之目。举循良，擢河南道监察御史，清约不减寒素。后因执法被中伤，归隐黄屯山中，力农种树，口不言贫	光绪《庐江县志》卷8《人物·名宦》
陈圭	1509—1554	合肥	陈锐侄子，详见传	
蔡悉	1536—1615	合肥	详见传	

(续表)

姓名	生卒年	籍贯	主要事迹	资料来源
宛嘉祥	生卒年不详	庐江	嘉靖二十二年(1543)举人,累官户部侍郎。后任贵州思南府知府。嘉靖四十二年(1563)总纂《庐江县志》,另著有诗文集	乾隆《江南通志》卷149;光绪《庐江县志》卷8《人物·宦绩》
黄道月	1552—1590	合肥	万历十四年(1586)进士,授中书舍人,丁忧归,病卒,年39。少负气,豪于饮酒,蹴鞠、六博、骑射诸技无不精绝	《陆学士先生遗稿》卷12、《本朝分省人物考》卷38
陈王谟	生卒年不详	合肥	陈圭子,详见传	
叶广	生卒年不详	巢县(今巢湖市)	诗人、画家,擅名丹青,所写渔乐图远近珍之	道光《巢县志》卷13《人物·方技》
卢谦	1561—1635	庐江	万历三十二年(1604)进士,出为永丰知县,政尚清简,有"万里青天"之颂。擢河南道监察御史,巡按畿辅,境内肃然,巡山东屯政,剔除宿弊,以廉介闻。后辞官居家,设义学训乡人子弟,授以"二程"、朱熹诸书,讲求性命之理,砥砺忠孝,著《五经汇解》。崇祯八年(1635),义军攻城,城破被杀	光绪《庐江县志》卷8《人物·忠节》

(续表)

姓名	生卒年	籍贯	主要事迹	资料来源
徐起元	？—1659	合肥	明举人,累官至郧阳府知府。与张献忠、李自成起义军多次作战并取胜,湖南、湖北14郡皆陷,郧独存,擢为右佥都御史,抚治郧阳。顺治二年(1645)降清,仍以原官视事,建言将新降之众分散四方,以免养痈遗患。顺治三年(1646),授都察院右副都御史。顺治五年(1648),迁左都御史。顺治六年(1659),加太子太保。顺治十年(1653),以原衔管大理寺卿事,年老致仕,荫一子入国子监读书。顺治十六年(1659)卒,谥僖靖	《清史列传》卷78《贰臣传甲·徐起元传》
龚鼎孳	1616—1673	合肥	详见传	
王承业	？—1682	庐江	少入伍。康熙初,从征福建,克金门、厦门,擢潮州中营游击,升副总兵。康熙十九年(1680)平吴三桂,特授援剿广西云贵中镇总兵,康熙二十一年(1682)战死	光绪《庐江县志》卷8《人物·忠节》
李天馥	1635—1699	合肥,一说河南永城	详见传	
孙维祺	生卒年不详	庐江	康熙辛未年(1691)进士,历任直隶河间、涞水知县。辞官归里后,优游山林,著书自娱,所著有《五经说文》《廿一史临》《三太史》《四书印证》《春秋大意》《春秋骤》《飞跃真言》等,选文不拘一体,评语皆中肯,一时流播海内	光绪《庐江县志》卷8《人物·文学》
李孚青	1664—？	合肥	李天馥子,详见李天馥传	

（续表）

姓名	生卒年	籍贯	主要事迹	资料来源
汤懋纲	1699—1761	巢县（今巢湖市）	父爱鼎官琼州知府。捐资为户部员外郎，官至刑部郎中，后辞职归里养亲。诗以淡静闻名，著有《奕园诗集》12卷（袁枚曾梓其诗入同人集）、《婆娑馆词》1卷、《亦畅楼文集》4卷等	道光《巢县志》卷13《人物·文苑》
汤懋统	1704—1734	巢县（今巢湖市）	懋纲弟。年十五补博士弟子，19岁官颍州训导，升广西迁江知县，有政声。居官两年卒。诗画俱精，著有《青坪诗稿》《汝阴艺象》等	道光《巢县志》卷13《人物·文苑》
汤懋绅	1710—1733	巢县（今巢湖市）	善作诗文，随兄懋纲至京，结识芜湖诗人朱草衣，又与吴敬梓为挚友。有诗集《石膴诗稿》，与《奕园诗集》《青坪诗稿》并称三绝	道光《巢县志》卷13《人物·文苑》；《安徽历史名人词典》
杨欲仁	1766—1848	巢县（今巢湖市）	嘉庆十年（1805）进士，历任江苏睢宁、赣榆、泰兴、砀山、丰县知县，宦游十余年。公余殚心著述，刊有《孝经集解》《大学中庸性道图说》《四书精义说贯》《金刚经注释辩疑》《寻乐上、下篇》《观心堂稿》。主讲宿迁钟吾、颍州清颍、六安赓扬书院。晚年归里，为巢湖书院院长。讲学外，喜吟咏，书画兼工。以墨梅为逸品。善用指头画梅花，自号铁梅道人	光绪《续修庐州府志》卷44《儒林传·杨欲仁》
李文安	1802—1855	合肥	详见传	

(续表)

姓名	生卒年	籍贯	主要事迹	资料来源
沈用熙	1810—1899	合肥	少从同乡赵席珍习书法，粗知书理。30岁时，拜寓居江宁的书法宗师包世臣为师，至其去世无一日不学书。60岁后还学汉代的真草、临摹晋南北朝的碑刻，丝毫不差。70岁以前仍说自己书法不精，不轻易为别人写。80岁以后书法趋于简单，改包氏平纡转换有余、刚直浑劲不足之病，达到书法艺术巅峰。作品经同县蒯光典带至京师，声名始显	马其昶《抱润轩文集》卷11《沈石翁传》
徐子苓	1812—1876	合肥	详见传	
蒯德模	1816—1877	合肥	详见传	
解先亮	1817—1880	合肥西乡（今属肥西）	咸丰三年(1853)起，劝集乡邻筑堡团练，为合肥西乡著名练首。合肥知县英翰借其堡为行署，由是交好，地方号为官团。多次出境助清军对抗太平军，积功至副将。同治元年(1862)，所部团勇大多被吴长庆招募加入淮军。此后，督办陕西军务之多隆阿、统兵入沪之李鸿章、由皖抚擢两广总督之英翰数次促其出山，均力辞	肥西县文史资料之三《肥西淮军人物》
吴毓芬	1821—1891	合肥东乡（今属肥东）	详见传	
李瀚章	1821—1899	合肥	详见传	
李鸿章	1823—1901	合肥	详见传	

(续表)

姓名	生卒年	籍贯	主要事迹	资料来源
朱景昭	1823—?	合肥东乡（今属肥东）	详见传	
吴赞诚	1823—1884	庐江	详见传	
董凤高	1823—1889	合肥西乡（今属肥西）	咸丰四年（1854）在籍办练，为团首。后与张树声移防马宝（跑）寺，随征英山、霍山、舒城、桐城一带。同治元年（1862）加入淮军树字营，管带树军后营。后另立营头，统带由徐州防营马步等改编成的凤字7营，对抗太平军、捻军，积功至花翎记名提督徐州镇总兵	肥西县文史资料之3《肥西淮军人物》
王占魁	1824—1882	庐江	武举出身。吴长庆内兄。早年在籍办团练，同治元年（1862）加入淮军，为庆字营营官。官至提督。曾与吴长庆捐田设"三乐堂书院"月课，以奖励学子，又于庐江西北乡建崇正书院	夏冬波：《淮军名将吴长庆传》
张树声	1824—1884	合肥西乡（今属肥西）	详见传	
李鹤章	1825—1881	合肥	详见传	
张树珊	1826—1867	合肥西乡（今属肥西）	详见传	
刘秉璋	1826—1905	庐江	详见传	
吴毓兰	1827—1882	合肥东乡（今属肥东）	详见传	
刘盛藻	1828—1883	合肥西乡（今属肥西）	详见传	
袁宏谟	1828—1886	合肥西乡（今属肥西）	详见传	

(续表)

姓名	生卒年	籍贯	主要事迹	资料来源
潘鼎新	1828—1888	庐江	详见传	
郑国魁	1828—1888	合肥东乡（今属肥东）	详见传	
郑国榜	1829—1884	合肥东乡（今属肥东）	详见传	
吴长庆	1829—1884	庐江	详见传	
李蕴章	1829—1886	合肥	李鸿章弟。兄弟均在外做官,李蕴章在家经营商业,治理家事。曾以筹饷之功叙道员。三兄李鹤章去世后,资助并接续编纂《续修庐州府志》100卷、补遗1卷	陈素珍编著：《李鸿章家族》；马昌华主编：《淮系人物列传·李鸿章家族成员·武职》
周盛波	1830—1888	合肥西乡（今属肥西）	详见传	
钱玉兴	1830—1912	寿州东乡（今属长丰）	咸丰年间投奔太平军。同治二年(1863)十月降淮军,隶程学启部,后转投刘秉璋。中法战争中,随刘秉璋参与镇海防务,多次击退来犯法舰。光绪十二年(1886),随刘秉璋入川,升重庆镇总兵,署四川提督。后因涉嫌命案,革职回籍	《安徽历史名人词典》；《清实录(光绪朝)》；中国近代史资料丛刊《中法战争》
张遇春	？—1864	巢县（今巢湖市）	详见传	
毕乃尔	生卒年不详	法国,入籍合肥	详见传	
丁寿昌	？—1880	合肥	详见传	
潘鼎立	？—1884	庐江	详见传	
李胜	？—1888	合肥	详见传	

(续表)

姓名	生卒年	籍贯	主要事迹	资料来源
朱焕明	？—1888	合肥	同治元年（1862）加入淮军，隶刘铭传部，镇压太平军、捻军，升总兵。同治十三年（1874），随唐定奎去台湾，抗击侵占台南的日军。光绪元年（1875）在竹坑山、内外狮头"抚番"，任提督。光绪十年（1884）法军侵略台湾，奉命扼守沪尾北炮台山后。为开山"抚番"，在彰化、嘉义等地镇压当地人民的反抗，卒于阵	《清实录（光绪朝）》；《刘铭传文集》；《清史稿》卷459本传
苏得胜	？—1890	合肥	同治元年（1862）加入淮军，隶刘铭传部，积功至提督。中法战争期间，从刘铭传守台抗法，转战基隆、沪尾。后升任福建建宁镇总兵，仍留防沪尾	《刘铭传文集》；《清史稿》卷459本传
张树屏	？—1891	合肥西乡（今属肥西）	张树声五弟。早年在籍举办团练，同治元年（1862）加入淮军树字营。同治九年（1870）以后，驻防大宁、吉州、壶口、河津、包头等地，官至太原镇、大同镇总兵	金松岑：《淮军诸将领传·张树屏》；肥西县文史资料之三《肥西淮军人物》
董履高	？—1908	合肥西乡（今属肥西）	团首出身，同治元年（1862）投效淮军树字营，积功至记名提督，赏给奇车伯巴图鲁名号。历任广西庆远协副将、署理广西柳庆镇总兵、广西右江镇总兵、贵州镇远镇总兵、直隶正定镇总兵、江苏淮扬镇总兵、贵州安义镇总兵、安徽寿春镇总兵	《清实录（光绪朝）》；肥西县文史资料之三《肥西淮军人物》；《清史稿》卷457、列传244

(续表)

姓名	生卒年	籍贯	主要事迹	资料来源
刘朝干	1831—1897	合肥西乡（今属肥西）	团勇出身，同治元年(1862)投效淮军，隶铭字营。光绪十年(1884)随聂士成自江阴渡海赴台，参加刘铭传指挥的抗法斗争，官至记名提督。战后任台北军器局总办，创办台湾第一家近代化机器厂	肥西县文史资料之三《肥西淮军人物》
唐殿魁	1832—1867	合肥西乡（今属肥西）	详见传	
吴秉权	1832—1881	合肥西乡（今属肥西）	详见传	
李凤章	1833—1890	合肥	李鸿章弟。早年帮助父兄办理团练，一度总理鲍超霆军营务，并在江南制造局任事。后引退，居芜湖，经营产业，累至巨富，在合肥、芜湖、上海等地拥有大量地产、典当及其他工商企业	陈素珍编著：《李鸿章家族》；马昌华主编：《淮系人物列传·李鸿章家族成员·武职》
周盛传	1833—1885	合肥西乡（今属肥西）	详见传	
唐定奎	1833—1887	合肥西乡（今属肥西）	详见传	
王芝生	1833—1894	合肥西乡（今属肥西）	详见传	
曹德庆	1834—1901	庐江	武童出身，咸丰初年在籍办练，同治元年(1862)随吴长庆庆字营赴上海，积功至提督。先后驻防徐州、扬州、浦口、江阴。光绪二年(1876)统淮扬水师，参与地方水利建设，光绪九年(1883)移防吴淞炮台。光绪十三年(1887)任江南狼山镇总兵	夏冬波：《淮军名将吴长庆》；《清实录》(光绪朝)
李昭庆	1835—1873	合肥	详见传	

(续表)

姓名	生卒年	籍贯	主要事迹	资料来源
黄金志	1835—1894	合肥	咸丰初年随郑国魁在苏南活动,贩卖私盐。咸丰十年(1860)投降清军,为淞沪水师哨官。同治元年(1862)加入淮军,隶魁字营。光绪八年(1882)带队赴朝平乱,光绪十四年(1888)补山西大同镇总兵。光绪十八年(1892)因病解职	《安徽历史名人词典》;《清实录》(光绪朝)
卫汝贵	1835—1895	合肥	详见传	
龚照瑗	1835—1897	合肥	太学生,由军功保河南候补知县。光绪初年任职金陵机器局,累升至江苏候补道。中法战争期间,在上海办理援台转运事宜。光绪十二年(1886)任江苏苏松太道即上海道,次年接办上海机器织布局,光绪十六年(1890)升浙江按察使,光绪十七年(1891)升任四川布政使。光绪十九年(1893),赏侍郎衔,以三品京堂候补,充出使英、法、意、比国大臣。出使欧洲期间,代清廷购买船械、订借洋款,在伦敦互换《滇缅界务商务条约》,甲午中日战争爆发后帮助搜集信息、请所驻国代为外交斡旋。光绪二十年(1894),授光禄寺卿,改太常寺卿。光绪二十一年(1895),免兼驻法国。光绪二十二年(1896),改宗人府府丞。秉承清廷旨意诱捕流亡伦敦的孙中山。光绪二十三年(1897)四月乘船回国,抵达上海不久即病逝	戴健:《声名煊赫的"合肥龚"》(二),《江淮文史》2004年第5期;《清实录》(光绪朝)

(续表)

姓名	生卒年	籍贯	主要事迹	资料来源
陈炳文	1836—1875	巢县（今巢湖市）	年轻时在芜湖当佣工，咸丰三年（1853）加入太平军，隶李秀成部。骁悍善战，同治元年（1862）封听王。同治三年（1864）在江西金溪投降清军提督鲍超。后不详	中国近代史资料丛刊《太平天国》；《安徽历史名人词典》
黄桂兰	1836—1884	合肥	练勇出身，同治元年（1862）加入淮军，隶铭字营，积功至提督。光绪九年（1883）升任广西提督。中法战争期间，驻扎越南地方防堵，因北宁、太原相继失陷，被革职拿问，旋自杀于谅山军营。	中国近代史资料丛刊《中法战争》；《清实录》（光绪朝）
刘铭传	1836—1896	合肥西乡（今属肥西）	详见传	
丁汝昌	1836—1895	庐江	详见传	
班广盛	1837—1903	巢县（今巢湖市）	早年赴沪投效淮军，隶吴长庆部。太平天国失败后，授湖南沅州协副将，驻军浦口。光绪二十年（1894），接统驻防江宁的庆军6营。次年裁去1营，受署理两江总督张之洞委派，率部驻防吴淞海口，兼辖海口各炮台。光绪二十六年（1900），升任浙江处州镇总兵，仍留驻吴淞要塞。光绪二十九年（1903）在防身故	夏冬波：《淮军名将吴长庆》；《清实录》（光绪朝）
周世臣	1838—1886	合肥西乡（今属肥西）	咸丰初年在紫蓬山东北雷麻店办团练，后入曾国藩军营襄理营务，授候选县丞。同治元年（1862）入淮军，转战数省。后统武毅军赴山海关筑炮台备俄。递保以道员归湖北候补，加按察使衔。著有《怀瑾山房诗集》《北游吟草》《五代杂识》等	肥西县文史资料之三《肥西淮军人物》

(续表)

姓名	生卒年	籍贯	主要事迹	资料来源
叶志超	1838—1899	(今属肥西)	详见传	
吴育仁	1839—1898	合肥东乡（今属肥东）	同治元年（1862）入淮军华字营，捻军失败后，驻防天津。光绪元年（1875）充通永镇练军翼长，兼办海防事宜。次年改华字营为仁字营，任统领。光绪十年（1884）升任通永镇总兵。光绪二十年（1894）甲午战争爆发，统仁字营官兵950名乘"高升"号增援朝鲜牙山，行至丰岛海面，突遭日舰袭击，仅少数生还。光绪二十一年（1895）调任正定镇总兵。光绪二十四年（1898）卒于任所	中国近代史资料丛刊《甲午战争》；《清实录》（光绪朝）；《淮系人物列传·李鸿章家族成员·武职》
王孝祺	1840—1902	合肥西乡（今属肥西）	同治初年加入淮军，隶树字营，积功至记名提督。光绪六年（1880），经两广总督张树声奏请，留粤差委。光绪九年（1883），为广西右江镇总兵官。光绪十年（1884）中法战争爆发，奉命与冯子材一起统军出关作战。光绪十一年（1885）二月攻谅山，部将潘瀛执帜先登，克之。取太原。光绪十二年（1886），调任广东北海镇总兵	肥西县文史资料之三《肥西淮军人物》；《清实录》（光绪朝）；《清史稿》卷459本传
郑国俊	1840—1907	合肥东乡（今属肥东）	详见传	
刘盛休	1840—1916	合肥西乡（今属肥西）	详见传	
聂士成	1840—1900	合肥北乡（今属长丰）	详见传	

(续表)

姓名	生卒年	籍贯	主要事迹	资料来源
李世鸿	1842—1895	合肥	行伍出身,同治二年(1863)改隶淮军,为刘铭传部下。同治十三年(1874)随唐定奎援台,内渡后驻防江阴。光绪十年(1884),渡台抗法。光绪十三年(1887),随总兵章高元赴山东,管带广武营,光绪十八年(1892)移驻青岛。甲午战争爆发后,新募福字2营增援旅顺,旅顺陷落后改守盖平,驻牵马岭。后在盖平西南隅与日军血战而亡	中国近代史资料丛刊《甲午战争》;戚其章:《甲午战争史》
吴宏洛	1843—1897	合肥	本姓刘,从小过继给舅父吴氏,遂改姓吴。同治元年(1862)投效淮军铭字营,积功至提督。光绪元年(1875)统铭军5营驻防上海吴淞口。光绪九年(1883)率部赴粤,为督标亲兵。光绪十年(1884)赴台抗法,授海坛协副将。光绪十三年(1887),升澎湖镇总兵,主持修建澎湖海防炮台工程。甲午战争爆发后,复出招募宏字6营,驻守天津新河一带办理海防。光绪二十一年(1895)补授直隶正定镇总兵,旋改任通永镇总兵	《清实录》(光绪朝);《刘铭传文集》

（续表）

姓名	生卒年	籍贯	主要事迹	资料来源
章高元	1843—1912	合肥	早年加入淮军，隶刘铭传部，累至总兵。同治十三年(1874)随唐定奎援台，开山"剿番"出力，以提督记名简放。光绪九年(1883)十二月渡台布防。十年(1884)六月、八月基隆、沪尾之役率部誓死拼战。光绪十一年(1885)升任山东登州镇总兵。光绪十八年(1892)率嵩武、广武军4营驻防胶澳，修筑兵营、炮台、军火库、电报局和前海栈桥码头，完善海防。甲午战争期间，曾在盖平重创日军。甲午战后回驻胶澳。光绪二十三年(1897)，德国借口巨野教案出兵胶澳，要求章高元率兵撤离青岛，谈判中被扣押，旋脱归，退守烟台，未几称疾去职。光绪二十六年(1900)，转任重庆镇总兵，以病免。1912年病逝于上海	《清史稿》卷459本传；《章鼎臣先生行述》，上海图书馆藏；《清实录》(光绪朝)
何乘鳌	1846—1919	庐江	早年以武童投效淮军，隶吴长庆部，存保记名遇缺题奏简放提督。光绪六年(1880)移防登州，光绪八年(1882)入朝平定壬午兵变，光绪十年(1884)参加镇海之役，后赴两江督标差委，光绪十七年(1891)任四川川北镇总兵，光绪二十三年(1897)修墓解职，次年旨命交直隶总督裕禄差遣委用，光绪二十五年(1899)任陕西河州镇总兵，召见后发往北洋差遣委用。光绪二十六年(1900)补授直隶宣化镇总兵	夏冬波：《淮军名将吴长庆传》；《清实录》(光绪朝)

(续表)

姓名	生卒年	籍贯	主要事迹	资料来源
张华奎	？—1896	合肥西乡（今属肥西）	张树声子。早年在京城与清流派交往颇多，被讥为"清流靴子"。光绪十五年(1889)中进士，引见后奉旨：分发四川道员张华奎著仍发原省以道员补用。光绪十七年(1891)，奉四川总督刘秉璋委派，疏通滇黔边引，代理川东道，办结大足教案。光绪十八年(1892)补建昌道。光绪十九年(1893)代理四川按察使，不久改为代理成绵龙茂道。光绪二十一年(1895)代理川东道，办结成都教案，与日领事交涉重庆开埠事宜。后实授川东道	姜鸣：《龙旗飘扬的舰队》；《安徽历史名人词典》；肥西县文史资料之三《肥西淮军人物》
张文宣	1850—1895	合肥东乡（今属肥东）	同治十年(1871)武进士，以守备职衔派往两江，入淮军将领吴长庆部任哨官。光绪六年(1880)，李鸿章调张文宣管带亲军副营，驻防旅顺，修筑黄金山炮台。光绪十三年(1887)调防威海卫，率亲军正、副2营驻刘公岛，修筑东泓、黄岛、旗顶山、迎门洞、南岛炮台及麻井子地阱炮。以总兵任北洋护军统领。甲午战争中英勇杀敌，光绪二十一年(1895)正月十八日，于刘公岛自杀殉国	《安徽历史名人词典》；《清实录》(光绪朝)；戚其章：《甲午战争史》
吴长纯	1855—1906	庐江	早年入族兄吴长庆庆字军军幕，喜谈兵略，光绪五年(1879)武举，光绪八年(1882)随吴长庆赴朝戡定壬午兵变，后任驻朝鲜庆军帮带。甲午之役力拒日寇。光绪二十八年(1902)任天津镇总兵。后任陆军第五镇统制	夏冬波：《淮军名将吴长庆传》；《清实录》(光绪朝)

(续表)

姓名	生卒年	籍贯	主要事迹	资料来源
李经方	1855—1934	合肥	详见传	
蒯光典	1857—1911	合肥	详见传	
张士珩	1857—1917	合肥东乡（今属肥东）	详见传	
江云龙	1858—1904	合肥	光绪十六年（1890）进士，授翰林院编修。改徐州知府，榷税通州。代理徐州知府一年，因病归乡。性宏迈，曾言"达则为孔明，穷则为渊明"，名其居曰"师二明斋"。善画山水，工诗，与龚心镕、周龙光并称合肥诗界"三龙"。著有《师二明斋遗稿》	李浚之：《清画家诗史》；《安徽历史名人词典》
李经羲	1860—1925	合肥	详见传	
童茂倩	1860—1932	合肥西乡（今属肥西）	张树声外甥。精于文章诗词。戊戌变法期间，担任顺天中学堂监督。变法失败后，返乡，历任皖北教育总会会长、安徽教育总会会长、安徽省谘议局局长。任职期间，兴办芜湖安徽公学、安庆尚志学堂、安庆高等学堂等。积极组织营救安庆马炮营起义中遭搜捕的革命党人，参与安徽独立活动。1911年11月安徽省宣布独立后，先后被推举为都督、民政长、参议院议员等职，皆坚辞。回合肥专意兴办地方教育，筹办庐阳私立正谊中学，担任安徽大学名誉校长。存有《存吾春馆诗集》《童茂倩先生诗》等抄本	《肥西县志》第35章《人物》，黄山书社1994年版；《安徽辛亥英杰》，黄山书社2011年版

(续表)

姓名	生卒年	籍贯	主要事迹	资料来源
叶御璜	1863—1894	合肥西乡（今属肥西）	叶志超长子。光绪十五年(1889)以知府用。先后会办北洋制造局,总理芦榆淮练马步水陆各军营务处兼转运事宜。光绪十七年(1891)热河教民起事,叶志超督师平乱,叶御璜奉李鸿章委派办善后事宜,遍历平泉、建昌、朝阳、赤峰诸州县,安抚伤残,救济饥民。因功以道员用。未几赴粤总办广东水师学堂。甲午之役,闻平壤师溃,病卒	肥西县文史资料之三《肥西淮军人物》
雷震春	1864—1921	合肥	详见传	
张广建	1864—1938	合肥	详见传	
陈诗	1864—1943	庐江	幼好诗,后随同乡诗人吴保初旅居宁、沪,得以结识郑孝胥、陈三立、范肯堂、沈增植等知名诗人,学业日精。早年学王士禛,中年效法孟郊、贾岛,诗体兼唐宋之长,独树一帜。著有《霍隐诗草》《据梧集》《鹤柴诗存》《凤台山馆诗抄》《尊瓠室诗话》《静照轩笔记》,选编《庐江诗隽》《庐州诗苑》《皖雅初集》,编纂《冶父山志》《安徽通志艺文稿·集部》《庐江疆域考》等。被汪国垣《光宣诗坛点将录》列为一百零八名诗人之一。还曾参与编纂奉贤、萧山等4县县志;曾在上海的安徽丛书编印处从事安徽经学考据家著作的编辑工作,被聘为安徽通志馆名誉馆长。1943年病逝于上海	《庐江县志》第31篇《人物》,社会科学文献出版社1993年版;

(续表)

姓名	生卒年	籍贯	主要事迹	资料来源
万福华	1865—1919	合肥	详见传	
段祺瑞	1865—1936	合肥	详见传	
唐启尧	1865—1958	合肥西乡（今属肥西）	详见传	
阮忠枢	1867—1917	合肥	举人出身。早年结识袁世凯，担任袁氏机要文案多年，清末曾任顺天府丞、邮传部侍郎、邮传部副大臣等职。1911年10月武昌起义爆发后，受清廷之命，两次赴河南彰德劝袁世凯出山。袁世凯就任民国总统后，依旧跟随左右，1914年任内史监内史长。洪宪帝制开始后，受袁世凯派遣，拉拢"辫子军"统帅张勋、江苏督军冯国璋。1917年7月，张勋在北京拥戴清废帝溥仪复辟，阮忠枢被任命为邮传部左侍郎。12月，病逝于上海	张学继：《袁世凯幕府》，中国广播电视出版社2005年版
吴保初	1869—1913	庐江	吴长庆次子，详见传	
段芝贵	1869—1925	合肥	详见传	
龚心湛	1869—1943	合肥	详见传	
刘槐森	1870—1933	合肥东乡（今属肥东）	北洋陆军将弁学堂毕业。1909年在江西任新军标统、协统，后任赣南宁巡防营统领。武昌起义爆发后，响应革命，支持赣州独立，被推举为赣南宁军政分府都督。后率江西民军奔赴南京，任南京城防军统领。1912年转投袁世凯，1913年8月署九江镇守使，1913年9月1日授陆军少将加中将衔，1913年10月调任赣西镇守使，1915年初被免职	《肥东县志》第24篇《人物》，安徽人民出版社1990年版

(续表)

姓名	生卒年	籍贯	主要事迹	资料来源
汪胜友	1871—1926	巢县（今巢湖市）	早年在汉口江岸铁路工厂、京汉铁路郑州机务段当工人。1923年2月,京汉铁路工人大罢工,参加武汉工团,后被推选为京汉铁路总工会郑州分会委员长。1926年,吴佩孚下令严禁"赤化",缉捕工人领袖。10月6日,在郑州布厂街被军警逮捕,10月15日,被杀害于郑州五胡庙外	《巢湖市志》,黄山书社1992年版
罗开榜	1872—1933	合肥东南乡（今属肥东）	详见传	
龚积炳	1872—1934	合肥	详见传	
郑士琦	1873—1935	合肥东乡（今属肥东）	详见传	
吴炳湘	1874—1930	合肥	详见传	
吴纫礼	1874—1963	合肥东南乡（今属肥东）	详见传	

(续表)

姓名	生卒年	籍贯	主要事迹	资料来源
徐方汉	1875—1952	庐江	1902年中江南乡试副榜第二名。后毕业于南京两江师范，留学日本东京明治大学和弘文师范学院。归国后任保定军官学校教员、安徽省立第一女子师范学校校长、安徽省教育厅视察、安徽省教育会会长等职。1918年，徐方汉与清末秀才孙哲夫在庐江县城创办桑园女子小学，后又创办沙溪小学。1921年，军阀倪道烺、马联甲镇压学潮，造成"六二"惨案。安庆各校组成教育界声援会，徐方汉被公推为会长。他曾率领安徽教育界和学生代表赴京请愿，要求惩办制造"六二"惨案的罪魁祸首。新中国成立后，徐方汉任皖北区人大代表、皖北区政协委员、安庆市政协副主席等职	《庐江县志》，社会科学文献出版社1993年版
李经迈	1876—1938	合肥	李鸿章子。光绪三十一年（1905）任钦差出使奥国大臣，次年授光禄寺卿，光绪三十三年（1907）因母病辞职归国。历任江苏、河南、浙江按察使。宣统二年（1910），随载涛前往日本、欧美考察军事。次年署民政部右侍郎。辛亥革命后寓居上海，以经商为业，善理财。1917年参与张勋复辟活动，失败后返回上海	丁德照、陈素珍编著：《李鸿章家族》，黄山书社1994年版；宋路霞：《李鸿章家族》，重庆出版社2005年版

第五章 合肥地区人物小传及资料来源表

（续表）

姓名	生卒年	籍贯	主要事迹	资料来源
达修	1876—1940	滁州西境将军集（今属肥东）	俗姓李，后姓姚。早年即剃度为僧，18岁受戒，为准提庵住持。光绪三十年（1904）应滁州知州熊祖诒之邀，来琅琊山住持开化律寺（琅琊寺）。募集巨金，复建大雄宝殿、韦驮殿、明月观、藏经楼等，及驰道、磴道多处。1928年，与章心培合纂《琅琊山志》	《安徽历史名人词典》
王揖唐	1877—1948	合肥东南乡（今属肥东）	详见传	
孙万乘	1877—1950	合肥东乡（今属肥东）	1904年入芜湖安徽公学读书，次年加入同盟会，1907年在家乡创办城南小学堂，以教书为掩护，宣传反清思想，发展革命势力。武昌首义后，自上海回合肥与同盟会合肥分会会长李诚安密谋武装起义。合肥和平光复，11月9日成立庐州军政分府，被举为革命北伐军驻庐总司令，3天后又出任庐州军政分府司令。1912年2月，最先通电取消军政分府，拥护安徽督军柏文蔚回皖主政。所领导的合肥革命军被改编为国民革命军第十五师，任师长，移驻芜湖。10月6日，被授予陆军中将。1913年所部缩编为安徽陆军第二旅后，即辞职回肥闲居。夏，参加"二次革命"讨袁，在皖北重创倪嗣冲军。讨袁失败后，赴沪暂住。后一直在芜湖闲居	安徽省文史研究馆等编：《安徽辛亥英杰》

（续表）

姓名	生卒年	籍贯	主要事迹	资料来源
吴中英	1879—1938	合肥东南乡（今属肥东）	详见传	
吴近义	1879—1943	合肥东南乡（今属肥东）	1899年考入北京陆军武备学堂。1902年选入保定北洋行营将弁学堂哨官班,毕业后派入山西新军,升管带。1911年武昌起义爆发后,率部起义,击毙晋抚陆钟琦。升革命军团长、独立混成旅旅长、晋北镇守使。1923年,任山西正太铁路少将司令。1930年,卸职返乡。1943年,被暗杀身亡	《合肥文史资料》第20辑《辛亥革命与合肥》;《肥东县志》第24篇《人物》
刘体智	1879—1963	庐江	刘秉璋子。曾任户部郎中、大清银行安徽总办。1919年任中国实业银行上海分行经理,后任总经理。1935年去职。1962年任上海文史馆馆员。生平富于收藏,拥有甲骨28000片、古籍20万卷,钟鼎收藏亦远逾前人。受业于长洲朱孔彰,长于音韵、训诂之学。工诗文,精考据,且旁通蒙古史。著书百卷,有《说文谐声》《说文切韵》《说文类聚》《尚书传笺》《礼记注疏》《元史会注》《异辞录》等,刊行的有《善斋吉金录》《小校经阁金文拓本》等	刘笃龄:《异辞录·前言》,中华书局1988年版

（续表）

姓名	生卒年	籍贯	主要事迹	资料来源
王天培	1880—1917	合肥	1897年考入北京陆军讲武学堂，1904年入日本陆军士官学校学习军事，1905年加入同盟会，1910年回国到安庆担任安徽陆军测绘学堂提调（监督）。1911年武昌起义爆发后，与吴旸谷等积极谋划安庆光复。11月8日安徽独立，被举为军政府副都督。四天后，革命党人占据都督府，王天培代行都督职权，下令安庆城限官界三日、军界半日之内剪去长辫，遭攻击，被迫卸印。次年初应孙中山电召，赴南京入襄要政，3月回皖调解各地军政分府统一事。旋因染上肺病，回乡修身养病	安徽省文史研究馆等编：《安徽辛亥英杰》
聂宪藩	1880—1933	合肥北乡（今属长丰）	聂士成次子。早年毕业于日本振武学校，归国后任济南巡防营队官、直隶督练公所参谋处总办。1902年经袁世凯保奏，以知府分省遇缺即补。1911年10月武昌起义时，任山东济泰武道，阻碍山东独立。后任山东登州镇总兵、烟台镇守使。1919年12月，任安徽省省长。1922年5月，任北京政府步军衙门统领。10月，封宪威将军。1926年1月，步军衙门裁撤去职	吴仁：《聂宪藩》，《皖系北洋人物》，安徽人民出版社1993年版
贾德耀	1880—1940	合肥	详见传	

(续表)

姓名	生卒年	籍贯	主要事迹	资料来源
方经纶	？—1914	合肥	早年经商,后考入安徽陆军测绘学堂,毕业后就职于陆军测量局。1907年加入岳王会。1911年武昌起义后,与革命党人孙万乘在合肥谋划响应。11月9日,革命党人召开大会,宣布庐州光复,成立庐州军政分府,被推举为革命党北伐军驻庐副总司令。"二次革命"失败后避居沪上。次年遇害	安徽省文史研究馆等编:《安徽辛亥英杰》;《安徽历史名人词典》
盛典型	1881—1927	合肥东南乡（今属肥东）	1901年考入北京陆军讲武学堂,毕业后被选送日本振武学校,后入士官学校炮兵科学习,秘密加入同盟会。参加上海光复之役,任沪上都督府司令部副部长,沪军威武军总司令。1912年调保定陆军军官学校任教官,1917年任陆军大学高级教官,1920年任安徽省军务督办公署正参议、秘书长,1924年代理督办。1925年4月28日授陆军少将,1926年3月27日授陆军少将加中将衔	《肥东县志》第24篇《人物》
范鸿仙	1882—1914	合肥	详见传	
龚镇洲	1882—1942	合肥北乡（今属长丰）	详见传	
冯玉祥	1882—1948	巢县（今巢湖市）	详见传	
吴炎世	1884—1907	庐江	吴长庆孙,详见传	
吴旸谷	1884—1911	合肥北乡（今属长丰）	详见传	

(续表)

姓名	生卒年	籍贯	主要事迹	资料来源
王正藩	1884—1914	合肥东乡（今属肥东）	清末秀才。1906年考入安庆陆军弁目学堂，参加同盟会。后入保定陆军师范学堂，毕业后到武昌陆军第三中学任教官。1911年10月参加武昌起义后，回到安徽开展革命活动，参与光复安庆，担任"铁血军"参谋长，并在合肥组织庐州五属团防局，任团长。1913年"二次革命"失败后，回到家乡。1914年1月，在合肥老家被倪嗣冲的爪牙夏永伦逮捕，不久在合肥城内洗马塘畔被枪杀，年仅30岁。后被国民党政府追认为革命烈士	殷文波：《王正藩》，《合肥文史资料》第5辑《合肥人物》

(续表)

姓名	生卒年	籍贯	主要事迹	资料来源
李寅恭	1884—1958	合肥	童年就读于江苏省宿迁县钟吾书院,因生父在甲午战争中殉国,少孤失学,寄居同里蒯光典门下,后作为欧洲留学生监督蒯光典随员赴英。1914年自费在英国阿伯丁大学攻读农林课程。1918年毕业后曾一度在剑桥大学充当林业技师。1919年回国,先后担任安徽省第一农业学校(合肥)林科主任、安徽省第二农业学校(芜湖)校长,还担任安徽省教育公有林技师、总董、《实验杂志》编辑所所长等职,为安徽省早期的林业教育事业奠定了基础。1927年任南京第四中山大学农学院森林组讲师,负责筹建森林组。1928年任中央大学森林科副教授,1930年任森林系教授兼主任,一度兼任江苏省教育林场场长。1946年后专任教授,至此,主持中央大学农学院森林系前后近20年。1949—1952年任南京大学农学院森林系教授。后在家休养,1958年逝于南京。毕生致力于林业教育事业,为我国著名林业教育家、林学家,中国近代林业开拓者之一。除了林业学术论著以外,写有《百卉园吟草》	中国科学技术协会编:《中国科学技术专家传略·农学编林业卷1》,中国科学技术出版社1991年版;《中国林学会成立70周年纪念专集》,中国林业出版社1987年版;南京林业大学林业遗产研究室遍:《中国近代林业史》,中国林业出版社1989年版;中华农学会遍:《中华农学会报》1920—1936;中华林学会遍:《林学》1930—1944
吴忠信	1884—1959	合肥北乡(今属长丰)	详见传	
倪映典	1885—1910	合肥北乡(今属长丰)	详见传	

第五章 合肥地区人物小传及资料来源表

（续表）

姓名	生卒年	籍贯	主要事迹	资料来源
蔡晓舟	1885—1933	合肥	详见传	
刘文明	1885—1938	合肥西乡（今属肥西）	保定北洋速成武备学堂、日本士官学校第九期骑兵科毕业。1911年任北伐颍州司令，光复阜阳一带。民国成立后，任陆军第十五师二十九旅旅长、陆军部少将谘议副官。1924年安徽发起驱逐省长马联甲运动，成立第五军，自任军长。后任陆军部汉阳兵工专门学校总办。1926年秋投靠蒋介石，后参与策划安庆"三二三"事件，曾任安徽省政府委员兼办特务事宜	《肥西县志》第35章《人物》；《安徽历史名人词典》
江惟仁	1885—1938	庐江	17岁参军。1933年12月，任第五十三军第一一六师师长，率领所部扼守山海关、界巅口、拉马洞等关隘，击退日军数次进攻，并组织敢死队进行反击。1937年6月，由第九军第一〇八师师长调任江苏绥靖公署少将参议。1938年4月，率领几名卫士奔赴抗日前线途中，在蒙城县吕望集子牙庙被日军包围，身中数弹，光荣牺牲	《庐江县志》第31篇《人物》
吴新田	1886—1945	合肥	详见传	

(续表)

姓名	生卒年	籍贯	主要事迹	资料来源
李应生	1886—1952	合肥	清末秀才。安徽陆军小学堂、保定陆军速成学堂留日学生预备班、日本陆军士官学校第十期步科毕业。由宋教仁介绍加入同盟会。1911年武昌起义爆发后回国,任沪军都督府参议、沪军威武军第五团第二营营长。1913年参加讨袁,失败后赴日本继续士官学校学业。1914年毕业回国,应阎锡山邀请,任教于山西军官教导团。1915年反对袁世凯称帝,回沪与陈其美等人策划"肇和"舰起义。1917年在北洋军长江上游总司令吴光新部任营长,后转任徐树铮边防军团长。1922年任汉阳兵工厂会办,并参与创办兵工专门学校。1926年任国民革命军参议。1928年任安徽省政府委员。1938年入川,寄居江津。1945年返回南京。任阜丰公司董事长兼中孚银行常驻监察人。1948年当选为立法院立法委员。1949年去台湾。1952年5月29日,在台湾逝世	宋霖、刘思祥:《台湾皖籍人物》
吴光杰	1886—1970	合肥东南乡（今属肥东）	吴中英弟,详见传	
余亚农	1887—1959	合肥北乡（今属长丰）	详见传	
吴弱男	1887—1973	庐江	吴长庆孙女,详见传	
叶守坤	1888—1963	合肥北乡（今属长丰）	详见传	
许习庸	1888—1976	合肥	详见传	

(续表)

姓名	生卒年	籍贯	主要事迹	资料来源
王亚樵	1889—1936	合肥	详见传	
张冀牖	1889—1938	合肥西乡（今属肥西）	张树声孙，详见传	
陶瑶坤	1889—1952	庐江	幼年随父亲学泥塑技艺，青年时开始泥塑佛像，技艺逐渐成熟，声名远扬。他数十年的泥塑生涯，大部分是在九华山度过的，九华山不少寺庙都留下了他的泥塑佛像。安庆迎江寺至今仍供奉着陶瑶坤塑造的诸多佛像	《庐江县志》第31篇《人物》
吴亚男	1889—1976	庐江	吴长庆孙女，详见传	
张治中	1890—1969	巢县（今巢湖市）	详见传	
刘文典	1891—1958	合肥	详见传	
卢旭	1893—？	庐江	又名卢觉华。1919年毕业于保定陆军军官学校第六期步科。1929年任陆军第二师参谋处长。1931年任江苏省民政厅厅长。1933年在顾祝同的北路军总司令部任职，参加了对江西中央红军的"围剿"。1936年10月晋升少将。后历任军事委员会重庆行营办公厅厅长、第三战区长官部高参兼情报室主任、党政军联席会报秘书处主任秘书、陆军总司令部郑州指挥部秘书长、陆军总司令部高级参谋等职。1949年去台湾	宋霖、刘思祥：《台湾皖籍人物》

(续表)

姓名	生卒年	籍贯	主要事迹	资料来源
刘廼敬	1893—1969	巢县（今巢湖市）	1906年入芜湖萃文书院读书，后考入南京金陵大学文学院攻读教育学。先后任金陵大学讲师、安徽省立第一中学校长。1923年留学美国哥伦比亚大学，攻读教育学、哲学。1927年回国任金陵大学教务长、文学院院长，并在中央大学主讲教育学。1941年应安徽省政府之邀创办安徽政治学院，任院长。1943年后，任安徽师范专科学校校长、安徽学院教授。1946年，安徽学院迁至芜湖，安徽大学也在安庆恢复，兼任两校教授、教务长。1949年，安徽学院和安徽大学合并改组成立新的安徽大学，任教务长、校务委员。1951年加入中国民主同盟。1953年，任安徽省文教厅副厅长。1955年定为二级教授。著有《教育统计学》	《巢湖市志》，黄山书社1992年版；《安徽历史名人词典》

(续表)

姓名	生卒年	籍贯	主要事迹	资料来源
孟芸生	1894—1933	寿县庄墓桥镇（今属长丰）	原名孟昭镛。1913年参加淮上军,1924年加入方振武部,1926年任方振武国民第五军军需处长。1928年,该部被改编为国民革命军第一集团军第四军团,任第四军团少将军需处长。1933年,随方振武到山西介休召集旧部组织"抗日救国军",任中将秘书长。5月,随方振武到达察哈尔,与冯玉祥、吉鸿昌等会合,组织"民众抗日同盟军"。10月,抗日同盟军遭日、蒋夹击失败。孟芸生在顺义县牛栏山被俘。11月17日,孟芸生被蒋介石杀害于北平西郊海淀街后	《长丰县志》,中国文史出版社1991年版
刘和鼎	1894—1969	合肥东南乡（今属肥东）	详见传	

(续表)

姓名	生卒年	籍贯	主要事迹	资料来源
贾成章	1894—1970	合肥	1914年考入国立北京农业专门学校预科,次年入林学科,1918年毕业后曾任安徽省森林局技术主任、北洋政府农商部主事等职。1923年赴德国明兴大学(今慕尼黑大学)研究部攻读林学,1927年获博士学位并回国。被聘为国立京师大学校农学科教授。1928年夏赴沈阳筹办私立东北农林专科学校,任校长。1931—1937年,被聘为国立北平大学农学院教授兼森林系主任。1937年赴陕西省参与筹建西安临时大学农学院,代理院务半年。1939年秋任西北农学院森林系教授兼农业推广处主任,翌年再兼任森林系主任。1946年秋调任沈阳中正大学农学院院长。1947年被选为南京国民政府立法院立法委员,并被推举为农林委员会召集人之一。1949年任苏州前河大学农学院教授。南京新中国成立以后,参加9月19日以李蒸为首的53名南京国民党政府立法委员联合向国民政府发出通电的爱国举动,声明与国民党断绝关系。同年9月至次年2月到北京华北大学政治研究所学习。1950年2月至1957年任河南大学农学院教授兼森林系主任。1957—1970年任林业部中国林业科学研究院研究员。著有《林木耐阴性之研究》《森林管理学》《森林法律注释》等,是著名林学家、林业教育家、中国林木耐阴性研究的开拓者	中国科学技术协会编:《中国科学技术专家传略:农学编林业卷1》,中国科学技术出版社1991年版;《林木耐阴性之研究》,北平文化学社1933年版;姚远主编:《西北大学学人谱》(1),西北大学出版社1997年版;姚远主编:《西北联大史料汇编》,西北大学出版社2012年版

（续表）

姓名	生卒年	籍贯	主要事迹	资料来源
金维系	1885—1981	合肥	详见传	
杨士彬	1895—1948	巢县（今巢湖市）	1917年考入芜湖第二农业学校学习。1919年，赴法国勤工俭学。在法国加入中国共产党，与郑超麟、李慰农同在一个党小组。1925年回国，任芜湖第二农业学校教员，并担任中共芜湖党支部委员。参加和领导了芜湖教会学校反对奴化教育的斗争。1926年，曾担任中共芜湖特支负责人。1927年3月，任国民党左派芜湖市党部执行委员兼宣传部长。"四一八事件"发生后，离开芜湖，隐蔽宣城。8月，参加中共安徽省临委，并任中共宣城县委书记。1928年1月，在宣城被捕。1948年逝世于浙江丽水	《巢湖市志》，黄山书社1992年版

(续表)

姓名	生卒年	籍贯	主要事迹	资料来源
吴绍青	1895—1980	巢县(今巢湖市)	1915年考入长沙湘雅医学院,获博士学位。毕业后在上海工部局传染病医院、芜湖弋矶山医院、南昌医院、重庆中央医院、国立上海医学院等担任医务和教研工作。其间,于1929年赴美国哈佛大学医学院深造,研究血液病、肺科。1944年再度赴美,在哥伦比亚大学医学院任研究员,兼任当地两所医院的肺科主治医师。新中国成立后,长期在上海第一医学院工作,被评为一级教授,并担任附属中山医院肺科主任,同时兼任中国防痨协会副理事长、《中华结核和呼吸杂志》副总编辑等职。是著名肺病专家,中国防痨事业的先驱,编著有《实用肺结核病治疗学》《肺功能测验在临床上的应用》《结核病学》等。晚年提出肺科"疫性大转变时代"的重要观点,认为在肺结核和肺部炎症病变的发病率得到控制以后,慢性支气管炎和肺气肿将成为突出性问题	科学家传记大辞典编辑组:《中国现代科学家传记》第1集,科学出版社1991年版,第587—595页;崔月犁等主编:《中国当代医学家荟萃》第1卷,吉林科学技术出版社1987年版,第219—222页;《中国防痨史料》,中国防痨协会1983编印;《巢湖市志》,黄山书社1992年版
张义纯	1895—1982	合肥东南乡(今属肥东)	详见传	
杨亮功	1895—1992	巢县(今巢湖市)	详见传	
崔筱斋	1896—1932	合肥北乡(今属长丰)	详见传	

（续表）

姓名	生卒年	籍贯	主要事迹	资料来源
张孝华	1896—1970	巢县（今巢湖市）	详见传	
杨武之	1896—1973	合肥	详见传	
史文桂	1896—？	合肥	1917年考入保定陆军军官学校第八期，后与同学陈诚加入邓演达部。1926年冬，在广州黄埔军校第四期任炮兵科长、学生总队队副。北伐战争中，升任中央独立师步兵第三团团长。后经张治中介绍，担任江浙警备司令部参谋处长。旋任八十九师副师长、炮兵第一旅旅长。1936年，任炮兵第七旅旅长。1939年，在贵州都匀任炮兵学校教育长。1945年抗战胜利后，应台湾省主席陈诚邀请去台湾，任澎湖列岛要塞司令官。1971年退休	沈思祐、陶子贞：《史文桂》，《合肥文史资料》第5辑《合肥人物》
李慰农	1897—1925	巢县（今巢湖市）	详见传	

(续表)

姓名	生卒年	籍贯	主要事迹	资料来源
万诚	1897—1927	巢县（今巢湖市）	1919年5月，作为安徽法政学校的代表，参加声援五四运动。1921年10月在安庆加入中国社会主义青年团。从法政学校毕业后，曾在安庆政府机关工作。1925年，在安庆国民党左派市党部工作。1927年春，受国民党左派安徽省总部派遣，回巢县组建巢县党部。3月中旬，国民党安徽省一大召开，以巢县代表身份出席会议。3月，蒋介石来安庆，筹划指挥"三二三事变"，捣毁国民党左派安徽省党部、安庆市党部，万诚受伤。上海"四一二事变"后，国民党左派巢县县党部被解散，万诚被迫离开巢县。后在芜湖锦华旅馆被蒋介石特务密捕杀害	《巢湖市志》，黄山书社1992年版
童汉章	1897—1943	合肥东乡（今属肥东）	详见传	
郑抱真	1897—1954	寿县东南吴山（今属长丰）	详见传	
卫立煌	1897—1960	合肥	详见传	
周新民	1897—1979	庐江	详见传	

（续表）

姓名	生卒年	籍贯	主要事迹	资料来源
谢辅三	1897—1980	合肥北乡（今属长丰）	原名谢怀仁。早年曾在段祺瑞部队中任排长。1924年赴广州加入粤军。1925年入黄埔军校第三期学习。毕业后加入国民革命军，参加北伐。1930年任第九师团长。1935年任八十七师旅长。抗战爆发后，任预备第一师师长兼西荆公路警备司令。1944年初任暂编第四军军长。1945年2月改任第二十七军军长。8月兼任郑州警备司令。1946年初任第三十四集团军副司令。8月调任第二十四军军官总队总队长。1947年3月调任西安绥靖公署副主任。1949年6月离开陕西飞往台湾	《长丰县志》，中国文史出版社1991年版
余心清	1898—1966	合肥	详见传	
张本禹	1899—1937	巢县（今巢湖市）	详见传	
李克农	1899—1962	巢县（今巢湖市）	详见传	
翟宗文	1900—1957	巢县（今巢湖市）	详见传	

(续表)

姓名	生卒年	籍贯	主要事迹	资料来源
杨宝忠	1900—1968	合肥	京剧名旦杨小朵之子。初从张春彦学戏，后拜余叔岩为师，演老生，艺名小小朵。以《辕门斩子》《捉放曹》等剧著名。后因病辍演，赋闲家居，专攻胡琴，常在北京各票房为人伴奏。由于熟谙"谭派"唱腔，伴奏驾轻就熟，深受演唱者欢迎，后长期为其堂弟杨宝森伴奏，琴艺唱腔相得益彰。其过门伴奏以短弓、快拉见长，急如疾风骤雨，其"托腔"和"小垫头"穿插于唱腔之间，丝丝入扣，形成京胡伴奏的独特风格。新中国成立后任天津市戏曲学校教师	《中国戏曲曲艺词典》，上海辞书出版社1981年版
龚维蓉	1900—1983	合肥	毕业于山东女子医学专科学校。20世纪30年代受聘于合肥基督医院，任主治医师、主任医师20余年，擅长外科、妇科。抗战期间，在临时省会立煌县开设基督医院诊所。抗战胜利后返回合肥，继续担任合肥基督医院主任医师。新中国成立后，任安徽省和平医院（省立医院前身）副院长兼外科主任。1952年，为安徽省人民委员会委员。1953年，被抽调组建合肥妇幼保健院，并担任院长，直至退休。为省人大代表、全国妇联代表，安徽省政协第一、二、三届常委，担任省妇联常务监事、省高级法院法医顾问等职	《合肥市志》，安徽人民出版社1999年版

（续表）

姓名	生卒年	籍贯	主要事迹	资料来源
郑通和	1900—1985	庐江	毕业于天津南开大学。后留学美国，获斯坦福大学教育学学士学位和哥伦比亚大学教育学硕士学位。回国后任上海大夏大学、复旦大学、暨南大学教授和江苏省立上海中学校长。1938年9月，任甘肃省政府委员兼教育厅厅长。1946年，任行政院善后救济总署苏宁公署署长。1947年9月，任国民党中央党部青年部代理部长。1949年春去台湾，任台湾大学教授兼训导长。1950年4月，任"教育部"政务次长。1954年7月，任正中书局总编辑。1957年，赴南洋创办侨校。创办了古晋中华中学和文莱诗里亚中正中学，均任校长。1967年返台，任中国医药学院院长。著有《六十自述》《南洋十年》等论著。1985年7月15日，在台湾逝世	宋霖、刘思祥：《台湾皖籍人物》
孙立人	1900—1990	庐江	详见传	

（续表）

姓名	生卒年	籍贯	主要事迹	资料来源
徐百川	1901—1931	合肥北乡（今属长丰）	原名张开泰，又名张泉。1925年入广州黄埔军校。1927年参加南昌起义、广州起义。1928年加入中国共产党。1928年冬回安徽开展革命工作。1929年，参加皖西六霍暴动，任工农红军第十一军第三十三师师长，率部收复麻埠、独山、流坡疃等地，又率部攻占英山、霍山县城。1930年6月，改任新组建的红军独立师师长，率部参加攻打武汉的外围战。1931年秋，在湖北红安县檀树岗，被张国焘诬以"改组派"罪名杀害，年仅30岁	《长丰县志》，中国文史出版社1991年版
陈原道	1901—1933	巢县（今巢湖市）	又名陈慎三。1919年考入芜湖安徽第二甲种农业学校学习。1923年加入中国社会主义青年团。1925年加入中国共产党。同年10月赴苏联莫斯科中山大学学习。1929年2月回国，任中共江苏省委宣传部秘书长。1930年2月任中共河南省委组织部部长兼秘书长。1931年1月，参加中共六届四中全会，被补选为中央委员。后担任中共河北临时省委组织部长。1931年4月8日，因叛徒告密被捕，后关押北平草岚子监狱。1932年9月，被营救出狱。11月，任中共江苏省委常委兼上海工会党团书记。1933年1月，因叛徒出卖，再次被捕。4月10日，在上海监狱被杀害，年仅32岁	《巢湖市志》，黄山书社1992年版

（续表）

姓名	生卒年	籍贯	主要事迹	资料来源
戴正华	1901—1966	合肥东南乡（今属肥东）	1921年考入上海南洋专门学校学医，1925年毕业，先后任黄埔学校军医、广东国民党总兵站医院内科主任、国民政府陆军第四十四军卫生队队长、第五十六师少校军医。1931年参加红军，任红三军团军医。1933年调任湘赣军区司令部医务主任。1934年加入中国共产党，任红六军团卫生部部长，随部队长征。1940年任八路一二〇师卫生部政治委员，在河家川创办一二〇师医院。解放战争时期历任晋察冀军区卫生部副部长、后勤部参谋长、东北军区卫生部主任。新中国成立后任东北军区后勤部部长，中国人民解放军总后勤部卫生部副部长。1955年被授予少将军衔	《安徽省志·人物志》；《安徽历史名人词典》
罗刚	1901—1977	合肥东南乡（今属肥东）	详见传	

(续表)

姓名	生卒年	籍贯	主要事迹	资料来源
郑象钥	1901—1979	合肥北乡（今属长丰）	1930年考入安徽大学外语系。1934年毕业后赴美留学,就读于斯坦福大学研究院,攻读西洋文学及哲学。1938年获硕士学位。1942年获林肯大学哲学博士学位。1943年,任加利福尼亚大学教授。曾用英文撰写《东西洋文化比较》和《新华诗颂》等著作。1944年5月,改任西雅图华盛顿大学研究员。1945年抗战胜利后回国,任安徽大学教授兼外文系主任。新中国成立后,任安徽大学、合肥师范学院教授和外文系主任。著有《西洋文学》,翻译作品有《毛泽东诗词》等	《长丰县志》,中国文史出版社1991年版
周培智	1902—1981	合肥	详见传	
蔡炳炎	1902—1937	合肥	详见传	
孙仲德	1902—1961	合肥三河镇（今属肥西）	详见传	
胡允恭	1902—1991	合肥北乡（今属长丰）	详见传	
郭寄峤	1902—1998	合肥	详见传	
金容甫	1903—1978	合肥	详见传	
郑大章	1904—1941	合肥东乡（今属肥东）	详见传	
刘敏	1904—1947	合肥西乡（今属肥西）	详见传	

(续表)

姓名	生卒年	籍贯	主要事迹	资料来源
柯育甫	1904—1961	庐江	原名柯德发。1921年,考入省立第六师范,后转入安庆工业专门学校读书。1928年,从南京东南大学外语系毕业后,回安徽就任省立七中校长。1936年,赴欧美考察,并研究教育学,撰写《中学校长职能研究》论文,获硕士学位。抗战胜利后回国,在四川大学、重庆大学任教,后到教育部任职,曾撰写《论教育》《教育概论》《六十年来中国教育》等论著。1947年,回到安徽,任安徽省政府委员、安徽省救济分署署长、安徽学院代院长、安徽省教育厅厅长等职。新中国成立后,任马鞍山钢铁公司直属中学校长。1952年,调到芜湖,担任安徽师范学院教员。曾任安徽省民革执委、安徽省政协委员	《庐江县志》,社会科学文献出版社1993年版

(续表)

姓名	生卒年	籍贯	主要事迹	资料来源
李铣	1904—1991	合肥	原名李广达。1924年考入黄埔军校第一期，毕业后任教导第二团机枪连连长，后任蒋介石侍从官多年。1930年后历任第三十五师暂编第四团团长、第八十九师补充团团长、第八十九师第二六五旅旅长，参加了对江西中央红军和湘鄂赣边区红军的"围剿"。1937年率部在华北南口抗击日军，后任第八十九师副师长、新五师师长。1939年晋升少将后，历任第二十补训处处长、第八十五军副军长兼河南漯河警备司令、第三十一集团军总司令部政治部主任、第一战区干训团教育长、鲁苏豫皖边区总司令部参谋长、沙河警备司令、第十九集团军副总司令、整编第二十二军副军长等职。1948年9月，晋升中将。1949年去台湾	宋霖、刘思祥：《台湾皖籍人物》
柯武东	1905—1930	合肥东乡（今属肥东）	详见传	

（续表）

姓名	生卒年	籍贯	主要事迹	资料来源
郑昕	1905—1974	庐江	原名郑秉璧。1926年肄业于南开大学哲学系。1927年初赴德国留学，就读于柏林大学哲学系。1929年转入耶拿大学哲学系，在布鲁诺·鲍赫教授指导下，专攻康德哲学。1932年秋回国，任北京大学教授。新中国成立后，任北京大学教授兼哲学系主任、国务院科学规划委员会哲学专业组副组长、中国哲学会副主席、中国科学院哲学研究所学术委员等职，曾任全国政协委员、北京市人大代表。撰写有《康德学述》《康德哲学批判》《真理与实在》《解放唯心主义》等论著	《庐江县志》，社会科学文献出版社1993年版
张宗良	1905—1986	庐江	1926年毕业于南京安徽公学，旋即考入东南大学。1933年毕业后留学英国，获伦敦大学政治学博士学位。1937年回国，任军事委员会政治部秘书、处长，中央训练团办公厅副主任。1941年3月，任安徽省政府委员、省训练团教育长。1942年1月，任皖南行署主任兼省保安司令部皖南行营主任。1943年9月，兼任安徽学院皖南分院主任。1946年，任三民主义青年团安徽支部主任。1947年7月，任国民党第六届中央执委。10月，任国民党安徽省党部副主任委员。1948年1月任安徽省建设厅厅长。1949年去台湾	宋霖、刘思祥：《台湾皖籍人物》

(续表)

姓名	生卒年	籍贯	主要事迹	资料来源
胡一贯	1905—?	巢县（今巢湖市）	先后毕业于大同大学文科和东南大学教育系。后留学日本，学习社会学。1927年回国，任中央军事政治学校教官。1934年3月，任国民党安徽省党务特派员办事处设计委员。1938年7月，任安徽省党务执行委员会执行委员。1945年，任国民党中央党部文化运动委员会副主任委员。曾创办和编辑《新生命》《文化先锋》《国魂》《文艺创作》等刊物。1949年去台湾	宋霖、刘思祥：《台湾皖籍人物》
杨新吾	1906—1977	巢县（今巢湖市）	详见传	
江之永	1906—1987	祖籍旌德，生于庐江	1930年毕业于上海震旦大学，先后在震旦大学、中法国立工学院、光华大学和暨南大学等校任教，曾任暨南大学理学院院长。新中国成立后，任上海同济大学教授、基础课部主任、数理力学系系主任，上海市物理学会副理事长、市高校物理协作组组长，全国高等院校物理教材编审委员会委员，校工会主席等职。长期从事物理学教材建设和教学法研究，参加编写中国第一本工科高校普通物理教材，与人合著《普通物理学》，审校出版法国《物理学教程——力学》等	《安徽省志·人物志》；《安徽历史名人词典》

(续表)

姓名	生卒年	籍贯	主要事迹	资料来源
宛敏灏	1906—1994	庐江	详见传	
陈季丹	1907—1984	合肥东南乡（今属肥东）	详见传	
徐克勤	1907—2002	巢县（今巢湖市）	详见传	
张元和	1907—2003	合肥西乡（今属肥西）	张树声曾孙女，详见张冀牖传	
童雪鸿	1909—1966	巢县（今巢湖市）	详见传	
张如屏	1909—1983	合肥北乡（今属长丰）	详见传	
魏建猷	1909—1988	巢县（今巢湖市）	详见传	
鲍觉民	1909—1994	巢县（今巢湖市）	1933年国立中央大学地理系毕业，就职于南开大学经济系，讲授经济地理学。1937年赴英国伦敦大学政治经济学院留学，获经济地理学博士学位。1940年冬回国，任西南联合大学教授。1946年9月，应英国文化协会邀请，再度赴英，做访问教授。1947年回国后，任南开大学经济系主任、经济学院院长、经济研究所所长。20世纪80年代中期，在南开创办台湾经济研究所，并出任所长。曾担任《人文地理》杂志主编，主持翻译90万字的《欧洲地理》，著有《天津》《世界地名词典》《论政治地理学的若干理论问题》《人文地理学的理论与实践》《天津城市地理的特征及其发展前景》	《安徽历史名人词典》

(续表)

姓名	生卒年	籍贯	主要事迹	资料来源
张允和	1909—2002	合肥西乡（今属肥西）	张树声曾孙女，详见张冀牖传	
张兆和	1910—2003	合肥西乡（今属肥西）	张树声曾孙女，详见张冀牖传	
高植	1911—1960	巢县（今巢湖市）	详见传	
冯四知	1911—1984	庐江	曾用名冯法震。1931年考入上海大夏大学银行系，酷爱摄影技术，作品《藤影翩跹》获选参加1932年美国芝加哥国际博览会。1933年肄业，任上海电通影片公司摄影；1936年创办摄影杂志《飞鹰》，并在南京举办《冯四知摄影展》。1939年后任重庆中央通讯社记者、图片摄影师，中国电影制片厂摄影师。1947年后任长春电影制片厂、上海电影制片厂摄影师，先后拍摄电影《翠岗红旗》《铁道游击队》《宝莲灯》等。《翠岗红旗》于1952年获捷克斯洛伐克第六届卡罗维·发利国际电影节摄影奖。1956年任中国摄影学会理事。1957年获文化部1949—1955年优秀影片创作个人一等奖。1959年任上海电影专科学校摄影系系主任，从事教学工作。1976年底起，投入"测光表感色性误差"的研究。1984年，在上海因病去世	《安徽省志·人物志》；《安徽历史名人词典》
吴忠性	1912—1999	合肥东南乡（今属肥东）	详见传	

(续表)

姓名	生卒年	籍贯	主要事迹	资料来源
葛介屏	1912—1999	合肥	详见传	
郑为元	1913—1993	合肥东乡（今属肥东）	详见传	
陈百屏	1913—1993	庐江	1935年上海交通大学电机工程系毕业后，入南京中央大学（今南京大学）机械系特别研究班学习一年半，毕业后留校，在航空系历任助教、讲师及副教授等职。1947年起赴美留学，先入斯坦福大学机械系，后在布朗大学应用教学系学习，获数学博士学位。1950年回国，在大连工学院任应用数学系教授及系主任。1952—1970年在哈尔滨军事工程学院任数学、理论力学及飞机设计等教研室主任。1970年到西北工业大学飞机系任教授，曾任该系副主任，航空工业部结构强度组学位委员会委员。长期从事数学、力学研究，在构架结构的矩阵分析方法和弹性结构力学的研究中做出了成绩，创立和发展了广义应变法，编写有《应变法》丛书	《中国力学学会理事陈百屏简介》，《力学与实践》1985年第3期
龚澎	1914—1970	合肥北乡（今属长丰）	详见传	
张宗和	1914—1977	合肥西乡（今属肥西）	张树声曾孙，详见张冀牖传	
陈其五	1914—1984	巢县（今巢湖市）	详见传	

(续表)

姓名	生卒年	籍贯	主要事迹	资料来源
冯法祀	1914—2009	庐江	1933年考入南京中央大学教育学院艺术科,受业于徐悲鸿、颜文梁等大师门下。1937年毕业后参加中国工农红军,到过延安。后到位于四川江津县的武昌艺术专科学校任教。1940年参加抗敌演剧队。1942年受聘为中国美术学院副研究员,1943年受聘为国立社会教育学院副教授,1946年随徐悲鸿到北平,参加北平国立艺术专科学校的创办工作。1950年中央美术学院建立后,被聘为教授、首任绘画系系主任兼油画系主任。中国美术家协会会员、中国油画学会顾问、徐悲鸿国际艺术研究会名誉主席、徐悲鸿艺术学院首席顾问。秉持"为人生而艺术"信念,曾创作《雁荡山》《演剧队的晨会》《南京大屠杀》(合作)、《苏州耦园》《长白山天池》《西双版纳少女》《吕霞光夫人像》《暖冬》《岁月》等一大批充满现实主义精神的作品。于20世纪50年代创作的巨幅油画《刘胡兰就义》,为中国美术馆珍藏,被称作馆藏"双璧"之一。油画作品多次在北京、桂林、昆明以及巴黎、莫斯科、渥太华等地展出。出版有《冯法祀画选》《冯法祀画集》	《安徽省志·人物志》;《安徽历史名人词典》
董寅初	1915—2009	合肥	详见传	

（续表）

姓名	生卒年	籍贯	主要事迹	资料来源
叶天星	1915—1999	合肥	医学微生物学、免疫学专家。1937年毕业于上海东南医学院，入上海自然科学研究所细菌学部攻读研究生，年底赴西安参加传染病防治工作。1942年赴英属印度研究鼠疫及霍乱的免疫预防及制剂制备。1946年赴美进修研究病毒学、免疫学及微生物学。1947年底回国，任上海国防医学院、同济大学医学院、东南医学院微生物学教授。1949年起任华东军区人民医学院（上海）卫生实验院细菌学科教授兼主任、中国人民解放军第二军医大学微生物学教研室主任，兼任复旦大学生物学系微生物学教授，被定为免疫学一级教授。担任过上海免疫学会理事长。编著有《医学微生物学》《病毒学》《免疫学》等教材	《医学微生物学家——叶天星》，《微生物学报》2014年第10期；《沉痛悼念我国著名微生物学免疫学家叶天星教授》，《中国免疫学杂志》1999年第10期；《叶天星简介》，《免疫学杂志》1988年第4期
张素我	1915—2011	巢县（今巢湖市）	张治中长女，详见张治中传	

(续表)

姓名	生卒年	籍贯	主要事迹	资料来源
刘鸿文	1916—1979	合肥东乡（今属肥东）	早年就读于安庆师范，因参加学生运动被开除。1934年赴上海参加革命，从事农运、工运、抗日救亡工作，次年加入中国共产党。抗战爆发后，先后在白区、解放区工作，历任中共霍邱、全椒、合肥、定合县委书记，江北游击纵队政治部民运科长、皖东专署党团书记兼秘书长、淮南路东地委城工部部长、淮南区党委城工部副部长。新中国成立后，一直在河南省工作，历任开封特别市副市长、河南省委统战部部长、组织部部长、省委常委、省委副书记等职，河南省第三、四届政协副主席，在党的统一战线、组织和外事工作中颇多建树	《安徽省志·人物志》，方志出版社1999年版
张学铭	1919—1986	巢县（今巢湖市）	1940年毕业于浙江大学数学系。新中国成立后在山东大学、浙江大学任数学系主任、教授、数学研究所所长，长期从事微分方程和现代控制论教学与研究，在特征指数稳定性、分布参数系统最佳控制理论和孤立子理论方面成就突出。著有《常微分方程稳定性理论讲义》《分布参数系统最优控制过程数学理论》等	《安徽历史名人词典》

(续表)

姓名	生卒年	籍贯	主要事迹	资料来源
吴孟复	1919—1995	庐江	详见传	
唐德刚	1920—2009	合肥西乡（今属肥西）	详见传	
孔金胜	1924—1948	庐江	1943年参军。1945年加入中国共产党。在解放战争时期，参加了苏中、宿北、莱芜、兖州等战役。任解放军某部二排排长。1948年12月，在淮海战役中，率领全排完成大耿庄、刘鲁家作战任务后，又接受守卫大王庄和尖谷堆防线的任务。他率领全排战士顽强地阻击国民党军队的多次进攻，在子弹打光的情况下，仍然与敌人展开肉搏战。等到增援部队赶到，终于取得了这场战斗的胜利。而孔金胜因为伤势严重，流血过多，光荣牺牲，被追认为"特等功臣"。孔金胜和二排的英雄事迹被陈列在淮海战役纪念馆	《庐江县志》，社会科学文献出版社1993年版
亚明	1924—2002	合肥	详见传	
鲁彦周	1928—2006	巢县（今巢湖市）	详见传	
周本濂	1931—2000	合肥	详见传	
王唯农	1934—1980	合肥东乡（今属肥东）	详见传	

（续表）

姓名	生卒年	籍贯	主要事迹	资料来源
盛习友	1945—1969	合肥西乡（今属肥西）	1964年参军，在济南军区二十军七十七师二三〇团当战士，后任班长、排长，并加入中国共产党。1969年7月17日下午，鲁中山区章丘县胡山公社遭遇暴雨，山洪暴发，在巴漏河谷抢救社员时牺牲。济南军区授予盛习友为革命烈士，追记一等功。中共山东省委和安徽省委号召全体党员和广大干部群众开展向盛习友学习的活动。1971年5月，中央军委授予盛习友"爱民模范"称号，号召全军向盛习友学习。全国各大报刊陆续报道了盛习友的英雄事迹	《肥西县志》，黄山书社1994年版
蔡永祥	1948—1966	合肥东南乡（今属肥东）	详见传	

参考文献

一、正史、政书、类书、丛书

[西汉]司马迁.史记[M].北京:中华书局,1959.

[东汉]班固.汉书[M].北京:中华书局,1962.

[南朝·宋]范晔.后汉书[M].北京:中华书局,1965.

[西晋]陈寿.三国志[M].北京:中华书局,1982.

[唐]房玄龄.晋书[M].北京:中华书局,1974.

[唐]姚思廉.陈书[M].北京:中华书局,1973.

[唐]魏徵.隋书[M].北京:中华书局,1972.

[唐]李延寿.北史[M].北京:中华书局,1974.

[五代]刘昫.旧唐书[M].北京:中华书局,1975.

[北宋]欧阳修,宋祁.新唐书[M].北京:中华书局,1975.

[北宋]薛居正.旧五代史[M].北京:中华书局,1976.

[北宋]欧阳修.新五代史[M].北京:中华书局,1974.

[北宋]路振.九国志[M].上海古籍出版社,1995.

[清]吴任臣.十国春秋[M].北京:中华书局,1980.

[北宋]马令.南唐书[M].北京:中华书局,1985.

[北宋]李昉.太平御览[M].上海:上海古籍出版社,2008.

[北宋]司马光.资治通鉴[M].北京:中华书局,1982.

[南宋]郑樵.通志[M].北京:中华书局,1986.

[南宋]李焘.续资治通鉴长编[M].上海:上海古籍出版社,1986.

［清］陆心源.宋史翼[M].北京:中华书局,1990.

［清］陈骙.南宋馆阁录[M].北京:中华书局,1998.

［元］脱脱.宋史[M].北京:中华书局,1977.

［清］万斯同.宋季忠义录[M].上海:上海书店出版社,1994.

［明］宋濂.元史[M].北京:中华书局,1976.

［清］柯劭忞.新元史[M].北京:中国书店出版社,1988.

明实录[M].台湾"中央研究院历史语言研究所"校印本.

［清］张廷玉.明史[M].北京:中华书局,1974.

［清］谷应泰.明史纪事本末[M].北京:中华书局,1977.

［清］赵尔巽.清史稿[M].北京:中华书局,1977.

清史列传[M].王锺翰点校,北京:中华书局,1987.

清实录[M].北京:中华书局,1985.

［清］朱寿朋.光绪朝东华录[M].北京:中华书局,1958.

［清］蒋廷锡.古今图书集成[M].上海:上海中华书局,1934.

文渊阁四库全书[M].台北:台湾商务印书馆,1986.

四库全书存目丛书[M].济南:齐鲁书社,1995—1997.

续修四库全书编纂委员会编.续修四库全书[M].上海:上海古籍出版社,2002.

二、文集、笔记、史料丛刊

［唐］林宝.元和姓纂[M].北京:中华书局,1994.

［唐］孙樵.孙可之文集[M].北京:北京图书馆出版社,2003.

［北宋］张田编.包拯集[M].北京:中华书局,1963.

［北宋］吴处厚.青箱杂记[M].北京:中华书局,1974.

［南宋］王之道.相山集[M].台北:台湾商务印书馆,1986.

［元］顾瑛.草堂雅集[M].北京:中华书局,2008.

［元］余阙.青阳先生文集[M].北京:国家图书馆出版社.2010.

［明］柯维骐.宋史新编[M].台北:新文丰出版社,1974.

[明]蒋一葵.尧山堂外纪[M].济南:齐鲁书社,1997.

[明]宋濂.宋文宪公全集[M].四库备要本.

[明]黄金.皇明开国功臣录[M].台北:文海出版社影印本.

[明]计六奇.明季北略[M].北京:中华书局,1984.

[清]陈田.明诗纪事[M].上海:上海古籍出版社,1993.

[清]龚鼎孳.定山堂诗集[M].上海:上海古籍出版社,2002.

[清]曾国藩.曾国藩全集[M].长沙:岳麓书社,1987.

[清]方濬颐.二知轩文存[M].上海:上海古籍出版社,1995.

[清]蒯德模.带耕堂遗诗[M].民国十八年江宁刻本.

[清]吴元炳编.沈文肃公政书[M].台北:文海出版社,1967.

[清]李元度.国朝先正事略[M].长沙:岳麓书社,1991.

[清]顾廷龙,戴逸主编.李鸿章全集[M].合肥:安徽教育出版社,2008.

[清]张树声.张靖达公奏议[M].台北:文海出版社,1968.

[清]刘秉璋.刘尚书〈秉璋〉奏议[M].台北:文海出版社印行.

[清]李秉衡.李忠节公奏议[M].台北:文海出版社,1973.

[清]周盛传撰,周家驹续辑.周武壮公遗书[M].台北:文海出版社影印本.

[清]刘铭传.刘铭传文集[M].合肥:黄山书社,1997.

[清]张之洞.张文襄公全集[M].台北:文海出版社,1966.

[清]周馥.秋浦周尚书(玉山)全集[M].台北:文海出版社印行.

[清]周世澄.淮军平捻记[M].台北:文海出版社,1967.

[清]陈澹然.江表忠略[M].台北:文海出版社,1968.

[清]张謇.张謇全集[M].南京:江苏古籍出版社,1994.

[清]郭庆藩.庄子集释·诸子集成[M].上海:上海书店,1986.

[清]朱孔彰.中兴将帅别传[M].长沙:岳麓书社,2008.

[清]徐世昌辑.晚晴簃诗汇[M].北京:中华书局,1990.

[清]蒯光典.金粟斋遗集[M].台北:文海出版社,1969.

[清]王先慎.韩非子集释·诸子集成[M].上海:上海书店,1986.

［清］金松岑编.淮军诸将领传［M］.上海：上海图书馆馆藏稿本.

［清］金天翮.皖志列传稿［M］.台北：成文出版社 1974.

［清］张集馨.道咸宦海见闻录［M］.北京：中华书局，1981.

［清］徐宗亮.归庐谭往录·清代野史：第 4 辑［M］.成都：巴蜀书社，1987.

［清］翁同龢.翁同龢日记［M］.北京：中华书局，2006.

［清］聂士成.东辀纪程［M］.合肥：黄山书社，2010.

［清］薛福成.庸庵笔记［M］.南京：江苏人民出版社，1983.

［清］唐景崧.请缨日记［M］.清光绪十九年刊本.

［清］张佩纶.涧于日记［M］.台北：台湾学生书局，1965.

［清］刘成禺.世载堂杂忆［M］.北京：中华书局，1962.

［清］刘声木.苌楚斋随笔续笔三笔四笔五笔［M］.北京：中华书局，1998.

［清］刘体智.异辞录［M］.北京：中华书局，1988.

赵铁寒主编.宋史资料萃编［M］.台北：文海出版社，1968.

秦经国主编.清代官员履历档案全编［M］.上海：华东师范大学出版社，1997.

［清］王彦威，王亮编.清季外交史料［M］.北京：书目文献出版社，1987.

中国第一历史档案馆编.光绪朝朱批奏折［M］.北京：中华书局，1995.

故宫博物院文献馆编.清光绪朝中日交涉史料［M］.1932.

中国史学会编.太平天国［M］.上海：上海人民出版社，1957.

中国史学会编.捻军［M］.台北：神州国光社，1953.

中国史学会编.洋务运动［M］.上海：上海人民出版社，1961.

中国史学会编.戊戌变法［M］.上海：上海人民出版社，1953.

中国史学会编.中法战争［M］.上海：上海人民出版社，1957.

中国史学会编.中日战争［M］.上海：上海人民出版社，1957.

中国史学会编.义和团［M］.上海：上海人民出版社，2000.

陈诗.庐江文献初编[M].1946.

马骐主编.淮军故里史料集[M].合肥:黄山书社,2009.

三、方志、碑传、文史资料

[东晋]常璩.华阳国志[M].济南:齐鲁书社,2010.

[清]张铉.至正金陵新志[M].南京:南京出版社,1991.

嘉庆.庐州府志[M].南京:江苏古籍出版社,1998.

嘉庆.合肥县志[M].南京:江苏古籍出版社,1998.

道光.巢县志[M].南京:江苏古籍出版社,1998.

光绪.庐江县志[M].南京:江苏古籍出版社,1998.

光绪.续修庐州府志[M].南京:江苏古籍出版社,1998.

安徽通志馆编纂.安徽通志稿[M].民国二十三年铅印本.

安徽省地方志编纂委员会编.安徽省志·社会科学志[M].北京:方志出版社,1998.

安徽省地方志编纂委员会编.安徽省志·人物志[M].北京:方志出版社,1998.

长丰县志[M].北京:中国文史出版社,1991.

巢湖市志[M].合肥:黄山书社,1992.

肥东县志[M].合肥:安徽人民出版社,1990.

肥西县志[M].合肥:黄山书社,1994.

庐江县志[M].北京:社会科学文献出版社,1993.

[南宋]杜大珪.名臣碑传琬琰集[M].北京:北京图书馆出版社,2003.

《清代碑传全集》[M].上海:上海古籍出版社,1987.

卞孝萱,唐文权编.民国人物碑传集[M].北京:团结出版社,1995.

戎毓明主编.安徽人物大辞典[M].北京:团结出版社,1992.

北京语言学院《中国文学家辞典》编委会编.中国文学家辞典

[M].成都:四川人民出版社,1979.

《安徽历史名人词典》编辑委员会编.安徽历史名人词典[M].合肥:安徽教育出版社,2008.

安徽省政协文史资料委员会编.安徽文史资料全书[M].合肥:安徽人民出版社,2007.

合肥市政协文史资料委员会编.合肥文史资料全书[M].合肥:安徽人民出版社,2012.

合肥市政协文史资料委员会编.合肥文史资料[M]:第5辑,第12辑.1988,1996.

肥东县政协文史资料委员会编.肥东文史资料[M]:第1－5辑,1985—2003.

长丰县政协文史资料委员会编[M].长丰文史:第1期,第2期.2007,2008.

巢湖市政协文史资料委员会编.巢湖人物[M].1985.

四、今人论著

卢弼.三国志集解[M].北京:中华书局,1982.

孔繁敏撰.包拯年谱[M].合肥:黄山书社,1986.

杨国宜校注.包拯集校注[M].合肥:黄山书社,1999.

马祖毅.皖诗玉屑[M].合肥:黄山书社,1985.

安徽省政协《安徽省著名历史人物丛书》编委会编.安徽著名历史人物丛书[M].北京:中国文史出版社,1991.

中国人民政治协商会议安徽省委员会文史资料研究委员会编.安徽文史集萃丛书[M].合肥:安徽人民出版社,1987.

黄季耕主编.安徽文化名人世家[M].合肥:安徽教育出版社,2005.

宋霖,刘思祥编著[M].台湾皖籍人物.2011.

邓之诚.清诗纪事初编[M].台北:明文书局,1985.

马大勇.清初庙堂诗歌集群研究[M].长春:吉林人民出版社,2007.

蔡冠洛.清代七百名人传[M].北京:中国书店出版社,1984.

清史编委会编.清代人物传稿[M].北京:中华书局,2001.

王尔敏.淮军志[M].北京:中华书局,1987.

樊百川.淮军史[M].成都:四川人民出版社,1994.

肥西县政协文史资料委员会编.肥西淮军人物[M].合肥:黄山书社,1992.

马昌华主编.淮系人物列传[M].合肥:黄山书社,1995.

丁德照,陈素珍编著.李鸿章家族[M].合肥:黄山书社,1994.

张昌柱,奚治泉等编.李鸿章家族碑碣[M].合肥:黄山书社,1994.

苑书义.李鸿章传[M].北京:人民出版社,2004.

雷颐.李鸿章与晚清四十年[M].太原:山西人民出版社,2008.

雷禄庆.李鸿章年谱[M].台北:台湾商务印书馆,1977.

夏冬波.淮军名将吴长庆[M].北京:中国文史出版社,2007.

伯琴编.法军侵台档案[M].台北:文海出版社印行.

戚其章.甲午战争史[M].上海:上海人民出版社,2005.

戚其章.走近甲午[M].天津:天津古籍出版社,2006.

中岛真雄.对支回顾录[M].日本原书房,1936.

郭廷以编.近代中国史事日志[M].北京:中华书局,1987.

郭廷以编.中华民国史事日志[M].台北:台湾"中央研究院近代史研究所",1979.

费行简.近代名人小传[M].台北:明文书局,1985.

刘绍唐主编.民国人物小传[M].上海三职书店,1981.

李新,孙思白主编.民国人物传[M].北京:中华书局,1978.

张学继.袁世凯幕府[M].北京:中国广播电视出版社,2005.

安徽省文史研究馆,安徽省政协文史资料委员会编.安徽辛亥英杰[M].合肥:黄山书社,2011.

合肥市政协文史资料研究委员会编.皖系北洋人物[M].合肥:安徽人民出版社,1993.

吴廷燮.段祺瑞年谱[M].北京:中华书局,2007.

胡晓.段祺瑞年谱[M].合肥:安徽大学出版社,2007.

黄征,陈长河,马烈.段祺瑞与皖系军阀[M].郑州:河南人民出版社,1990.

周俊旗,汪丹.段祺瑞真传[M].合肥:安徽人民出版社,1992.

季宇.段祺瑞传[M].合肥:安徽人民出版社,1992.

刘敬忠,田伯伏.国民军史纲[M].北京:人民出版社,2004.

冯玉祥.冯玉祥自传[M].北京:军事科学出版社,1988.

丁剑.吴忠信传[M].北京:人民出版社,2009.

张允和口述,叶稚珊编撰.张家旧事[M].北京:生活·读书·新知三联书店,2014.

张允和,张兆和等.浪花集[M].北京:新世界出版社,2005.

张治中.张治中回忆录[M].余湛邦整理.北京:中国文史出版社,1985.

安徽省政协文史委,巢湖市政协文史委.张治中将军[M].北京:中国文史出版社,1990.

章玉政.刘文典年谱[M].合肥:安徽大学出版社,2011.

安徽省新四军历史研究会主编.郑抱真传[M].北京:当代中国出版社,2004.

卫道然.卫立煌将军[M].合肥:安徽人民出版社,1985.

赵荣声.回忆卫立煌先生[M].北京:文史资料出版社,1985.

茅海建主编.国民党抗战殉国将领[M].郑州:河南人民出版社,1987.

徐林祥,朱玉.李克农传[M].合肥:安徽人民出版社,2003.

安徽省政协文史委编.纪念孙立人文集[M].合肥:安徽人民出版社,1998.

徐克勤.徐克勤文集[M].北京:科学出版社,2007.

后　记

　　《合肥通史》是安徽省合肥市"十二五"文化建设重大工程，也是安徽省社科规划重点委托项目。自2012年6月签订编写协议后，《合肥通史·人物卷》的编纂工作，从拟定人物收录标准、确定收录人物、本卷凡例、编写原则与写作方法，到组织队伍、撰写初稿、修改完善，至最后定稿，历时4年时间。《合肥通史·人物卷》近50万字，收录重要历史人物近400名，入传者200余人，采取单独列传、合传、传表结合等方式，向广大读者呈献了不同历史时期合肥地区重要历史人物的概况。

　　本书撰写得到了《合肥通史》编纂委员会、学术指导委员会的关怀与指导。安徽省社会科学院副院长施立业研究员作为本卷审读专家，提出了宝贵的修改意见。在书稿两次送审期间，合肥市相关单位的地方文史专家也提供了很好的建议与修改意见。此外，在撰写过程中，我们注意吸取学术界已有研究成果。在此，我们诚恳地向关心支持本书撰写、出版的各位领导、专家以及学术界有关先辈和朋友表示衷心感谢。

　　本书编撰者主要来自安徽省社会科学院、合肥市社科院，具体分工为：贾猛承担远古至元代人物传记，陈瑞承担明代人物传记，方英承担清代人物传记，胡晓承担现当代人物传记。凡例、绪论、"合肥地区人物小传及资料来源表"的撰写及全书修改、统稿由方英负责。由于资料搜集与作者学识的限制，不足之处，敬请各界朋友批评指正。

方英

总后记

　　《合肥通史》是安徽省社科规划重点委托项目,合肥市"十二五"文化建设重大工程。2011年《合肥通史》正式立项,随即成立了编纂委员会、学术指导委员会,负责组织领导和学术指导。

　　《合肥通史》是一部以辩证唯物主义和历史唯物主义为指导,以准确翔实的史料为基础,以历史先后为顺序,以章节目为架构,系统、全面、客观地记述合肥历史发展过程,总结其发展规律,展现合肥历史发展风貌,传承历史文脉,体现合肥历史文化特色的多卷本地方史著作。《合肥通史》共六卷(七册),上至远古下至2011年,以今天合肥市(含四县一市)市域范围为主。其框架结构和学术规范,经学术指导委员会专题论证,编纂委员会研究确定,各卷主编通过课题招标方式聘任。《合肥通史》各卷的主审分别为:陆勤毅(远古至南北朝卷)、朱玉龙(隋唐五代宋元卷)、汤奇学(明清卷)、张生(民国卷)、戴健(当代卷·上)、黄传新(当代卷·下)、施立业(人物卷)。

　　《合肥通史》在形成过程中,除了学术指导委员会专家审读研讨,还广泛征求了社会各界的意见。其中,2014年,全市200多家市属各县(市)区、市直机关,包括一些重点部门、地方文史专家和老领导、老同志,审读了初稿,提出了修改意见。2015年,《合肥通史》(送审稿)在时任市委、市人大、市政府、市政协领导,曾任市几套班子正职负责同志,省社科规划办和地方文史专家中征求意见。有领导同志专门约谈了相关主编。市统计局、市财政局专门就当代卷所涉及的经济社会数据进行了审核。在出版过程中,安徽人民出版社相关编辑人员进行逐章的审阅,包括采用的插图照片等在内,提出修改、补充、更换的意见,为全书的出版付出了辛勤的劳动。这里,谨向所有为本书编纂和出版付出努力的同志,表示我们衷心的敬意与谢忱!

在编纂《合肥通史》的过程中,从先期的课题招标到后期的专题研讨,编委会有选择地出版了"《合肥通史》专题研究丛书"六本:《李鸿章与淮军的创建》《图说合肥城市记忆》《秦汉魏晋时期的合肥史研究》《明清时期巢湖流域农业发展研究》《巢湖诗话》《合肥旧志研究》。在300万字《合肥通史》出版的同时,我们还出版了25万字的《合肥通史简明读本》。

2011年以后,《合肥通史》编委会部分领导同志因工作变动而有所调整,他们是:曾经担任《合肥通史》编委会名誉主任的孙金龙和吴存荣,编委会副主任的魏晓明和杨增权,编委会成员单位的领导陈啸、张长淮、项贤峻、王节、方东玲、陈军、胡玉兰、董吉华、高晓光、凌明、徐静平等。他们都曾给予《合肥通史》的编纂工作以热情关心和大力支持。

本书不足之处在所难免,敬请广大读者不吝赐教。

《合肥通史》编纂委员会

2016年12月